AL RESCATE

La biografía de

THOMAS S. MONSON

AL RESCATE

La biografía de

THOMAS S.
MONSON

POR HEIDI S. SWINTON

DESERET
BOOK

Library of Congress Cataloging-in-Publication Data

Swinton, Heidi S., 1948– author.
  [To the rescue. Spanish]
  Al rescate : la biografía de Thomas S. Monson / Heidi S. Swinton.
    pages cm
  Includes bibliographical references and index.
  ISBN 978-1-60907-001-4 (hardbound : alk. paper)
  1. Monson, Thomas S., 1927– 2. Church of Jesus Christ of Latter-day Saints—Presidents—Biography. 3. Mormons—United States—Biography. I. Title.
  BX8695.M56S9518 2012
  289.3'32092—dc23   2011041200

Impreso en los Estados Unidos de América
Lake Book Manufacturing, Inc., Melrose Park, IL

10   9   8   7   6   5   4   3   2   1

A Jeffrey

y a nuestros hijos: Christian, Cameron,
Daniel, Jonathan e Ian

CONTENIDO

CONTENIDO

PREFACIO

En horas del anochecer del 18 de junio de 2008, sonó el teléfono en la casa de la misión en Cobham, Inglaterra, y mi esposo contestó. Al hacerlo, me miró sonriendo y con marcada sorpresa dijo: "Es el presidente Monson y quiere hablar contigo".

No pude menos que preguntarme qué habría hecho para merecer que el Presidente de la Iglesia me llamara a Inglaterra. Con su voz tan familiar, él comenzó diciéndome: "¿Cómo estás, Heidi?". Conversamos acerca de la misión y los misioneros, sobre nuestras experiencias en Inglaterra y de la familia. Luego me dijo: "Quiero que sepas que muchas personas han estado pidiéndome que publique mi biografía y he orado al respecto. He hablado con Frances y he decidido pedirte que la escribas tú".

"Presidente, sería para mí un honor", le dije, y con cierta sutileza agregué: "pero estoy en Inglaterra". Lo imaginé pensando en silencio: *Ya lo sé; fui yo quien te llamó.* "Pero no estás muy ocupada, ¿verdad?", dijo. "Puedes empezar a escribir antes de volver a casa". Eso me introdujo a una de sus enseñanzas predilectas: que la fe y la duda no pueden estar en la misma mente al mismo tiempo.

Durante el siguiente año—aún en el extranjero—escudriñé biografías de presidentes de la Iglesia y de personajes destacados de la historia. Estudié, bosquejé y catalogué todos los discursos que el presidente Monson ha dado en los últimos cuarenta y siete años. Tuvimos videoconferencias con él desde la oficina de la misión todos los meses, conectándonos a través del océano y de siete zonas de tiempo. Cuando llamé a su oficina para programar la primera "entrevista", Lynne Cannegieter, su secretaria personal, me preguntó cuánto tiempo necesitaba para hablar con él. Sabiendo cuán ocupado estaba, le sugerí cuarenta y cinco minutos. Noté una larga pausa y pensé que había pedido demasiado, pero Lynne dijo: "No, va a necesitar más que eso. Él va a querer hablar con usted por lo menos un par de horas".

En aquella primera sesión, recuerdo haber reconocido que su interés y sus sugerencias tenían muy poco que ver con fechas, épocas y lugares. Él contempla la vida y enseña el Evangelio a través de los ojos de la experiencia. Me di cuenta de que se siente más cómodo contestando preguntas con relatos de la vida real; no las llama "historias" porque son verdaderas; ocurridas a personas reales, y en las que muchas veces él estuvo presente.

He leído sus diarios personales escritos desde 1963 en adelante, los cuales reflejan más que sus hechos. Los relatos elogian a aquellos con quienes trabaja y a los que tiene la oportunidad de conocer. Manifiestan su disposición a responder a la guía del Señor y su gratitud por tales oportunidades.

No demoré en darme cuenta de que éste no es un hombre común y corriente. Ha sido educado por el Señor desde su infancia, y ha tenido la compañía del Espíritu, así como una extraordinaria fe en Jesucristo y en nuestro Padre Celestial. Como resultado de ello, su biografía refleja ese antecedente. Su vida no tiene que ver con los lugares que visitó y lo que hizo allí, sino con lo que aprendió de ello. Llegué a la conclusión de que no hay otra manera de calificar al hombre cuyas experiencias se asemejan a las que leemos en los libros de Mateo, Marcos, Lucas y Juan. Cuando me senté a escribir, podía oírlo enseñar una experiencia tras otra y comprendí que para que concordara con su vida, su biografía debería reflejar tal modelo. Por consiguiente, se ha dado forma a este libro en base a los relatos personales de él y a los principios que éstos enseñan.

En mi investigación me di cuenta de que es mucho lo que se podría escribir para describir las manos que él ha levantado y los corazones que ha conmovido. Dondequiera que se menciona su nombre, se dejan oír historias de cuándo, dónde y cómo ha influido en los demás, no sólo de una persona, sino de muchas. Tal era el caso aun cuando me encontraba al otro extremo del mundo.

Otra cosa que advertí desde el principio fue que él es tan bueno como aparenta serlo. Es la clase de persona que la gente piensa que es. No es presumido ni jactancioso. En todo momento demuestra lo que realmente es. He permitido a las personas más cercanas a él compartir sus observaciones en cuanto a este hombre singularmente bueno.

¿Y acaso no debe serlo? Es el profeta escogido del Señor en la tierra hoy. No es perfecto, pero buscarle debilidades es insinuar que el ser mortal puede medir y evaluar la vida de un siervo tan singular de Dios. De él aprendemos lo que aprendimos de Abinadí, Nefi, Enós, Pedro y José Smith: que el Señor llama a discípulos a Su obra cuando los necesita. Siempre ha sido así.

En esta era de la última dispensación, cuando diversas culturas han desperdiciado sus derechos a la inspiración de Dios, cuando el corazón de los hombres ha flaqueado y sus intenciones no concuerdan con las enseñanzas del Señor Jesucristo, nuestro Padre Celestial ha puesto un profeta entre nosotros a fin de que podamos seguir adelante.

He estado sentada en su oficina (a la que llamo el estanque de Betesda) y allí he sentido lo que tantos otros han sentido. Él me miró con ojos bondadosos cuando el peso de mi asignación me había agotado y me preguntó: "¿Qué puedo hacer para ayudarte?". Lo que hizo fue hablarme, atrayendo la influencia del Espíritu para transmitir paz a mi alma. Había leído que eso mismo les ha pasado a otras personas; yo he recibido esa bendición como testigo de que Thomas S. Monson habla como un Profeta de Dios. El título de su biografía, *To the Rescue* (*Al Rescate*), es apropiado para un hombre cuya vida ha sido dedicada a tal servicio.

Hay mucha gente que ha acudido al rescate desde que iniciamos este proyecto.

He tenido la fortuna de trabajar con Lynne Cannegieter, la secretaria del Presidente, quien ha servido en su oficina durante cuarenta y cinco años. Me he beneficiado por su conocimiento, lealtad, honradez, perspicacia y sabiduría.

Mientras estuve en Inglaterra, le pedí a la investigadora histórica y escritora Tricia H. Stoker que colaborara en este proyecto. Juntas, hemos forjado sentimientos de afecto hacia el servicio que el presidente Monson prestó en Alemania Oriental, y hacia los muchos miembros de esa tierra cuyas historias son sencillamente extraordinarias. No podría haber hecho este trabajo sin su ayuda.

Ambos consejeros del presidente Monson—el presidente Henry B. Eyring y el presidente Dieter F. Uchtdorf—han accedido a ser entrevistados y nos han dado apoyo en estos últimos meses, así como cada miembro del Quórum de los Doce, varios miembros de los Setenta, el Obispado Presidente y oficiales generales de la Iglesia. Sus perspectivas han resultado ser de mucho valor para dar forma a esta biografía. Particularmente, el élder Robert D. Hales ha demostrado ser una mano y una voz orientadoras.

Los hijos del presidente Monson—Tom, Ann y Clark—así como los hermanos y las hermanas de él, han participado en entrevistas y han ofrecido detalles de su hogar y familia, muy importantes para la biografía. Agradezco a los amigos íntimos del presidente Monson de Alemania y de Canadá, quienes nos atendieron muy bien cuando los visitamos y recordamos sagradas experiencias de la vida de él.

Agradezco sinceramente a Christine Marin, del Departamento de Historia de la Iglesia, quien me ha proporcionado incomparable ayuda para obtener materiales; a Cristy Valentine, Pat Fought y Renee Wood, de la oficina del presidente Monson, y a Brook Hales, de la oficina de la Primera Presidencia. Todos ellos han cooperado y han sido pacientes y alentadores. Estoy agradecida por el amor de nuestros misioneros y por los fieles santos que llegamos a conocer muy bien en la Misión Inglaterra Londres Sur.

Agradezco a todos los que han compartido sus historias. Muchas se mencionan en este libro, pero se habrían requerido varios tomos para incluir todo.

Deseret Book tradicionalmente ha publicado la biografía de todos los profetas de esta dispensación. A Sheri Dew, quien ha escrito dos de ellas, y ha sido una mentora y buena amiga para mí, siempre le estaré agradecida. A Emily Watts, cuya habilidad como editora es magistral; a Richard Erickson, cuyo talento como diseñador es incomparable; y a Cory Maxwell, quien es todo un caballero y siempre infunde aliento, les agradezco su infatigable colaboración. Asimismo, agradezco a Rachael Ward la tipografía y a Scott Eggers el hermoso diseño de la tapa.

Más importante aún, le estoy muy agradecida a mi esposo, Jeffrey, quien durante los dos últimos años—y a lo largo de toda nuestra vida de casados—ha sido mi inspiración, consejero, querido amigo y refugio; lo amo. Nuestros hijos, Cameron, Daniel, Jonathan e Ian; sus admirables esposas, Kristen, Julia, Annie y Janelle; y nuestros seis nietos, me han alentado constantemente. Mi madre es un ejemplo de valor y determinación. Barbara Lockhart y muchas otras personas han sido auténticos amigos a la mejor tradición de los Monson. Wayne y Leslie Webster han hecho posible que nos concentráramos en realizar esta labor para el Señor.

Con mucha frecuencia, el presidente Monson ha aconsejado a los miembros a "eliminar la debilidad de trabajar a solas y substituirla con la fuerza de muchos trabajando juntos". Esta biografía es un testimonio de tales esfuerzos. Aún así, aunque mucha gente me ha acompañado, solamente yo soy responsable de la creación y las conclusiones de esta obra. Ha sido un verdadero privilegio; he llegado a saber que de verdad el Señor está a nuestra diestra y a nuestra siniestra, y que hay ángeles a nuestro alrededor para sostenernos (véase Doctrina y Convenios 84:88).

—HEIDI S. SWINTON

INTRODUCCIÓN

AL RESCATE

Él se asemeja más a Cristo que el resto de nosotros. Se le conoce por destacar y acentuar las cosas sencillas que son más importantes. Él es por quien la viuda y el huérfano no son simplemente declaraciones en un libro.

PRESIDENTE BOYD K. PACKER
Presidente del Quórum de los Doce Apóstoles

UN DOMINGO LLUVIOSO Y SOMBRÍO, el 2 de diciembre de 1979, un sociable Apóstol de Dios, con pasos largos y firmes, entró en el deprimente hospital de Dresde, en la República Democrática Alemana. Se trataba de Thomas S. Monson. Respondiendo a un cierto impulso, había volado más de 8.300 kilómetros y cruzado la llamada Cortina de Hierro hasta el puesto de inspección Charlie con el solo propósito de darle una bendición a Inge Burkhardt.

Inge había estado nueve semanas en el hospital a causa de complicaciones tras una operación de vesícula biliar que resultaron en pulmonía y otras enfermedades. Los médicos recomendaban otra cirugía—de dudosa eficacia—en una sala de operaciones que carecía de calefacción y que solamente disponía de un anticuado equipo. Cuando el élder Monson se enteró de tal situación, tomó un avión. Sin planearlo de antemano, mas respondiendo al Espíritu y al amor que sentía por la familia Burkhardt, viajó hasta el otro extremo del mundo para ministrar a una sola alma.

"Unimos nuestra fe y nuestras oraciones al darle una

bendición," escribió en su diario el élder Monson. La escena al salir del hospital quedará permanente grabada en su recuerdo. "Cuando miramos hacia arriba, vimos a la hermana Burkhardt, que desde la ventana de su habitación nos decía adiós con la mano"[1].

Mirar hacia arriba es lo que Thomas S. Monson hace mejor. Con frecuencia cita este verso:

> *Mayor que todas Tus obras,*
> *supremo en Tu santo plan,*
> *has puesto en el corazón del hombre*
> *el anhelo del cielo tocar*[2].

Tal como miles de otros Santos de los Últimos Días, los Burkhardt estaban atrapados en un país asediado por guardias armados. Los oficiales gubernamentales permitían la adoración religiosa, pero a quien practicara su religión se le consideraba sospechoso. El gobierno comunista señaló a Henry Burkhardt, presidente de la Misión Dresde durante diez años, como el representante de la Iglesia en esa tierra, lo cual no significaba mayor honor. Él no progresaba en su trabajo; a sus hijos se les negaban oportunidades educacionales, y a él y a su esposa Inge los vigilaban constantemente.

Si le pedimos a Henry que describa la experiencia más significativa que tuvo con el élder Monson durante las dos décadas en que el vigoroso joven apóstol supervisó y visitó Alemania Oriental, veríamos lágrimas aflorar en sus ojos. Henry pasaría por alto la entrevista a la que asistió con Erich Honecker, el más alto líder de la nación, cuando el presidente Monson pidió y obtuvo permiso para que los misioneros sirvieran en Alemania Oriental—conocida entonces como la República Democrática Alemana—aunque el acontecimiento fue digno de referencia en la primera plana de los periódicos. No haría mención a la serena mañana en la que desde el cerro junto al río Elba, el élder Monson bendijo esa tierra, "para el progreso de la obra" del Señor Jesucristo y Su evangelio, e hizo promesas aparentemente imposibles a los santos víctimas de un gobierno totalitario. Henry tampoco describiría las numerosas reuniones que efectuaban en viejos automóviles que estacionaban en lugares sombríos para evitar que agentes del gobierno los escucharan por medio de aparatos electrónicos, mientras ellos se agachaban para escuchar las enseñanzas de un apóstol en cuanto a lo que se tenía que hacer para que la Iglesia progresara en un país no temeroso de Dios.

Lo que sobresale en el recuerdo de Henry es aquel día en el hospital, cuando el élder Monson fue a darle una bendición a Inge. Ésa fue una misión de rescate.

Mientras se encontraba en el país, el élder Monson accedió a reunirse de improviso con los líderes del sacerdocio de esa región, a la cual, con escaso aviso, asistieron 37 de los 39 miembros activos. Se reunieron en la "capilla" de Leipzig, abrigados con ropas andrajosas, puesto que la calefacción no funcionaba desde hacía mucho tiempo. Pero "en su corazón no carecían de tibieza", dijo el élder Monson. "Tenían consigo sus Escrituras, cantaron con sentimiento y manifestaron un gran espíritu de devoción hacia el Evangelio"[3]. Después volvió a su hogar.

Tal es el ministerio de Thomas S. Monson, decimosexto Presidente de La Iglesia de Jesucristo de los Santos de los Últimos Días, profeta, vidente y revelador.

Durante Su ministerio en el meridiano de los tiempos, Jesucristo "anduvo haciendo bienes . . . porque Dios estaba con Él"[4]. Bendijo al enfermo, restauró la vista al ciego, hizo que el sordo oyera y que el cojo y el paralítico caminaran. Para enseñar el perdón, enseñaba; para enseñar la compasión era compasivo; para enseñar la devoción daba de Sí mismo; y para enseñar a amar a Su Padre Celestial amaba a los demás de manera individual.

De igual manera, Thomas S. Monson ha dedicado su vida a hacer el bien. Ha estimulado, alentado, escuchado, aconsejado y compartido experiencias personales, siempre con el singular propósito: fomentar la fe en el Señor Jesucristo.

Jesucristo llamó a Sus discípulos para que lo siguieran y fueran "pescadores de hombres". Hoy, Sus discípulos tienen el mismo llamamiento. El "sitio de pesca" más productivo del presidente Monson puede compararse al estanque de Betesda, donde "yacía una multitud de enfermos, ciegos, cojos y paralíticos" en épocas del Nuevo Testamento, con el deseo de ser "sanados"[5]. Él comprende de dónde proviene tal sanidad: "Recordemos que no fueron las aguas del estanque de Betesda lo que sanó al hombre enfermo; más bien, recibió la bendición por medio del toque de la mano del Maestro"[6].

Durante mucho tiempo—toda una vida—Thomas S. Monson se ha acercado a quienes aguardan junto al "estanque", los que llevan sobre sí el desespero, el desaliento, los padecimientos, el dolor y hasta el pecado, y ha unido su fe a la de ellos para que fuesen sanados.

El hombre que Jesucristo sanó junto al estanque de Betesda pasaba aparentemente inadvertido. Nadie veneraba su presencia ni se sentía elevado a su lado. Pero el Salvador fue directamente a él[7]. Y así lo hace el presidente Monson. También él visita al cansado y al desamparado, les pone las manos sobre la cabeza y con su voz tan singular, les brinda inspirado consejo. "Creo firmemente", ha dicho muchas veces, "que la experiencia más dulce en la vida mortal es saber que nuestro Padre Celestial ha obrado por medio de nosotros para llevar a cabo un propósito en la vida de otra persona": ayudar a alguien a sanar[8].

"Procuren rescatar . . . a los ancianos, a los viudos, a los enfermos, a los desvalidos, a los menos activos", ha dicho, y después da el ejemplo. "Extiéndanles una mano de ayuda y un corazón que conozca la compasión"[9].

Cuando fue a Alemania Oriental, Thomas Monson extendió su mano y su corazón a Inge Burkhardt y por medio de fe y oraciones ella "sanó".

Cuando presidió el Comité de Publicación de las Escrituras, pasó diez años ampliando el acceso a las palabras del Señor con nuevas ayudas de estudio para que los miembros enriquecieran su entendimiento del Señor Jesucristo y "sanaran".

Cuando se sentó junto a la cama de su esposa durante diecisiete días en el hospital mientras ella estaba en coma, imploró al Señor que interviniera. Los médicos trataron de prepararlo ante la posibilidad de que ella nunca despertara, pero él sencillamente confió en el Señor, sabiendo que su oración de fe sería contestada. Ella despertó; había sido sanada.

Cada vez que asiste al funeral de una de sus innumerables amistades, tales como Robert H. Hodgen, el carpintero que construyó su gallinero y remodeló la cabaña de la familia en Vivian Park, él expresa gratitud por un servicio que muy poca gente reconoce pero que sin embargo es una preciada contribución.

Cuando le preguntan cómo es que encuentra el tiempo para hacer tales cosas, considerando las exigencias de su ministerio, él responde: "Soy un hombre muy sencillo y sólo hago lo que el Señor me pide que haga"[10].

Después de su sostenimiento en la asamblea solemne durante la Conferencia General Anual número 178 de La Iglesia de Jesucristo de los Santos de los Últimos Días, el presidente Monson se presentó ante la Iglesia (contando en ese momento con trece millones de miembros), y exhortó a los "menos activos, a los ofendidos, a los críticos, a los transgresores" que regresaran. Les suplicó a quienes estuvieran heridos en espíritu o en una lucha interior y temerosos, que permitieran que se les sostuviera, alentara y calmara, para que fueran sanados[11].

Para el presidente Monson, ser "sanado" no significa ser corregido, reparado o renovado. La *sanidad* a la que él se refiere es mucho más que eso; es la descripción de una vida terrenal en la que abunda el Espíritu de Dios y una en las eternidades en presencia del Padre. Él no desea otra cosa para todos los hijos de Dios: "Les ruego que vayan con fe a nuestro Padre Celestial. Él los levantará y los guiará. No siempre les quitará las aflicciones que padecen, pero los consolará y orientará con amor a través de cualquier tormenta que estén enfrentando"[12].

Su optimismo natural es algo muy evidente para toda persona que lo conoce o a quien lo presentan. Comienza la primera reunión del día con una canción; silba al promediar el día e invita con sinceridad a otras personas a hallar "gozo en el trayecto" en todo momento. Al principio de su ministerio podía atender personalmente a los necesitados; las exigencias de su oficio profético ahora requieren que recurra a la ayuda de muchos colaboradores.

Para el presidente Dieter F. Uchtdorf, Segundo Consejero de la Primera Presidencia de la Iglesia, "es una experiencia maravillosa estar diariamente cerca del profeta, sentarnos con él todos los días y percibir su proximidad al Señor. Siempre se presentan cosas que requieren que la Primera Presidencia tome medidas, tanto asuntos espirituales como temporales, bajo la dirección del profeta"[13].

A "Betesda", en diccionarios bíblicos, se le describe como "casa de misericordia o gracia". Comparativamente, no podría haber una mejor descripción de la presencia del presidente Monson, doquiera que se encuentre. Algunos de aquellos a quienes ministra parecen estar bien por fuera, pero su alma implora ayuda. Él los oye y continuamente les ha ofrecido la promesa de paz, esperanza y consuelo, más allá de sus desafíos y aflicciones, algunos de ellos aparentemente insuperables. Con frecuencia cita esta promesa de Jesucristo: "Iré delante de vuestra faz. Estaré a vuestra diestra y a vuestra siniestra, y mi Espíritu estará en vuestro corazón, y mis ángeles alrededor de vosotros, para sosteneros"[14]. Él ama este versículo porque se refiere a cómo, mediante el poder de la Expiación, somos sanados.

Tal como el antiguo tabernáculo de los israelitas, su "estanque" de salvación y amor es portátil. El presidente Monson lo lleva consigo dondequiera que vaya: a Inge, en Alemania Oriental, a una tropa de scouts que acampa en un terreno cubierto de barro, a una pequeña villa en Tonga o en Perú, al lecho del enfermo o del moribundo, y a la boda de seres queridos en los santos templos de Dios. Ciertamente, la mejor manera de expresar su ministerio es mediante la atención que presta a sanar almas.

Para él, las necesidades son programáticas (ahí es donde entra el plan de bienestar) y personales (ahí es donde entra él). Mucha gente lo ha descrito como "el obispo" de la Iglesia. Siempre ha sido y siempre será un paladín del extraordinario programa de bienestar de la Iglesia, el cual ha respondido a las necesidades de la gente durante más de medio siglo. Pero más allá del respaldo que ofrecen tales programas, él toma la iniciativa de auxiliar a quienes flaquean en su testimonio, padecen enfermedades, lamentan la pérdida de un ser amado, o se sienten abandonados[15]. La lista es interminable, pero está siempre presente en su mente y en su corazón. Cuando se siente inspirado, acude al rescate.

Su vida es un testimonio de cuán importante es responder a la inspiración personal. "Cuando obedecemos a un impulso y actuamos de un modo acorde, reconocemos que el Señor nos ha dado la inspiración. Me hace sentir bien saber que el Señor sabe quién soy y me conoce lo suficiente para saber que si tiene una tarea que encomendarme y me la encomienda, aquello será hecho"[16]. En pocas palabras, él no necesita pensar en cuanto a dónde, qué o cómo. "A donde me mandes iré, Señor", es lo que siempre ha caracterizado al presidente Monson[17].

Y Frances, su esposa, siempre ha estado a su lado. El cometido de ella hacia el llamamiento de su esposo es semejante al de él. Ella es reservada en su forma de actuar, sabiendo que todo lo que dice, hace y emprende se reflejará en el llamamiento que su esposo ejerce. Para compartir esa responsabilidad, ella lo apoya de la mejor manera posible y da testimonio de la divinidad de Jesucristo a los santos de muchas naciones.

A modo de reconocimiento, él ha dicho: "Yo no podría haber pedido una compañera más leal, amorosa y comprensiva"[18].

Cada vez que el presidente Monson ha hablado en cuanto a "la milagrosa fortaleza" y "la vigorosa potestad"[19] de esposas y madres en el hogar, él ha tenido como modelo a su dulce compañera. Ella ha viajado con él cuando ha podido hacerlo mientras cuidaba también a su familia, ha estado siempre dispuesta a acompañar a su esposo cuando él debía visitar a alguien del otro lado de la ciudad, ha aguardado sin quejarse mientras él daba una bendición tras otra, cuando una visita rápida al hospital llevaba horas. Muy pocas veces se han sentado juntos en reuniones de la Iglesia. Ella siempre le ha preparado su maleta para cada uno de sus viajes; le ha preparado el desayuno todos los días, aunque eso requiriera que se levantara a las 4:30 de la mañana, antes de que él saliera en un viaje de "pesca".

Habiendo sido llamado por el presidente David O. McKay a servir como Apóstol en 1963, cuando la Iglesia surgía como una denominación religiosa mundial, el élder Monson viajó a cada continente mientras también cumplía con importantes asignaciones en comités; y él los presidió todos. Como miembro del Quórum de los Doce asistía todas las semanas a conferencias de estaca y, más adelante, cuando pasó a integrar la Primera

Presidencia, a conferencias regionales. Él ha asistido a innumerables ceremonias de palada inicial y dedicaciones de templos, y llevó a cabo incontables giras misionales.

El aspecto logístico no ha sido fácil. Él ha enfrentado tormentas de relámpagos mientras viajaba en avión, demoras en aeropuertos y en el aire, vuelos cancelados, pérdidas de equipaje, largos viajes en autobús a través de la selva para asistir a reuniones y, sin embargo, ha llegado—con el Espíritu—listo para enseñar y predicar a los miembros.

Su colega en el Quórum de los Doces Apóstoles, el élder Joseph B. Wirthlin, describió a su amigo de muchos años como "un poderoso hombre de Israel que fue preordenado para presidir esta Iglesia". Elogiándolo, agregó: "Aunque para él es un cumplido que muchas personas de distinción en el mundo lo honren, quizás sea un tributo aun mayor que otras más humildes lo vean como un amigo"[20].

Uno de sus buenos amigos fue Everett Bird, con quien crió gallinas. Everett mantenía en su gallinero las gallinas del élder Monson y por eso le enorgullecía mostrarlas. Refiriéndose a su amigo, el élder Monson dijo una vez: "A diario me maravillo al ver que la mayoría de la gente buena del mundo no recibe aplausos ni publicidad, sino que viven una vida buena dentro de un pequeño círculo y un día merecerán una eterna recompensa"[21].

El presidente Monson en verdad ama a la gente y es profundamente fiel a sus amigos y colaboradores. Se relaciona bien con todos, en todos lados, y muchas personas a través de los años se han sorprendido y complacido al enterarse de que él todavía los recuerda. Cierto domingo, al darle una bendición a su amigo Don Balmforth, miembro del antiguo Barrio Sexto-Séptimo, lo alentó diciéndole: "Recuerda, Don, que yo he sentido tu influencia. Dondequiera que voy, tú vas; dondequiera que hablo, tú hablas; dondequiera que sirvo, tú sirves". Ese mismo día, el élder Monson fue hasta el otro lado de la ciudad para darle una bendición a Louis McDonald en un hogar de ancianos, y más tarde fue a la casa de su hermano Bob para darle otra a él. Su comentario fue: "Éste ha sido un día muy ocupado"[22].

Es por eso que su desafío—"al rescate"—tiene tal resonancia e integridad. Él ya lo ha practicado.

"Su personalidad es realmente optimista, sociable y cordial", explica el élder Jeffrey R. Holland. "Es un ser impresionante. Su entusiasmo llena completamente su enorme marco físico. No obstante, cuando se refiere a algún incidente en su vida, a la enfermedad de una Autoridad General o al fallecimiento del nieto de uno de sus compañeros de escuela, instantáneamente se pone a llorar. Sus ojos lo traicionan. Al momento de hablar sobre algo espiritual o personal, sus ojos se enrojecen"[23].

Como administrador, "no se apresura a juzgar ni actúa con apasionamiento", explica el élder Robert D. Hales. "Él prefiere el diálogo, con sus consejeros y con miembros del Quórum. Es extraordinario; considera cada detalle y entonces recurre a la oración. No esperemos que ofrezca una opinión y que pida que se adopte inmediatamente. Le agrada decir que mide dos veces y corta sólo una, pero en realidad mide cinco o seis veces antes de cortar"[24].

El élder Ronald Rasband, Presidente de los Setenta, recuerda una amigable conversación con el presidente Monson en el vuelo de regreso tras la dedicación del Templo de Sacramento [California]. "A él le encanta conversar sobre temas cotidianos, ya sea de baloncesto, de escultismo, de béisbol, de pesca, o de lo que acontece en la comunidad o en la peluquería. Se interesa en lo que les acontece a las personas comunes y le agrada conversar sobre todos esos temas y le hace sentir muy cómodo a uno en cualquier tema que se trate"[25].

El presidente Monson no nació en un ambiente de prosperidad, pero en su hogar abundaba el espíritu de amor. No hay duda de que en su juventud fue preparado para rendir servicio con singular habilidad. Siempre ha sido un líder, desde que recibió su primera asignación como secretario del quórum de diáconos hasta el manto profético que descansa hoy sobre él. Aquellos que formaron parte de su quórum de maestros del que fue presidente pueden testificar que nunca los descuidó y que finalmente los llevó al templo. La experiencia le ha enseñado que "el manto del liderazgo no es la capa de la comodidad, sino el manto de la responsabilidad"[26].

Éste es un hombre que nunca ha abandonado sus amarras. Los recuerdos de su niñez revelan mucho más que sólo su crecimiento; hablan de la seguridad de contar con abuelos, tías, tíos y primos; de los ejemplos de padres virtuosos y trabajadores; y de un ambiente religioso que fomentó en él la fe y el testimonio. Nacido y educado en un vecindario de trenes que pasaban y transeúntes que llamaban a la puerta, él aprendió y ejerció el amor por el Señor, interés por los ancianos, compasión por los necesitados, lealtad, laboriosidad y un profundo compromiso hacia el deber.

Aunque ha llevado un diario personal desde que fue llamado al Quórum de los Doce en octubre de 1963, él no es muy detallista; la fecha, la hora y el lugar son simplemente telones de fondo para destacar la manifestación de la mano de Dios. Las voluminosas páginas del diario contienen sus prioridades; escribe muy poco en cuanto a reuniones y mucho acerca de personas. Se siente tan cómodo con quienes limpian el edificio como con embajadores de naciones. Cada uno de ellos es de igual importancia para él. Cuando habla acerca de sus experiencias, exhorta a que quienes lo escuchan contemplen su propia vida y perciban cómo el Salvador envía rescatadores con pequeñas cosas: la visita de un amigo, una nota, y el afectuoso y necesario apretón de manos.

Cierto día de marzo de 1995 es un buen ejemplo. El élder Russell M. Nelson llevó a Bruce D. Porter, un profesor de la Universidad Brigham Young, y a su esposa, Susan, a la oficina del presidente Monson para una visita informal. (Pocas semanas después, el hermano Porter fue llamado como miembro del Segundo Quórum de los Setenta). Sin embargo, esa historia no comenzó en la oficina del presidente Monson, sino en Alemania en 1972, cuando el joven élder Porter, uno de los secretarios en la oficina de la misión, fue asignado a ayudar al élder Monson, quien estaba organizando la Estaca Dusseldorf del Distrito Ruhr de la Misión Central Alemana. El élder Porter pasó tres días maravillosos en compañía del élder Monson como chófer, traductor y coordinador de actividades. El élder Porter no esperaba que el presidente

Monson se acordara de él veintitrés años más tarde, pero antes de que extendiera la mano para saludarlo, el presidente Monson cruzó la oficina con los brazos abiertos y dijo: "¡Dusseldorf!"

Cuando tenía veintidós años de edad, el presidente Monson fue llamado como obispo del barrio donde había crecido. De hecho, él y Frances han sido miembros sólo de ése y de otro barrio, durante toda su vida de casados. Él presidió el Barrio Sexto-Séptimo de la Estaca Temple View, un barrio de más de 1.080 miembros, 85 de los cuales eran viudas. No hay duda de que esos años forjaron su perspectiva y destreza en el liderazgo de la Iglesia. Tenía bajo su cuidado a los necesitados, ancianos, enfermos, huérfanos y desvalidos que esperaban junto al "estanque". Los encontraba en cada lugar que visitaba. Durante los cinco años que fue obispo, aprendió bien sus lecciones de escuchar al Espíritu, de responder a las impresiones y hacer lo que el Señor nos manda.

"Cuando llegamos a la conclusión de que nuestro Padre Celestial nos conoce, Él nos dice: 'Ve y haz esto por mí'", explica el presidente Monson. "Siempre le agradezco; lo único que lamento es no disponer de más tiempo para hacer las muchas otras cosas que se nos pide que hagamos. Pongo todo mi esfuerzo en lo que hago, pero nunca siento que haya hecho todo lo que tendría que hacer"[28].

A los veintisiete años de edad fue llamado a servir en la presidencia de su estaca; a los treinta y uno, como presidente de misión en Canadá y a los treinta y seis como Apóstol llamado por Dios. "El Señor lo eligió específicamente a él para ser el profeta", dice el élder L. Tom Perry, quien ha servido junto al presidente Monson en los Doce desde 1974, "y él estaba bien preparado y capacitado para cuando se le necesitara para edificar el reino de nuestro Padre Celestial en la tierra"[29].

Su inimitable estilo de oratoria lo ha hecho llegar al corazón de millones de personas al referirse a las doctrinas y los principios del Evangelio por medio de experiencias personales. En cada una de ellas hay lecciones de virtud e integridad. Él llega a quienes lo escuchan con relatos de su propia vida o con las experiencias de personas cercanas a él, y después les ofrece maneras de aplicar el principio enseñado.

Para el presidente Monson, "la religión pura y sin mácula delante de Dios el Padre es ésta: Visitar a los huérfanos y a las viudas en sus tribulaciones, y guardarse sin mancha del mundo"[30]. Él habla de ello; él lo vive, y espera que los demás hagamos lo mismo. "Nuestra felicidad está completamente ligada a otras personas: familia, amigos, vecinos y a la mujer que apenas advertimos, aquella que limpia la oficina"[31].

Al igual que el Salvador, él vela por las viudas. Las 85 que había en el Barrio Sexto-Séptimo, no eran un número para él. Esas mujeres eran almas nobles cuyas circunstancias se veían mitigadas por la forma como Dios las veía. Éste es un hombre que se sienta en un hogar de ancianos y explica las reglas del fútbol americano a mujeres con la mirada fija en la pantalla del televisor. Para ello, es posible que se haya perdido una reunión, pero a cambio habrá "cosechado un recuerdo". Cuando habla con quienes parecen ausentes mentalmente, disfruta los monólogos, pues siente que ha "hablado con Dios"[32].

"Él está realmente dedicado a rescatar a los demás", observa el presidente Henry B. Eyring, Primer Consejero de la Primera Presidencia. "Pensé que sabía de su capacidad de recordar a todo el mundo y de extender su mano de ayuda hasta a los más desapercibidos. Pero va mucho más allá; puedo decir que mejoro como persona cada día que trabajo con él. Me intereso y pienso en los demás mucho más que antes en mi vida. Él ha tenido ese asombroso efecto en mí"[33].

"Las oraciones de la gente", ha enseñado el presidente Monson, "casi siempre se contestan mediante los hechos de otras personas"[34]. Por tal razón, su visita a Dresde fue mucho más que un viaje rápido para ver a una querida amiga. Fue una reiteración de que Dios visitará a sus hijos "en sus tribulaciones". En ese caso, llevó el "estanque" consigo detrás de la Cortina de Hierro.

Durante casi cinco décadas, ha ofrecido "agua viva" a quienes tan desesperadamente la necesitan. Los miembros de la Iglesia, desde Tahití hasta Alemania, lo han observado, lo han seguido y han aprendido de él mediante una voz que habla de espíritu a espíritu:

"Todos podemos caminar por donde Jesús caminó cuando transitamos por esta vida mortal hablando cual Él habló, teniendo Su Espíritu en nuestro corazón y Sus enseñanzas en nuestra vida. Espero que caminemos como Él lo hizo, con confianza en el futuro, con una fe perdurable en Su Padre y con amor genuino por los demás"[35].

LA FAMILIA DE THOMAS S. MONSON

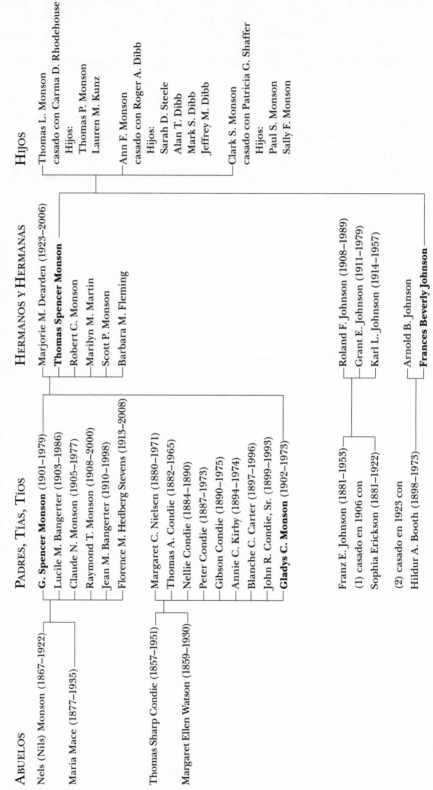

ABUELOS

Nels (Nils) Monson (1867–1922)

Maria Mace (1877–1935)

Thomas Sharp Condie (1857–1951)

Margaret Ellen Watson (1859–1930)

PADRES, TÍAS, TÍOS

G. Spencer Monson (1901–1979)
Lucile M. Bangerter (1903–1986)
Claude N. Monson (1905–1977)
Raymond T. Monson (1908–2000)
Jean M. Bangerter (1910–1998)
Florence M. Hedberg Stevens (1913–2008)

Margaret C. Nielsen (1880–1971)
Thomas A. Condie (1882–1965)
Nellie Condie (1884–1890)
Peter Condie (1887–1973)
Gibson Condie (1890–1975)
Annie C. Kirby (1894–1974)
Blanche C. Carter (1897–1996)
John R. Condie, Sr. (1899–1993)
Gladys C. Monson (1902–1973)

Franz E. Johnson (1881–1953)

(1) casado en 1906 con
Sophia Erickson (1881–1922)

(2) casado en 1923 con
Hildur A. Booth (1898–1973)

HERMANOS Y HERMANAS

Marjorie M. Dearden (1923–2006)
Thomas Spencer Monson
Robert C. Monson
Marilyn M. Martin
Scott P. Monson
Barbara M. Fleming

Roland F. Johnson (1908–1989)
Grant E. Johnson (1911–1979)
Karl L. Johnson (1914–1957)

Arnold B. Johnson
Frances Beverly Johnson

HIJOS

Thomas L. Monson
casado con Carma D. Rhodehouse
Hijos:
Thomas P. Monson
Lauren M. Kunz

Ann F. Monson
casado con Roger A. Dibb
Hijos:
Sarah D. Steele
Alan T. Dibb
Mark S. Dibb
Jeffrey M. Dibb

Clark S. Monson
casado con Patricia G. Shaffer
Hijos:
Paul S. Monson
Sally F. Monson

1

UN PATRIMONIO DE FIELES ALMAS

Al igual que Nefi de la antigüedad, puedo decir que nací de buenos padres, cuyos padres y abuelos fueron recogidos de las tierras de Suecia, Escocia e Inglaterra por dedicados misioneros . . . Tras unirse a la Iglesia, esos nobles hombres, mujeres y niños emprendieron viaje hacia el valle del Gran Lago Salado. Muchas fueron las pruebas y los sufrimientos que encontraron en su camino.

PRESIDENTE THOMAS S. MONSON
Presidente de La Iglesia de Jesucristo
de los Santos de los Últimos Días

VENGAN Y AYÚDENNOS A EDIFICAR Y A CRECER", habían declarado Brigham Young y sus consejeros de la Primera Presidencia en una audaz misiva a conversos de la Iglesia en 1849, tan sólo dos años después de que la primera compañía de pioneros llegara al valle del Gran Lago Salado[1]. Los conversos se dispersaron por la costa este de América y muchos otros les siguieron desde el otro lado del Atlántico.

Vinieron "uno de cada ciudad y dos de cada familia"[2], como lo había profetizado Jeremías en el Antiguo Testamento, y se ajustaban a la definición que el presidente Monson suele dar de un pionero: "Alguien que se adelanta para mostrar a otros el camino a seguir"[3].

Misioneros predicaron el evangelio restaurado de Jesucristo, siendo su mensaje un marcado contraste con la desesperanza que generaban las humeantes chimeneas de las fábricas y los abarrotados guetos industriales. Los misioneros cosechaban conversos de a cientos, la mayoría de ellos de la clase obrera, "de sangre pura, de noble patrimonio, de honrada frugalidad e independencia, de dignas tradiciones e inquebrantable lealtad a la verdad"[4]. El diario *Birmingham Daily Press* publicó que los misioneros "prometieron sacar a los trabajadores ingleses de sus esclavizadoras circunstancias" y que los conversos se congregaban como si estuvieran siguiendo "a un nuevo Moisés enviado por Dios"[5]. No es de extrañar que cada presidente de la Iglesia y cada presidente del Quórum de los Doce Apóstoles tenga raíces en las islas británicas.

Algunos de los antepasados del presidente Monson, los Condie, se encontraban entre los primeros en aceptar el Evangelio y bautizarse en Escocia. Los siguieron los Sharp y los Watson, en medio de "una creciente oleada de emigración religiosa"[6]. Los Miller llegaron de Rutherglen, Escocia; los Mace, del norte de Inglaterra, donde comenzó la cosecha del Evangelio. Los Monson eran de Suecia, la tierra "acariciada por la mano de la belleza"[7].

En una visita a Blekinge, Suecia, el presidente Monson encontró el nombre de su abuelo en un registro local con una anotación que decía: "Se unió a la iglesia mormona y partió hacia Utah". "Tal vez no lleguemos a comprender hoy día la dificultad, el sacrificio y las privaciones que se requirieron para construir los caminos, la cultura, las escuelas, el fundamento mismo de la civilización actual, en el valle del Lago Salado, en el estado de Utah", dijo el presidente Monson al honrar a sus fieles antepasados. "Llegaron a una nueva nación, a un idioma extraño y a una comunidad de desconocidos; pero a Dios sí lo conocían y, lo que es más importante, Él los conocía a ellos y los bendijo y los hizo prosperar"[8].

LOS CONDIE

Gibson Condie, nacido el 14 de junio de 1814, y su hermano Thomas, nacido en 1805, trabajaban en minas de carbón en el pequeño condado de Clackmannan en el corazón de Escocia. Gibson y su familia eran oriundos de las tierras bajas. El carbón abastecía los molinos y las fábricas de la floreciente revolución industrial que se extendía por Gran Bretaña. El trabajo era arduo y peligroso. Gibson dejó las minas y fue a trabajar para Thomas, quien había hecho lo mismo tiempo antes para administrar una hostería.

Thomas permitió que el misionero mormón William Gibson, uno de los primeros élderes escoceses, llevara a cabo reuniones en el segundo piso de la hostería. "Estoy muy agradecido de que uno de mis antepasados dejara las minas de carbón para trabajar en una hostería", dijo el presidente Monson[9]. En 1847 Gibson y su esposa fueron bautizados, y lo mismo hicieron Thomas y su familia más tarde ese mismo año[10].

Gibson y Cecelia Condie no eran aventureros, sino personas temerosas de Dios que se ceñían a las enseñanzas de la Biblia. Su fe los llevó a buscar una vida nueva en una tierra lejana. En 1848 dejaron su hogar, al igual que otros miembros de la Rama de Clackmannan, con rumbo al valle del Lago Salado. Junto a sus hijos, entre ellos dos hijas del matrimonio previo de Cecelia, partieron con todas sus posesiones materiales guardadas en un pequeño baúl.

Se unieron a otros conversos mormones en los muelles de Liverpool, entre quienes se encontraba la familia de su hermano Thomas, y abordaron el *Zetland*, por aquellos tiempos la más grande de las naves fletadas por los mormones y también la más nueva. El 29 de enero de 1849, el barco, con 250 santos a bordo, navegó por el río Mersey hacia el océano desde donde los briosos vientos lo impulsaron en su viaje de 4.800 kilómetros. "Las olas eran altas, el viaje fue largo y los camarotes eran estrechos"[11]. Pese a ello, con gran devoción hicieron frente a la arriesgada travesía creyendo que al final les aguardaban bendiciones. Para algunos, el final llegó antes de lo esperado.

Ya alejados de tierra, el pequeño hijo de Gibson y Cecelia cayó enfermo. Nunca había sido muy saludable, y la predisposición a enfermar en el barco—"comida de mala calidad, agua en mal estado, ninguna ayuda fuera de los confines de esa pequeña embarcación"[12]—probaron ser demasiado para el niño, y murió. El capitán del barco dirigió un breve servicio, tras lo cual el pequeño cuerpo, envuelto en una lona con barras de hierro que hicieran peso, fue deslizado a su tumba en el mar. Tras ello prosiguieron el viaje.

El presidente Monson se refirió a ese sombrío momento: "El padre, sin duda con sus brazos alrededor de su esposa, contuvo las lágrimas al pronunciar: 'El Señor nos lo dio y el Señor nos lo quita; bendito sea el nombre del Señor. Un día volveremos a ver a nuestro hijo'"[13].

El barco atracó en Nueva Orleans el 2 de abril de 1849, después de sesenta y tres días en el mar[14].

Los hermanos Condie, Thomas y Gibson, junto a sus familias, compraron pasajes en el barco a vapor que navegaba por el río Misisipi hacia St. Louis, donde los dos hermanos encontraron trabajo en las minas de carbón de la comunidad cercana de Grove Diggins, para financiar el resto de su viaje. Durante su estancia en St. Louis, Cecelia dio a luz a una niña, Ellen, el 27 de abril de 1849. En la primavera de 1850, Gibson y Cecelia emprendieron su marcha hacia el oeste en una compañía de treinta yuntas de bueyes. Durante el trayecto, al igual que tantos otros santos pioneros, "se dedicaron a ayudar y servir. A veces se divertían con bailes o con otras actividades"[15].

Gibson y su familia entraron en el valle del Lago Salado en un carromato averiado, con dos bueyes delgaduchos y con la determinación de servir a Dios. Gibson era conocido por su familia como "un hombre gobernado por Dios en todas las cosas"[16]. Acamparon en la plaza donde los primeros pioneros habían edificado un vallado que servía de refugio y protección. En esa zona estaría el hogar de los Condie durante cuatro generaciones.

Allí, Gibson y Cecelia tuvieron cinco hijos más, el último de los cuales fue Thomas Sharp Condie, abuelo del presidente Monson, y de quien recibió su nombre.

La vida en la ciudad giraba en torno al barrio donde el obispo era el líder religioso. Allí se celebraban reuniones de predicación todos los domingos y reuniones de ayuno un jueves al mes. Los Condie vivían en el Barrio Sexto. No eran sólo colonizadores pioneros, sino santos que apoyaban firmemente a su profeta, Brigham Young. Gibson Condie, sobrino de Gibson y Cecelia, nacido en 1835, se encontraba entre quienes respondieron al vehemente pedido del presidente Brigham Young en 1856, "de traer" a la compañía de carromatos de Martin y Willie que se encontraba varada en las llanuras. Tenía entonces veintiún años. Él y otros hombres se abrieron paso a través de más de cinco metros de nieve en el casi intransitable cañón que llevaba al valle, para que los emigrantes y quienes los habían ido a rescatar pudieran alcanzar su destino final. "Llegamos justo a tiempo para ayudarlos", escribió Gibson. "Todos descendimos de la montaña y acampamos. El clima era tormentoso y el frío era intolerable. Tuvimos que mantener hogueras encendidas toda la noche para no morir congelados"[17].

En un muro de Martin's Cove, Wyoming, hay una lista que reconoce a "aquellos que rescataron". En una visita al lugar, el presidente Monson dijo de su pariente Gibson Condie, al observar los nombres grabados en el muro: "Bendito sea su nombre"[18].

LOS MILLER Y LOS WATSON

Los misioneros encontraron a la familia Miller en el pueblo minero de Rutherglen, Escocia, una comunidad también conocida por su fabricación de textiles, papel y barcos. Uno de sus once hijos, Margaret, llegaría a ser la bisabuela del presidente Monson. En la primavera de 1848, los Miller también partieron de Liverpool hacia Nueva Orleans y de allí, por río, hasta St. Louis, llegando al bullicioso puerto en 1849.

Al igual que los Condie, la familia Miller trabajó transportando carbón hasta el río Misisipi donde lo cargaban en barcos por tres dólares la tonelada. La familia necesitaba el escaso dinero que ganaban para completar su viaje, pero les sobrevino la tragedia. Ese verano el cólera se esparció a lo largo del río Misisipi, atacando con más fuerza en St. Louis, donde perdieron la vida unos 4.500 inmigrantes a causa de la epidemia. Los Miller no se vieron exentos. En el espacio de dos semanas, murieron cuatro miembros de la familia, entre ellos los padres. Un diario familiar se refiere escuetamente a la tragedia:

"El hijo, William, de 18 años, murió aquí el 22 de junio de 1849. La madre, Mary, murió aquí el 27 de junio, cinco días después. Otro hijo, Archibald, de 15 años, murió dos días más tarde, y el esposo, Charles [Stewart Miller] murió el 4 de julio, una semana después"[19].

Más de un siglo después, en la ceremonia de la palada inicial del Templo de St. Louis, en 1993, el presidente Monson rendiría tributo a sus antecesores: "Siento que me encuentro en terreno sagrado en este lugar donde aquellos queridos antepasados míos culminaron su camino para encontrar a Dios y para establecer Su reino aquí en la tierra"[20].

Debido a la severidad de la plaga del cólera, no se podían encontrar ataúdes por ninguna parte. Los muchachos mayores desmantelaron los corrales de los bueyes e hicieron ataúdes para enterrar debidamente a sus padres y hermanos. Los nueve hijos restantes, tres varones y seis mujeres, tenían de veinticuatro a tres años de edad. Encontrándose huérfanos, en una ciudad extraña de un país extranjero, a más de mil seiscientos kilómetros de su anhelado destino, se las ingeniaron para viajar hacia el oeste. La hija mayor estaba casada, y junto a su esposo se encargó de criar a sus hermanos y hermanas. Escasos registros indican que todos ellos se fueron de St. Louis en la primavera de 1850 en un carromato tirado por los cuatro bueyes que habían usado para transportar carbón. Se unieron a otra compañía de pioneros y llegaron al valle del Lago Salado más tarde ese verano, asentándose también en el Barrio Sexto, cerca del Parque de los Pioneros (a unas siete calles hacia el sur de donde hoy está la Manzana del Templo).

En 1855, Margaret Miller, que tenía once años cuando murieron sus padres, se casó con Alexander Watson, un converso de Calder, Lanark, Escocia, quien había inmigrado a Utah en 1848 a la edad de trece años. Él también había trabajado en St. Louis por un tiempo y de allí había cruzando las planicies en el verano de 1850. En 1859, les nació una hija a los Watson, Margaret Ellen, quien se casó con Thomas Sharp Condie el 2 de agosto de 1879 y se asentaron en la esquina de la Calle Gale y la 500 Sur, cerca del Parque de los Pioneros.

De este matrimonio de Margaret y Thomas Condie nació

Gladys, la madre del presidente Monson, el 1 de octubre de 1902. Ella era la menor de nueve hijos: cuatro varones y cinco mujeres.

En un tiempo, el padre de Gladys, Thomas Condie, fue propietario de uno de los rebaños más grandes de ovejas en Utah, vendiendo la mayoría de los animales al mercado. Empleó a quienes consideraba los mejores pastores vascos. Su estilo tan dinámico de comerciar contribuyó significativamente a su éxito, pero lo mantenía lejos de su hogar la mayor parte del tiempo. Su negocio lo llevaba a los corrales de Chicago a vender sus ovejas, quedando Margaret atrás para criar a la familia. Cuando estaba en casa, entretenía a sus hijos en la oscuridad de la noche con historias de coyotes salvajes y aventuras. Agraciado por el éxito y por sus bienes se jubiló de joven y compró extensos terrenos para dejar como herencia a sus hijos. Cuando se casaron, les dio a sus hijas casas y propiedades de alquiler en las inmediaciones de la calle 500 Sur y 200 Oeste y a sus hijos les dio las escrituras de tierras de labranza en la zona de Granger, al sudoeste de Salt Lake City. Vivió toda su vida en la misma calle y, tras el fallecimiento de su esposa Margaret en 1930, se mudó con su hija Blanche.

LOS MACE Y LOS MONSON

John Mace se unió a la Iglesia a principios de la década de 1840 en compañía de todos sus hermanos y hermanas. Aun cuando vivía en Leeds, Yorkshire, Inglaterra, la familia Mace era descendiente de hugonotes franceses, quienes pronunciaban su apellido Macé[21]. (Esa conexión agrega otra nación europea a las tierras de procedencia del presidente Monson). John sirvió como presidente de rama en Leeds, pero en 1865 decidió viajar a Sión; su esposa, Harriet, permaneció en Inglaterra hasta que él pudiera ofrecerle un hogar en lo que ella imaginaba que era un verdadero desierto. Se le envió al valle de Cache, en el norte de Utah, y empezó a preparar un lugar para su familia. Dos años después, en 1867, fue llamado en una misión a Inglaterra, donde sirvió fielmente en la zona de Leeds hasta que sufrió un ataque fatal de pulmonía. Tras su muerte, la mayor parte de su familia emigró finalmente a Sión.

La "conferencia" de Leeds, como se le llamaba, fue por décadas el bastión de la Iglesia en Inglaterra. George, el hijo de John, su esposa Clara, y sus hijos, partieron de Leeds hacia Utah en 1883. Tanto George como Clara habían trabajado en lo que el poeta británico William Blake llamaba "los oscuros y satánicos molinos". Él era tintorero y ella tejedora. Mary Ann Bowden, la primera esposa de George, había fallecido, dejando a su marido con un hijo de un año de edad, John. George buscó una compañera que los amara a los dos, afecto que halló en Clara Judson. Se casaron en 1865 en Leeds. A John siempre se le consideró el mayor de los hijos de George y Clara, siendo sus hermanos menores Harry, James, Caroline, María (apodada "Rie") y Mary Ann. Rie llegaría a ser la bisabuela del presidente Thomas S. Monson.

En 1883, George y su familia vendieron sus posesiones y compraron pasajes para el barco a vapor *Nevada*, con un total de 352 mormones a bordo. La travesía a vapor era más rápida y predecible que la efectuada en embarcaciones a vela, aun cuando los icebergs creaban peligros al cruzar el Atlántico. El *Nevada* promediaba unos 400 kilómetros por día[22]. Tras llegar a Salt Lake City por tren desde el este, la familia Mace se estableció y George fue empleado por la compañía ferroviaria.

Los pasajeros del *Nevada* eran una mezcla de británicos y escandinavos. Al igual que en el caso de inmigrantes anteriores, hicieron amistades lo mejor que pudieron, teniendo en cuenta la diferencia de idiomas. Algunos hasta se enamoraron; el converso sueco Nels Monson entre ellos[23].

Nels Monson nació el 24 abril de 1867, en Torhamn, en la provincia sueca de Blakinge[24]. El presidente Monson ha visitado la vieja capilla de Svartensgaten, la cual su familia habría frecuentado. Caminó por el vacío y vetusto edificio, todavía usado como iglesia, y se paró detrás del púlpito, pensando en el hecho de que su abuelo había dado su testimonio desde ese mismo lugar antes de salir de su tierra natal con destino a América[25].

Su barco, el *Nevada*, partió de Suecia hacia Liverpool, donde abordaron la nave más pasajeros de Inglaterra, Escocia e Irlanda. Después de atravesar el Atlántico, tenían reservas en lo que

Brigham Young llamaría "el buen barco Sión", una de sus frases predilectas. Muchas cosas buenas surgirían de la travesía.

Allí fue donde Nels conoció a Rie Mace; él tenía veinticuatro años de edad y ella catorce. Nels aguardó siete años y después le propuso matrimonio. El día de su casamiento en el Templo de Salt Lake, él escribió en su diario: "Éste es el día más feliz de mi vida. Hoy me casé con mi adorada por tiempo y por toda la eternidad. Han sido siete largos años de espera"[26].

Tan sólo tres días después del casamiento, Nels abordó un tren en el que cubriría la primera etapa de su viaje a Suecia, donde había sido llamado a servir en una misión. El presidente Monson dijo más tarde: "Ésa es la clase de hombre que era el padre de mi padre"[27]. Dejó a su flamante esposa y no regresó por dos años. "Hoy caminé por las calles de Torhamn (Suecia) en las que había caminado y jugado de niño", escribió en su diario. "Vi a personas a quienes conocía desde mi infancia; visité muchos lugares familiares. Mi corazón rebosaba, y el espíritu del Evangelio llenaba mi alma. Pensé: 'Ah, si todos cuantos pueden oír mi voz pudieran entender las palabras de la verdad'". Después añadió: "Haré mis mayores esfuerzos para enseñarles"[28].

Lo que Nels escribía con más frecuencia en su diario era: "Tengo los pies mojados". Otra cosa de gran significado que escribió fue: "Hoy fuimos a la casa de los Jansson. Conocimos a la hermana Jansson quien nos preparó una deliciosa cena. Es una gran cocinera". Agregó: "Los niños cantaron o tocaron la armónica y bailaron y después ella pagó su diezmo. Cinco coronas para el Señor, una para mi compañero, el élder Ipson, y otra para mí". Entre los niños de la familia Jansson estaba Franz, quien probablemente se unió a los demás para cantar. Franz, cuyo apellido cambió de Jansson a Johnson cuando entró en los Estados Unidos de América, llegó a ser el padre de Frances Johnson, la esposa del presidente Monson[29].

El presidente Monson ha hablado con marcado agradecimiento "del sacrificio del abuelo (Nels Monson) y particularmente del de la abuela que lo apoyó mientras él regresó a su tierra natal a predicar el evangelio"[30]. Respecto a su abuela, él más tarde diría que "se había sacrificado por los demás a lo largo de su vida"[31].

Los Monson se han reunido en el templo en varias ocasiones para efectuar sellamientos por antepasados fallecidos. El presidente Monson se enorgullece de su patrimonio. Algunos de sus ancestros dejaron atrás hogar y familia, sepultaron hijos y padres y comenzaron de nuevo, no sólo una vez sino reiteradamente. Con fe en Dios, se apoyaron los unos a los otros en el arduo clima del desierto. "Cada uno de nosotros tiene un legado, ya sea de antepasados pioneros o de posteriores conversos", ha declarado. "Ese legado ofrece una base de sacrificio y fe. Nuestro es el privilegio y la responsabilidad de edificar sobre tan firmes y estables cimientos"[32].

Más adelante ha aconsejado: "Forjemos una tradición de obediencia, tal como lo hicieron nuestros predecesores. Al hacerlo, no sólo seremos los nietos y nietas de grandes hombres y mujeres, sino tal vez los padres y madres, abuelos y abuelas de grandes hijos y nietos"[33].

2

ENTRE LOS RIELES DEL FERROCARRIL

*Cuán magnífico fue el día en que [Tommy] nació . . . Su madre tenía
enormes expectativas y cada una de ellas se ha cumplido.*

PRESIDENTE GORDON B. HINCKLEY
Presidente de La Iglesia de Jesucristo
de los Santos de los Últimos Días, 1995–2008

CUANDO THOMAS S. MONSON HABLA de su nacimiento y su temprana infancia, a veces cita las palabras del poeta romano:
"Que las épocas pasadas deleiten a otra gente; yo me regocijo por
no haber nacido hasta ahora"[1]. "Ahora" para él fue el domingo 21
de agosto de 1927, cuando Gladys Condie y G. Spencer Monson
recibieron en su familia a su segundo vástago y primer varón.
Nació temprano ese día en el Hospital St. Mark, en la zona oeste
de Salt Lake City.

No podría haber sido más apropiado que naciera un domingo.

Después de permanecer diez días en el hospital, típico de
aquella época, sus padres lo llevaron a su casa del 311 Oeste en
la calle 500 Sur—a lo que muchos llamaban "la esquina de los
Condie"—donde las familias Condie habían vivido desde que
Gibson llegó a Utah en 1850. Tommy fue recibido por su hermana Marjorie, de casi cuatro años de edad, y toda una legión
de tías, tíos y jóvenes primos que serían su apoyo, ejemplo y una
fuente de entretenimiento e inspiración en las primeras etapas de

su vida. El padre de Gladys, Thomas Sharp Condie, era dueño de la mayor parte de las propiedades de esa calle. Tom solía bromear diciendo que no había nacido al este ni al oeste de los rieles del ferrocarril, sino en medio de ellos, ya que había dos vías de rieles a un par de calles de su casa de ambos lados.

El padre de Tommy, a quien le gustaba escribir versos y cartas a su esposa e hijos, dedicó un poema a su recién nacido:

> *Querido bebé Monson de piecitos color rosa,*
> *de pequeña boquita,*
> *tan tierna y amorosa.*
> *Que este nuevo mundo en tu mente avive*
> *aquello que en ti la nobleza inspire.*
> *Inteligencia, prudencia y felicidad también,*
> *son riquezas que anhelo para tu propio bien*[2].

Con el tiempo, llegarían a la familia Monson otros cuatro niños: Robert (nacido en 1932), Marilyn (1940), Scott (1943) y Barbara (1948). "Cada uno llegó con una personalidad diferente", dijo Spence en una ocasión en que alabó a sus hijos. "Agradezco al Señor la oportunidad que mi esposa y yo hemos tenido de criar estos espíritus"[3]. Sin duda, Tommy "nació en un hogar de padres amorosos, padres que los recibieron con brazos abiertos"[4].

Tommy nació en una época de tiempos difíciles en los Estados Unidos. En el año de su nacimiento, 1927, las especulaciones en la bolsa de valores alcanzaron un punto febril. Cuando el optimismo se enfrió en 1929 y el mercado empezó a tambalearse, las ventas se precipitaron, y el 29 de octubre—"el martes negro", como se le llegó a conocer—el mercado se desmoronó, dando entrada a la Gran Depresión. Millones de personas perdieron sus ahorros, sus negocios, sus granjas y sus esperanzas para el futuro.

La Depresión golpeó con fuerza la región del oeste norteamericano. Entre 1929 y 1933, el ingreso anual per cápita se vio reducido de 527 dólares a 300, y el desempleo en Utah llegó a un 36 por ciento, el cuarto más alto en el país. La cuarta parte de los bancos del estado cerraron sus puertas y el 32 por ciento de la población de Utah procuró la ayuda de programas del gobierno para cubrir sus necesidades básicas[5].

La Iglesia (mormona) alcanzaba un total de 600.000 miembros en 1927, viviendo la mayoría de ellos en el oeste de los Estados Unidos; el presidente Heber J. Grant dedicó el Templo de Mesa Arizona, el séptimo en funcionamiento, y la obra misional en Alemania estaba teniendo mucho éxito. Muchas de las Autoridades Generales caminaban a su trabajo en el recientemente construido Edificio de Administración de la Iglesia, llevando consigo el almuerzo. En 1928 la Iglesia imprimió el primer *Manual de Instrucciones* y organizó su centésima estaca; en 1929 se efectuó la primera transmisión oficial del programa del Coro del Tabernáculo *Música y palabras de inspiración*, dando así comienzo al programa radial de más extensa difusión en la historia. El presidente Heber J. Grant y sus consejeros exhortaron a los miembros a "visitar al enfermo, consolar al apesadumbrado, vestir al desnudo, alimentar al hambriento, velar por las viudas y por los huérfanos"[6]. La vida de Tom reflejaría ese consejo.

Tommy siempre se enorgulleció de que en el año de su nacimiento Charles Lindbergh realizara el primer vuelo sin escalas entre Nueva York y París, una gran aventura para aquellos tiempos. El monoplano de un solo motor y un solo asiento, el *Espíritu de St. Louis*, cruzó el Atlántico en treinta y tres horas y media. Años más tarde, el presidente Monson rendiría tributo a Lindbergh, declarando en su reconocido estilo terceto: "Cristalizó su sueño; alcanzó su meta; triunfó"[7].

Tommy—Thomas Spencer Monson—recibió su nombre de su abuelo materno, Thomas Sharp Condie, y de su padre, G. Spencer Monson. Su tío abuelo Peter S. Condie fue quien le dio el nombre y pronunció la bendición, el 2 de octubre de 1927, en el Barrio Sexto-Séptimo de la Estaca Pioneer. El hecho de que fuera el tío de su madre quien pronunciara la bendición indicaba los lazos tan estrechos que existían en esta familia pionera.

Spence, el padre de Tommy, había empezado a trabajar de jovencito. Nacido el 17 de mayo de 1901 en una granja de Murray, Utah, un suburbio al sur de Salt Lake City, era el hijo mayor del emigrante sueco Nels Monson y de Maria Mace de Gran Bretaña.

Sus hermanos eran Grace Lucile, Claude Niels, Raymond Tracy, Maria Jean y Florence. Nels, el padre de Spence, se ganaba la vida transportando ladrillos en dos carretas y dos tiros de caballos, generalmente cuatro cargas por día, y ganaba entre 1 dólar y 1 dólar 25 por carga.

Cuando Spence tenía catorce años de edad, su padre cayó gravemente enfermo. Spence dejó los estudios y fue a trabajar para generar un ingreso para la familia, consiguiendo un empleo en la imprenta Arrow Press como limpiador de prensas. Era un buen estudiante, particularmente adepto a la ortografía, así que empezó a progresar. Trabajaba seis días por semana aprendiendo continuamente nuevas destrezas de imprenta y después de dos años ganaba dieciocho dólares a la semana. Spence había encontrado su profesión. Cuando su familia se mudó a California, confiando en que el clima favoreciera la salud de su padre, Spence permaneció en Utah y se mudó a la casa de su tío Elias y su tía Christine, a quien llamaban Teen.

A los dieciocho, este "elegante y apuesto joven", junto con su primo Bill y su amigo George, empezó a frecuentar los bailes de la comunidad. Conoció a Gladys Condie en uno de los bailes de los miércoles en la Estaca Pioneer, el cual tenía la reputación de ser "uno de los más concurridos y mejores de Salt Lake City", con "la mejor música y las jóvenes más bonitas"[8]. Una de ellas era Gladys Condie, una señorita de ojos y cabello castaños quien, como él pronto se enteró, tenía una larga lista de pretendientes. Una noche, Spence y sus amigos fueron al baile de disfraces. Muchos de los otros jóvenes, no queriendo disfrazarse, no habían ido, así que Spence invitó a Gladys, "la jovencita de calcetines a rayas", a bailar. Esa noche la acompañó hasta su casa y así comenzó el cortejo"[9].

En una ocasión, Gladys tuvo que cancelar una cita con Spence pues estaba enferma. Lo mismo sucedió las dos noches siguientes. Preocupado, el joven fue a una florería y compró un ramo de girasoles pero, al obsequiárselo, se enteró de que ella estaba padeciendo un ataque alérgico al polen, así que en el futuro se aseguró de regalarle chocolates.

Spence llegó a frecuentar con regularidad la casa de verano

de los Condie en el parque Vivian, en el cañón de Provo, durmiendo en una tienda al fondo de la cabaña con John Nielson, pretendiente de la hermana de Gladys. El parque Vivian se transformó en una parte integral de la vida de ellos. El día en que Gladys cumplió diecinueve años, Spence le entregó un anillo de compromiso.

En una mañana tormentosa, el 14 de diciembre de 1922, Spence y Gladys tomaron el tranvía hasta el Templo de Salt Lake, donde George F. Richards, el presidente del templo, efectuó su casamiento. La tormenta de nieve no opacó la celebración en la casa de los Condie esa noche. La madre de Gladys sirvió una cena completa de pavo con la guarnición tradicional a 200 invitados.

Los recién casados fueron a vivir a una de las propiedades de Thomas Condie, un dúplex ubicado en el 311 Oeste de la 500 Sur, el cual él les había obsequiado como regalo de bodas. Spence lo llamó "un nido de amor", aunque les llevó semanas limpiarlo, fregar los pisos y pintar la madera. Vivir cerca del paso del tranvía les vino muy bien ya que les llevó dos años ahorrar suficiente dinero para la compra de su primer automóvil, un Oldsmobile.

En 1923, Spence rechazó una oferta de trabajo en California, ya que no quería dejar su hogar, amigos y parientes. (Veinticinco años más tarde, su hijo Tom tomaría la misma decisión). En vez de ello, aceptó un empleo en un nuevo taller de impresión, Western Hotel Register, que inició su operación con unas pocas cajas de caracteres de fundición y una prensa manual. Al final, trabajó en ese lugar durante cincuenta años. Siempre usaba sombrero y tenía tinta debajo de las uñas. Se le conocía, además, por su paciente obstinación por terminar sus trabajos. El 16 de noviembre de 1977, el anuncio de su jubilación decía: "Se le invita a pasar por el Western Hotel Register, en el 740 Sur de la Calle Main, entre las 16:00 y las 18:00 horas, para saludar a G. Spencer Monson, quien se jubila tras 60 años como impresor y al cerrar sus puertas esta institución pionera en imprenta"[10].

Gladys había vivido toda su vida en la misma calle; había asistido a escuelas de Salt Lake City y a la Universidad de Utah. Siempre tenía una sonrisa a flor de labios y una actitud positiva que despertaba en casi cualquier persona el deseo de conversar con ella. Era la menor, la más alta y, según todos en la familia, la más sociable de todos ellos: sus hermanas Margaret, Annie y Blanche, y sus hermanos Thomas, Peter, Gibson y John. (Nellie, su otra hermana, había fallecido en su infancia). A Gladys le encantaba hablar. Cuando tomaba el tranvía siempre se sentaba junto a personas totalmente desconocidas y compartía su opinión sobre cualquier tema, desde qué nombre tendrían que ponerle a sus hijos, hasta a qué lugar deberían ir de vacaciones o dónde ir de compras. También pasaba mucho tiempo en el teléfono hablando con amistades y se interesaba particularmente en las personas confinadas en el hogar. Cuando los amigos de sus hijos llamaban y éstos no estaban en casa, a menudo hablaban por largo rato con Gladys. El presidente Harold B. Lee, su presidente de estaca, describía a Gladys como una persona "dotada de una juvenil pasión por la vida"[11]. Ella pasó ese rasgo de carácter a su hijo mayor, Tom.

"Qué mujer tan interesante era", dice el presidente Monson de su madre. "Tenía un gran sentido del humor y una risa contagiosa"[12]. De todos los hijos de los Monson, se considera a Tom el más parecido a ella. A Gladys le gustaba poner apodos a todo el mundo; cuando era niño, a Tommy lo llamaba "el nervioso Willy", porque siempre estaba ansioso por completar sus tareas, una tendencia que aún conserva.

Spence Monson era tan callado como su esposa locuaz. "Él podía reír pero no de la forma robusta como lo hacían los escoceses"[13]. Se conformaba con permitir a Gladys dominar las conversaciones; a él le gustaba sencillamente observar a la familia y sonreír con sus ocurrencias. A modo de elogio, su familia "nunca lo oyó pronunciar una sola crítica de otra persona"[14].

Ciertamente, la familia de Tom influyó mucho en él durante su infancia y adolescencia, principalmente sus padres. El honrar a los padres era algo que se esperaba de él, así como el respeto por su abuelo, sus tías y sus tíos que vivían en la misma calle, en lo que era casi un complejo familiar. Las cuatro hermanas Condie y sus respectivos maridos vivían en casas contiguas que su padre les había regalado. Cada dúplex contaba con un espacio de alquiler que les generaba un ingreso adicional a sus hijas. Blanche y su esposo,

Richard LeRoy Carter, vivían en una de las casas con el abuelo Condie, quien había perdido a su esposa en 1930. Su hija mayor, Margaret, y su esposo, John Nielson, vivían al oeste de ellos. Otros miembros de la familia—Annie y Andrew Raymond Kirby, Gibson e Hilda Condie, y John y Gertrude Condie—vivieron un tiempo en lo que llamaban la terraza, una sucesión de cuatro casas pegadas detrás de los dúplex. Más adelante, los hermanos Condie, Thomas, Peter, Gibson y John, se mudaron a la granja que tenían en Granger.

Para ellos, Tommy era más un hijo que un sobrino. Él recuerda: "Estábamos continuamente entrando y saliendo de las casas de cada uno. Nunca llamábamos a la puerta antes de entrar". Se contestaban el teléfono entre sí—tenían una sola línea telefónica para las cuatro familias—y a Gladys le gustaba escuchar las conversaciones de los demás. El número era 3–4724[15]. Fueron sus tíos Andrew, Richard y John quienes enseñaron a Tom a pescar en el río Provo y en los lagos y represas cercanos, siendo por años sus compañeros de pesca.

La propiedad de los Condie también incluía una tienda de comestibles de nombre "Blue Front", la que habían construido años antes para que los niños de la familia no tuvieran que cruzar las vías del ferrocarril para ir a comprar dulces. La segunda generación—incluyendo a Tommy y sus primos—frecuentaban la tienda, al igual que otros niños del vecindario.

Las familias vivían en modestos dúplex de dos pisos de ladrillo rojo. No había aceras ni alcantarillas de hormigón y los rieles del ferrocarril se extendían cerca del lugar. El silbido de los trenes era un sonido familiar. Al éstos pasar, todos interrumpían sus conversaciones pues no se oía nada. Cuando los trenes se alejaban, Gladys se levantaba y enderezaba los cuadros y después proseguían con la conversación.

Para Tommy, el de ellos era un hogar "hecho en base al amor, al sacrificio y el respeto"[16]. Rodeaban la mesa de la cocina sillas amarillas de plástico que eran frías en el invierto y pegajosas en el verano; la nevera enfriaba con bloques de hielo; preparaban la comida en una cocina a carbón y una estufa del mismo tipo en el comedor daba algo de calor a la casa, aunque no alcanzaba para repeler el frío por completo. Los padres dormían en el cuarto del frente, Marge y más adelante Marilyn y Barbara en el del medio, y Tommy y Bob y más tarde Scott en el dormitorio del fondo, con una bolsa de agua caliente a los pies de cada cama doble. En las mañanas de mucho frío, Tommy se acurrucaba frente a la estufa de la sala mientras su padre le echaba más carbón. Tommy recogía el periódico matutino, leía los titulares, la sección de deportes y finalmente las historietas. Su afecto por los periódicos despertó a temprana edad y ha continuado a lo largo de su vida.

"Ama a tu prójimo como a ti mismo" tenía un significado especial en el hogar de los Monson, y a pesar de que su madre no le leyera de las Escrituras con regularidad, le enseñó por medio de su constante ejemplo a sentir compasión, tener caridad, ser honrado, cumplir con su deber y trabajar con esmero. Muy pronto entendió que "el velar por los pobres, los enfermos y los necesitados era cosa de todos los días que jamás debía olvidar"[17].

Al desgarbado abuelo Condie le gustaba sentarse en la hamaca en el porche de la casa. Tom recuerda: "No hablaba mucho, pero le gustaba la compañía de otras personas"[18]. Gracias a su "fuerte sangre escocesa", el abuelo de Tom vivió hasta que tenía casi noventa y cuatro años, siendo uno de los residentes más ancianos del valle. En 1947, el periódico *Deseret News* rindió tributo al "hijo pionero" en su nonagésimo cumpleaños e informó que este hombre nacido "el 20 de junio de 1857 en un subsuelo de lo que hoy es el sector oeste de la calle 500 Sur, ahora vive a menos de dos calles de donde nació"[19].

Un día, Robert Dicks, de noventa años de edad, emigrante británico a quien la familia conocía como el "viejo Bob", se sentó junto al abuelo Condie en la hamaca del porche. Tommy estaba sentado cerca de ellos.

"Sr. Condie", dijo el viejo Bob, "hoy soy un hombre triste; me han dejado en la calle". La casa en la que estaba viviendo iba a ser demolida debido a que la creciente industria estaba apoderándose de lo que había sido un vecindario de familias. Tommy dirigió la mirada hacia el lugar donde vivía el viudo anciano y vio que en realidad no era mucho.

Con voz lastimera, Bob continuó: "No sé qué voy a hacer; no tengo familia, ningún lugar donde ir y tampoco dinero".

El abuelo de Tommy siguió meciéndose por unos minutos sin decir una sola palabra. Finalmente, metió la mano en un bolsillo y sacó de él su viejo monedero. Muchos niños habían mendigado por unos centavos de ese monedero para comprar dulces. El abuelo tomó de él una llave y se la dio a Bob. "Sr. Dicks", le dijo, "yo nací en esa casa que está aquí al lado. Está desocupada y en realidad no tengo interés en alquilarla a nadie. Tome la llave, mude sus cosas y viva en ella por el tiempo que desee. Nadie volverá a dejarlo en la calle".

Al viejo Bob se le llenaron los ojos de lágrimas y le corrieron por las mejillas, desapareciendo en su larga barba blanca. Los ojos del abuelo Condie también estaban humedecidos. El viejo Bob ahora tenía dónde vivir. Ese día, el abuelo Condie se transformó en un gigante ente los ojos de su nieto"[20].

Spence Monson, el padre de Tom, trabajaba seis días por semana hasta tarde la mayoría de las noches. Aunque casi no tenía tiempo para otra cosa que trabajar, casi siempre preparaba el desayuno para la familia, tal como lo había hecho desde la mañana siguiente a su casamiento, cuando le preguntó a Gladys qué había para desayunar y ella respondió: "No tengo ni idea". Esa mañana los recién casados comieron galletas con queso. A partir de ese día, Spence generalmente preparaba tocino con huevos, algunas veces con papas y jugo de naranja, o cereales con plátanos y tostadas, acompañando con melocotones o peras envasados. En ocasiones también ponía rosquillas dulces sobre la mesa. Tom no heredó la habilidad culinaria de su padre, aunque de niño aprendió a hacer caramelo y cacao caliente.

La cena de los domingos era todo un acontecimiento en el hogar de los Monson. Se servía carne asada con puré de papas y una salsa hecha con el jugo de la carne. Los lunes comían lo que sobraba de la noche anterior; los martes hacían un guiso de carne; el miércoles preparaban costillas de cerdo y los jueves un enorme filete que alimentaba a todos alrededor de la mesa. Los viernes hacían costillas de cordero o pescado y los sábados preparaban sándwiches de embutidos. Acompañaban las comidas con frijoles blancos y jamón o con pasteles de carne caseros. La ensalada de fruta con bombones era un platillo predilecto así como el arroz con leche. Gladys era famosa por sus pasteles, los cuales a menudo preparaba en capas de diferentes colores—verde la de abajo, rosa la del medio y amarillo la de arriba—y las cubría con un baño espeso de chocolate. Hasta al viejo Bob le hizo Gladys un pastel cuando cumplió noventa años, con nueve velas, una por cada década.

Todos los domingos, Gladys preparaba un plato de comida para Bob, y antes de que la familia se sentara a cenar, mandaba a Tommy a llevárselo. Un domingo el niño preguntó: "¿Qué tal si se lo llevo más tarde?"

Su madre respondió: "Haz lo que te pido y cuando vuelvas tu comida tendrá mejor sabor".

Tommy no estaba seguro de lo que quiso decir su madre, pero fue a casa del viejo Bob, aguardando ansiosamente mientras los ancianos pies de su vecino lo acercaban a la puerta. Bob tomó una moneda de diez centavos para recompensar al muchacho. "No, Sr. Dicks", dijo Tommy, "no puedo aceptar su dinero; mi madre me curtiría a palos".

"Muchacho, tienes una madre maravillosa", le dijo Bob mientras le daba palmaditas en su rubia cabellera.

Cuando Tommy regresó, la comida, en efecto, tenía mejor sabor. "Sin darme cuenta", recuerda, "estaba aprendiendo una gran e importante lección sobre demostrar interés por los menos afortunados"[21].

Por las noches, las familias se reunían en el porche de los Monson a escuchar sus programas predilectos en la radio. Mientras a los jovencitos les gustaba *El llanero solitario, Jack Armstrong, La pequeña huérfana Annie* y *Dick Tracy*, los mayores disfrutaban del *Desfile de éxitos* donde tocaban las canciones más populares de la semana. Las peleas de peso pesado atraían la atención de los hombres.

Otra actividad predilecta de la familia era ir a la granja. Las parcelas de los cuatro hermanos Condie estaban juntas y "pasar un fin de semana allá era algo que había que saborear"[22]. Tommy disfrutaba la libertad de la granja, los animales, caminar por el campo y nadar en el canal. Le encantaba el silencio de la noche con las luces de Salt Lake City a la distancia. Miraba cómo sus tíos ordeñaban las vacas e intentaba hacerlo él mismo. En el aire siempre se respiraba el aroma del ganado lechero; el agua era salobre pues la de la ciudad aún no había llegado al campo. El plato principal de los viernes y sábados por la noche era, sencillamente, pan y leche.

Cuando pasaban el domingo en la granja, la familia asistía al Barrio Primero de Granger, edificado alrededor de 1900 en la esquina sudeste de las calles 3200 Oeste y 3500 Sur. La sala principal estaba dividida en cuatro clases por medio de cortinas. "Aprendí que si me sentaba donde las cortinas se unían, y si tenía buen oído, podía escuchar las cuatro lecciones simultáneamente", dice sonriendo el presidente Monson[23].

El domingo por la tarde, el padre y la madre de Tom lo pasaban a buscar por la granja para llevarlo a casa, pero de camino iban de la casa de un familiar a otro, donde les servían helado casero.

Éste era un clan familiar—tías, tíos, primos—que pasaban tiempo juntos. Iban de vacaciones, se quedaban en la cabaña de verano y se reunían en días festivos o domingos por la noche, aun después de que algunos se mudaron de "la calle de la familia". Cuando Tom era mayor y quería dar gracias a sus tías—Margaret, Annie y Blanche—por ser "como segundas madres para él", las llevaba a almorzar al restaurante del último piso del Hotel Utah (el actual Edificio Conmemorativo de José Smith). A ellas les encantaba la gentileza de su amado sobrino.

La familia se daba algunos gustos, aun durante la época de la Depresión, entre otros, vacaciones fuera del estado de Utah. Todos los años, en el mes de febrero, iban a California por dos semanas. Siempre se trataba de un acontecimiento familiar que incluía a tías y tíos, primos y al abuelo Condie. El tío John Nielson llevaba su Buick modelo 1935 y Spence su Oldsmobile del año 1928 o, años más tarde, el Studebaker de 1937. De camino paraban en un restaurante para el cual el padre de Tom imprimía los menús. Spence conversaba con el dueño, Dick Hammer, mientras la familia almorzaba. Tommy siempre pedía el pastel de carne, y después de comer seguían su camino.

Una vez en California, la familia se hospedaba en el Hotel Edmund, en Ocean Park, cerca de Santa Mónica (Los Ángeles) y comían en el restaurante. A Tommy le gustaba mucho estar al sol, aunque era escaso, ya que iban de vacaciones en el invierno y llovía la mayor parte del tiempo. Él y sus primos, hermanos y hermanas pasaban el día entero en la playa haciendo castillos de arena y recogiendo caracoles. Por las noches iban a caminar por los muelles, deleitándose con el canto de los vendedores de salchichas y de palomitas de maíz, o de los operadores de juegos en las ferias ambulantes.

En el viaje de regreso a Utah, el tío John entretenía a los niños con historias de su vida de vaquero. Al dejarlos fascinados con sus aventuras, "lo imaginaban montado a caballo con espuelas en las botas, pistolas en las fundas, un pañuelo rojo en el cuello y un enorme sombrero". También sabía el nombre de cada arbusto y cactus y los señalaba desde el automóvil mientras viajaban a 55 kilómetros por hora: "chumbera . . . salvia . . . matorral de roble . . ."[24].

En 1941, "Alce" y Margaret Carman fueron de viaje con su hijo Jack y su primo Tom al Parque Nacional de Yellowstone en su Buick del año 1936. Cada vez que paraban a comer, Tom pedía una hamburguesa, lo único que reconocía en el menú. En un puente de Yellowstone, Tom sacó provecho de su experiencia como pescador cuando el viento voló el gorro de Jack al río. Tom, siempre dispuesto a maquinar un plan, maniobró su caña de pescar sobre el gorro mientras éste iba río abajo. Entonces, para asombro de los miembros de su familia, lo enganchó y lo recogió.

En el viaje de regreso tuvieron constantes problemas con el automóvil, un recuerdo que Tom borró de su memoria cuando cuatro años después decidió comprarlo. Ese primer auto había resultado ser una chatarra en aquel viaje a Yellowstone y siguió siendo una chatarra durante el tiempo que Tom lo tuvo[25].

El presidente Monson siempre dice con orgullo que su vida de hogar forjó la persona que él es hoy. "Algunas de las cosas con que uno es criado calan profundo en la juventud"[26]. Por cierto, el servicio, la compasión y la unión familiar eran parte integral de su vida. Años más tarde, Harold B. Lee, presidente de la Estaca Pioneer, donde vivían los Monson, dijo de los padres de Tom: "Ese padre y esa madre dieron a sus hijos lo que el dinero no puede comprar"[27].

El presidente Monson resume sus sentimientos de este modo: "Cuando probamos muchas cosas y deambulamos por la vida y vemos cuán efímero y a veces superficial es el mundo, crece nuestra gratitud por el privilegio de ser parte de algo con lo que podemos contar: un hogar, una familia y la lealtad de seres queridos. Llegamos a saber lo que significa estar ligados por el deber, el respeto y por un sentido de pertenencia, y comprendemos que nada puede ocupar el lugar de las benditas relaciones nacidas en la vida familiar"[28].

También ha enseñado: "La familia ocupa un lugar preeminente en nuestro estilo de vida dado que es el único fundamento posible sobre el cual a una sociedad de seres humanos responsables le ha resultado práctico forjar el futuro y mantener los valores que atesoran en el presente"[29].

"Todos debemos recordar el hogar de nuestra infancia", ha declarado él. "Resulta interesante que no recordamos si la casa era grande o pequeña, si el vecindario era opulento o venido a menos. Más bien nos deleitamos en las experiencias compartidas como familia . . . Lo que aprendemos allí determina en gran medida lo que hacemos cuando nos marchamos. Nuestros pensamientos, nuestros hechos, nuestra forma de vivir influye no sólo en el éxito que logramos en la tierra, sino que también nos trazan objetivos eternos"[30].

3

"QUIERO SER UN VAQUERO"

*Para entender a Thomas Monson, uno tiene que ir hasta la infancia de
él; tiene que verlo crecer en la parte modesta de la ciudad en una familia
dedicada a cada uno de sus miembros, una familia que trabajó duro en
medio de la depresión económica, incluyéndolo a él. Uno tiene que reconocer la ayuda que recibió de líderes de la Iglesia. Él sigue siendo aquél Tom
Monson.*

ÉLDER M. RUSSELL BALLARD
Quórum de los Doce Apóstoles

CUANDO TOMMY MONSON CURSABA el tercer año de escuela primaria, su maestra anunció los planes de la ciudad de erigir
un monumento en el predio del edificio de la Municipalidad y
del Condado en el centro de Salt Lake: la estatua de un niño y
una niña izando una bandera. Se colocaría una cápsula de tiempo en la base de la estatua, en la cual todos los escolares de la
ciudad tendrían la oportunidad de poner notas que indicaran lo
que querían ser cuando crecieran. Cuando Tommy fue a su casa
a almorzar le contó a su madre sobre la actividad de la mañana.

"¿Qué dijiste que querías ser?", le preguntó ella.

Con marcado entusiasmo, respondió: "¡Un vaquero!". Ese sueño tal vez se relacionaba con la influencia del tío John con todos
sus cuentos de aventuras en las praderas.

"Ah, no, Tommy", reaccionó su madre; "¡vuelve a la escuela y
cambia eso a un abogado o un banquero!"[1].

Diligentemente, el muchacho regresó y le dijo a la maestra que quería cambiar lo que había escrito a banquero. Con el

tiempo, lo más cerca que estuvo de ser un vaquero fue su pasión por las películas del Oeste. En cuanto a lo de banquero, llegó a ser director del Commercial Security Bank, el cual más tarde se fusionó con el Key Bank, institución de la cual fue miembro del comité ejecutivo y presidente de los comités de compensaciones y de auditorías.

Cuando Tom fue llamado para ser Apóstol en 1963, muchos le preguntaban a su madre: "Gladys, es increíble que tu hijo llegara a ser un Apóstol, ¿cómo lo lograste?". Ella siempre respondía: "No fue fácil, pero perseveré"[2]. Nunca les decía que su sueño de niño era llegar a ser un vaquero.

"La abuela quizá no tuvo que hacer demasiado para mantener a mi padre en línea", dice Clark, el hijo del presidente Monson. "Por naturaleza era un buen muchacho. Muchas personas podían darse cuenta de que iba a tener éxito y a llegar lejos en la vida. Con su habitual sentido del humor, mi abuela se atribuyó eso a sí misma"[3].

La infancia de Tommy parece haber sido calcada de un libro de cuentos. Era la imagen del niño noble de cabello rubio alborotado, una sonrisa de oreja a oreja, con una caña de pescar en una mano, canicas en la otra y un cachorro ladrándole a sus pies.

Siempre consideró que todo niño debía tener su propio perro. En compañía de su primo, Richard Carter, salían por el vecindario tirando de un carrito sobre el que ponían una caja de naranjas vacía donde pudieran poner perros perdidos. Una tarde encerraron a los perros que habían encontrado en el cobertizo donde la familia de Tom guardaba el carbón, sin saber qué hacer con ellos.

Su padre llegó del trabajo y, como acostumbraba hacerlo, llevó el cubo para recoger carbón de la carbonera y cuando abrió la puerta, casi se lo llevaron por delante seis perros anhelantes de libertad. "Según recuerdo", explica Tom, "papá se exaltó un poco, pero cuando se calmó me dijo: 'Tommy, las carboneras son para el carbón; los perros ajenos pertenecen a otras personas'". Tommy no solamente aprendió sobre lo inadmisible de tomar prestadas las mascotas de otras personas, sino que aprendió de su padre una lección "en paciencia y calma"[4].

En otra ocasión, Tom "encontró" un perro sarnoso mientras

pasaban unos días en la cabaña de la familia en Vivian Park. El animal pertenecía a un pastor de ovejas, pero Tommy confiaba en que no lo echara de menos, mas no fue así. El hombre llegó a la cabaña buscando su perro y Tommy, aunque de un modo renuente, se lo entregó. "Tommy", le dijo el hombre, "no querrías quedarte con este perro; está cruzado con un coyote"[5].

Pero Tommy quería ese o cualquier otro perro. Finalmente, su tío John le consiguió uno. El animal no era nada del otro mundo. Era evidente que lo habían abandonado en el desierto; era "un desastre, con una pierna enyesada y la otra entablillada, y el rabo quebrado"[6]. Pero Tommy lo aceptó con agradecimiento y le puso de nombre Duke. De inmediato llegaron a ser grandes amigos.

El amor de Tom por los perros continuó con el paso de los años. Al poco tiempo de haberse casado con Frances, puso un aviso en la sección de clasificados del periódico en busca de un perro spaniel inglés de color blanco y café. Recibió una llamada de un hombre que le preguntó qué era lo que quería exactamente y él le explicó que quería un perro al que pudiera entrenar para ir de cacería. El hombre le dijo: "Lo que usted quiere no es un spaniel inglés, sino una raza de perros llamada *pointer* alemán". El hombre procedió a ensalzar las virtudes de esa raza y le dijo que precisamente tenía una camada y le ofreció a Tom que fuera a elegir uno. El hombre era un buen vendedor y Tom terminó comprando el cachorrito por lo que consideró un precio excesivo: veinticinco dólares. Le puso al perro de nombre Freck von Windhausen, pero lo llamaba Freck.

Tom intentó sin éxito enseñar a Freck a caminar a su lado alrededor de la manzana. Su abuelo, sentado en la hamaca, lo vio venir por tercera o cuarta vez y le gritó: "Tom, ¿cuánto diste por ese perrito?".

Tom no quería decirle que había pagado veinticinco dólares, así que redujo el precio, respondiendo: "Cinco dólares".

El comentario de su abuelo fue tenaz: "Vaya que eres tonto. ¡Pagaste cuatro dólares y sesenta centavos de más!"

La valoración parecía ser acertada. El animal no servía para ir de cacería ni para nada más; era un manojo de nervios y se pasaba haciendo pozos en la tierra en el fondo de la casa. Tommy, el hijito de Tom y Frances, no podía encontrar un lugar donde jugar, así que, finalmente, Frances dijo que debían deshacerse del perro.

Primero, Tom se lo regaló a un hombre que a los pocos días se lo devolvió diciendo que el perro había echado a correr a un hombre que estaba trabajando en su casa. Después se lo dio a otro que también se lo llevó de vuelta porque había aullado toda la noche y los vecinos se habían quejado. Finalmente, un conocido de Tom se ofreció para llevar al animal a un granjero de Idaho quien más tarde le informó que era "el mejor perro de caza que jamás había visto"[7].

En general, Tommy creció como cualquier otro muchacho, en un vecindario de gente trabajadora en medio de la depresión económica. Nunca miró hacia atrás con rencor ni pesar por sus modestas circunstancias, sino que lo veía como lo que había forjado su carácter.

Los niños de una de las familias del vecindario usaban galochas pues no tenían zapatos. La madre les compraba ropa vieja que pudiera usar más de uno de los hijos de la familia. En ocasiones, cuando Tom pasaba a buscar a uno de los niños para caminar juntos a la escuela, los veía comer cereales en agua tibia. "No tenían leche . . . no tenían azúcar, solamente copos de maíz y agua"[8].

Uno de los recuerdos más tempranos de Tommy fue su primer día en el jardín de infantes de la Escuela Primaria Grant, a dos cuadras de su casa. Él consideró el hecho toda una aventura al dejar "la comodidad y la seguridad del hogar y a una madre amorosa para ir al mundo real y a las experiencias que llegarían después"[9]. En cada aula había unos veinticinco alumnos.

En el primer día de clase, los muchachos mayores, de once años, sometían a los niños del jardín de infantes a una *iniciación*, sentándolos en el bebedero. Tommy aprendió a "correr rápido". Dos de las maestras usaban peluca y otra tenía el cabello teñido, lo cual para Tommy era todo un escándalo. Según la tradición del jardín de infantes, los niños dormían una siesta al promediar la clase, pero a Tommy le costaba dormir ya que "prefería estar haciendo cosas en vez de descansar", lo cual confirmaba la validez del apodo que le había puesto su madre de "nervioso Willy"[10].

En el transcurso de sus años de escuela primaria, Tommy recibió buenas calificaciones, tanto por rendimiento académico como por su conducta, con alguna que otra advertencia debido a "hábitos de trabajo" y "autocontrol". Se dio cuenta de que no le interesaban mucho las matemáticas pero sí las clases de historia natural, geografía e inglés, y hasta pedía que le dieran tareas adicionales para realizar fuera de su limitado tiempo de clase. Le fascinaba cuando la señorita Birkhaus, su maestra de geografía de sexto grado, desenrollaba los mapas y viajaba por el globo terráqueo con su señalador, describiendo distintas características de cada país, idioma y cultura. Poco imaginaba Tommy que un día viajaría a esas tierras lejanas y forjaría amistades con personas de muchos países.

El amor que la profesora de música, la señorita Sharp, tenía por la materia, era contagioso, y, hasta el día de hoy, el presidente Monson se pone a cantar en medio de una variedad de acontecimientos. Cuando se dirigió a 86.000 personas congregadas en un estadio al celebrarse la rededicación del Templo de la Ciudad de México, deleitó al público con su interpretación del tradicional tema "Allá en el Rancho Grande", el cual había aprendido en sus años de preparatoria. El público estalló en una jubilosa ovación.

La señorita Stone, la bibliotecaria, solía felicitar al joven Tommy por dedicar su tiempo libre a leer junto a la ventana de la biblioteca, lo cual ella celebraba asintiendo con la cabeza. Lo que la bibliotecaria no sabía era que el niño estaba leyendo libros infantiles de aventuras cubiertos por otros sobre temas más académicos. A Tommy le gustaba, particularmente, la serie de "Los grandes pequeños libros" que costaban diez centavos de dólar y cabían en la palma de la mano del lector. Los gruesos aunque pequeños libros de ilustraciones de tapa dura causaban furor en la década de 1930. Entre los predilectos de Tommy se encontraba *Houdini's Big Little Book of Magic* (El gran pequeño libro de magia de Houdini).

A su abuela Monson le encantaba leerle a Tommy y a sus

hermanos. Una Navidad le regaló un enorme libro de cuentos, el cual después le leyó.

Tommy también era figura conocida en la Biblioteca Chapman, que quedaba cerca de su casa. Él y su amigo Reo Williamson retiraban libros tres veces por semana. Cada uno de ellos tenía una tarjeta de miembro de la biblioteca y se deleitaban en usarla continuamente.

"La lectura es uno de los verdaderos placeres de la vida", ha dicho el presidente Monson. "En esta época en que todo se nos da digerido, condensado, adaptado, adulterado, destrozado y reducido, es reconfortante e inspirador sentarse en un lugar apartado con un buen libro entre manos"[11].

Sin embargo, Tommy no pasaba todo su tiempo leyendo. Su infancia fue muy divertida y, algunas veces, adornada con alguna que otra travesura. Hacía cosas típicas de la edad siempre con un gran espíritu aventurero. Tras cumplir con el derecho de hermano mayor que se impuso a sí mismo de apagar las luces, se dedicaba a asustar a su hermano menor hasta que el muchachito iba corriendo al dormitorio de sus padres lleno de miedo. El tío Jack Bangerter había cazado un venado y montado la cabeza como trofeo en la pared del dormitorio de los niños, y Tommy decía que por las noches el animal revivía y saltaba de la pared. El pequeño Bob salía corriendo antes de que su hermano mayor terminara con el cuento.

Tommy soñaba con ser parte del grupo de tambores y clarines de la Escuela Grant. Los muchachos del grupo llegaban a clase diez minutos después que los demás y salían diez minutos antes para cumplir con el deber de izar o arriar la bandera, pero para participar, Tommy necesitaba un clarín. Ese año, el instrumento estaba al tope de la lista de regalos que deseaba recibir de Papá Noel, y en la mañana de Navidad, lo encontró al pie del árbol. Estaba por demás entusiasmado, pero no había reparado en el hecho de que debía aprender a tocar el instrumento.

Lamentablemente, la maestra de música que por años había preparado a los integrantes del grupo, se había jubilado antes de que a Tommy le regalaran el clarín. Con tenacidad, todos los días antes y después de clase, se unía al grupo para izar o arriar la bandera. Le encantaba marchar y oír el sonido producido por aquellos que *podían* tocar. Cuando el grupo participó en una competencia con otras escuelas frente al Edificio de la Municipalidad y del Condado, los alumnos de la Escuela Grant salieron en segundo lugar. En determinado momento, el jovencito que marchaba delante de Tommy se volvió y con el ceño fruncido le dijo: "¡Estás desafinando!".

Tommy respondió: "¡Es imposible, ni siquiera estoy soplando!". Había perfeccionado el arte de inflar las mejillas para dar la impresión de que estaba soplando, pero el clarín no producía el más mínimo sonido[12]. Aún conserva el instrumento, aunque sus destrezas para tocarlo no han mejorado.

Las dos cuadras que caminaba desde su casa a la escuela y de regreso parecían un largo trayecto, pero el vecindario le era familiar. Muchas veces Tommy caminaba hasta la escuela en compañía de su amigo Luis, cuya familia era de México. A veces llegaban tarde porque la madre de Luis "pensaba que el chiquillo americano también debía comer una tortilla de harina para el desayuno". Un día, Tommy y Luis tuvieron que quedarse en la escuela después de horas de clase para escribir cincuenta veces en un cuaderno: "No hablaré en clase". Cuando llevaban unos quince minutos de "castigo", oyeron el sonido de una bocina de automóvil. Volviéndose rápidamente, Luis exclamó: "Ése es mi padre, debo irme". La maestra le dio permiso y el niño salió corriendo del aula, entregándole el cuaderno al salir. Mientras Tommy seguía escribiendo, pensó: "El padre de Luis no tiene un auto". Lo que Luis sí tenía era una mente muy lista[13].

Otra maestra, la señorita Lawson, despertó en Tommy el interés por los pájaros. A los diez años, cuando cursaba el quinto grado, era el presidente del club de observadores de pájaros en la Escuela Grant. Aprendió a distinguirlos en ilustraciones y más tarde de la simple observación. Al enterarse de un concurso de construcción de jaulas en la escuela, pidió ayuda a su tío Richard LeRoy Carter, un pintor de carteles apodado "Veloz" debido a que era muy pausado y meticuloso en sus trabajos. Los dos pasaron horas pintando la jaula de un llamativo verde grisáceo, y Veloz después adornó los aleros con flores de lila. Tommy la declaró "la jaula más hermosa que uno pudiera imaginar"[14].

Las jaulas se expusieron sobre la repisa de la ventana del aula. Tommy permaneció junto a ella mientras los alumnos admiraban su jaula, pero uno de sus compañeros la rozó al pasar y ésta cayó al piso descascarando uno de los aleros. Aunque pudo repararla, Tommy se sintió desconsolado por el percance.

En su último año en la Escuela Grant, a los once años de edad, Tommy estaba entre los mayores de la escuela y se le reconocía como un buen alumno. Fue nombrado miembro de la Patrulla de Tránsito y se le entregó un cinturón blanco y una bandera roja para cumplir con la responsabilidad de asistir a otros alumnos a cruzar la calle. Atesoró el certificado que recibió al finalizar su asignación, el cual dejaba constancia de que había servido con "distinción" y estaba firmado por el Jefe de Policía de la ciudad.

En casa, Tommy y su hermano Bob criaban conejos. El tío John les había construido una conejera en el fondo y los muchachos vendían las pieles a diez centavos de dólar cada una a las curtidurías del otro lado de la calle, y la carne a veinticinco centavos a los mercados locales.

Más adelante fueron las palomas las que captaron el interés de Tommy. Desde las ventanas de la biblioteca de la escuela, él y sus amigos estudiaban las palomas que se posaban sobre los techos de las cocheras directamente debajo. Llegaron a la conclusión de que tenía que haber un modo de capturar aquellas hermosas aves, que eran mucho mejores que los perros perdidos. Con una simple caja a modo de trampa que funcionaba tirando de un cordel ajustado a un palo vertical, Tommy y sus amigos atraparon palomas comunes en el fondo de la casa de Bob Middleton, del otro lado del cerco de su casa. "No eran gran cosa", recuerda Tom, pero allí fue donde levantó vuelo su inagotable interés en las palomas[15].

Era el año 1938 y Estados Unidos aún no se recuperaba de la devastadora Depresión. Era también el año anterior al comienzo de la guerra en Europa. Marcas como Hudson, Packard, LaSalle y De Soto hacían furor en los salones de exposición de automóviles, pero Tommy y sus amigos de once años no pensaban en autos ni en guerras, sino únicamente en palomas.

Cuando el padre de Bob Middleton, amigo de Tommy, instaló una hermosa ventana en el palomar de su hijo para que el viento frío no afectara a las aves, Tommy soñaba con hacer lo mismo en el suyo. En cierta ocasión, el padre de Bob llegó inesperadamente cargando una ventana y se puso a trabajar para instalarla en el improvisado palomar de Tommy. "Nunca me había sentido tan agradecido por algo que otra persona había hecho de su propia voluntad por mí", recuerda[16]. Tommy aprendió lo que se siente al recibir algo de otra persona, y cobró en él mayor significado el pasaje que dice: "cuando os halláis al servicio de vuestros semejantes, sólo estáis al servicio de vuestro Dios"[17].

Tommy y su amigo Bob estaban orgullosos de sus palomas hasta que conocieron a John Fife, quien vivía no muy lejos. Él y un amigo habían construido un palomar con maderas usadas, en el cual Tommy y otros muchachos del vecindario podían pasar horas observando sus preciadas palomas rodadoras de Birmingham. Sin duda alguna, John era "el rey en el reino de las palomas". Doquiera que iba, Reo Williamson, Kenny Petersen, Harold Watson, Norman Drecksel, Junior Thompson, Bob Middleton y Tommy Monson, iban con él. Les encantaba ver a las palomas de John en acción. Las palomas "atrapadas" de Tommy no se les comparaban.

Las palomas rodadoras de Birmingham eran oriundas de Inglaterra y llegaron a ser muy populares por su habilidad de rodar rápidamente hacia atrás en estrechas volteretas, dando la ráfaga de rotaciones la apariencia de una bola de plumas girando en pleno vuelo. Tal habilidad de rodar en el aire no se enseña sino que es genética, y cuando se recobran de las volteretas, regresan a la bandada, conocida en competencias como "equipo".

Tommy le compró su primer par de palomas rodadoras a John Fife: una hembra de pecho negro y un macho de barbas castañas. Les puso como nombre "Rump" y "Rolly". De hecho, para conseguirlas, las cambió por un gallo faisán que había atrapado mientras correteaba por la calle donde él vivía. Con el paso del tiempo, a menudo hacía trueques con bolsas de doce kilos de trigo recogido de los vagones del Molino Husler. Él y sus amigos barrían meticulosamente el grano alojado entre la pared de metal del vagón y el forro de las ranuras. Recuerda haber pagado sólo una vez en efectivo la suma de 1 dólar con 50 centavos por un par de hermosas palomas de color rojo pálido con marcas blancas en la cabeza, las alas y la cola[18]. Tommy y John Fife llegaron a ser amigos de toda la vida.

Spence, el padre de Tommy, consideraba el pasatiempo de su hijo un desperdicio, algo trivial y sin mayor sentido, y tal vez lo fuera, pero a Tommy le encantaba observar los pájaros y cuidarlos, y construyó su propio palomar con restos de madera. Por cierto que no era tan refinado como el de John, ya que aquél tenía nidos especialmente diseñados y había sido cuidadosamente pintado por dentro y por fuera. Pero Tommy era ingenioso y construyó su palomar aprovechando una de las paredes de la cochera del fondo de la casa. Lamentablemente, la ubicación del predio ofrecía fácil acceso a truhanes y ladrones de palomas que causaron daños varias veces.

Tommy empezó a exhibir sus palomas en las ferias del condado y del estado. Al ir ganando experiencia en la cría de sus rodadoras de Birmingham, también comenzó a recibir premios. Para entonces había empezado a cruzar los pájaros en procura de mejores colores y apariencia.

Lo mismo hizo con las gallinas que criaba además de las palomas. Tomaba los huevos y los incubaba hasta que empollaban. En una ocasión hubo un gran revuelo cuando sus polluelos a medio crecer se escaparon de debajo de la estufa de la cocina donde los mantenía calientes en una caja hasta que las plumas les crecieran lo suficiente para sacarlos a la intemperie. Los polluelos se echaron a correr en medio de unas señoras que estaban de visita, quienes salieron detrás de ellos para volver a ponerlos en la caja.

En la actualidad, en el fondo de la casa del presidente Monson hay palomares ubicados bien a la vista en medio del terreno y también tiene un gallinero; ambos mucho más complejos que los que tenía en su infancia. Todavía asiste a exposiciones locales en las que se fija en las palomas y conversa largo rato con muchos criadores amigos quienes por años han compartido el mismo interés.

De niño, Tommy era tanto ingenioso como emprendedor. Se sentaba en la sala de sus tíos Blanche y LeRoy y cortaba cupones de revistas y periódicos, los cuales enviaba por correo para recibir a modo de obsequio productos tales como lociones y jabones. Trató de vender tarjetas postales de Navidad de puerta en puerta, pero debido a las dificultades económicas, sus parientes no le compraban. Finalmente, llegó a casa de los Griffith en la Calle Gale. "Tal vez eran tan pobres como cualquiera de las familias del barrio", recuerda, "pero, pese a ello, la hermana Griffith, quizá compadeciéndose de un niño, compró seis tarjetas"[19]. Un verano, Tom y su hermana Marge vendieron bálsamo a cincuenta centavos de dólar el frasco hasta que su padre se enteró. De inmediato les quitó el bálsamo, devolvió el dinero a los vecinos y puso así fin al "negocio" de sus hijos.

Tommy acompañaba a Marge todos los sábados a sus clases de dicción con la Sra. Hoffman y pasaba horas escuchándola practicar y leer. Él absorbía las expresiones idiomáticas y las técnicas especiales que su hermana aprendía para hablar en público: gestos, inflexiones de la voz, pausas y expresiones faciales.

Su madre se aseguraba de que Tommy asistiera a la Primaria todos los miércoles, lo cual pasó a ser para él "una luz brillante de esperanza" en esa época tan oscura de la Depresión. La maravillosa maestra de Tommy, Nancy Taylor, quien llevaba poco tiempo de casada, tenía entusiasmo e interés hacia los niños. La veían como un gran ejemplo y ella tenía gran facilidad para motivarlos a alcanzar sus objetivos en la clase de Marcadores. "No se trataba de que nuestra maestra fuera bien educada y tuviera muchos títulos; no poseía nada de eso. Tampoco tenía que ver con que los niños fuéramos excepcionales y por demás motivados y de buen comportamiento; al contrario. Pero lo que fortaleció la relación entre la maestra y sus niños fue el hecho de que ella nos amaba y nos enseñaba el Evangelio"[20]. Introdujo a cada uno, individualmente, al programa de Marcadores y les enseñó la canción que decía: "Somos los niños marcadores, y marchamos hasta donde se pone el sol; hasta donde terminan los arroyos, en el mar de gran esplendor"[21]. El presidente Monson aún puede cantarla.

Tommy tenía diez años cuando empezó a recibir las insignias

de logros de los Marcadores. Su tío John tenía unos maderos y ayudó a Tommy a construir una caja especial donde él las guardaba, la cual llegó a ser mucho más que un objeto de madera lustrada. "La fuerte mano del tío martillando los clavos" pasó a ser un símbolo de un hombre dispuesto a ayudar a un sobrino al que tanto amaba[22].

Los Marcadores no eran un grupo fácil de manejar. El nivel de energía y la curiosidad de Tommy eran difíciles de canalizar. Un día vio a la presidenta de la Primaria, la hermana Georgell, sentada en la capilla, llorando. Se le acercó e inocentemente le preguntó: "¿Puedo ayudarla, hermana Georgell?".

Ella le explicó que no podía controlar a los Marcadores en los ejercicios de apertura de la Primaria. Lo que el niño no comprendió fue que él, Tommy Monson, era el principal causante de tan perturbadora conducta. Lleno de magnanimidad se comprometió a ayudar a la hermana Georgell, y los alborotos terminaron de inmediato.

Muchos años después, mientras oficiaba en el casamiento de uno de los nietos de la hermana Georgell en el Templo de Salt Lake, el presidente Monson la vio y compartió con los presentes aquel incidente, tras lo cual ella declaró: "Ah, después de todo no eras tan malo"[23].

Cuando Melissa Georgell tenía más de noventa años, vivía en un hogar de ancianos en la parte noroeste de Salt Lake City. Un año, durante sus típicas visitas de Navidad, el presidente Monson pasó a ver a su amada presidenta de la Primaria y la encontró en el comedor mirando fijamente la comida y empujándola de un lado al otro del plato. Cuando se dirigió a ella, notó que tenía la mirada perdida en él y en su derredor. "Delicadamente tomé el tenedor de su mano y comencé a darle de comer, mientras le hablaba de su servicio a los niños y niñas de la Primaria y de la dicha que yo había tenido de servir más tarde como su obispo". En su rostro no había el más mínimo indicio de que me reconociera. Dos de los otros residentes me dijeron: "Ella no conoce a nadie, ni siquiera a su familia. No ha pronunciado una palabra desde hace mucho tiempo".

El almuerzo terminó, y Tom, mucho más alto de lo que era

en sus días de Primaria, se puso de pie para marcharse. "Tomé su frágil mano entre las mías, la miré a sus hermosos ojos y le dije: 'Dios la bendiga, Melissa, y feliz Navidad'. De inmediato me habló, diciendo: 'Yo te conozco; tú eres Tommy Monson, mi muchachito de la Primaria. Cuánto te amo'"[24].

Esa clase de amor, camaradería y bondad proveniente de su círculo de familiares, amigos y maestros de la Iglesia fueron una enorme protección para Tommy contra los horrores de la Gran Depresión. Aquellos años formativos también sirvieron para ir forjando el corazón y el alma de un profeta. "Reconozco sin vacilar la mano del Señor en mi vida", ha declarado. "Nunca lo dudé, ni siquiera cuando era un niño"[25].

Los Monson literalmente abrieron sus puertas al necesitado. Debido a la depresión económica, una multitud de hombres llegaban como polizones en los trenes en busca de trabajo. Por vivir tan cerca de las vías del ferrocarril, muchos transeúntes golpeaban a la puerta de los Monson sin saber exactamente qué decir. Finalmente, brotaban las palabras: "Disculpe, pero tiene algún trabajo que pueda hacer para ganarme algo de comer?". Nunca negaron ayuda a nadie.

Gladys Monson no sentía temor. Esos hombres no eran criminales; eran desplazados que no tenían nada y trataban de conseguir algo. Los llevaba hasta el lavabo y les decía que se asearan mientras ella les preparaba algo para comer. Les servía lo mismo que le había dado a Spence: un sándwich de jamón o carne, papitas saladas, un trozo de pastel, con un vaso de leche o de refresco. Entonces se sentaba y en su típico tono maternal les preguntaba: "¿De dónde vienen?". Ellos estaban ocupados comiendo y ella estaba ocupada haciéndoles preguntas, ya que estaba genuinamente interesada en cada uno. No tenían otro remedio que escuchar sus consejos y Gladys tenía muchos para darles. "Les daba cátedras de lo que debían hacer, les pedía que consideraran regresar a su hogar, que fueran buenas personas mientras andaban en los trenes y que debían escribir a la familia para que no estuvieran tan preocupados por ellos"[26].

Tommy nunca entendió cómo era que ellos sabían a cuál puerta llamar. Lo que *sí* sabía era que cuando su madre le pidió que volviera a pintar el cerco, le había dicho que dejara una de las tablas sin pintar. Tuvo la impresión de que ésa era una forma de hacer que el necesitado se sintiera bienvenido.

Tales experiencias le enseñaron a ser generoso y acogedor. Su padre era un hombre de pocas palabras, pero cuando se trataba de ayudar a los demás, sus hechos eran por demás elocuentes. En el hogar se enseñaba la compasión, lecciones que se aprendieron bien. "No tenemos forma de saber cuándo se nos presentará el privilegio de tender una mano de ayuda a alguien", ha dicho el presidente Monson. "El camino a Jericó que todos transitamos carece de nombre y el viajero cansado que necesita nuestra ayuda puede ser alguien desconocido"[27].

La Navidad era siempre una época memorable durante la infancia de Tommy. Para los niños de la familia Monson, como sucede con casi todos los niños, era un tiempo que aguardaban anhelosamente todos los años. Decoraban las arañas, colgaban serpentinas entre las salas y adornaban el árbol con diminutas luces y preciados ornamentos. A principios de su matrimonio, Spence inició una tradición de escribirle a Gladys un poema o una carta para la Navidad y para su cumpleaños. En una de tales ocasiones escribió:

> *Un largo camino llevamos transitado,*
> *juntos los dos, tú y yo, lado a lado.*
> *Y aun cuando hay veces que soy aburrido,*
> *muchos más años quiero celebrar contigo*[28].

Como niño de la Primaria, Tommy participaba todos los años del programa de Navidad en el Barrio Sexto-Séptimo. Una vez hizo el papel de uno de los magos de oriente, con un pañuelo alrededor de la cabeza, la cubierta de la butaca del piano sobre los hombros y un bastón negro de madera en la mano. Sonaba convincente con las líneas que le habían asignado: "¿Dónde está el Rey de los judíos que ha nacido? Porque su estrella hemos visto en el oriente y venimos a adorarle"[29].

El texto era más largo, pero aun cuando ha olvidado parte de él, los sentimientos que experimentó aún se conservan vivos: "Los tres miramos hacia arriba, vimos la estrella, caminamos a lo largo del escenario, encontramos a María con Jesús, caímos de rodillas para adorarle, le obsequiamos nuestros tesoros: oro, incienso y mirra. A mí me agradó particularmente el hecho de que no regresáramos al malvado Herodes para traicionar al niño Jesús, sino que obedecimos a Dios y nos marchamos en otra dirección"[30].

El bastón negro de madera ocupa en la actualidad un lugar especial en la casa de los Monson, representando el mensaje de aquella primera Navidad y la dedicación y el amor hacia Jesucristo por los cuales el presidente Monson es conocido: "Dejémonos siempre guiar por el Ejemplo supremo, el mismo hijo de María, el Salvador Jesucristo, cuya vida misma nos ofreció un modelo perfecto a seguir. Nacido en un establo con un pesebre como cuna, descendió de los cielos para vivir en la tierra como un ser mortal y para establecer el reino de Dios"[31].

En una ocasión en el mes de diciembre, la madre de Tommy lo llevó a la sección de juguetería de una tienda de Salt Lake City. Para atraer a los clientes, el comercio estaba sorteando un hermoso poni. Cada niño debía escribir una nota explicando por qué el caballito sería un bien recibido regalo de Navidad y tras firmarlas, éstas se colocarían en una enorme caja junto al poni, el que se exhibía en la tienda. En el día y a la hora de realizarse el sorteo, Tommy y su madre estaban en medio de la bulliciosa multitud de niños, cada uno con la esperanza de llevarse el animal a su casa. Tan seguro estaba Tommy de que ganaría que ya había puesto paja en la casa de juguete de su hermana en el fondo de la residencia—un magnífico lugar para alojar a su poni. Pero no sacaron su nombre y el corazón se le hizo trizas.

Al salir de la tienda, Tommy advirtió a un caballero que hacía sonar una campana para dirigir la atención a un recipiente que colgaba de un marco triangular. Su madre se detuvo y puso dentro de él lo que parecía ser un dólar de plata. Se volvió a Tommy y le preguntó: "¿Tienes algo de dinero que quieras dar a los pobres para la Navidad?". Tommy buscó en sus bolsillos y sacó dos monedas de cinco centavos, todo cuanto tenía, y las puso dentro del recipiente, una después de la otra. "Ese día", recuerda, "no me gané el poni, pero recibí un regalo mucho mayor, 'la sonrisa de aprobación de Dios'"[32].

Los padres de Tommy trataban de evitar que la Navidad resultara una actividad frenética y por demás comercializada. Más bien, recalcaban la importancia de amar y dar de uno mismo. El mensaje de Navidad que el presidente Monson da año tras año reitera las lecciones aprendidas de niño, como cuando cita a David O. McKay: "El espíritu de la Navidad es el espíritu de Cristo que hace que nuestro corazón resplandezca de amor fraternal y nos impulsa a realizar buenas acciones de servicio. Es el espíritu del evangelio de Jesucristo, el cual, si obedecemos, traerá paz en la tierra y buena voluntad para con los hombres"[33].

Tommy recuerda una Navidad en particular en la que aprendió que "la diferencia radica en lo que hay en el corazón y no en lo que hay en la mano"[34]. Tenía diez u once años y anhelaba que sus padres le regalaran un tren eléctrico. "Yo no quería el barato modelo de cuerda que se podía conseguir en cualquier lugar", él cuenta, "sino el tren que funcionaba gracias al milagro de la electricidad". Pese a las serias limitaciones económicas de la época, sus padres hicieron un gran sacrificio para poner el tan ansiado juguete debajo del árbol. Llegada la mañana de Navidad, Tommy jugó por horas con el tren, moviendo la locomotora hacia adelante y hacia atrás por las vías, empujando y tirando los vagones. Cuando su madre le dijo que había comprado un tren de cuerda para Mark, el hijo de la Sra. Hansen, quienes vivían cerca de su casa, Tommy le pidió si podía verlo. La locomotora era pequeña y de apariencia rústica, no tan elegante como la del costoso modelo que le habían regalado a él. Notó en el modesto tren de Mark un vagón tanque que él no tenía en el suyo y, tras mucho insistir, su madre le permitió sacarlo de la caja y agregarlo a su juego. Las palabras de su madre: "si es que lo necesitas más que Mark" no lo hizo desistir; estaba complacido con la adición a su ya magnífico juguete.

No queriendo darse por enterado de la desilusión de su madre, Tommy fue con ella hasta la casa de Mark para llevarle lo que quedaba de su juguete. El niño era uno o dos años mayor que Tommy, pero quedó encantado con el regalo. Dio cuerda a la locomotora—no eléctrica como la que estaba en la casa de la familia Monson—y observó radiante cómo ésta con sus dos vagones y el furgón se deslizaban por la vía.

"¿Qué piensas del tren de Mark?", preguntó la madre de Tommy a su hijo, quien respondió casi al mismo tiempo que salía de la casa de los Hansen: "Aguarda un momento, ya regreso". Corriendo fue hasta su casa, recogió el vagón tanque que había tomado del tren de Mark y otro del suyo y volvió de prisa a la casa de los Hansen. Con una gran sonrisa exclamó: "Olvidamos traer estos dos vagones que son parte de tu tren". Mark con cuidado los juntó a los otros. Tommy "observaba cómo el trencito marchaba por la vía y sintió una satisfacción difícil de describir e imposible de olvidar"[35].

Años más tarde, en una conferencia general, contó la historia del tren para ilustrar una lección que aprendió de su madre sobre cómo vivir la regla de oro. Pocos días después, May Hansen, la hermana de Mark, lo llamó para agradecerle sus palabras, las que tanto habían significado para su aquejada madre, quien nunca había olvidado la bondad de Tommy aquella Navidad de tantos años atrás.

La hermana Hansen falleció pocas semanas después de la conversación telefónica y el élder Monson habló en su funeral. El volver a tener contacto con Mark y su familia fue un bendito momento de reflexión en cuanto a cómo compartir el amor del Señor. "Siento que fue providencial que yo me refiriera al incidente del tren en el momento que lo hice", comentó[36]. Fue justo a tiempo para bendecir a la hermana Hansen con aquel recuerdo.

"El aprender el Evangelio, dar testimonio y guiar a una familia no son tareas fáciles", reconoce el presidente Monson. "La jornada de la vida se caracteriza por los obstáculos que encontramos en el camino y la turbulencia de nuestros tiempos"[37]. Esa turbulencia durante la Depresión se vio mitigada por las expresiones de bondad en el hogar de los Monson. Tommy aprendió esos valores fundamentales, básicamente del mismo modo que los dos mil jóvenes guerreros de Helamán en el Libro de Mormón, a quienes "sus madres les habían enseñado"[38]. En su caso, Dios lo había "librado" del resentimiento y de la desilusión generados por la crisis que enfrentaba el país.

El Señor no dejó de enseñarle las cosas que eran de mayor importancia.

La familia siempre se reunía para la cena del día de Acción de Gracias (en el mes de noviembre). Gladys preparaba el pavo en el "horno grande" de la casa de Annie y las hermanas tomaban turnos para ver que se fuera cocinando bien. Spence tenía asignada la tarea de poner la mesa al llegar a su casa después de trabajar unas horas en la imprenta y antes de ir con los muchachos al tradicional partido de fútbol americano entre la Universidad de Utah y la Universidad Estatal, el cual empezaba al mediodía. Los Monson eran partidarios de la Universidad de Utah y en 1940 vitoreaban especialmente a Conway Dearden, el nuevo novio de Marge, que jugaba en el equipo, y después la veían a ella desfilar por el campo en el entretiempo con el equipo de marcha.

En una ocasión, la familia estaba en plenos preparativos para la celebración de Acción de Gracias cuando Charlie Renshaw, un joven vecino, llamó a Tommy de un grito desde el otro lado del cerco que separaba las dos casas.

Cuando Tommy respondió, Charlie le dijo: "Huele bien allí adentro. ¿Qué estás comiendo?".

Cuando Tommy le respondió que estaban preparando pavo, Charlie le preguntó qué sabor tenía el pavo.

"Pues, se parece al de la gallina", contestó Tommy, tras lo cual Charlie preguntó: "Y ¿qué sabor tiene la gallina?".

Tom fue corriendo hasta la cocina, tomó un trozo de carne de pavo y se lo dio a su amigo. "¡Qué bueno sabe!", dijo el muchacho.

Cuando Tom le preguntó a Charlie qué iban a comer en su casa, la respuesta fue: "No sé . . . no creo que haya nada para comer".

Tom se quedó pensando; él sabía que su madre siempre encontraba algo para dar de comer a quienes llegaban hasta su puerta. No tenía pavos, gallinas ni dinero, pero sí tenía dos conejos, un macho y una hembra, sus atesoradas mascotas. Le hizo una seña a su amigo y se dirigió hasta la conejera que había construido especialmente uno de sus tíos. Metió la mano y tomó los dos conejos, los puso en una bolsa y se la entregó a Charlie.

"La carne de conejo es mucho más sabrosa que la de gallina", dijo Tom. "El cuero lo puedes vender a veinticinco centavos cada uno en la curtiduría. Estos dos conejos serán una buena cena para tu familia"[39].

Charlie ya había saltado el cerco e iba corriendo hacia su casa antes de que Tom siquiera alcanzara a cerrar la puerta de la conejera vacía. Tom comprendió que había dado todo cuanto tenía; había satisfecho la necesidad de otra persona y no lo lamentaba. Allí comenzaba un patrón de conducta: "Porque tuve hambre y me diste de comer . . . en cuanto lo hicisteis a uno de éstos, mis hermanos más pequeños, a mí lo hicisteis"[40].

Su vida ha continuado siendo una expresión tangible de las palabras del Señor.

4

UN DIESTRO PESCADOR

Tal vez por haber crecido en un entorno modesto, él siempre ha estado en condiciones de ver y apreciar el valor, lo bueno y los dones de todas las personas, particularmente aquellas de circunstancias humildes.

ÉLDER D. TODD CHRISTOFFERSON
Quórum de los Doce Apóstoles

En 1930, cuando Sinclair Lewis aceptaba su Premio Nobel en literatura, dijo sabiamente: "Aprendí de niño que hay algo muy importante y espiritual en la pesca"[1], declaración con la cual Tom Monson estaría de acuerdo. No sabía de jovencito que en su madurez seguiría el modelo del apóstol Pedro, a quien Jesús dijo: "Desde ahora serás pescador de hombres"[2]. Lo único que Tommy sabía era que amaba la pesca.

Para aprender a pescar, Tommy tuvo que ser paciente, observador, resuelto y fuerte. Sus destrezas para la pesca—al menos en el agua—se manifestaron en Vivian Park, junto al río Provo, en escenas parecidas a las de los cuentos de Mark Twain.

Él casi nació en Vivian Park en agosto de 1927. Su madre había regresado a Salt Lake City a tiempo para ser admitida en el hospital donde daría a luz a su hijo. Desde que Tommy era un bebé de brazos, los Monson, junto con sus tías Condie, tíos, primos y abuelo, iban a pasar la mayoría de los veranos en su cabaña de Vivian Park en el cañón de Provo. Todos los años salían de casa el 4 de julio y no regresaban hasta principios del septiembre.

Spence, el padre de Tommy, junto con John Nielson y "Veloz" Carter, tíos del muchacho, se quedaban en la ciudad trabajando e iban a la cabaña los miércoles por la noche para llevar provisiones y después los sábados por la tarde "para pasar el fin de semana". Durante esos dos meses, Tommy pescaba y nadaba, pescaba y salía en caminatas, pescaba y montaba a caballo, y "disfrutaba todas las actividades enormemente". En aquellos días "las señales de radio y televisión no llegaban al cañón, así que lo que más hacían era conversar"[3].

La cabaña era modesta, con un exterior rústico, plomería interior, una carbonera, una estufa a carbón para cocinar y calentar los ambientes, un porche que daba al arroyo donde podían dormir, y una habitación, con una segunda que fue añadida más tarde para que en la cabaña pudieran dormir once personas "cómodamente". En la sala del frente tenían un pequeño sillón contra una pared. Contra otra había una mesa larga en la que no sólo comían, sino donde también jugaban, contaban historias y conversaban hasta altas horas de la noche. Hablar y contar historias eran las actividades predilectas de los Condie.

La propiedad de Vivian Park había estado en la familia por años. El abuelo Condie había comprado un lote por veinticinco dólares y en él edificó la cabaña. Los abuelos de Tommy estuvieron entre los primeros residentes de Vivian Park, y un puñado de parientes les siguieron. Allí, en el aire fresco del cañón, Gladys halló alivio para el asma que la atormentaba cada verano. En los primeros tiempos no tenían electricidad en la cabaña. A fin de conservar los alimentos en buenas condiciones los ponían en unas cajas especiales que colocaban estratégicamente en el arroyo que corría frente a la casa. Del otro lado del arroyo y cerca del camino principal había un salón de baile con piso de madera en donde se efectuaban bailes los sábados por la noche y servicios religiosos los domingos por la mañana. No tenían teléfono a no ser por el de una tienda cercana, la cual administró un matrimonio de apellido Purvance durante casi treinta años, hasta la década de 1940. En el comercio había algunos comestibles, equipos de pesca y periódicos, y también tenían una máquina de pínbol. Tommy aguardaba junto a las vías a que pasara el tren por Vivian Park. Allí el maquinista arrojaba un paquete de periódicos, los cuales Tommy llevaba hasta la tienda, quedándose con el de la familia. Una vez en la cabaña, se fijaba en los resultados de los partidos de béisbol y sus tías leían las noticias de "la ciudad".

La cabaña no había sido construida con mayor destreza profesional. Para 1986, Tom y su hermano Bob eran los únicos propietarios. Ese año, Tom compró la parte de Bob e hizo que se realizaran extensos trabajos de remodelación, modernizando la carpintería, la plomería y la instalación eléctrica, y reemplazó el revestimiento exterior de madera por uno de vinilo. "Aunque su tamaño es inadecuado y es vetusta, sigue siendo la casa de veraneo de mi juventud", explica. Se mantiene informado de cómo está la cabaña así como el segundo hogar de la familia en Midway, a más o menos una hora al este de Salt Lake City[4].

En sus tíos, Tommy encontró grandes instructores de pesca. Su tío John le compró su primera caña de pescar y lo inició en lo que llegaría a ser una de las pasiones de su vida. Los dos caminaban a lo largo de las vías del ferrocarril en Vivian Park para ir a pescar en un determinado lugar del río Provo. "El tío John me enseñó a pescar en la corriente, a poner la carnada en un anzuelo, a lanzar la línea, y a sacar el pez cuando picaba", recuerda Tom[5]. Su tío "Veloz" le enseñó a usar los peces pequeños como carnada mientras con paciencia aguardaba los peces grandes. El tío Rusty fue otro gran compañero de pesca. Tommy también observaba a otros buenos pescadores que frecuentaban el río Provo y aprendió cuanto pudo de ellos, copiando sus diferentes estilos.

Muchas veces, a las 4:00 o 5:00 de la mañana, Tommy salía de la cabaña con su perro Duke, sin olvidar darle un beso en la mejilla a su madre. "Realmente no sé cómo ella dormía", dice Tom, "sabiendo de los peligros a los que podía hacer frente un muchacho al pescar en un lugar donde el agua era profunda, las orillas empinadas y las mañanas oscuras"[6].

En el verano usaba lombrices como carnada y en el otoño peces pequeños. Algunas tardes pescaba solo, sobre todo entre semana. A veces se jactaba de sus destrezas cuando pescaba algo grande para mostrarlo a su padre y a sus tíos el miércoles o el sábado. A menudo lo acompañaban su hermano Bob y sus primos, quienes consideraban a Tom "un diestro pescador", ya que siempre pescaba más que ellos. Cuando la pesca no había sido buena, se quedaba dos o tres horas más en el río. Esos últimos cinco minutos algunas veces lo premiaban con lo que deseaba pescar.

Tommy llegó a ser un gran pescador. La Isla Secreta, como él la llamaba, era una excelente extensión de agua para pescar. El arroyo se dividía cerca de la cabaña, creando un islote de unos diez metros de largo por tres de ancho. Los abedules que crecían en el islote y a ambos lados del arroyo hacían del lugar un sitio ideal no sólo para pescar, sino para estar al aire libre. "Al pensar en aquellos días", reflexiona el presidente Monson, "lamento no haber tenido una caña con carretel, lo que me habría permitido poner la carnada en lugares de otro modo inaccesibles"[7]. Los muchachos pescaban con línea de tripa en vez del nylon que él usa en la actualidad.

Y, como todo buen pescador, cuenta la historia del gran trofeo que se le escapó.

Fue un fin de semana de principios de septiembre, casi al fin de otro glorioso verano en Vivian Park. Tarde una noche, Tommy estaba pescando con una línea recién comprada y un señuelo especial en el anzuelo. Él y su amigo Blaine Nuttall estaban tirando la línea justo debajo de lo que ellos llamaban los rápidos, río abajo del lugar donde nadaban. Según lo cuenta él: "De pronto se oyó un fuerte ruido en el agua y me di cuenta de que una monstruosa trucha había picado mi señuelo. El pez inmediatamente se lanzó río abajo, arrastrando toda la línea de mi carrete y a mí con ella. Literalmente perseguí al pez por unos treinta metros, pensando que iba a romper mi aparejo si no corría tras él. Entonces se detuvo, dándome la oportunidad de descansar por un momento, pero de inmediato salió disparado por segunda vez en dirección al puente de Vivian Park, donde volvió a detenerse brevemente y después arrancó y se detuvo otra vez debajo del puente".

Tommy sabía que no había modo de sacar ese pez del agua sin ayuda. Su amigo Blaine saltó al agua, tratando de agarrar el pez, "el cual se asustó y empezó su última corrida por el río. Lo perseguí lo más que pude otros cincuenta metros, hasta que el agua me llegaba hasta la cintura. Su puro peso hizo que la caña se encorvara y, con toda la línea extendida, el pez finalmente la quebró. Nunca me he sentido tan mal por haber perdido un pez"[8].

Tommy decidió que a partir de ese momento usaría aparejos más pesados y pececillos como carnada. Regresó a la cabaña, se armó de avíos de pesca más fuertes, volvió al río y se vio recompensado. "Esa noche", recuerda, "atrapé el pez más grande que jamás he pescado en el río Provo". Medía unos sesenta centímetros de largo y pesaba casi tres kilos, y Tommy lo pescó con el aparejo más pesado.

No era "el gran monstruo", pero por cierto que era una enormidad de pez en todos los sentidos que uno se pueda imaginar[9].

Aun en sus pasatiempos juveniles, a Tom le gustaban las cosas ordenadas. Los muchachos pescaban a lo largo de la rivera del río por orden de edad. Tom estaba primero y después sus primos Jack Condie, Rich Carter, Phil Condie y Jack Carman y, por último, Bob, su hermano. Río abajo iban por cualquiera de las dos orillas, pero la regla era que cada uno debía permanecer en su posición. La mayoría de los peces los pescarían quienes estaban más río arriba.

La pesca no tenía sólo que ver con el río y con el agua. En ocasiones, Tommy clavaba su caña firmemente en el fondo y se sentaba a la orilla del río para observar las montañas a su alrededor. Imaginaba ver formas de animales en la vegetación. A veces el balido de una oveja que pastaba en la colina o en la abundante hierba que crecía a lo largo de las vías del ferrocarril rompía el hechizo del momento.

Para Tom Monson, el río Provo era entonces y sigue siendo ahora su "estanque de Betesda", a donde él se aparta para renovarse o para refrescarse, en otras palabras, para sanarse. Allí o en viajes de pesca a Alaska, Idaho y a varios lagos de Utah, él ha echado su línea al agua y su pesca poco ha tenido que ver con los peces que hayan mordido la carnada. Ya sea en la orilla o en una embarcación, la pesca siempre lo ha ayudado a librarse de las presiones y los problemas. La distracción le permite decir, como en el caso del hombre ciego a quien el Salvador le untó los ojos con lodo, que para cuando regresa a sus labores, "ya ve"[10].

En la cabaña, Tommy compartía una cama en el porche del frente con su abuelo Condie. Cuando iban muchos parientes, dormían tres personas a lo ancho de cada una de las camas. Por las noches, el abuelo ponía su pequeño monedero de cuero negro— con las llaves de la casa y algunas monedas de plata—debajo de la almohada. El abuelo daba consejos a Tom sobre la vida en general y respondía sus preguntas. "Acostados allí en las mañanas, con el sol que se asomaba desde el este a través de las cortinas del porche, yo le pedía que me contara historias de su juventud como pastor de ovejas en el Gran Valle del Lago Salado"[11]. Cuando el abuelo Condie se cansaba de entretener a su tocayo nieto, recitaba con gran expresión este verso:

Te contaré un relato sobre Gloria y su pato,
y así es como el cuento empezó.
Ahora la historia sobre la hermana de Gloria,
y así es como el cuento acabó[12].

Tommy aprendió a nadar en el río Provo. El lugar donde nadaban tenía una profundidad de unos siete metros con una enorme roca en el medio que había caído del cañón, como él lo suponía, cuando se tendieron las vías del ferrocarril entre Provo y Heber. El sitio era peligroso, ya que la corriente se deslizaba velozmente alrededor de la roca formando remolinos, lo cual podía resultarle traicionero a un nadador sin experiencia.

Pero ése era un lugar predilecto de reunión donde las familias extendían mantas sobre la arena y después se aventuraban a nadar en las frías aguas. De jovencito, Tommy jugaba en la orilla, haciendo represas y castillos de arena, mientras su madre y la tía Blanche nadaban de costado llevadas por la corriente a través y alrededor de los remolinos unas veinte veces. Tommy aprendió a nadar observando cómo lo hacían los demás. Cuando se atrevió a nadar solo por la corriente, su familia lo rodeó como precaución. Fue enorme la sensación de euforia que sintió cuando atravesó por primera vez los remolinos y volvió a la seguridad de la orilla.

"Ciertamente nuestros deberes y responsabilidades a menudo nos llevan a nadar contra las corrientes de la tentación y del pecado", ha dicho, aplicando las lecciones aprendidas al nadar en el río. "Al hacerlo, aumentará la fortaleza espiritual y podremos cumplir con las responsabilidades que Dios nos da"[13].

Una calurosa tarde de verano, cuando tenía doce o trece años, Tom agarró una enorme cámara inflada de rueda de tractor, la cargó al hombro y caminó descalzo junto a las vías del ferrocarril que seguían el curso del río. Entró en el agua a más de un kilómetro y medio río arriba del lugar donde nadaban, se sentó cómodamente en la cámara y fue flotando río abajo. "El río no me ofrecía ningún temor, ya que conocía sus secretos", dice.

Ese día, unas familias griegas celebraban una actividad en Vivian Park con comida, juegos y bailes. Algunos se apartaron un poco y fueron a caminar por el río. Las sombras del atardecer ya se cernían sobre los remolinos del lugar donde nadaban.

Tom más adelante describió lo ocurrido de este modo: "Meciéndome en mi cámara por el agua, estaba por entrar a la parte más rápida del río cuando de pronto oí a algunas personas gritar: '¡Sálvenla!; ¡sálvenla!'". Una joven nadadora, acostumbrada a las aguas tranquilas de una piscina de gimnasio, había bajado al río por el costado de la enorme roca y había ido tan lejos que no podía ver una caída de agua que la llevaría directamente a los remolinos. Nadie de los que estaban en la actividad familiar podía nadar para salvarla.

"Vi cómo la cabeza desaparecía debajo del agua por tercera vez, camino a lo que sería su segura tumba. Estiré la mano, la tomé del cabello y la levanté por el costado de la cámara hasta tenerla en mis brazos". En la parte más baja del remolino, el agua aminoraba su curso y Tommy pudo remar con las manos hasta la orilla donde aguardaban ansiosos familiares y amigos de la joven. Ante todo la tomaron en sus brazos y la besaron, mientras exclamaban: "¡Gracias a Dios! ¡Gracias a Dios que estás a salvo!". Después tiraron de Tom hasta la orilla y empezaron a abrazarlo y besarlo. Con mucha vergüenza, volvió rápidamente a la cámara y siguió flotando río abajo hasta el puente.

Más adelante relataría lo que sucedió tras el rescate: "El agua estaba helada, pero yo no tenía frío, ya que me invadía un sentimiento de calidez. Comprendí que había contribuido a salvar una vida. Nuestro Padre Celestial había oído los gritos '¡Sálvenla!; ¡sálvenla!', y me había permitido a mí, un diácono, pasar flotando en ese preciso momento en que se me necesitaba"[14].

Tommy era un jovencito curioso, lleno de entusiasmo y audacia; algo propenso a meterse en problemas. Algunas veces jugaba con Danny Larsen, cuya familia vivía en Provo y también pasaba los veranos en Vivian Park. Los dos muchachos pasaban todo su tiempo pescando en el río.

En una ocasión decidieron hacer un claro en un pastizal donde la familia pudiera hacer un fogón esa noche. A menudo la familia se reunía alrededor de una hoguera por las noches para asar bombones y salchichas. Por alguna razón, Tommy pensó que prenderle fuego al pasto quemaría un círculo lo suficientemente grande para hacer un fogón esa noche y que después las llamas se extinguirían solas. Para horror de los muchachos, aquello empezó a arder como si le hubieran echado gasolina y se extendió hacia la ladera de la montaña, poniendo en peligro los pinos. En cuestión de minutos, todo hombre disponible en Vivian Park acudió a tratar de apagar el fuego con arpilleras mojadas. Tommy aprendió ese día una verdad en la que se ha basado toda su vida: Extendamos la visión hacia un posible resultado en vez de ver sólo lo inmediato.

Como a la mayoría de los hermanos menores, a Tommy le gustaba gastarle bromas a su hermana mayor. Un día, cuando su hermana Marge, una de sus amigas y dos muchachos, estaban tomando el sol a la orilla del río, él y su compinche, Danny, maquinaron un ingenioso plan. Decidieron ir por el agua sin ser vistos, hacer dos bolas de lodo con una rana viva en cada una y después dejarlas caer sobre el estómago de cada una de las jóvenes mientras dormían. Se acercaron silenciosamente al grupo y dejaron caer sus proyectiles de lodo justo en el blanco. Las dos jovencitas se espantaron y las ranas les saltaron en la cara. Tommy y Danny estaban muertos de la risa cuando los dos corpulentos muchachos los levantaron y los tiraron al río, mientras les gritaban: "¡O nadan o se ahogan!". Los niños nadaron.

A Marge, Tommy y Bob les gustaba alquilar y montar caballos en un predio que quedaba cerca de la cabaña. Cuando su padre llegaba los sábados, le suplicaban hasta que lo convencían de que les diera veinticinco centavos a cada uno para alquilar caballos por media hora. Aprovechaban el tiempo al máximo, dando a los animales un buen trote y después los llevaban de regreso caminando para que descansaran. En el establo generalmente le daban a Tommy un animal brioso pues sabían que él lo podía controlar. En una ocasión, cuando tenía unos catorce años, montaba un caballo rápido cuando otro jinete, una jovencita, pegó un grito de alarma cuando su caballo se echó a galopar. Tommy, recordando cómo los vaqueros de las películas fustigaban a sus caballos, se estiraban y tomaban las riendas del caballo desbocado, hizo precisamente eso y rescató a la jovencita. Fue en esa oportunidad en la que más se acercó a ser un vaquero.

En una ocasión, un deslizamiento de tierra causado por fuertes lluvias llegó hasta el río Provo bloqueándolo y haciendo que las aguas subieran hasta Vivian Park. Tommy se alarmó pensando que él y su familia perecerían, al ver cómo el agua se acercaba cada vez más a la cabaña. Aunque sus padres trataron de aplacar sus temores, la gran cantidad de lodo y su potencial de destruir la comunidad de cabañas lo angustiaban. Finalmente él y su amigo John Swertfager se sintieron lo suficientemente confiados de salir en una balsa para inspeccionar los daños. Copas de árboles que una vez habían estado muy elevadas por encima de ellos, ahora estaban a la altura de sus ojos. Peces—los más grandes que Tommy jamás había visto—ahora nadaban muy cerca de él. "Daba una sensación sobrecogedora pasar flotando frente a la tienda de Vivian Park, de la cual se veía sólo el techo", recuerda[15]. Cuando su padre y tíos viajaron desde Salt Lake por el fin de semana, tuvieron que tomar una ruta más larga y después ser llevados en balsa desde la carretera hasta la cabaña. Con el tiempo las condiciones mejoraron, pero Tommy había ganado un mayor respeto por la fuerza de la naturaleza y por la mano de Dios que había protegido a su familia.

A lo largo de los años, el presidente Monson a menudo ha compartido ejemplos derivados de sus experiencias en Vivian

Park, donde aprendió tantas lecciones sobre dar de sí, mantenerse firme y enfocado, nunca darse por vencido, buscar oportunidades de servicio y llevar siempre una oración en el corazón. Él dice que las coincidencias no existen y reconoce que las experiencias que ha tenido le han enseñado a buscar la mano del Señor. Un ejemplo:

"Mis amigos y yo siempre llevábamos con nosotros navajas con las cuales hacíamos pequeños botes con la blanda madera de sauce. Les poníamos una vela triangular de algodón y cada uno lanzaba su embarcación en una carrera por las aguas relativamente turbulentas del río Provo. Nosotros corríamos por la orilla y observábamos cómo nuestros barquitos a veces se mecían violentamente en la fuerte corriente, mientras que otras navegaban serenamente por el agua.

"Durante una de esas carreras, vimos que uno de los barcos había sacado ventaja a los demás. De pronto, la corriente lo acercó demasiado a un remolino grande, el bote se tambaleó y se volcó, y dando vueltas en espiral fue arrastrado, no pudiendo retornar a la corriente principal. Por último se detuvo bruscamente al final de ese tramo del río, rodeado por desechos.

"Los barcos de juguete de la infancia no tenían una quilla que los mantuviese estables, no tenían timón que ofreciera dirección, ni tampoco una fuente que generara poder. Inevitablemente, su destino era río abajo… el curso de menor resistencia.

"A diferencia de los barcos de juguete, se nos han dado atributos divinos como guía. Entramos en la vida mortal no para flotar sobre sus corrientes, sino con el poder de pensar, de razonar y de triunfar.

"Nuestro Padre Celestial no nos lanzó hacia nuestro viaje eterno sin proporcionarnos los medios por los cuales pudiéramos recibir de Él la guía que asegurase nuestro regreso a salvo. Sí, me refiero a la oración. Hablo, también, de los susurros de esa voz suave y apacible que hay en el interior de cada uno, y no dejo de lado las Santas Escrituras, escritas por marineros que con éxito navegaron por los mares que también nosotros debemos cruzar"[16].

Las lecciones de Vivian Park quedaron profundamente

grabadas en el corazón de Tommy Monson, en las cuales se basaría durante el transcurso de muchos años.

Al fin de cada verano, la familia entera iba en dos o tres automóviles hasta Midway para nadar en los famosos manantiales de agua caliente. También iban las tías, los tíos y los primos que vivían en la granja. Los dos manantiales más renombrados podían usarlos quienes se hospedaban en el lugar por la noche, así que la familia generalmente iba a otro menos popular, el cual podían disfrutar prácticamente ellos solos.

Durante tres o cuatro horas nadaban en los manantiales de agua caliente, bastante diferente a hacerlo en las congeladas aguas del río. Entre los primos tenían una competencia para ver quién podía permanecer en el manantial más caliente por más tiempo. Tom aún recuerda "cocinarse en el agua caliente". Después "volvíamos a Vivian Park, cargábamos el auto, regresábamos a casa, y al día siguiente comenzábamos la escuela"[17].

Y así llegaba a su fin otro memorable verano.

A modo de epílogo: Años más tarde, cuando el presidente Monson visitó la cabaña de Vivian Park una tarde, vio a varios estudiantes de la Universidad Brigham Young, algunos de ellos sentados frente a un televisor en la zona de recreo del parque, que funcionaba gracias a un generador de corriente, mientras que otros jugaban vóleibol. Allí volvieron a su mente las palabras que muchas veces cita a estudiantes: "Vuélvete, oh tiempo, hacia atrás; regrésame a la infancia sólo una vez más"[18].

5

CAMINO A LA ADOLESCENCIA

¿Por qué motivo el profeta de Dios, en su primera conferencia como tal, menearía humorísticamente las orejas ante una congregación del sacerdocio? Creo que sencillamente quería que la juventud de la Iglesia supiera que él los entiende pues también fue joven una vez. Él logra transmitir muy bien su humanismo a la Iglesia.

ÉLDER MARLIN K. JENSEN
Primer Quórum de los Setenta

SIEMPRE ADMIRÉ A MI HERMANO TOM y sus amigos", recuerda Bob, cinco años menor que Tom. "Eran la clase de personas que yo quería ser cuando creciera"[1].

En gran parte, todos ellos eran dignos de esa admiración.

Pero Tom y sus amigos solían ser todo un desafío para cualquier maestro de la Escuela Dominical. Un domingo por la mañana, la hermana Lucy Gertsch entró en el salón de clase y de inmediato comprendió cuál sería su principal tarea: *domesticar* a aquellos revoltosos. Años después, en una carta dirigida al "Élder Monson—querido Tom", ella se referiría a aquella primera experiencia:

"Cuando el superintendente de la Escuela Dominical me llevó hasta el salón donde estaban ustedes, vi a algunos parados sobre las sillas, otros trepando hasta las ventanas altas y otros saltando como ranitas. No recuerdo qué era lo que tú hacías, pero tampoco recuerdo que fueras travieso. La edad era más o menos lo único que tenías en común con aquellos muchachos. Eras un chico

68

animado y bueno. A muchas personas les costaría creer que una clase de Escuela Dominical de la Iglesia fuera tan indisciplinada. Recuerdo que uno de los niños dijo: 'La correremos de aquí como lo hicimos con las demás'. Lo que él no sabía era que yo tenía sangre suiza y también un espíritu indomable... Dadas las circunstancias, lo único que podía hacer era ofrecer una oración en silencio. Afortunadamente, la noche anterior había visto la película 'Boys Town' (Callejeros) y me di cuenta de que los miembros de la clase eran buenos niños con problemas. Todo cuanto podía hacer era amarlos"[2].

Tom y Lucy forjaron un vínculo inmediato, ya que ella había crecido en Midway, Utah, y en sus lecciones incluía descripciones de ese hermoso lugar de verdes valles y curiosos manantiales de agua caliente, entornos predilectos de la familia Monson.

Lucy llevaba al salón de clase a invitados especiales como Moisés, Josué, Pedro, Jacob, Nefi y, principalmente, al Señor Jesucristo. "Aun cuando no los veíamos, aprendimos a amarlos, honrarlos y admirarlos"[3]. El conocimiento del Evangelio aumentó y también mejoró la conducta. No llevó mucho tiempo hasta que los muchachos llegaron realmente a amar a Lucy.

"De la Biblia nos leía sobre Jesús, el Redentor y Salvador del mundo. Un día nos enseñó cómo le llevaban a los niños pequeños y cómo Él les imponía las manos y oraba con ellos. Sus discípulos reprendieron a quienes le llevaban a los niños; 'Y viéndolo Jesús, se indignó y les dijo: Dejad a los niños venir a mí y no se lo impidáis, porque de los tales es el reino de Dios'"[4].

Muchos domingos, los niños salían de la clase sintiéndose como los discípulos camino a Emaús, diciéndose: "¿No ardía nuestro corazón en nosotros?"[5]. Ciertamente ella les abrió una ventana a las Escrituras. De aquella clase y otras con similar energía espiritual nació el cimiento del testimonio que Tom Monson tiene de Jesucristo.

En una ocasión, Lucy sugirió programar una fiesta, lo cual fue recibido por la clase con mucho entusiasmo. En las semanas siguientes, ella llevó detenida cuenta de las monedas que los niños llevaban a la clase para comprar pasteles, galletas, tartas y helado. Habían llegado a la cantidad que necesitaban cuando, un domingo de invierno, Lucy anunció que la madre de uno de los compañeros de clase, Billy Devenport, había fallecido. Muchos de los niños pensaron en sus propias madres y se imaginaron el dolor que sentiría Billy.

La lección de ese día se basaba en pasajes del libro de Hechos: "[Tened] presentes las palabras del Señor Jesús, que dijo: Más bienaventurado es dar que recibir"[6]. En medio de la lección, Lucy mencionó la terrible condición económica de la familia de Billy y preguntó: "¿Cuánto dinero hemos recolectado para nuestra fiesta?". Con sano orgullo, los niños respondieron: "Cuatro dólares y setenta y cinco centavos". Entonces Lucy sugirió: "¿Qué les parece si seguimos la enseñanza del Señor y le damos a la familia Devenport el dinero que juntamos para nuestra fiesta como una expresión de nuestro amor por ellos?". El voto fue unánime, y así Lucy puso el preciado fondo dentro de un sobre que ella había llevado a la clase.

El pequeño grupo caminó las tres cuadras desde la capilla hasta la casa de los Devenport, llamaron a la puerta y fueron atendidos por Billy, su papá y sus hermanos y hermanas. Todos sentían la ausencia de la Sra. Devenport. Lucy entregó el sobre al padre de la familia. "Nuestros corazones se sintieron más livianos aquél día, nuestro gozo era más pleno y nuestro entendimiento más profundo", recuerda el presidente Monson. "Aquél sencillo acto de bondad nos unió estrechamente y aprendimos, mediante nuestra propia experiencia, que por cierto es mucho más bienaventurado dar que recibir"[7].

Años más tarde, los miembros de aquél grupo efectuaron una reunión para recordar la "clase de Lucy Gertsch Thomson, de 1940". Aquellos "alborotados" muchachitos habían llegado a ser hombres respetables: Don Balmforth, instalador de alfombras; Richard Barton, médico; Don Brems, técnico en maquinaria, John Giles, bombero y maquinista de ferrocarril; Bryand Giles, profesor de idiomas; Jack Hepworth, químico; Alfred Hemingway, ejecutivo de una compañía cinematográfica; Robert Marsh, maestro; Bill Mayne, plomero industrial; Leland Weeks, fotógrafo; Leon Robertson, oficial financiero universitario; Tom Monson, miembro del Quórum de los Doce Apóstoles.

Cuando el presidente Monson oye la letra de algún himno que se refiere a la Escuela Dominical, piensa en Lucy Gertsch, así como en otros apreciados líderes como Thelma Jensen, Larry Green, Pearl Snarr y Francis Brems. Sus ejemplos de servicio cristiano influyeron en él profundamente, "no tanto por las cosas que decían, sino por lo que eran y por la manera en que amaban al Señor"[8]. Compartieron perdurables lecciones de bondad, generosidad, valor y honor. Refiriéndose a aquellos días como maestra, Lucy dijo: "Si uno ama, ora y estudia, Dios bendice sus esfuerzos"[9]. Esa lección no pasó desapercibida para Tom. El amor, el tema mismo de su vida, fue forjado profundamente en los salones de clase del viejo edificio de un barrio pionero.

Años después, una mujer llamó un día y le preguntó si recordaba a Francis Brems, su maestro de la Escuela Dominical, a lo cual el presidente Monson respondió que sí. De hecho, el hermano Brems no era realmente un maestro, sino un "vigilante" asignado a sentarse en el fondo del salón de clase y, si alguien creaba problemas, a sentarse junto al alborotador. El hermano Brems estaba en esa clase todas las semanas.

La persona que llamó procedió a explicarle que el hermano Brems había cumplido la increíble edad de 105 años, y que estaba sordo y ciego pero que podía hablar. "Está internado en un pequeño hogar de ancianos pero la familia lo visita todos los domingos", le dijo. "El domingo pasado, el abuelo nos anunció: 'Mis queridos, voy a morir esta semana. Por favor llamen a Tommy Monson y avísenle. Él sabrá lo que debe hacer'".

Al día siguiente, el presidente Monson estaba junto al hermano Brems. "No podía hablarle, porque era sordo; no podía escribirle nada para que él leyera, pues era ciego, ¿qué podía hacer? Se me dijo que para comunicarse con él, su familia trazaba con el dedo de la mano derecha de él sobre la palma de su mano izquierda las letras del nombre de la persona que había ido a visitarlo y cualquier otro mensaje. Seguí las instrucciones y deletreé mi nombre. Lleno de entusiasmo, el hermano Brems me tomó las manos y se las puso sobre la cabeza. En ese momento supe que su deseo era recibir una bendición del sacerdocio. El conductor que me había llevado hasta el hogar de ancianos me ayudó en la ordenanza de poner las manos sobre la cabeza del hermano Brems para darle la anhelada bendición. Al terminar, las lágrimas brotaron de sus ojos sin vida. Nos tomó las manos y leímos el movimiento de sus labios: 'Muchas gracias'"[10]. Pocos días después, tal como él lo había predicho, el hermano Brems falleció, y el presidente Monson habló en su funeral.

"Quien influye en un joven con el plan divino, a un futuro hombre le marca el destino", recita a menudo el presidente Monson al hablar con líderes de la juventud. Al mirar hacia atrás en su propia vida, él ha dicho: "Cada clase de Primaria, de Escuela Dominical, de seminario, y cada asignación del sacerdocio, ha dejado una huella indeleble en mí. De un modo casi imperceptible, una vida fue moldeada, se dio inicio a una carrera y nació un hombre"[11]. Sus maestros nunca se sorprendieron.

Una de las razones por las que con frecuencia utiliza himnos en sus discursos es porque de niño los aprendió en la Escuela Dominical y los mensajes permanecieron en su corazón. Él ve en los himnos un medio para enseñar principios. "Venid, los que tenéis de Dios el sacerdocio", "Qué firmes cimientos", "Israel, Jesús os llama", y "Oh élderes de Israel", los cantó una y otra vez. Cuando la directora de música del barrio sometía a la congregación al proceso de aprender un nuevo himno, lo aprendían de verdad. Stella Waters agitaba la batuta a centímetros de la nariz de los diáconos y marcaba el compás con un pie pesado que hacía que el piso crujiera. "Cuando cantábamos los himnos de Sión", recuerda el presidente Monson, "no sólo aprendíamos la música, sino también la letra"[12]. Si la congregación respondía bien, les permitía escoger el siguiente himno. Uno de los predilectos era:

> *Cristo, el mar se encrespa,*
> *y ruge la tempestad.*
> *Obscuros los cielos se muestran,*
> *Terribles y sin piedad*[13].

A Tommy le encantaba esa letra, la intensidad de la melodía, el dramatismo de las imágenes. De jovencito ya comprendía en parte los peligros de un mar tempestuoso, pero tal vez no aquellos que vería y aconsejaría a los diáconos que evitaran en los años futuros: "El demonio de la codicia; el demonio de la deshonestidad; el demonio de la duda; el demonio de las drogas; y esos dos demonios mellizos de la inmodestia y la inmoralidad"[14].

Tommy fue ordenado diácono el 5 de noviembre de 1939, por el patriarca de la estaca, Frank B. Woodbury. Después de su ordenación, los himnos del sacerdocio adquirieron un significado aún mayor para él. La letra del himno de apertura el primer domingo como diácono, "Venid, los que tenéis de Dios el sacerdocio", penetró profundamente su alma[15]. Al mirar hoy hacia atrás, todavía recuerda lo que sintió aquél día, un joven diácono entre hombres que—no en edad sino en el deber del sacerdocio—eran sus compañeros. Él siempre ha considerado que poseer el sacerdocio es una muestra de confianza de parte de Dios, y ha aconsejado: "Pensemos en nuestros llamamientos, reflexionemos en nuestras responsabilidades, determinemos nuestro deber, y sigamos a Jesucristo, nuestro Señor"[16]. Ese compromiso nació cuando un muchacho de doce años se reunió con sus hermanos.

Los miembros del obispado demostraron un interés personal en Tommy, recalcando las lecciones del Maestro que él veía demostradas en su propio hogar. Nunca dejó de honrar a sus padres; ellos eran su faro, pero también hubo otros que le señalaron el camino. Sus asesores del sacerdocio hicieron hincapié en la sagrada responsabilidad de repartir la Santa Cena; pusieron énfasis en la forma debida de vestir, en tener modales dignos y en la importancia de ser limpio interior y exteriormente. Fue en esos años de adolescente en el Sacerdocio Aarónico que aprendió lecciones de servicio en la Iglesia que forjarían el resto de su vida. Él ha enseñado a los jóvenes: "Todos los que poseen el sacerdocio tienen oportunidades de servir a nuestro Padre Celestial y a Sus hijos aquí en la tierra. Es contrario al espíritu de servicio el vivir egoístamente y hacer caso omiso de las necesidades de los demás"[17].

El barrio tenía dos quórumes de diáconos. En 1940, Tommy sirvió como segundo consejero en el primer quórum y en 1941 como secretario en el segundo quórum de diáconos del Barrio Sexto-Séptimo de la Estaca Pioneer. Le gustaba la exactitud con la que se llevaban los registros y otras tareas del secretario y se sentía orgulloso de servir en un llamamiento de la Iglesia. En una reunión de oficiales de una conferencia de barrio, un miembro de la presidencia de la estaca le pidió que se pusiera de pie y diera su testimonio y dijera cómo se sentía hacia su asignación en la Iglesia. No recuerda qué fue lo que dijo, pero para entonces ya había comenzado a desarrollar un marcado sentido de obligación en cuanto al rendimiento personal y a cumplir con sus deberes del sacerdocio, y es posible que sus palabras hayan reflejado esa determinación.

Otro de esos deberes era recolectar las ofrendas de ayuno. "Yo cubría una parte del barrio en la mañana del domingo de ayuno, entregaba el pequeño sobre a cada familia, aguardaba que pusieran la contribución en él y después lo devolvía al obispo. En una de tales ocasiones, un miembro de avanzada edad, el hermano Wright, quien vivía solo, me recibió a la puerta y, con manos ancianas, abrió el sobre y puso en él una pequeña suma de dinero. Su ojos brillaban mientras hacía su contribución"[18].

Thomas Monson nunca ha olvidado a Ed Wright, y hoy emplea aquellas experiencias que tuvo como poseedor del Sacerdocio Aarónico, cuando enseña a los jóvenes acerca de este sagrado deber: "Recuerdo que los muchachos en la congregación que yo presidía se habían reunido una mañana adormilados, un tanto desaliñados y en cierto modo quejándose por haber tenido que levantarse tan temprano para cumplir con su asignación. No se oyó ningún comentario de reprobación, pero durante la semana siguiente llevamos a los jóvenes en una gira por la Manzana de Bienestar. Allí vieron a una persona minusválida atender los teléfonos, a un hombre entrado en años poner artículos en estanterías, mujeres que ordenaban ropa, y hasta un hombre ciego que pegaba etiquetas en latas; todas ellas, personas que se ganaban el sostén sirviendo como voluntarias. Un marcado silencio invadió el lugar a medida que los muchachos fueron testigos de cómo sus esfuerzos todos los meses al recolectar las ofrendas de ayuno contribuían a ayudar a los necesitados y proporcionaban empleo a quienes, de otro modo, estarían desocupados"[19].

Su consejo es claro: "Bien podríamos esperar más hoy de

nuestras presidencias de quórum del Sacerdocio Aarónico, pues sé que obtendríamos mejores resultados si así lo hiciéramos"[20].

Tommy era todavía un jovencito muy activo y, al igual que sus amigos, algo travieso, aunque nunca obraban con malicia. Acostumbraban subirse por cortos tramos en las locomotoras y hacer bromas a los conductores de automóviles que pasaban por el vecindario. Un día, después de la escuela, caminaba por la calle con uno de sus compañeros de clase y vieron el camión de la perrera estacionado frente a una tienda de embutidos. Ya que "todos los niños detestan la perrera", se fijaron en el camión y advirtieron que el conductor había dejado la traba de la cerradura abierta. Preocupado por los perros "que iban camino a la cámara de ejecución", Tommy levantó la traba, dejando a siete perros en libertad, los cuales, cumpliendo con su deber canino, corrieron detrás de los niños por varias cuadras"[21].

Un día de Halloween (día de las brujas), Tommy y sus amigos "se apoderaron" de un muñeco relleno de paja y vestido en raídas ropas de hombre. Se contaba que lo habían hecho en la penitenciaría del estado para un baile de disfraces de la familia de uno de los reclusos y que lo habían desechado después del evento. Los muchachitos se pusieron eufóricos cuando lo encontraron.

Entonces comenzaron a maquinar ideas: ¿Qué uso podrían dar a ese muñeco al que llamaban "Charlie"?. No transcurrió mucho tiempo hasta que se escondieron entre los arbustos al costado de la capilla y cada vez que se acercaba un automóvil, arrojaban el muñeco frente a él, dándole la impresión al conductor de que había atropellado a alguien. Oían el chirrido de los frenos y al conductor dar un grito, trama que les resultaba sumamente divertida.

Después los niños recogían a "Charlie" y aguardaban a que pasara otro vehículo, y después otro y otro más. Pero fue cuando lo arrojaron frente a un autobús del transporte público que las cosas cambiaron de color. El conductor clavó los frenos, los pasajeros gritaron y una señora se desmayó. Para Tommy y sus compinches, "ése fue el punto culminante de la noche". Pero el incidente llegó a oídos de uno de los consejeros del obispado, John Burt, quien les quitó a Charlie y dirigió sus pasos hacia la sala de calderas del centro de reuniones. Al abrir la puerta del horno, los diáconos lanzaron su amenaza: "Si nos quema el muñeco, no repartiremos la Santa Cena".

"Lo que hagan el domingo es asunto de ustedes", dijo el hermano Burt, mirando a los temerarios diáconos. "Lo que yo haga ahora es asunto mío". Charlie fue echado a las llamas y los niños fueron enviados a su casa. Baste decir que estaban muy enojados.

Llegado el domingo por la mañana, los jovencitos no se sentaron en sus asientos habituales, pero al comenzar la reunión, empezaron a pensar en lo que les había dicho el hermano Burt. Uno por uno se pusieron de pie y emprendieron la "vergonzosa marcha" hacia sus puestos asignados y repartieron la Santa Cena con corazones arrepentidos[22].

El presidente Monson emplearía esa lección al enseñar a los diáconos alrededor del mundo: "¿Están viviendo de acuerdo con lo que el Señor requiere de ustedes? ¿Son dignos de poseer el sacerdocio de Dios? Si no lo son, tomen la decisión en este preciso momento, ármense del valor que se requerirá y efectúen los cambios necesarios a fin de que su vida sea lo que debe ser".

Muchas veces les ha dicho a los jovencitos: "Ustedes tienen el privilegio de ser participantes en vez de espectadores en el escenario del servicio del sacerdocio"[23].

Generalmente, Tommy llegaba a la reunión de sacerdocio solo, pero cuando estaba programado que la autoridad general favorita de su padre, el élder LeGrand Richards, hablaría en la reunión de sacerdocio de la Estaca Pioneer, en la capilla del Barrio Cuarto, Spence y Tommy iban juntos. Para el muchacho, aquellos momentos con su padre eran invalorables.

En una ocasión, siendo aún un joven diácono, a Tom se le asignó hablar sobre la Palabra de Sabiduría en una reunión de estaca. El presidente, Paul C. Child, se inclinó hacia Tommy después que se sentó y lo felicitó por su mensaje, pero añadió: "En el futuro no tendrás necesidad de leer tus discursos; tienes la habilidad de darlos sin leerlos". Tommy se tomó el consejo del presidente muy en serio.

Los muchachos eran inquietos pero dóciles. "Parece como si hubiera sido ayer que era secretario del quórum de diáconos de mi barrio. Éramos instruidos por hombres sabios y pacientes que nos enseñaban de las Santas Escrituras, hombres que nos conocían bien. Esos hombres que se tomaron el tiempo de escuchar y reír, de edificar e inspirar, recalcaban que nosotros, al igual que el Señor, podíamos aumentar en sabiduría y estatura y en favor ante Dios y los hombres. Ellos eran ejemplos para nosotros; sus vidas eran un reflejo de sus testimonios. La juventud es una época para crecer"[24].

De diácono, observaba a los presbíteros oficiar en la bendición de la Santa Cena. Uno de ellos, Barry, tenía una voz magnífica, y su lectura de las oraciones sacramentales era inspiradora. Los demás solían elogiarlo por su voz "de oro", como si hubiera participado en un concurso de oratoria. A causa de ello, se vio un poco afectado por el orgullo. Por otro lado, Jack, otro de los presbíteros, sufría de sordera y su dicción era anormal y algunas veces confusa.

Un domingo, Jack con su "expresión torpe", y Barry con su "hermosa voz", fueron asignados para bendecir la Santa Cena. La congregación entonó el himno; los presbíteros partieron el pan y Barry se arrodilló para hacer la oración, pero nada. Los diáconos y los demás miembros de la congregación miraban para ver qué era lo que causaba la demora. Tom aún lleva en la mente la imagen de Barry "buscando frenéticamente la pequeña tarjeta blanca en la que estaban impresas las oraciones sacramentales". No estaba por ninguna parte. Terriblemente avergonzado, Barry estaba rojo como un tomate.

Entonces, Jack, con su enorme mano, tomó a Barry por el brazo e hizo que se sentara en la banca. Se arrodilló en el escabel y empezó a recitar las palabras que había memorizado: "Oh Dios, Padre Eterno, en el nombre…" Los diáconos—y Barry—ganaron gran respeto ese día por Jack, quien, aunque limitado en el habla, había cumplido con su deber al memorizar las sagradas oraciones sacramentales[25].

Los jóvenes del barrio aguardaban ansiosos todos los años la temporada de los teatros ambulantes. Ellos sí "sabían lo que era una producción". Hasta el día de hoy, el presidente Monson es un defensor de los teatros ambulantes, de los festivales de danzas y de otros eventos por el estilo, considerándolos edificantes y—como lo fue en su caso propio—un punto de transición en la vida. En años recientes, grandes eventos culturales han acompañado la dedicación de templos, los cuales él reconoce que "permiten a los jóvenes participar de una experiencia inolvidable. Las amistades y los recuerdos que forjan resultan imperecederos"[26].

Myriel Cluff, y más adelante Betty Rushton Barton, dirigían las producciones del Barrio Sexto-Séptimo. En noviembre de 1940, la presentación del barrio titulada: "A través de los rayos del sol", ganó el primer lugar en la estaca y más tarde fue galardonada como la mejor del valle en la competencia que se llevó a cabo en el Kingsbury Hall, la sala teatral de la Universidad de Utah. "Representaba el espíritu de la Estaca Pioneer (pionera) pues mostraba cómo gente de todas partes del mundo se unió gracias al Evangelio"[27].

En la producción, Tom y los demás jovencitos de doce años eran esquimales. Vestidos de blanco, participaron en un baile representativo de la caza de focas sobre el hielo. Otros grupos del barrio representaron al sur de los Estados Unidos y a tierras de Asia. Marge, la hermana de Tom, hizo el papel protagónico, recitando el poema de Emma Lazarus que aparece en la Estatua de la Libertad de Nueva York, y el cual promueve la idea de que "A través de los rayos del sol se divisan todos los pueblos".

El día de la competencia regional, Marge tuvo un ataque de laringitis. Tomó remedios caseros con cáscaras de limón, miel y otros brebajes que le dieron miembros del barrio, aunque sin ningún provecho. No tenía voz, y las palabras: "Traedme a vuestros fatigados y a vuestros pobres", no se oirían de sus labios. Tom le dijo que oraría por ella e iba a pedirles a todos los esquimales que hicieran lo mismo. Reunió a los diáconos y todos se arrodillaron y ofrecieron una oración. Marge recobró la voz y el jurado dictó que "el Barrio Sexto-Séptimo tenía el mejor teatro ambulante de la Iglesia". Por medio de la oración y la fe representaron elogiosamente a su "gran estaca de Sión"[28].

"El presidente Monson siempre ha sido una persona de enorme fe y dado a orar", observa el obispo H. David Burton. "Él emplea esos grandes dones para ser una bendición en la vida de muchas personas en la actualidad"[29].

Una perdurable tradición de la juventud del Barrio Sexto-Séptimo era conmemorar la restauración del Sacerdocio Aarónico viajando a Clarkston, Utah, una pequeña comunidad a unos ciento sesenta kilómetros al norte de Salt Lake City. Allí los jóvenes visitaban la tumba de Martin Harris. "La mayor parte del tiempo lo dedicábamos a aprender sobre Martin Harris, uno de los Tres Testigos del Libro de Mormón, cuyo restos descansan en ese tranquilo cementerio", recuerda el presidente Monson. "Sin duda que es el ocupante más ilustre del cementerio. Sin embargo, caminé por el lugar y leí en las lápidas inscripciones de otras personas no tan prominentes pero igualmente fieles. En algunas se hallaban interesantes recordatorios, tales como: 'Volveremos a encontrarnos', o 'Se marchó a un lugar mejor'. Una inscripción que aún recuerdo decía: 'Una luz de nuestro hogar se apagó; una voz amada se ha callado. Un lugar en nuestro corazón está vacío y nunca volverá a ser llenado'"[30].

Él recuerda la "reverencia y el asombro" que sintió cuando se detuvieron en los jardines del Templo de Logan, Utah. "Como los jovencitos suelen hacerlo en un día de primavera, nos acostamos sobre el césped y observamos los chapiteles del templo, los cuales se extendían hacia el cielo azul, y notamos las sedosas y tenues nubes blancas mientras pasaban deprisa. Pensé en los pioneros que yacían sepultados en aquél pequeño cementerio. Como resultado de las sagradas ordenanzas que se llevan a cabo en la santa casa de Dios, ninguna luz se había apagado permanentemente, ninguna voz se había callado permanentemente, ni había en nuestro corazón ningún lugar vació para siempre. ¡Cuánto amaban el templo aquellos primeros pioneros!"[31].

En 1942, el obispo llamó a Tom Monson como presidente del quórum de maestros. Glen Bosen era su primer consejero y Fritz E. Hoerold el segundo, con John Hepworth como secretario. Aun cuando los jóvenes de su quórum crecieron, se casaron y se mudaron del barrio, Tom nunca dejó de sentirse responsable por ellos. Su apego a un verso que ha recitado repetidamente, tal vez haya nacido en aquellos días: "Cumple tu deber de la manera mejor, y deja el resto en manos del Señor"[32].

La presidencia del quórum de maestros de vez en cuando

llevaba a cabo sus reuniones en la casa de uno de los líderes, el hermano Miller, y al terminar jugaban al Banquero y comían pasteles de carne. Fue en ese mismo lugar que Tommy recibió su bendición patriarcal del patriarca Frank B. Woodbury, el padre de la hermana Miller, quien hacía las partes de escribiente.

Harold Watson, el asesor del quórum de maestros de Tom, también era un apasionado de las palomas, y criaba las rodadoras de Birmingham. Un día, el hermano Watson le preguntó a Tom si aceptaría como obsequio un par de tales palomas de raza pura. Tom no lo podía creer, y al día siguiente esperó al hermano Watson por una hora en su casa hasta que llegara del trabajo. "Me llevó hasta su palomar que estaba en la parte superior de un pequeño granero en el fondo de su casa. Al observar las palomas más hermosas que jamás había visto en mi vida, me dijo: 'Escoge cualquier macho y yo te daré una hembra diferente a cualquier otra paloma en el mundo'".

Tom escogió y el hermano Watson puso en su mano una pequeña paloma. Tom le preguntó qué la hacía tan diferente a las demás.

"Si la observas detenidamente, verás que tiene sólo un ojo".

Así era, le faltaba un ojo, como resultado de un encuentro con un gato.

"Llévalas a tu palomar", le aconsejó el hermano Watson. "Tenlas por unos diez días y después ábreles la puerta para ver si se quedan contigo".

Tom siguió las instrucciones y después del tiempo indicado, las dejó salir. El macho se paseó por el techo del palomar y después volvió a entrar para comer, pero la hembra de un solo ojo voló inmediatamente. Tom llamó al hermano Watson para preguntarle si acaso la paloma de un solo ojo había regresado a su palomar.

"Ven y echemos un vistazo", le respondió.

Mientras caminaban hacia el palomar, el hermano Watson le dijo a Tom: "Como presidente del quórum de maestros, ¿qué harás para activar a Bob, quien también es miembro de tu quórum?".

Al tiempo que Tom respondía: "Lo llevaré a la reunión del

quórum esta semana", el hermano Watson extendió su mano hasta el nido y le entregó la paloma de un solo ojo. "Tenla por algunos días más", le dijo, "y después vuelve a hacer la prueba".

Los resultados fueron los mismos. Tom llamó al hermano Watson y nuevamente fueron hasta su palomar. La conversación se desarrolló más o menos de esta forma: "Te felicito por haber llevado a Bob a la reunión de sacerdocio. ¿Qué van a hacer ahora tú y Bob para activar a Bill?" Bill y su familia eran quienes habían recibido el dinero de la fiesta de la clase de Lucy Gertsch.

Cada semana, la paloma volaba de regreso al palomar del hermano Watson, y cada semana Tom y su asesor conversaban sobre la actividad de los miembros de su quórum. "Ya era un hombre cuando finalmente comprendí que, ciertamente, Harold Watson, mi asesor, me había dado una paloma muy especial: la única de su palomar que sabía regresar a él cada vez que le abrían la puerta. Ésa era su manera inspirada de tener una entrevista personal del sacerdocio con el presidente del quórum de maestros"[33].

De Harold Watson y muchos otros, Tom aprendió paciencia, perseverancia, deber y dependencia espiritual en el Señor. "Cuán enorme privilegio el aprender la disciplina del deber. Un muchacho automáticamente dejará de pensar demasiado en sí mismo cuando se le asigna 'velar' por los demás", dice[34]. Le gusta hablar del hermano Watson y las palomas, pero el relato tiene poco que ver con la paloma de un solo ojo. Con su asesor, él aprendió a ayudar a otras personas a sanar.

Otro miembro del barrio, James Farrell, padre de una numerosa familia de todas niñas, trabajaba para una compañía de producción de carbón. Se trataba de una operación que efectuaba solo, cargando carbón con una pala en una vieja camioneta. Trabajaba largas horas, desde temprano en la mañana hasta la noche y, pese a ello, su familia apenas subsistía. Sin embargo, asistían a todas las reuniones y actividades del barrio. En cada reunión de testimonios ese corpulento hombre se ponía de pie para expresar su gratitud al Señor por su familia, su trabajo y su testimonio. "Los dedos de aquellas ásperas, rojizas y agrietadas manos que se ponían blancas cuando se agarraba con fuerza del respaldo de la banca", causaron una fuerte impresión en el joven Tom.

Cuando el hermano Farrell dio testimonio de "un muchacho que, en una arboleda cercana a Palmyra, Nueva York, se arrodilló a orar y tuvo una visión celestial de Dios el Padre y Jesucristo, Su Hijo", Tom supo que lo que estaba diciendo era verdad, pues así podía sentirlo[35].

Los humildes miembros del Barrio Sexto-Séptimo ejercieron una poderosa influencia en Tommy. Eran personas nobles e industriosas con firmes testimonios de su Señor y Salvador; personas agradecidas por sus bendiciones, aunque éstas parecieran insignificantes a la vista del mundo. Tales ejemplos contribuyeron a marcar una vida de servicio, compasión, dedicación y testimonio en Thomas S. Monson.

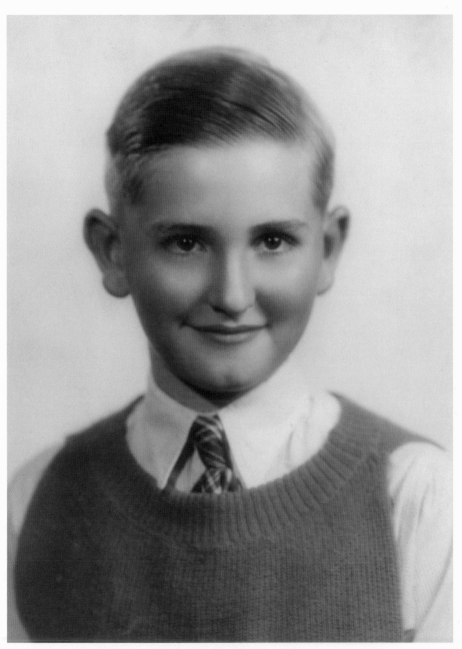

Thomas S. Monson de joven.

Familia paterna: Mons Akesson, bisabuelo de Thomas S. Monson;
el abuelo Nels Monson, y el padre, G. Spencer Monson.

La familia de Nels Monson alrededor de 1906.
De izquierda a derecha: G. Spencer (1901–1979), Nels (1867–1922),
Grace Lucile (1903–1986), Maria Mace (1877–1935), Claude Niels (1905–1977).

El joven G. Spencer Monson tuvo que dejar los estudios
a los catorce años de edad para mantener a la familia.

Tommy, su padre, G. Spencer, y su abuelo Thomas Sharp
Condie, de vacaciones en California.

Gladys Condie Monson, madre
de Tom, en su infancia.

Parte de la familia Condie. De izquierda a
derecha: Blanche, Annie, Gibson, Margaret
Ellen Watson Condie (abuela de Tom),
Gladys (madre de Tom), y John Robert.

Las hermanas Condie. De izquierda a derecha: Gladys, Blanche, Annie y Margaret.

Thomas Sharp Condie,
abuelo materno de Tom.

Margaret Ellen Watson Condie,
abuela materna de Tom.

Marilyn Monson, hermana de Tom, con su hijo en brazos, frente a la casa
de la familia Monson en el 311 Oeste de la Calle 5ta. Sur, en 1967.

Tommy Monson, 1928.

Tommy y su hermana Marge en un carro tirado por una cabra.

Tommy y su hermana Marge de vacaciones
con la familia en Ocean Park, California.

Tommy en la playa en California.

Tommy en su triciclo en la casa de la 5ta. Sur.

Vivian Park en el cañón de Provo, donde Tommy y su familia
pasaban los veranos. Él aún visita la cabaña regularmente.

El clan Condie en Vivian Park. De izquierda a derecha: Vera Stewart Swertfager (vecina en
Vivian Park), el tío John Nielson, la tía Margaret Condie Nielson, su mamá Gladys, su papá
Spence, la abuela Margaret Ellen Watson Condie con Tommy Monson en brazos, el abuelo
Thomas Sharp Condie (atrás), su hermana Marjorie Monson (al frente), la prima Helen
"Penny" Nielson, una de las niñas de los Phillips, el tío Jack Condie, la prima Thelma Condie.

En la casa de la 5ta. Sur en su caballito de madera.

Viviendo su sueño de ser un vaquero.

Primos posando en una galería de fotografías en Ocean Park, California.
De izquierda a derecha: Jack Carman, Richard Carter y Tommy.

Clase de la Escuela Dominical del Barrio Sexto-Séptimo en 1941. Tom, al frente,
segundo desde la derecha; Lucy Gertsch, atrás, cuarta desde la izquierda.

Tom a los catorce años con el producto de su pesca en Vivian Park.

De pesca en Star Valley, Wyoming, con su hijo Clark, el 19 de julio de 1971.

Frances mientras estudiaba en la Universidad de Utah.

Tom en su graduación de la Escuela Preparatoria West.

Tarjeta de calificaciones de Tom de la Secundaria Horace Mann en 1940.

Tom asistió a la Escuela Preparatoria West y se graduó, como él lo describe, "a la guerra".

Tom entró en la Marina en 1945 y fue enviado a San Diego, California.

En la boda de su hermano, Scott, el 7 de octubre de 1966. De pie, de izquierda a derecha: Barbara, Scott, Marilyn, Tom y Marjorie; sentados: Gladys y Spence.

G. Spencer y Gladys Condie Monson en 1971.

6

SUS AÑOS DE ESCUELA

Cuando se habla del presidente Monson, se habla de un hombre que se interesa en el joven que no tiene un abrigo en el invierno; o en el obrero que llegó a su casa anoche habiendo perdido su empleo; o en la viuda que vive sola. Ésos han sido los dones y mensajes del presidente Monson durante toda su vida, y da la casualidad de que ése es el clima o ambiente en el que nos encontramos hoy. Yo creo que el presidente Monson es, realmente, el profeta de nuestros días.

ÉLDER RONALD A. RASBAND
Presidencia de los Setenta

En la Escuela Primaria Grant, Tommy había jugado béisbol en un terreno de grava, cayéndosele invariablemente la pelota del guante o fallando al tratar de batear. A él se le asignaba al campo abierto más bien que a las bases.

Pero en la Escuela Secundaria Horace Mann, Tom llegó a ser un buen deportista que sorprendió a todos, incluso a sí mismo. De niño, había encarado la decepción y la humillación de ser elegido siempre el último para cualquier equipo que formaban. Quizás era porque su padre nunca tuvo tiempo para ir a jugar con él, o porque sólo necesitaba que le crecieran los brazos y las piernas. Sabía lo que significaba que el capitán del equipo lo enviara al campo abierto, donde se hallaba el día en que ocurrió un "milagro". Tenía un guante de béisbol con el nombre de Mel Ott, el mejor jugador de aquella época, pero que no había mejorado la habilidad de Tom. Ese día en particular, sin embargo, Red Sperry bateó la pelota lejos al centro del campo. Cuando Tom corrió para atraparla, oyó que Red gritaba: "Estoy a salvo; Tom la dejará caer".

Aquella burla era todo lo que necesitaba. Aunque corría muy deprisa, Tom vio que la pelota estaba fuera del alcance de su guante. Entonces extendió la mano desnuda, hizo una oración y atrapó la pelota. Tal hazaña produjo un nuevo sentido de confianza, y un nuevo Tom.

Al saber que podía atrapar la pelota, comenzó a basarse en ese éxito: batear bien y después ser un buen lanzador. Con el tiempo, lo elegían primero cuando se formaban equipos y luego como capitán. Llegó a tener mucho éxito como lanzador en softbol, demostrando que cuando se trabaja con ahínco, "el Señor nos bendice y tendremos éxito"[1].

Él, sus amigos y su hermano jugaban al béisbol en el callejón de tierra detrás de sus casas. El campo de juego era restringido, pero igual servía, siempre y cuando batearan la pelota en línea recta. Si la pelota iba hacia la derecha, eso pronosticaba desastre. La Sra. Shinas vivía en una casita entre la de los Monson y la del tío John y la tía Margaret—justo donde los niños colocaban la primera base—y ella los veía jugar desde la ventana de la cocina. Era una persona de mal genio con la que no era fácil llevarse bien y solía aprovechar cada oportunidad para regañar a los muchachitos cuando jugaban en el callejón o en la calle. Ella y su esposo no tenían hijos y era muy raro que salieran de su casa o que se relacionaran con sus vecinos. Cuando la pelota caía cerca de su porche, la Sra. Shinas salía apresurada, la recogía y la llevaba adentro, rengueando, ya que tenía una pierna rígida; a veces el perro las recogía. Naturalmente, la acumulación de pelotas en su casa hacía de ella un excelente objetivo para travesuras.

Cierto día, Tommy decidió interrumpir el acoso. Hacía tiempo que los jóvenes ya no jugaban a la pelota en el callejón pues ya no tenían pelotas de béisbol. Cuando él regaba el césped del frente de su casa, decidió regar también el césped a la Sra. Shinas. Cuando regaba los rosales de su casa, regaba también las plantas de la Sra. Shinas. Él siguió con su programa de riegos durante todo el verano y hasta principios del otoño. Con el chorro de agua quitaba las hojas secas del césped de los Shinas, amontonándolas al borde de la calle para quemarlas o recogerlas.

En aquél verano u otoño, él no había visto ni una sola vez a la

Sra. Shinas. Entonces, una tarde, ella abrió la puerta y lo llamó con una seña mientras él cumplía con sus tareas. Tommy saltó el pequeño cerco y ella lo invitó a pasar a la sala donde le ofreció leche y galletas. Entonces fue a la cocina y regresó con una caja grande llena de pelotas de varias temporadas. "Tommy, quiero devolverte estas pelotas de béisbol y agradecerte que seas tan bondadoso conmigo", le dijo. Se hicieron amigos, pero más que eso, Tommy aprendió una gran lección para toda su vida, de tratar a los demás como deseamos que se nos trate[2].

El éxito del club local de béisbol, las "Abejas" de Salt Lake, en la Liga Pionera, llegó a ser casi una obsesión para Tom. Él iba a todos los partidos, conocía el nombre de cada jugador, seguía los promedios de bateo y, después de los juegos, corría alrededor de las bases imaginando ser un jugador profesional. En ese entonces, correr entre las bases y completar una carrera parecía ser una gran distancia.

Sus amigos de la Preparatoria West recuerdan a Tom como una persona leal e industriosa, divertida y amigable. Él y su amigo Earl Holding, quien llegaría a ser un adinerado empresario, creen que fueron los únicos que nunca vieron un partido de fútbol americano en la preparatoria West. No era que carecieran de interés, sino que tenían que trabajar.

Tommy tenía doce años de edad cuando comenzó a trabajar después de la escuela y los sábados en la imprenta donde trabajaba su padre. Allí barría los pisos, limpiaba el lavabo, hacía mandados y colaboraba cuando necesitaban ayuda adicional, ganando cinco dólares por semana. Una tarde estaba muy distraído y guardó su sueldo en el bolsillo de su pantalón vaquero y se olvidó de retirarlo. "Horror de horrores", el lunes llevó los pantalones a la lavandería. Cuando se dio cuenta, se arrodilló "en ese preciso momento y lugar" y oró pidiendo que de una u otra manera ese billete de cinco dólares volviera a él. Esperó con ansia que llegara el jueves cuando recibiría la ropa lavada. Abrió la bolsa y colocó cada prenda sobre la mesa de la cocina. Cuando encontró su pantalón, metió la mano en un bolsillo y en él encontró el billete de cinco dólares, mojado, pero intacto. Con frecuencia comenta ocurrentemente: "Ése fue el primer dinero lavado que había visto".

Esa noche, le agradeció a su Padre Celestial el haberle contestado su oración[3].

Gradualmente, Tom fue progresando y llegó a ser un aprendiz en la imprenta, Western Hotel Register. Por las tardes visitaba todos los restaurantes de la ciudad y recogía los cambios necesarios para los menús del día siguiente. Sólo una vez alguien le ofreció algo de comer, aún cuando entraba en la cocina de todos los establecimientos. Desde tales comienzos, él progresó hasta llegar a ser el gerente general de la Imprenta Deseret, presidente del directorio de la Compañía Editorial Deseret News, miembro del directorio de la editorial Deseret Book, y presidente de la Asociación de Impresores de Utah.

Su compañero de clase, Earl Holding, al igual que Tom, comenzó desde abajo, cortando el césped de los apartamentos Covey, que sus padres administraban. Tiempo después, él compró los apartamentos y luego adquirió el Hotel Little America en el estado de Wyoming, el cual expandió hasta que llegó a ser una cadena de hoteles de cuatro y cinco estrellas. Con el tiempo, adquirió la compañía petrolera Sinclair, el centro turístico Sun Valley en Idaho, y Snowbasin, en el cañón de Ogden, Utah. "Trabajar no nos perjudicó en lo más mínimo", dijo Tom cuando fue nombrado a integrar el salón de la fama de la Preparatoria West, en el año 2006[4].

Cuando Tom era un adolescente, había tres escuelas preparatorias en la ciudad: la West, la South y la East (Oeste, Sur y Este). La más antigua era la West. East era su más prominente rival y la South se hallaba entre ellas geográficamente. Los estudiantes asistían durante dos años, y algunos podían optar por un tercero. En la clase de Tom en la Preparatoria West había 384 alumnos. Tom era el presidente del Club de Español, miembro del consejo estudiantil y del comité de elegibilidad y reconocimientos, y un sargento en el programa de adiestramiento militar del colegio.

Se distinguió en sus clases de inglés, geografía e historia. Una vez comentó que si pudiera regresar a aquellos días para redefinir su profesión, consideraría llegar a ser profesor de historia. En su oficina tiene un librero lleno de libros sobre la Segunda Guerra Mundial que describen diferentes aspectos del conflicto armado.

Su interés, indudablemente, deriva del hecho de haber crecido en tiempos de guerra y de la responsabilidad que más tarde desempeñó por el área europea, escenario de muchos campos de batalla de la Segunda Guerra Mundial. Él "no se destacó tanto en zoología", y su clase de español fue toda una decepción. Ese primer año aprendió cómo pedir un vaso de agua y memorizó algunas conversaciones "empaquetadas". En el segundo año, su profesora de español, la "más destacada en el valle", contrajo matrimonio y dejó de enseñar. La administración de la preparatoria la reemplazó con un profesor mayor quien el primer día confesó: "No he estudiado español desde que tenía diecinueve años". Pese a ello, Tom tenía varios amigos hispanos y adquirió destrezas básicas en ese idioma que lo han ayudado en sus asignaciones de la Iglesia en muchos países latinos.

Su madre le aconsejó que tomara una clase de taquigrafía en la preparatoria. Ella imaginaba que quizás algún día él tomaría parte en la guerra y que, por tener habilidades para un empleo de oficina, eso lo mantendría alejado del frente de batalla, donde había estado su hermano Pete en la Primera Guerra Mundial. Sorprendentemente, a Tom le gustaba la taquigrafía y era muy bueno en su uso. Tampoco le molestaba que las "chicas más bonitas" de la preparatoria West estuvieran en esa clase, entre ellas LaRee Teuscher, Jean Moon, Jackie Devereaux y Joy Timpson.

Los estudiantes bailaban en una sala de baile en la calle principal, compraban bizcochos de chocolate en una panadería próxima a la escuela, contigua al edificio de seminario, y comían en un puesto de hamburguesas al otro lado de la calle de la escuela, la que hoy se ve exactamente como en los días cuando Tom asistía a ella[5].

La estatura y la fuerza de Tom lo habrían hecho un jugador natural de básquetbol, pero su trabajo después de la escuela limitaba sus oportunidades para practicar y sólo tenía acceso a la pequeña cancha de la capilla. En un partido de la Iglesia, el entrenador mandó a Tommy a la cancha después de que comenzó el segundo tiempo. Recibió un saque de costado, dribleó la pelota hacia la llave y lanzó un tiro. Cuando la pelota partía de sus manos se dio cuenta de por qué los defensas del otro equipo no intentaron contenerlo: ¡porque Tom apuntaba hacia el cesto equivocado! Inmediatamente, ofreció una oración en silencio: "Por favor, Padre, no permitas que acierte". La pelota giró alrededor del aro y cayó afuera, pero los espectadores no mostraron ninguna misericordia y empezaron a gritar: "¡Queremos a Monson, queremos a Monson, queremos a Monson… *fuera!*"

Muchos años después, como miembro del Quórum de los Doce, se unió a un pequeño grupo de Autoridades Generales para visitar una capilla recién terminada en el norte de Utah donde, como un experimento, el Departamento de Propiedades de la Iglesia estaba probando una alfombra especial para el piso del gimnasio.

"Mientras varios de nosotros examinábamos el piso, el Obispo J. Richard Clarke, quien entonces integraba el Obispado Presidente, inesperadamente me tiró una pelota y, desafiándome, dijo: "¡No creo que pueda encestar desde donde está!".

Él se hallaba bastante detrás de lo que hoy es la línea de tres puntos para los profesionales. Nunca en su vida había encestado desde tal distancia. El élder Mark E. Petersen, de los Doce, les dijo a los demás: "¡Creo que sí puede!".

Los pensamientos del élder Monson retornaron al vergonzoso incidente de su juventud cuando lanzó un tiro al cesto equivocado. "Sin embargo, apunté, disparé, y llegó al fondo de la red sin tocar siquiera el aro".

El obispo Clarke volvió a pasarle la pelota y repitió el desafío: "¡Estoy seguro de que no puede hacerlo por segunda vez!". El élder Petersen volvió a pronosticar: "¡Por supuesto que puede!".

Él describe las palabras del poeta que llegaron a su mente y resonaron en su corazón:

> *Sácanos de las sombras,*
> *de los hombres gran Protector,*
> *para que sigamos nuevamente*
> *intentando con fervor.*

Lanzó la pelota, la cual se elevó hacia el canasto y entró como por un tubo[6].

Otra cosa de la que Tom disfrutaba era cazar patos. Él no tenía una escopeta—su madre no quería tener armas en su casa—pero convenció a su tío "Veloz" para que comprara una vieja escopeta de doble cañón por treinta y cinco dólares.

Una tarde, a fines de la temporada, Tom y su primo Richard Carter fueron a un club privado a practicar. No eran miembros del club, sino intrusos. No sólo eso, Tom no había comprado una licencia para cazar, sino que había pedido una prestada a su amigo Reo Williamson. Caminaban por un terraplén en medio de la bruma del anochecer, casi a oscuras, y los dos vieron una bandada de patos. Aunque el permiso para cazar legalmente ese día ya había terminado, ellos no pudieron resistir la tentación. Se detuvieron y empezaron a disparar, aunque erraron todos sus intentos. Cuando regresaron al automóvil, les aguardaba un oficial federal de caza, quien le dio una multa a Tom pero no a Richard, por ser demasiado joven. Los muchachos tuvieron que presentarse ante un juez de paz, quien les dio un sermón, advirtiéndoles que nunca más debían cazar fuera de las horas autorizadas. Por último, les puso una multa de diez dólares.

Unos días después apareció en el periódico local una lista de todos los que habían sido arrestados por violar las leyes de caza y pesca en Utah: "Caza después de horas, Reo L. Williamson: multa $10". Tom nunca le mencionó a Reo "su" encuentro con la ley[7].

La guerra estalló en Europa en 1939. Para Tom, la vida seguía su curso normal, excepto por la nube de incertidumbre y angustia que se cernía sobre su hogar y vecindario. Los ejércitos alemanes invadieron Polonia en septiembre de 1939 y luego marcharon a través de una y otra frontera de vecinos europeos. Japón bombardeó Pearl Harbor el 7 de diciembre de 1941, un día domingo. Tom y su padre volvían a su casa en su automóvil tras visitar familiares cuando escucharon las noticias; su padre se detuvo al costado del camino al escuchar el grave comunicado. Ambos permanecieron en silencio, anonadados. El ataque empujó a los Estados Unidos a entrar en el conflicto. Tom pasó de ser un niño de la Depresión a un joven de la guerra. En la escuela, la administración anunció un concurso de la mejor oración patriótica escrita por un alumno. La presentación de Tom, titulada: "Nuestra Bandera: El Símbolo de América", obtuvo el primer lugar.

Reconociendo que la Iglesia tenía congregaciones en todo el mundo, en abril de 1942 la Primera Presidencia emitió una declaración oficial sobre la guerra: "El odio no puede tener lugar en el alma de los justos... Vivan limpios, cumplan los mandamientos del Señor, ruéguenle constantemente que los preserve en la verdad y la rectitud, vivan conforme a aquello por lo que oran, y entonces, no importa lo que les acontezca, el Señor estará con ustedes y nada les sucederá que no sea para el honor y la gloria de Dios y para la salvación y la exaltación del hombre... Entonces, cuando el conflicto haya terminado y vuelvan a sus hogares, habiendo vivido con rectitud, grande será su felicidad—ya sea que se hallen entre los vencedores o entre los derrotados—por haber vivido como el Señor lo mandó"[8]. Aquellas palabras se reflejarían en el servicio del élder Monson entre los santos de Alemania años después de terminada la guerra.

La economía de la Guerra proporcionó empleo a muchos de los vecinos de Tom que desesperadamente necesitaban trabajo, pero el racionamiento hizo que resultara particularmente difícil conseguir gasolina, azúcar, zapatos, carne, mantequilla, huevos y dulces. En esos años, él aprendió mucho en cuanto a pesares, soledad y angustia al observar cómo el conflicto bélico destrozaba la vida de personas que conocía y amaba.

Su amigo Arthur Patton se había alistado. "Él era rubio, de cabello rizado y una sonrisa cautivadora", recuerda Tom. "Era el más alto de la clase, y supongo que fue por eso que, en 1940, cuando el gran conflicto armado que se convirtió en la Segunda Guerra Mundial fue apoderándose de gran parte de Europa, Arthur consiguió engañar a los oficiales reclutadores y se alistó a la tierna edad de 15 años. Para Arthur y para la mayoría de los muchachos, la guerra era una gran aventura. Recuerdo cuán impactante lucía en su uniforme de la marina. Cuánto anhelábamos ser mayores para alistarnos también".

Cuando Tom pasaba frente a la casa de Arthur, la señora Patton solía abrir la puerta y le hacía señas para que se acercara a escuchar las últimas noticias de su hijo. Siguiendo la tradición de la época, ella colgó en honor a él una estrella azul en la ventana de la sala, la cual indicaba a todo el que pasara por allí que su hijo estaba al servicio de la patria.

En marzo de 1944, el barco de Arthur fue atacado en el Pacífico. Él fue uno de los que se perdieron en el mar, un mes antes de cumplir diecinueve años. Una estrella dorada reemplazó la azul en la ventana de su madre, anunciando la muerte de su hijo soldado. Aquello fue devastador para la Sra. Patton.

El presidente Monson nunca ha olvidado el día en que, siendo un joven que jamás había experimentado tal dolor, llamó a la puerta de la casa de la familia Patton, confiando en saber qué decir. La Sra. Patton abrió la puerta, extendió los brazos y lo abrazó como habría abrazado a Arthur si hubiera regresado a casa. Tommy sugirió que oraran, y la Sra. Patton le hizo saber que ella no pertenecía a ninguna iglesia y que no creía en nada. Dime, Tommy", le dijo, "¿vivirá Arthur otra vez?"

Años después, Tommy, para entonces élder Monson, comenzó su mensaje en la conferencia general de 1969 dirigiéndose a la madre de Arthur: "Señora Patton, doquiera se encuentre, desde el fondo de mi experiencia personal me gustaría responder una vez más a su pregunta, '¿Vivirá Arthur otra vez?'". Entonces enunció los elementos fundamentales del plan de salvación.

"Yo tenía poca o ninguna esperanza de que la Sra. Patton en realidad escuchara mi discurso", dijo, puesto que no era miembro de la Iglesia. Pero tiempo después se enteró de que había sucedido un milagro. Unos vecinos de la Sra. Patton, que entonces residía en California, y quienes eran Santos de los Últimos Días, la invitaron a su hogar para escuchar una sesión de la conferencia. Ellos ciertamente no sabían lo que el élder Monson iba a decir. "Ella aceptó la invitación", comentó, "y escuchó la sesión precisa en la que dirigí mis palabras personalmente a ella".

Unas semanas después, se asombró al recibir una carta con el matasellos de Pomona, California, de la Sra. Terese Patton, quien había escrito:

Querido Tommy:

Espero que no le importe que le llame Tommy, pues así es como lo recuerdo. No sé cómo agradecerle el consuelo que me brindó.

Arthur tenía 15 años de edad cuando se alistó en la marina y perdió la vida un mes antes de cumplir los diecinueve, el 5 de julio de 1944.

Ha sido maravilloso que se acordara de nosotros. No sé como agradecerle sus palabras de consuelo, tanto cuando murió Arthur como en su discurso. Con el correr de los años, he tenido muchas preguntas, y usted las ha respondido. Ahora estoy en paz concerniente a Arthur. Dios lo bendiga y proteja siempre.

Con amor,
Terese Patton[9]

Él no se imaginó, el día en que llamó a la puerta de la Sra. Patton, cuánto consuelo le ofrecería en el futuro.

Y así transcurrieron los años hasta que llegó el momento de egresar de la preparatoria. Cuando Tom se graduó, su familia estaba muy orgullosa de su logro. Su tía Blanche le escribió una nota que él ha conservado en su poder: "Cuán orgullosa estoy de ti. Te has graduado de la preparatoria, y no sólo eso, sino que con altas calificaciones. Con amor, tía Blanche"[10].

Él nunca falta a las reuniones de ex alumnos; las clases de 1942, 1943 y 1944 celebran sus reencuentros juntas. Dice: "Los nuevos amigos son de plata, pero los viejos amigos son de oro". Ésas se encuentran entre las pocas ocasiones en las que el Presidente de La Iglesia de Jesucristo de los Santos de los Últimos Días se coloca una etiqueta en la solapa que dice: "Tom Monson" y donde la gente aún lo llama "Tommy". Resulta evidente que disfruta al reunirse con viejos amigos. No los ha olvidado ni reserva su atención sólo para los que comparten sus creencias religiosas. Jane Beppu Sakashita, una amiga de hace mucho tiempo, se asombró al recibir una carta suya después de que falleció su hermano. "Yo soy budista", explicó ella. "Cuán agradecida me sentí al saber de él; que una persona de su posición me recuerde y dedique tiempo para enviarme una carta de pésame". Ella le contestó, felicitándolo por su nueva posición como Presidente de la Iglesia. "Contestó mi carta y yo le escribí otra vez, diciéndole: "Te conozco sólo como Tommy. ¿Es apropiado que te llame Tommy?".

El presidente Monson le contestó, firmando la carta: "Tommy"[11]. La persona que fue en aquel entonces es todavía gran parte de la persona que es hoy.

7

LAS MÁS GRANDES LECCIONES

A él siempre se le estuvo preparando para algo, desde que fue secretario del quórum de diáconos, presidente de los maestros, secretario de barrio o superintendente de los Hombres Jóvenes. Cualquiera que haya sido su llamamiento, él se ha dedicado por completo a ellos y siempre ha demostrado gran interés en las personas, haciendo a un lado sus asuntos personales para ayudar a los necesitados, dar bendiciones, demostrar compasión y amistad.

LYNNE CANNEGIETER
Secretaria personal del Presidente Thomas S. Monson

CUANDO EL PRESIDENTE MONSON TRATA de recordar las experiencias que más han definido su vida, sus años como estudiante en la Universidad de Utah ocupan un lugar prominente. "Allí fue donde estudié, donde aprendí y donde enseñé. Allí fue donde conocí a la hermosa jovencita que llegó a ser mi esposa. Ése es el lugar al cual entré como un muchacho y del que salí como un hombre"[1].

La mayoría de los estudiantes de la Escuela Preparatoria West asistieron a la Universidad de Utah. El tranvía hacía su recorrido habitual colina arriba hasta la universidad, fundada por Brigham Young en 1850.

Durante la época de la depresión económica, se habían construido varios estupendos edificios en el campus. Varios de ellos estaban agrupados alrededor de una rotonda, creando un entorno íntimo y al mismo tiempo imponente, con el deslumbrante Edificio de Administración John R. Park en el centro, el cual fue construido en 1914.

Aquella era una época de memorables actividades culturales, deportivas y sociales. Casi todos los estudiantes contaban con empleos de media jornada y se enfrentaban a la inquietante realidad de ser reclutados para servir a su país en las fuerzas armadas. La escasez de papel retrasaba la disponibilidad de libros de texto, muchos de los cuales no llegaban sino hasta mediados de los cursos.

Tom se matriculó en la Universidad de Utah en 1944; acababa de cumplir los diecisiete años. Su padre pagó la suma de $104 (dólares) por la matrícula de los trimestres de otoño, invierno y primavera. Tom iba a clases por las mañanas y trabajaba con su padre por las tardes y los sábados por la mañana, a fin de pagar sus libros, otros gastos derivados de los estudios, y sus actividades sociales.

Tom había diseñado un sistema de estudio que con el paso del tiempo compartió con muchos universitarios: "Tengan disciplina en sus preparativos; dispongan de puntos de verificación que les permitan determinar si están dentro de lo programado. Estudien algo que les agrade y que un día les permita mantener una familia. No podrán obtener los empleos anhelados mañana en tanto no forjen las destrezas requeridas hoy. Al prepararse, asegúrense de no postergar sus deberes". Incluso contaba con técnicas específicas que le ofrecían buenos resultados en el salón de clases. "Al estudiar, me beneficiaba leer un texto con la idea de que se me pediría que explicara lo que el autor había escrito y cómo se aplicaba al tema que cubría. También prestaba mucha atención en las disertaciones presentadas en el aula, imaginando que se me pediría que yo mismo las transmitiera a otros estudiantes. Aun cuando esa práctica requiere considerable esfuerzo, resulta muy útil a la hora de los exámenes", y rápidamente añadía: "Lo que cuenta no es la cantidad de horas invertidas, sino lo que uno invierte en esas horas"[2].

La materia predilecta de Tom en la universidad era Historia de los Estados Unidos de América. Encabezaba la lista de profesores favoritos G. Homer Durham, por su destreza de dar vida a la historia. "La sabiduría de ese hombre abrió las ventanas" de la mente de Tom: "El pasado ha quedado atrás; aprendan de él"[3].

La historia, cual el profesor Durham la enseñaba, comprendía mucho más que fechas, épocas y lugares. Él llegó a familiarizarse con algunas de las figuras más relevantes de la historia, hombres a quienes respetaba y emulaba y a los que más tarde usaría como ejemplo con sus estudiantes al enfrentarse éstos a las decisiones más cruciales de la vida. Los autores de la Declaración de la Independencia de los Estados Unidos se encontraban entre ellos; hombres de principios. "Unos tres millones de personas vivían en las colonias norteamericanas en la época de la revolución", dijo en una de sus disertaciones, "pero sólo cincuenta y seis de ellas estuvieron dispuestas a firmar la Declaración de la Independencia. Se requirió enorme valor, porque ellos sabían que si aquella empresa fracasaba, serían colgados del cuello hasta expirar. Al pensar en ello, resulta maravilloso que hayan logrado que tan siquiera cincuenta y seis personas se reunieran en Filadelfia para comprometer sus vidas, sus fortunas y su sagrado honor en aras de la libertad"[4].

El valor de actuar, amparándose en principios, describe a Tom Monson.

Durante un trimestre, tomó una clase de oratoria a las 8:00 de la mañana con el Dr. Royal Garff, un renombrado facultativo. En una ocasión, él y sus compañeros aguardaron largo tiempo a que llegara el profesor. Finalmente, alguien de la oficina entró en el aula y anunció que la esposa del Dr. Garff acababa de fallecer y que él no asistiría a clase ese día. Mientras los estudiantes miraban a su alrededor y se preguntaban que debían hacer, Tom dijo: "Ustedes pueden marcharse si lo desean, pero yo me quedaré aquí para rendir tributo a nuestro profesor quien necesita nuestro apoyo". Nadie se marchó, sino que permanecieron el resto del período en silenciosa contemplación[5].

En aquellos tiempos, los cursos de educación física eran obligatorios, así que Tom se inscribió en clases avanzadas de natación y básquetbol. Su entrenador, Charlie Welch, comprobó ser tanto un instructor competente como una "magnífica persona". Una mañana, mientras pasaban la lista de asistencia, un joven entró resueltamente a la clase en su uniforme de la marina. Se acercó a Charlie y le dijo: "Quiero darle gracias por salvarme la vida".

Y después continuó: "Una vez usted me dijo que yo nadaba como una bola de plomo, pero con mucha paciencia siguió enseñándome. Hace dos meses, en medio del Pacífico, un torpedo enemigo hundió nuestra nave. Mientras nadaba por las turbias aguas cubiertas por una espesa capa de petróleo, hice la promesa de que si salía con vida de tan peligrosas circunstancias, iría a visitar a Charlie Welch para agradecerle que me hubiese enseñado a nadar. Así que aquí estoy para darle las gracias".

Las lágrimas brotaron rápidamente de los ojos de Charlie quien, silenciosamente, recibió su recompensa[6].

Tom aprobó su curso de natación, aunque las pruebas eran rigurosas. Tenía brazadas buenas y fuertes, perfeccionadas en el río Provo. Tuvo que demostrar sus destrezas en los estilos crol, espalda, de costado y pecho, nadando cinco veces la longitud de la piscina en cada uno. Más agotador aún era flotar en el agua durante treinta minutos; después, nadar por debajo del agua, seguido "por la asignación más dura" de nadar el largo de la piscina empleando sólo los pies en crol y en pecho. Se sintió agradecido de "aprobar" y llegó a darse cuenta de cómo aquellas clases le habían salvado la vida al joven marino.

Tom también tomó clases de instituto, disfrutando a mediados de semana la inspiración que normalmente recibía los domingos. El instituto contaba con dos profesores, el Dr. Lowell Bennion y el Dr. T. Edgar Lyon, cuyos profundos conocimientos del Evangelio sirvieron para elevar la visión de Tom. Las clases se efectuaban en la capilla del Barrio Universitario, la cual había albergado el instituto durante más de una década. No fue sino hasta 1949 que se mudaron una cuadra hacia el sur a una instalación edificada con tales exclusivos fines, y años después a un complejo en el extremo sur del campus. El enorme mosaico a color de Jesucristo con los brazos extendidos era la entrada perfecta al estudio religioso con su leyenda: "Y ascendió al monte para enseñarles".

La actividad académica no era lo único que acaparaba la atención de Tom Monson en aquellos días. En un baile de la Universidad de Utah en 1944, llevaba del brazo a una amiga de la Preparatoria West cuando vio por primera vez a una estudiante del primer año de universidad de nombre Frances Johnson, mientras ella bailaba con otro joven al compás de una melodía popular de la época. Se propuso conocerla pero no volvió a verla en esa ocasión.

Transcurrió un mes antes de que la viera por segunda vez. Una tarde, mientras aguardaba el tranvía cerca del campus, la vio conversando con unos amigos en la parada del autobús. Tom reconoció a uno de ellos de sus días de escuela primaria pero no podía recordar su nombre. Sin estar seguro de cómo enfocar la situación, vaciló—por un breve momento—hasta que le cruzó la mente una frase que había memorizado una vez: "Cuando hay que tomar una decisión, no hay tiempo para la preparación". Cuadró los hombros y encaminó sus pasos para saludar a su compañero de antaño.

"Hola, viejo amigo", dijo Tom, "¿cómo has estado?"

El joven cortésmente presentó a Tom a las dos jóvenes que estaban con él y los cuatro tomaron el tranvía hasta el centro. Mientras Tom se despedía de ellos, rápidamente tomó su directorio de la universidad y subrayó el nombre *Frances Beverly Johnson*. Como el buen editor que siempre ha sido, notó un error tipográfico en el segundo nombre, el cual estaba escrito como "Berverly".

Tom no perdió tiempo y esa misma noche llamó a Frances para invitarla al baile de ese fin de semana en el gimnasio de la Estaca Pioneer. Él ha dicho que siempre recordará su primera visita a la casa de la joven al recogerla para ir al baile.

El entorno del hogar de Tom era ruidoso; su hermano y su hermana eran muy sociables; todos eran "protagonistas". Cada vez que su "muy hermosa" hermana mayor, Marjorie, llevaba a la casa un pretendiente—y fueron unos cuantos—Tommy y su hermano menor se turnaban para pararse sobre una silla en la cocina y mirar por la ventana de la puerta que daba a la sala del frente de la casa para ver que tal era el joven.

En la casa de Franz y Hildur Johnson, ubicada en una zona más residencial de la ciudad, no se conocía tal tipo de conducta. A la joven y única hija le habían puesto de nombre Frances por su padre Franz. La naturaleza de su hogar era refinada y en la primera visita de Tom, tanto el padre como la madre lo recibieron cordialmente, vestidos como si fueran a salir de paseo, aunque tal formalidad era simplemente una muestra de cortesía hacia él. Su nerviosismo fue en aumento.

Franz Johnson preguntó: "¿Su apellido es Monson?".

"Sí, señor", respondió Tom.

"Creo que es un apellido sueco", dijo Franz.

Tom respondió: "Sí, señor".

Entonces Franz abrió el cajón de un armario y tomó de él una vieja fotografía de dos misioneros con sombreros de copa y bastones, se la mostró a Tom y le preguntó si él estaba emparentado con uno de los misioneros de la foto, un élder de nombre Elias Monson.

"Sí, señor", respondió Tom, "él es tío de mi padre. Elias Monson fue misionero en Suecia".

Inmediatamente el padre de Frances se emocionó mucho al describir los momentos que su familia tanto había disfrutado cuando los visitaban Elias y sus compañeros en su hogar en Suecia. Echó los brazos alrededor del cuello de Tom y lo abrazó y lo mismo hizo su esposa. Frances miró a Tom y dijo: "Voy a buscar mi abrigo"[7].

En posteriores visitas hablaron más sobre el origen sueco de Frances. Su padre, Franz, junto a sus propios padres y once hermanos y hermanas, había vivido en una casa de campo de dos habitaciones en el pequeño poblado de Smedjabacken. Además de Elias Monson, el tío abuelo de Tom, la familia había conocido a Nels Monson, su abuelo. Cuando Nels regresó a Suecia como misionero, se había hospedado con ellos, y más adelante había recibido el diezmo de la abuela de la hermana Monson[8].

Franz era viudo cuando se casó con Hildur, la madre de Frances. Su primera esposa, Sophia, había fallecido en 1922, dejándolo a él al cuidado de tres hijos, Ronald, Grant y Karl. Franz e Hildur se casaron en 1923 y de su unión nacieron Arnold y Frances.

Hildur Booth Johnson se había criado en el poblado de Eskilstuna, en una casa que su abuelo había construido. Una de las características de los suecos es el meticuloso cuidado que brindan a sus casas y granjas. Esa vivienda en particular no sólo está aún en pie, sino que, después de visitarla muchos años más tarde en Suecia, la hermana Monson dijo que "aún luce impecable"[9]. En Eskilstuna, la familia de Hildur tenía un hogar hermoso y la oportunidad de generar un buen ingreso, pero dejaron su tierra natal cuando Hildur tenía dieciocho años de edad, llegando a Salt Lake City sólo con las pertenencias que podían cargar. Habían decidido unirse a los santos en pos de las bendiciones que recibiría su familia, una de las cuales sería que Frances Johnson llegaría a conocer a Tom Monson.

Para el momento en que Tom salió de la casa de los Johnson en su primera cita con Frances, sabía que "ya estaba a medio camino de ganarse la mano de su hija"; lo único que le faltaba era convencer a Frances. "Estoy tan agradecido por mi suegra", ha dicho Tom, "una joven sueca que fue una de las primeras en su familia en unirse a la Iglesia. Ella por cierto que buscó la verdad y confió en el Señor. Trajo al mundo a una encantadora hija la cual es mi esposa y compañera, quien, les aseguro, se encarga del cuidado de su esposo y de sus hijos, una noble hija de nuestro Padre celestial"[10].

Frances era lo que su madre llamaba "una niña callada y de agradable temperamento". A menudo hablaba sueco en su hogar, idioma que aprendió a hablar antes que el inglés, aunque admite sin vacilación que ya no lo recuerda.

Asistió a la Escuela Primaria Emerson, a la Secundaria Roosevelt, a la Preparatoria West y después a su archirrival, la Preparatoria East. Ella y Tom nacieron en el mismo año y tenían muchos de los mismos gustos: actividades al aire libre, apreciar la naturaleza, caminar por las montañas y pasar tiempo con la familia. Tom halló en Frances a una joven con buen sentido del humor. "Siempre estaba presta a reír", tenía una legión de amistades, era "caritativa y bondadosa", y siempre "interesada en los demás"[11]. Ambos se matricularon en clases de instituto. Eran una pareja encantadora.

La madre le había enseñado a Frances los mismos principios de caridad y bondad que Tom había aprendido de su propia madre. "Una vez mi mamá me llevó a una tienda para comprarme un vestido y un abrigo", recuerda Frances. "Fue durante la época de la gran depresión económica; toda la gente pasaba por momentos angustiosos, pero una familia vecina enfrentaba desafíos particulares. Mi madre compró un vestido para mí y otro para mi pequeña amiga, porque sabía que sus padres no estaban en condiciones de hacerlo"[12].

A Tom y a Frances les encantaban las grandes orquestas que estaban tan de moda en aquellos días, e iban a bailes casi todos los sábados. Hasta tuvieron la oportunidad de bailar a la música de legendarios directores de orquesta tales como Tommy Dorsey, Jimmy Dorsey, Stan Kenton y Glenn Miller, cuando tocaban en bailes locales. El presidente Monson aún recuerda la letra de sus canciones favoritas y no tiene reparos en citarlas y cantarlas.

Frances bailaba muy bien, pero uno de sus hermanos mayores era bastante tímido e inseguro de sí mismo en la pista de baile, así que solía llevar a Frances a bailes de la universidad para mejorar sus pasos y sentirse con más confianza para invitar a alguna joven a salir con él. Aquellas prácticas también ayudaban a Frances a afinar sus propias destrezas. Ella asimismo bailaba danzas suecas con unas amigas en Lagoon, un parque de diversiones al norte de Salt Lake City, como parte de una festividad anual.

Tom y Frances frecuentemente salían con otras parejas amigas del Barrio Sexto-Séptimo, culminando las veladas en Don Carlos, un restaurante al paso donde comían sándwiches de carne asada y bebían batidos de piña. Salían juntos con frecuencia, pero no se consideraban novios, al menos al principio.

En vísperas de Año Nuevo, en 1944. Tom, Frances y algunos amigos estaban reunidos en la casa de Dick Barton, donde Betty, la madre de Dick, había preparado bastante comida para ellos mientras conversaban y oían música. La velada se vio interrumpida cuando Frances anunció que debía estar en su casa antes de las 2:00 de la madrugada, ya que tenía que trabajar al día siguiente. "¿Qué clase de compañía esperaría que trabajaras el día de Año Nuevo?", preguntó Tom, a lo que ella respondió: "El *Deseret News*", uno de los periódicos locales, donde ella trabajaba en el taller de impresión. Da la casualidad de que, años más tarde, Tom comenzaría su carrera en la industria de las publicaciones en esa misma empresa.

Aun cuando disfrutaban la compañía mutua, ninguno de los

dos estaba preparado para un noviazgo serio. La Segunda Guerra Mundial aún estaba en pleno furor en Europa y en el Pacífico, y todos los jóvenes se enfrentaban a la probabilidad de ingresar en las Fuerzas Armadas. "A diario, los periódicos hacían referencia a violentas batallas, a hombres que morían, a ciudades destruidas; a hospitales repletos de soldados gravemente quemados y mutilados"[13].

En el verano de 1944, Tom había aceptado un empleo en el almacén de abastecimientos de la marina en Clearfield, Utah, donde trabajaba de mecanógrafo en la división de recepción. Después de un mes lo ascendieron a inspector, asignándosele la tarea de examinar los vagones de carga que contenían valioso equipo dañado. Tom aprendía rápido, y cuando su jefe le dijo que era "su mejor inspector", más que sentirse halagado, Tom quedó atónito[14]. Aun cuando no sentía pasión por su trabajo, sus hábitos laborales eran impecables.

Tom ingresó al servicio militar en 1945, en el preciso momento en que las fuerzas aliadas demarcaban a Berlín en cuatro sectores. La guerra en el Pacífico continuaba y a Tom no le quedaba otra opción que alistarse o ser reclutado. Si se alistaba, podía escoger entre las diferentes ramas de las fuerzas armadas: la marina, el ejército, los marines, o la que pagaba mejor salario, la marina mercante. Frances pensó que se le vería mejor en un uniforme de la marina ya que él era tan alto y delgado. Su madre había leído en el periódico que el ejército tenía el número más elevado de bajas, así que se decidió por la marina.

Diez días antes de cumplir los dieciocho años, Tom y su padre entraron en la oficina de reclutamiento del Edificio Federal para registrarse. Dos suboficiales "con muchos galones en las mangas indicando años de servicio", hicieron una entusiasta presentación a los cuarenta y cuatro jóvenes allí reunidos, de los cuales, cuarenta y dos—incluyendo a Tom—pasaron el examen físico. Los reclutadores ensalzaron los méritos de la marina regular sobre los de la reserva naval, recalcando los beneficios del mejor entrenamiento e instituciones de capacitación en el compromiso de cuatro años y la tendencia de la marina de ofrecer tratamiento preferencial a quienes se enrolaban en la rama tradicional. Tales garantías no existían para los que entraran en la reserva puesto que su compromiso no sería por cuatro años sino por la duración de la guerra más seis meses.

La mayoría de los del grupo escogieron la marina regular, pero Tom no fue uno de ellos. Pidió la opinión de su padre, pero Spence, entre sollozos, le dijo que no entendía nada sobre el servicio militar. Tom elevó una súplica a los cielos, confiando de todo corazón que el Señor la respondería, y así fue. "Tuve una impresión tan clara como si hubiera visto una visión: 'Pregunta a los suboficiales qué escogieron ellos'". Tom fue a uno de los reclutadores y le preguntó: "Cuando usted tuvo la opción, ¿qué decidió?". El hombre se mostró un tanto incómodo al admitir que él se había unido a la reserva naval. Entonces Tom hizo la misma pregunta al otro reclutador, recibiendo idéntica respuesta. "Si la reserva fue lo suficientemente buena para ustedes", dijo Tom, "yo quiero seguir su ejemplo"[15].

Aquella demostró ser una decisión inspirada. La guerra terminó tan sólo meses después de alistarse—Tom no tuvo que ir al frente de batalla—y terminó su servicio a la patria al cabo de un año. Si se hubiera alistado en la marina regular, su compromiso hubiese sido por cuatro años y su "vida entera se habría visto alterada". Tal vez haya sido en aquella oficina de reclutamiento en 1945 cuando empezó a entender que "la puerta de la historia gira sobre bisagras pequeñas, y lo mismo sucede con la vida de la gente"[16].

Antes de que Tom partiera para el período de entrenamiento básico, su obispo recomendó que recibiera el Sacerdocio de Melquisedec, y Tom llamó a su presidente de estaca, Paul C. Child, para fijar una cita. Al presidente Child se le reconocía por el amor que sentía hacia las Escrituras y la profunda comprensión que tenía de ellas, las cuales escudriñaba en detalle con aquellos a quienes entrevistaba. Así que cuando Tom lo llamó para fijar la cita, estaba razonablemente nervioso.

"Hola, presidente Child; habla Tom Monson", le dijo. "El obispo me pidió que lo llamara para concertar una entrevista con usted para ser ordenado élder".

"Muy bien, hermano Monson. ¿Cuándo desea reunirse conmigo?", respondió el presidente Child.

Sabiendo que la reunión sacramental del presidente Child empezaba a las seis de la tarde, Tom sugirió reunirse a las cinco, con la esperanza de que la entrevista fuera breve.

"Lo siento, hermano Monson, pero esa hora no nos daría suficiente tiempo para repasar las Escrituras", dijo el presidente Child. "¿Sería posible que viniera a las dos de la tarde y trajera con usted su juego personal de Escrituras con pasajes marcados?"

Al llegar el domingo, Tom se presentó en la casa del presidente Child a la hora indicada, donde "fue cálidamente recibido y después empezó la entrevista".

"Hermano Monson, usted posee el Sacerdocio Aarónico. ¿Alguna vez le han ministrado ángeles?"

"No, presidente Child".

"¿Sabía usted que tiene derecho a tal cosa?", le preguntó el presidente.

Tom otra vez respondió que no.

Entonces el presidente Child dijo: "Hermano Monson, recite de memoria la sección 13 de Doctrina y Convenios, la que se refiere a la ordenación de José Smith y Oliver Cowdery al Sacerdocio Aarónico".

Tom empezó a recitar: "Sobre vosotros, mis consiervos, en el nombre del Mesías, confiero el Sacerdocio de Aarón, el cual tiene las llaves del ministerio de ángeles . . ."

"Deténgase allí", dijo el presidente Child. Entonces, en un tono de voz tranquilo y bondadoso le aconsejó: "Hermano Monson, nunca olvide que como poseedor del Sacerdocio Aarónico usted tiene derecho a la ministración de ángeles". Seguidamente, le pidió a Tom que recitara la sección 4 de Doctrina y Convenios: "He aquí, una obra maravillosa está a punto de aparecer entre los hijos de los hombres. Por tanto, oh vosotros que os embarcáis en el servicio de Dios, mirad que le sirváis con todo vuestro corazón, alma, mente y fuerza, para que aparezcáis sin culpa ante Dios en el último día"[17].

Tom nunca olvidó el espíritu que sintió aquél día en la casa del presidente Child. Era "casi como si un ángel hubiera estado allí entre nosotros". El mensaje de la cuarta sección que él había recitado llegaría a ser más que sencillas palabras reveladas en 1830; esos versículos se transformarían en un baluarte para él en su servicio al Señor[18].

Con el compromiso militar de Tom avecinándose, él y Frances conversaron seriamente. "Pienso que voy a regresar", le dijo, aunque con la guerra, nadie lo sabía por seguro. Él sabía de compañeros de clase y amigos que no habían regresado. "No sería justo que permanecieras sentada en tu casa", le dijo a Frances, al contemplar su indefinido compromiso con la marina. "Sal con otros jóvenes durante mi ausencia", le sugirió generosamente, lo cual más tarde lo llevaría a preguntarse: "¿Cómo se me ocurrió tal cosa?".

Las órdenes de incorporación al servicio militar demoraban en llegar. Semana tras semana Tom se despedía sentidamente de Frances y de su familia, pero las órdenes no llegaban en el correo de los viernes. Finalmente, el 6 de octubre de 1945, emprendió su viaje hacia San Diego, California. Familiares y amigos fueron a despedirlo a la estación de trenes que no quedaba muy lejos de su casa. John Burt, miembro del obispado, también fue. Justo antes de que el tren partiera, John puso en manos de Tom un ejemplar del Manual Misional. Tom lo miró socarronamente y le dijo: "Yo no voy a una misión"; John le respondió: "Llévalo de todos modos; tal vez te sea útil".

Tom se adaptó fácilmente al régimen militar. No era la clase de joven que se revelara a la autoridad; le agradaba la disciplina, y de sus travesuras juveniles había aprendido que lo mejor era mantenerse alejado de los problemas. Durante las primeras semanas sintió que la marina trataba de matarlo en vez de entrenarlo para conservar la vida.

El primer domingo en el entrenamiento básico, el sargento reunió a su grupo y anunció: "Hoy todos van a la iglesia. Los católicos se reúnen en el Campamento Farragut. Paso al frente, ¡marchen! No los quiero ver hasta las tres de la tarde. Todos ustedes, judíos, se reúnen en el Campamento Decatur. Paso al frente, ¡marchen! El resto, los protestantes, se reunirán en la sala de teatro de la base. Paso al frente, ¡marchen!".

Tom no era protestante, judío ni católico; era mormón, así que se quedó en su lugar junto con otros hombres. Él ha dicho: "Una de las más dulces expresiones que he oído provino de un suboficial que preguntó: '¿Qué se consideran ustedes?'. Fue la primera vez que comprendí que no estaba solo". Todos respondieron: "Somos mormones".

El suboficial se rascó la cabeza y les dijo: "Vayan y traten de encontrar algún lugar donde reunirse y no me molesten hasta esta tarde". Y así se retiraron casi al compás de un canto de la Primaria que decía: "Atrévete a ser un mormón; a ser singular te has de atrever. Ten en tu vida un propósito firme, y atrévete a hacerlo saber"[19].

El hecho de que Tom Monson era miembro de La Iglesia de Jesucristo de los Santos de los Últimos Días llegó a ser ampliamente conocido. Uno de sus colegas marineros, Eddie Foreman, quien trabajaba en la misma oficina, le escribiría más tarde en una carta: "Los ojos de muchos de nosotros estaban puestos en usted cuando el diablo hacía cuanto podía por descarriarlo.

"Estábamos teniendo una fiesta en la playa, en la que casi todos bebían cerveza. Ya en esos días usted era un líder natural entre nosotros; y los demás no lo dejaban tranquilo. Recuerdo claramente a aquél muchacho delgado y alto decir que no, con una sonrisa a flor de labios y en un tono cordial para que nadie se ofendiera, repitiendo una y otra vez que no bebía cerveza. ¿Cómo lo habría perjudicado? Nos habría perjudicado a aquellos de nosotros, Tom, que estábamos observándolo. Tal vez no tanto a usted, pues el Señor quizá igual lo habría hecho un apóstol aunque tomara aquella cerveza, pero, cómo nos habría afectado a nosotros que recordamos ese incidente de hace tantos años. Cuán agradecido le estoy, Presidente Monson, por ese ejemplo tan inquebrantable que fue de joven en el servicio militar y por lo que significa para mí cuando levanto la mano para sostenerlo sin la más mínima reserva"[20].

Cuando los dos volvieron a encontrarse muchos años después, Eddie le dijo a Tom: "Usted siempre parecía mantener la calma ante las presiones y estar en todo momento en control, con absoluta confianza en sus creencias religiosas". Eddie había anhelado eso para él mismo, así que había estudiado el Evangelio y se había bautizado en la Iglesia. Tom nunca se había enterado de la conversión de su amigo ni del papel que él había jugado en ella[21].

Un día, uno de los oficiales anunció: "Todos los que sepan nadar tendrán permiso para ir a San Diego es su primer día libre. Quienes no sepan nadar permanecerán en la base y tomarán un curso de natación, ya que ése es uno de los requisitos para graduarse del entrenamiento básico"[22]. La marina no creía a cualquiera que dijera que sabía nadar, así que antes de subir a los autobuses, los marineros debían quitarse la ropa, saltar en la parte honda de la piscina y nadar hasta el otro extremo. En el grupo había algunos que estaban tan ansiosos por ir a la ciudad que habían mentido, suponiendo que no les pedirían que demostraran que sabían nadar. El suboficial dejó que esos hombres batallaran desesperadamente en la parte honda antes de, casi de mala gana, ayudarlos con una vara a salir del agua, uno por uno. Las destrezas de Tom como nadador hicieron que le resultara fácil pasar la prueba.

En San Diego se veían gorros de marinero por todas partes, principalmente en el centro de la ciudad. Cuando Tom descendió del autobús fue inmediatamente abordado por aquellos que prometían llevarlo a él y a sus compañeros al teatro donde hacían "strip-tease", a las casas de citas y, aunque cueste creerlo, a las iglesias evangélicas. Él y sus amigos simplemente decidieron ir a caminar por la ciudad.

La marina llevó a cabo un examen de clasificación para determinar la aptitud de cada recluta, siendo cien el puntaje máximo. Tom alcanzó esa calificación por su habilidad para identificar señales con banderas y en código morse. No le llevó mucho tiempo aprender el alfabeto: "Alfa, Bravo, Charlie, Delta, Eco, Foxtrot". (Aún puede completar la lista velozmente con el movimiento de las manos). Su capacidad de reconocer navíos de diferentes flotas—japoneses, alemanes, italianos, británicos, franceses y estadounidenses—era impecable. Su habilidad para identificar el tipo de nave también era excelente. En el examen, aparecía un navío en una pantalla y el marinero tenía que oprimir un botón y dar la identificación. "Por ejemplo, si se trataba de un destructor escolta—D. E.—tenía que decir 'D. E., Japón, o D. E., Estados Unidos', u otras identificaciones para otros buques de distintas características. Los acorazados eran los más fáciles de identificar debido a su enorme tamaño"[23].

Las destrezas de Tom en la mecánica no eran tan extraordinarias. Con un poco de menosprecio hacia sí mismo reveló que su puntaje en aquella prueba había dejado bastante que desear. Cuando tuvo la oportunidad de mirar en su expediente, vio que los resultados de la prueba confirmaban lo que él ya sabía: "No apto para la mecánica"[24].

Cada día comenzaba con el sonido distintivo del clarín y su toque de diana, y terminaba con el lastimero sonido del toque de silencio en las noches, indicando que debían apagarse las luces. Tom no podía menos que reflexionar en sus días de escuela primaria cuando integraba el grupo que tocaba todas esas familiares tonadas que habían llegado a representar "deber, honor y patria". El honor está a la altura del deber para el presidente Monson. "Es una manifestación de nuestra naturaleza, un compromiso de hacer lo correcto", declara[25].

Fue testigo de mucha corrupción entre los marineros y los oficiales, pero se sintió particularmente conmovido ante lo opuesto, como lo demostró la fe de un recluta de dieciocho años de edad, Garth Hallet, quien todas las noches se arrodillaba junto a su cama para orar. Un marinero que se apellidaba Jonitz, regresó una noche a las barracas, borracho y cargado de hostilidad. Garth, quien era católico, estaba orando. El hosco Jonitz lo empujó y después le dio un puntapié. De inmediato, otros dos marinos saltaron de sus literas, sujetaron a Jonitz y lo llevaron a las duchas. Cuando regresaron, dijeron que Jonitz "se había lastimado al resbalar con una barra de jabón". Pasó tres días en la enfermería, y "nunca más volvió a hablar ni a actuar irrespetuosamente para con otra persona que honraba su religión".

Tom "admiraba a Garth Hellet por arrodillarse a orar. Los jóvenes mormones orábamos acostados en nuestras literas, pero él tenía el valor y sentía la necesidad de arrodillarse delante de todo el que quisiera mirar, para ofrecer sus oraciones personales"[26].

Durante el entrenamiento básico, el comandante de la

compañía instruyó a los reclutas que la mejor forma de empacar la ropa en una bolsa de marino era poner un objeto rectangular duro en el fondo, pues de ese modo la ropa podía permanecer firme. Tom tenía el preciso objeto rectangular para hacerlo: el Manual Misional. Durante doce semanas le fue de mucha utilidad.

Pero no sólo permaneció en el fondo de la bolsa. La noche antes de su licencia de Navidad, las barracas estaban en silencio, a no ser por los gemidos del amigo de Tom, Leland Merrill, quien también era mormón y dormía en la litera contigua.

"¿Qué te sucede, Merrill?", preguntó Tom.

"Me siento muy enfermo", respondió Leland.

Tom le sugirió que fuera a la enfermería de la base, pero ambos sabían que eso significaría que a Merrill no lo dejarían tomar su licencia de Navidad. Los gemidos aumentaron en intensidad y en regularidad. En medio de la desesperación, Merrill susurró: "Monson, ¿no eres tú un élder?". Tom respondió que sí, tras lo que Merrill le dijo: "Dame una bendición".

Tom nunca había dado una bendición antes ni tampoco había visto a nadie dar una bendición a un enfermo. Oró por ayuda, y recibió una respuesta: "Busca en el fondo de tu bolsa de marinero". Allí, a las dos de la madrugada, en una barraca de 120 marineros, muchos de los cuales sabían que algo sucedía, Tom "vació en el piso el contenido de su bolsa". Entonces llevó hasta un lugar debajo de la luz de las barracas aquél objeto rectangular duro—el Manual Misional—y leyó cómo se bendecía a los enfermos. "Ante la curiosa mirada de unos 120 marineros", Tom bendijo a Merrill para que mejorara. Antes de que terminara de guardar nuevamente sus cosas en la bolsa, "Leland Merrill dormía como un bebé". A la mañana siguiente, al aprestarse a partir con destino a su casa, con una sonrisa de oreja a oreja, Merrill dijo: "Monson, me alegra que seas un poseedor del sacerdocio"[27].

Al fin de sus doce semanas de entrenamiento básico en San Diego, se le concedió a Tom una licencia de diez días. Queriendo dar una sorpresa a Frances y a su familia, llegó a su casa sin anunciarse. Era un viernes, y de inmediato llamó a Frances para invitarla a salir esa noche. Ella declinó la invitación pues tenía otra cita concertada. Tom le pidió que la rompiese, pero el sentido de compromiso de la joven no se lo permitió. Sin embargo, ellos salieron juntos casi todas las demás noches siguientes. Algunos meses después, durante otra licencia de diez días, Tom dio marcha atrás en su magnánima sugerencia de que ella saliera en citas con otros jóvenes durante su ausencia.

Tom disfrutaba el servicio en la marina. Se le asignó a lo que se conocía como la "Compañía del barco" en el Centro de Entrenamiento Naval de San Diego. Sus destrezas en taquigrafía contribuyeron a que se le asignara la función de auxiliar del oficial al mando de la división de clasificación. "Ése era un gran honor, ya que quienes hacían las asignaciones podían escoger entre todos los reclutas que pasaban por esa enorme instalación". Pasó a ser un aprendiz de auxiliar de Howard Foy, de Memphis, Tennessee, un marinero adusto, de leguaje grosero, que fumaba un cigarrillo detrás del otro. Foy lo amenazó con mandarlo a altamar si desordenaba las cosas pero, tal como sucedió con la Sra. Shinas, la vecina de su niñez, Tom se ganó su aprecio y llegaron a ser buenos amigos. Al finalizar el entrenamiento, Foy le entregó a Tom un sobre grande y le dijo: "Monson, en este sobre hay un diagrama de las docenas tras docenas de archivadores de cuatro cajones que están sobre la pared sur de la división de clasificación. También hay instrucciones de todo lo que necesitas saber sobre cada uno de esos archivos. No abras el sobre hasta que hayan pasado cuarenta y ocho horas desde que yo me haya marchado y, por consiguiente, haya sido dado de baja de la marina".

Tom aguardó el tiempo indicado y después abrió el sobre para averiguar que sólo tenía que preocuparse del contenido de cada quinto cajón. Foy había llenado los demás cajones de los archivadores con recortes de revistas y periódicos. La enorme cantidad de archivos y la aparente complejidad del sistema, aseguraban que únicamente él y ninguna otra persona—ni siquiera sus superiores—pudieran supervisar tal volumen de información[28].

Como comentario al margen: Treinta años después, los Monson localizaron a Howard Foy, le llevaron un libro sobre los mormones y lo invitaron a asistir a una conferencia de estaca en la que hablaría el élder Monson. Tanto Howard como Lucille, su esposa, asistieron y llevaron a dos amigos con ellos. En su mensaje durante la conferencia, el élder Monson se refirió a sus experiencias en la marina y rindió tributo a Howard. Sus palabras lo conmovieron y el élder Monson vio a su compinche de la marina secarse las lágrimas de los ojos. Después de la reunión, Howard y Lucille y la otra pareja se acercaron al frente y el amigo de Howard indicó que el mensaje había estado a punto de convencerlo de unirse a la Iglesia[29].

La oficina de clasificación era el lugar perfecto para Tom Monson por sus destrezas de organización, atreviéndose de vez en cuando a "arreglar" el sistema.

"Recuerdo a un joven con quien trabajé, de apellido Olsen. Vino a mí obviamente consternado y furioso y me dijo: 'Monson, lee esta carta de mi novia y te pondrás a llorar conmigo'. Leí la carta, la cual decía más o menos así: 'Me siento muy feliz de que hayas sido asignado a la división de clasificación de la Marina de los Estados Unidos. Desde tu partida, nuestro mutuo amigo Robert, de Minneapolis, ha estado saliendo conmigo y yo consideraría un gran honor el que tú hicieras arreglos para que él fuera asignado a una base cerca de Minneapolis para que pudiéramos seguir saliendo mientras tú sirves allí en San Diego'. Entonces Olsen me dijo: 'Hazme un favor, ¿quieres? ¿Cuán lejos de Minneapolis puedes enviar a ese hombre?' Yo le respondí: '¿Qué tal San Francisco?' '¡No es lo suficientemente lejos!' 'Bueno, ¿qué te parece Hawái?' '¡Sigue sin ser lo bastante lejos!' 'Pues aquí veo un barco que va a Hong Kong, ¿qué te parece?' 'Es el lugar ideal'. Debo confesar que preparamos las órdenes para que Robert fuera a Hong Kong"[30].

Tom le escribió a su novia, Frances, todos los días que estuvo en la marina para asegurarse de que lo recordara. "Yo era muy romántico, y aún lo soy", dice. Iba hasta el jardín del comodoro y recogía una boca de sapo para poner en el sobre de la carta que le fuera a enviar. Sabía que se secaría, pero lo que contaba era el sentimiento.

Iba a la iglesia en la base, "pero no era lo mismo que estar en casa en nuestro propio barrio para el domingo de Pascua", le escribió a su padre. Sus cartas estaban repletas de las experiencias de un joven de dieciocho años lejos de su hogar. En una de ellas escribió: "Fui al almacén de la base y me compré un traje de baño por $2,60, y después fui a nadar a la playa La Jolla. Me divertí mucho dejándome llevar por las olas"[31].

En vísperas de Año Nuevo, fue a la costa a escuchar música pero no salió con chicas. Él había visto a muchos de sus compañeros de la marina caer en relaciones amorosas con jovencitas. A Tom le había quedado grabado un mensaje que el presidente Heber J. Grant había pronunciado en una reunión del sacerdocio a la que él había asistido. "En esencia, él dijo que los hombres que cometen pecados no lo hacen en un abrir y cerrar de ojos, que nuestras acciones se ven precedidas por nuestros pensamientos y que cuando cometemos un pecado es porque antes pensamos en cometer ese pecado en particular. La manera de evitar la transgresión es mantener nuestros pensamientos puros"[32]. Así fue que Tom se mantuvo al margen de tales relaciones, contentándose con tan sólo escuchar la música de dos orquestas que alternaban cada media hora. Él recuerda que eran las orquestas de nombres reconocidos, como Stan Kenton y Charlie Barnett. "Sí que era buena la música de 1944"[33].

La experiencia militar de Tom, aun cuando rendida en la misma causa, no fue ni parecida al relato que tanto le había impresionado en su juventud, el del "Batallón perdido", la 77a. División de Infantería en la Primera Guerra Mundial, atrapado detrás de líneas enemigas durante una aguerrida ofensiva. Los hombres se ofrecieron como voluntarios sin vacilar, pelearon con arrojo y muchos murieron valientemente en la que fue una de las mayores operaciones de rescate de la historia. Los actos heroicos no pasaron desapercibidos para Tom, quien vio la mano de Dios en aquel servicio.

Años más tarde, se encontraría en un viejo puente sobre el río Somme, el cual había cruzado el Batallón Perdido en su camino firme aunque pausado hacia el interior de Francia. Trató de imaginar lo que ese río les habría parecido a los soldados que habían cruzado ese mismo puente. Algunos regresaron a casa, otros no. Hay hectáreas cubiertas de bien ordenadas cruces blancas que se yerguen como imborrable recordatorio del precio en vidas humanas que se pagó en los campos de batalla de Europa. Entonces le llegan a la mente las palabras del poema "En los campos de Flandes":

En campos de Flandes las amapolas se mecen
entre las tumbas de quienes nunca perecen,
donde descansamos, bajo el espacioso cielo,
que nos cuida a todos con majestuoso celo,
y el rugido de las balas aún nos estremece.

Somos los muertos que en tiempos no lejanos
vivimos y caímos más nuestra huella dejamos.
Amamos y fuimos amados, mas ahora
en los campos de Flandes descansamos[34].

El servicio en la marina dejó una marca perenne en Tom Monson, la cual ha aflorado muchas veces. "Quienes planean las guerras rara vez se enfrentan al sufrimiento de la gente. Es tan sólo cuando familias y ciudades enteras sufren de ese modo que llegamos a ver el verdadero horror", ha declarado. Ha estado junto a soldados que perdieron la vista, sus extremidades y hasta su voluntad de seguir adelante. "Debemos estar agradecidos a diario por la paz, pero debemos permanecer atentos para prevenir los conflictos, la conducta agresiva, el dominio de una fuerza militar sobre otra, de los que hemos sido testigos en el pasado"[35].

Cuando terminó la guerra, el Auxiliar de Tercera Clase Thomas S. Monson tuvo que servir solamente seis meses más para cumplir con su compromiso en el servicio militar. Su baja honorable oficial—la cual le daba derecho a las prestaciones de un proyecto especial de ley para la educación universitaria—estaba fechada el 30 de julio de 1946. El Capellán Mayor del Centro de Separación de Personal de la Marina de los Estados Unidos, Ralph A. Curtis, escribió a los padres de Tom: "La gran mayoría de los soldados están regresando a tiempos de paz, a sus familias, iglesias y comunidades. Estamos agradecidos de que su hijo sea uno de ellos"[36].

El presidente Harry S. Truman también le envió una carta de

gratitud por su servicio. "A usted, quien respondió al llamado de su patria y sirvió en sus Fuerzas Armadas para cristalizar la derrota absoluta del enemigo, le extiendo la más genuina gratitud en nombre de nuestra nación entera . . . Ahora esperamos su liderazgo y ejemplo en pos de engrandecer a nuestro país en paz"[37].

En aquel otoño de 1946, "muchos de los hijos predilectos de nuestras comunidades regresaron al seno de sus familias"[38]. Gracias al proyecto de ley para la educación, la juventud abarrotó los campus universitarios a lo largo y ancho del país. Ellos traían consigo las lecciones aprendidas en los frentes de batalla de Europa y del Pacífico. Eran más maduros que antes, más disciplinados y más trabajadores. Tenían la determinación de avanzar al tener éxito en sus estudios y al prepararse para sus distintas profesiones. Tom Monson se encontraba entre ellos.

8

NACE UNA FAMILIA

Mi madre es la otra cara del éxito de mi padre debido al apoyo que siempre le ha dado en todo cuanto él ha hecho.

Ann Monson Dibb

El élder M. Russell Ballard, quien inició sus estudios en la Universidad de Utah en el verano de 1947, recuerda que "había una gran competencia entre los hombres de la universidad. Eran mayores, más maduros, tenían más experiencia y eran mejores estudiantes; así que resultaba difícil". No obstante, él reconocía el valor de aprender de quienes se habían visto expuestos a los rigores y traumas de la guerra: "Uno oía cosas que nunca habría oído si las únicas personas en las clases hubiesen sido muchachos recién salidos de la preparatoria"[1].

Tom estaba en una clase de derecho empresarial con una de las estrellas del equipo de fútbol americano de la universidad que nunca se preparaba para los temas que se trataban. "Por cierto que era listo", tal vez demasiado. El examen final era a "libro cerrado", pero el deportista llegó a la clase esa mañana de invierno en sandalias. Al comenzar el examen, puso el libro de texto abierto en el suelo, se quitó las sandalias de los pies y, con los dedos saturados de glicerina, daba vuelta las páginas con gran destreza hasta encontrar las respuestas a las preguntas que se hacían en la prueba. "Recibió la calificación máxima, tal como en otras clases que tomaba. Nominado para recibir honores y elogiado por su perspicacia intelectual, aprobó los exámenes de la universidad pero no pasó la prueba de integridad"[2]. Al prepararse para los exámenes finales, el decano de su disciplina anunció que por primera vez éstos no serían escritos, sino orales. El joven deportista reprobó las pruebas y tuvo que permanecer un año más en la universidad para cumplir con los requisitos de graduación"[3].

Años más tarde, al dirigirse a un auditorio de estudiantes universitarios, el presidente Monson dijo: "Durante los últimos cincuenta años, hemos sido testigos en este país de un abandono gradual pero continuo de las normas de excelencia en muchos aspectos de nuestra vida. Observamos falta de moral en los negocios; falta de conciencia en la ciencia; carencia de principios en la política, y logro de fortunas sin esfuerzo". Entonces aconsejó: "Rechacen el oportunismo; manténganse alejados de los consensos; escojan la dificultad del bien por encima de la facilidad del mal. Al hacerlo, no se desviarán, sino que permanecerán siempre en la senda de la perfección"[4].

Mientras asistía a la Universidad de Utah, Tom empezó a trabajar por las tardes recogiendo papel de desecho en un camión con el esposo de su hermana Marjorie, Conway Dearden, quien jugaba fútbol americano para la universidad. Tom juntaba dinero para comprar un anillo de compromiso para su novia, Frances Johnson. Un trabajo en la imprenta hubiera sido más seguro. Una tarde, en la esquina de la Calle Main con la Tercera Sur (a unas tres cuadras de la Manzana del Templo de Salt Lake), se cayó del camión y se fracturó ambas muñecas. Dada la seriedad de las lesiones, tendría que haberlo atendido un especialista, pero el médico que lo trató, le enyesó ambos brazos, sin ponerle anestesia. Como resultado de ello, tuvo que dejar de asistir a la universidad y terminó el trimestre desde su casa; pero de algún modo se las arregló, y con mucha diligencia, estudiando durante el verano, se graduó de la universidad en agosto de 1948, tan sólo un trimestre atrasado, y eso a pesar de haber estado un año en la marina. Se graduó con honores, lo cual enorgulleció a su madre, pero lo frustró a él, pues reconoció que "con un poco más de esfuerzo y motivación" podría haber recibido los "más altos honores"[5]. Una buena lección.

Tom había planeado desde el principio graduarse de la Facultad de Negocios. "Sentía fascinación por las especialidades de mercadotecnia, administración, finanzas corporativas y economía, fascinación que nunca ha cesado", dice[6]. No era un estudiante típico, ya que nunca cambió de carrera. Completó las 93 horas de clases básicas para ser admitido en la Facultad de Negocios y las 183 horas requeridas para graduarse de esa facultad. Recibió un título en mercadotecnia, con otro secundario en economía.

Tom sentía mucha afinidad hacia el cuerpo docente. Consideraba a un profesor de mercadotecnia en particular, O. Preston Robinson, uno de los mejores maestros que él había tenido. El Dr. Robinson creía en la "persuasión amigable", en inspirar constantemente a sus alumnos, haciéndoles saber que ellos podían lograr "todo cuanto se propusieran"[7]. Trabajaban duro en sus clases; él les brindaba muchas oportunidades. El Dr. Robinson invitó a Tom a ayudarle a enseñar y a poner calificaciones a otros estudiantes. "Él no sólo nos enseñaba en el salón de clases, sino que también participaba activamente en esfuerzos comerciales de la ciudad, de los cuales se valía para ofrecer oportunidades a sus propios estudiantes de posgrado"[8].

El Dr. Robinson había guiado, elevado e inspirado a Tom, quien, con el tiempo, enseñó una clase en la Universidad de Utah en administración de ventas y más adelante otra en tácticas comerciales con el mismo Dr. Robinson. El profesor llegaría a influir en la selección que Tom haría de su carrera.

Mientras tanto, la relación de Tom con Frances seguía floreciendo. Tom le propuso matrimonio en la primavera de 1947. Él era, como lo da en llamar, de la "vieja escuela", o sea: "Dar servicio a la patria, graduarse de la universidad, conseguir un empleo y después casarse", aunque reconoce que los tiempos han cambiado. Él ha dicho que, si volviera atrás en el tiempo, probablemente no esperaría tanto tiempo para casarse[9].

Tom le pidió a su madre que lo acompañara a una joyería a comprar el anillo de compromiso. Después lo llevó a su casa, se lo mostró a su familia y lo guardó en el bolsillo para más tarde. En la noche que planeó proponerle matrimonio a Frances, la pasó a buscar y la llevó hasta la casa de él. Al verlos a los dos juntos, Scott, el hermano pequeño de Tom, que tenía cuatro años, anunció lleno de entusiasmo: "Tommy tiene un anillo para ti, Frances". La anécdota es legendaria en la familia. Todavía se especula si Tom ha llegado a perdonar a Scott por arruinar la sorpresa.

Tom y Frances habían estado comprometidos durante más o menos un año cuando fijaron la fecha de su casamiento para el 14 de septiembre de 1948. Sin embargo, Gladys, la madre de Tom, estaba para dar a luz y se había pasado de la fecha, así que la boda se postergó hasta el 7 de octubre. Barbara Monson llegó a este mundo y, tres semanas después, Gladys estaba en la tradicional línea en la recepción de bodas de Tom y Frances. El 2 de enero de 1949, Tom dio a su hermanita un nombre y una bendición en el servicio sacramental del Barrio Sexto-Séptimo.

Benjamin L. Bowring, quien más tarde serviría como presidente de templo tanto en Los Ángeles como en Hawái, efectuó el casamiento en el Templo de Salt Lake, en lo que se conocía como la sala de los espejos. En aquellos días, no asistía un grupo numeroso de personas a las ceremonias de bodas; los únicos que estaban allí eran la madre de Tom, Gladys; Peter y Flora Hepworth, miembros del barrio que servían como obreros en el templo; y los padres de Frances. Actuando en lugar del élder Mark E. Petersen, quien se encontraba viajando en una asignación, el hermano Bowring aconsejó a la pareja: "Arrodíllense al costado de la cama todas las noches. Una noche, usted ofrece la oración en voz alta y de rodillas, hermano Monson. A la siguiente noche, usted ofrece la oración en voz alta y de rodillas, hermana Monson. Les aseguro que cualquier malentendido que surja durante el día, desaparecerá al orar. Es imposible orar juntos y al mismo tiempo no tener buenos sentimientos el uno por el otro". Entonces les prometió: "El amor puro colmará la habitación y sus corazones"[10].

Siempre han seguido ese consejo.

Años después, cuando el presidente David O. McKay, noveno presidente de la Iglesia, extendió a Thomas S. Monson el llamamiento de servir en el Quórum de los Doce Apóstoles, le preguntó sobre su familia. Tom compartió con él el modelo de oración al que se habían ceñido. El presidente McKay escuchó, se echó hacia atrás en su silla de cuero y, con una sonrisa, respondió: "La misma fórmula que les ha ayudado a ustedes nos ha ayudado a Emma y a mí todos los años que hemos estado casados"[11].

Tom y Frances recibieron a familiares y amigos en la casa de los Johnson la noche de su casamiento. Vívidas en la mente de Tom permanecen las palabras de una de sus tías suecas, quien entonces tenía ochenta años de edad. Por ser de escasa estatura, le pidió a su sobrino que se agachara para poder felicitarlo. "Ah, Tom", le dijo, "me alegra que te hayas casado con una sueca". Los escandinavos son ferozmente nacionalistas, y cuando Tom se casó con Frances, se casó también con todas las tradiciones suecas. Él las ha adoptado casi todas, a excepción de gustarle el pescado al escabeche.

Debido al gran número de familias que se restablecían después de la guerra, había escasez de vivienda cuando los Monson se casaron. La joven pareja se mudó a un apartamento en las propiedades de la familia Condie, en el 508 Sur de la 200 Oeste, donde antes habían vivido la tía Annie y el tío Rusty. Pagaban veinticinco dólares por mes de alquiler, sobrándoles un poco de dinero para redecorar. El apartamento tenía una estufa en la cocina y un calentador en la sala, ambos a carbón, así como una hielera en el porche del fondo. No tenían calentador de agua, a no ser por una funda conectada a la estufa a carbón. Aquél primer año, Tom hizo instalar una línea de gas natural en la casa; una estufa de gas reemplazaría la que funcionaba a carbón, y en la sala también pusieron un calentador de gas. Tom y Frances se sentían como reyes: "Los días y las noches de frío habían quedado atrás". Hasta hoy "agradecen tener una casa abrigada en el invierno"[13].

En aquellos días, Tom trabajaba como gerente del departamento de avisos clasificados del periódico *Deseret News*, mientras que Frances estaba empleada en la sección de pagos de J. C. Penney, una prestigiosa firma comercial. Los dos trabajaban en el centro de la ciudad y a menudo caminaban juntos cinco cuadras hasta su casa para almorzar algo rápido y escuchar canciones vaqueras en la radio"[14].

Cuando se casaron, Tom servía como secretario del barrio. En 1949, en una reunión de obispado, oyó al obispo lamentar la baja asistencia de muchachos a la Mutual y el hecho de que necesitaban un nuevo superintendente. Tom les dijo que no sabía a quién pensaban llamar, pero que se sentía apenado por el pobre hombre, ya que sólo diez personas habían asistido a la clase de adultos de la Mutual ese martes[15]. Salió de la reunión para ir a tomar la asistencia en el quórum de élderes, pero el obispo le pidió que volviese a la oficina para extenderle el llamamiento de superintendente de la Mutual. Tom preguntó quién serviría como secretario del barrio, a lo que el obispo respondió que de algún modo se las arreglarían, ya que era más fácil encontrar secretarios que hombres que lograran levantar la asistencia.

Tom echaba de menos sus deberes como secretario del barrio, pero tuvo éxito en llevar de vuelta a la AMM a muchos que habían estado perdidos.

Para entonces, Tom se había unido nuevamente a la reserva naval con la idea de obtener una comisión como oficial, para que en el caso de que surgiera otro conflicto, él fuera un oficial en vez de tener que alistarse. Asistía a sesiones de entrenamiento los lunes por la noche en el Fuerte Douglas y estudiaba concienzudamente para obtener la anhelada comisión en la marina. Tras aprobar todos los exámenes mentales, físicos y emocionales, le llegó la carta de aceptación, indicando que había recibido la comisión como alférez en la Reserva Naval de los Estados Unidos, lo cual lo alegró mucho a él y también a Frances.

Pero antes de aceptar la comisión, fue llamado como consejero en el obispado del barrio. Desafortunadamente, la reunión de consejo del obispo era la misma noche del entrenamiento semanal en la marina, así que debía tomar una decisión. En ese momento no llegó a darse cuenta de que sería una de las más importantes de su vida.

Lo que sí sabía era que tenía en sus manos la oportunidad de ser un oficial. Oró al respecto y sintió que debía ir a hablar con su presidente de estaca de la adolescencia, el élder Harold B. Lee. Le explicó lo mucho que se había esforzado por obtener esa comisión y lo mucho que significaba para él, y después le mostró al élder Lee la carta de nombramiento.

El élder Lee permaneció en silencio un momento y después le dijo: "Le diré qué es lo que debe hacer, hermano Monson; escriba una carta a la Oficina de Asuntos de la Marina y dígales que por haber recibido un llamamiento como miembro de un obispado, no puede aceptar esa comisión en la Reserva Naval de los Estados Unidos".

El corazón de Tom casi dejó de latir; eso no era lo que deseaba oír.

El élder Lee continuó: "Después, escriba otra carta al comandante del Doceavo Distrito de la Marina en San Francisco y dígale que desea que se le dé la baja de la reserva".

Tom respondió: "Hermano Lee, usted no entiende cómo son estas cosas. Ciertamente no me darán la comisión si yo rehúso aceptarla, pero el Doceavo Distrito Naval no me va a dejar ir. Con la guerra a punto de estallar en Corea, seguramente llamarán a los oficiales sin comisión. Si ése fuera el caso, yo preferiría volver como oficial comisionado, pero eso no sucederá si no acepto esta comisión. ¿Está seguro de que eso es lo que me aconseja hacer?

El élder Lee descansó la mano sobre el hombro de Tom y le dijo: "Hermano Monson, tenga más fe; el servicio militar no es para usted"[16].

Tom fue a su casa, declinó la comisión y envió de vuelta los formularios a las oficinas de Denver. Después mandó una carta al Doceavo Distrito Naval solicitando que le concedieran la baja de la reserva, la cual, milagrosamente, le fue otorgada. Su solicitud se encontraba en la última tanda tramitada antes de que estallara la guerra de Corea. Seis semanas después de su llamamiento como consejero en el obispado Tom fue llamado a servir como obispo de su barrio.

Esa experiencia sirvió para ilustrar lo que el presidente Monson ha enseñado por años: "Las decisiones determinan el destino". Décadas más tarde, él dijo: "No estaría hoy delante de ustedes si no hubiera seguido el consejo de un profeta, si no hubiera orado en cuanto a una decisión y si no hubiera llegado a valorar una importante verdad: que la sabiduría de Dios muchas veces parece ser insensatez para el hombre. Pero la lección más grande que podemos aprender en esta vida es que cuando Dios habla y un hombre obedece, a ese hombre siempre le irá bien"[17].

Tom tenía apenas veintidós años de edad cuando fue llamado como obispo del Barrio Sexto-Séptimo y, a partir de ese momento, Frances y él rara vez se sentaron juntos en una reunión sacramental. "Ella me ha apoyado desde el día en que nos casamos", ha dicho el presidente Monson. "Ella sabía que yo le daba mucha importancia al término 'deber'; soy muy consciente de lo que es ser responsable. Ella lo sabía y nunca se ha quejado"[18].

Después de casi dos años de casados, y aún sin miras de tener hijos, Frances empezó a preocuparse, preguntándose si alguna vez iría a ser madre. Decidió procurar su bendición patriarcal, confiando en que le diera algo de tranquilidad en cuanto al asunto. Acompañada de Tom, fueron a ver al patriarca Charles Hyde, y Frances recibió su bendición.

"Ésa fue la primera vez que gané conocimiento de la veracidad del Evangelio y de que nuestro Padre Celestial nos conoce, nos ama y sabe todo cuanto nosotros hacemos", ha dicho Frances. "Tras descansar las manos sobre mi cabeza, el patriarca permaneció en silencio por un momento, lo cual me preocupó, ya que pensé que no tenía nada que decirme. Pero al empezar a pronunciar la bendición, fue respondiendo todas las preguntas que yo tenía en la mente y en el corazón. Él no me conocía de antes y no estaba enterado de mis preguntas, pero nuestro Padre Celestial sí las conocía y resolvió mis dudas. El patriarca Hyde dijo: 'Esta bendición te es dada bajo la inspiración de nuestro Padre Celestial, la cual tú puedes sentir'. En ese momento supe que mi Padre Celestial me amaba y que sabía lo que yo anhelaba y necesitaba"[19].

Su primer hijo, Thomas Lee Monson, quien recibió el nombre de su padre y del mentor de Tom, el élder Harold B. Lee, nació el lunes 28 de mayo de 1951. La noche anterior, Frances y muchos otros vecinos habían seguido a un camión de bomberos hasta un gigantesco incendio en el edificio de una planta avícola ubicada en la esquina de las calles Cuarta Sur y Tercera Oeste. A la mañana siguiente ella dio a luz.

Ese fin de semana, puesto que Frances y el recién nacido

permanecerían en el hospital durante más de una semana, como se acostumbraba en aquella época, Tom fue a Idaho en un viaje de pesca que tenía planeado de antemano. Según él, Frances siempre se lo ha reprochado, aunque dice que su esposa lo había animado a ir, prometiendo que sencillamente "descansaría" hasta que él volviese. Frances ha hecho mención del asunto muchas veces[20]. Tom se toma la pesca muy en "serio", pero aquél viaje fue un "serio" error.

A Tom "siempre le gustó el nombre Ann"[21], así que cuando les nació una niña el 30 de junio de 1954, no existía la más mínima duda en cuanto al nombre que se le daría. El parto le resultó difícil a Frances y la pequeña Ann tuvo un comienzo duro, pero madre e hija se recuperaron en poco tiempo.

Clark, el tercero y último hijo, no nació sino hasta 1959, cuando la familia vivía en Canadá, mientras su padre servía como presidente de misión.

"Estoy orgulloso de ti, Frances", le dijo su padre, un pulidor de muebles, en 1953, poco antes de morir. "Estoy orgulloso de tu esposo, Tom. Los dos van a recibir muchas bendiciones gracias a la lealtad y la devoción que tienen hacia el Evangelio, el hogar y la familia". Los Monson fueron testigos de la cristalización de esa promesa. "La vida fue muy buena" para ellos[22].

El presidente Boyd K. Packer ha hecho la siguiente observación: "Uno no puede hablar del presidente Monson sin hablar de Frances. Es una mujer maravillosa que lo ha apoyado en todos los aspectos de su vida"[23]. El élder Richard G. Scott añade: "Ella es muy leal y haría cualquier cosa por su esposo y por la obra a la que él ha sido llamado. Ciertamente tienen un profundo amor el uno por el otro"[24].

Al vivir en una propiedad de la familia Condie, Tom y Frances establecieron más que un hogar: establecieron una forma de vivir. Por años, el presidente Monson ha citado la instrucción del Señor al profeta José Smith en 1832, de que Su pueblo debía establecer "una casa de oración, una casa de ayuno, una casa de fe, una casa de instrucción, una casa de gloria, una casa de orden, una casa de Dios"[25]. Él y Frances hicieron eso precisamente. "¿En qué otro lugar del mundo podríamos encontrar un mejor modelo de hogar, de casa y de familia?", ha enseñado. Tal hogar "cumplirá con el código de construcción indicado en Mateo, de la casa edificada sobre una roca. Soportará las lluvias de la adversidad, los diluvios de la oposición y los vientos de la duda, siempre presentes en nuestro desafiante mundo". En su estilo clásico, él destacó tres "puntos para considerar" al establecer un hogar del que el Señor es el contratista general: "Arrodíllense para orar, levántense para servir y tiendan la mano para rescatar"[26]. Tal es el modelo del hogar que él y Frances establecieron.

Para Frances, el hogar es el sitio en el que se siente más cómoda. Desde el comienzo mismo de su matrimonio, ella creó un entorno acogedor y sereno en su hogar, tal como lo es su personalidad. "Nuestros hogares han de ser más que santuarios; deben ser lugares donde el Espíritu de Dios puede morar, a la puerta de los cuales se detenga la tormenta; donde reine el amor y la paz", ha dicho el presidente Monson a los santos. Él lo sabe por experiencia propia[27].

9

"LAS DECISIONES DETERMINAN EL DESTINO"

Él realmente ha caminado con los "reyes" de la tierra durante mucho, mucho tiempo, y ha conservado la sencillez de un modo admirable.

ÉLDER ROBERT C. OAKS
Presidencia de los Setenta, 2004–2007

THOMAS S. MONSON INGRESÓ a la fuerza laboral en el apogeo de lo que algunos han llamado "los magníficos años cincuenta". Aun cuando la Guerra Fría creó más división entre naciones, y el conflicto de Corea exigió que se reabriera el reclutamiento de jóvenes para el servicio militar, ése fue el período en que surgió Disneylandia, se empezaron a construir sistemas de autopistas interestatales, tomó impulso el movimiento de derechos civiles, músicos como Liberace y Lawrence Welk deleitaban a sus públicos en la televisión, y Perry Mason iniciaba la primera de sus nueve exitosas temporadas. De hecho, *Perry Mason* era entonces y sigue siendo hoy el programa de televisión predilecto del presidente Monson.

Que llegara a trabajar para una compañía editorial parecía natural, aunque la persona que le abrió las puertas al Deseret News no conocía sus aptitudes laborales. El 1º de julio de 1948, el Dr. O. Preston Robinson, el nacionalmente reconocido profesor de mercadotecnia de Tom, envió a tres de sus estudiantes que estaban a punto de graduarse, para ser entrevistados por Amos Jenkins, director de publicidad del periódico. Confiaba en que al menos a uno de ellos se le contratara como representante de ventas de publicidad.

Tom tenía opciones; se había destacado en la universidad e ingresaba en un mercado que necesitaba su experiencia. Había enseñado mercadotecnia en la Universidad de Utah, y el Decano Dilworth Walker lo invitó a unirse al cuerpo docente para enseñar jornada completa. Tras orar en cuanto a la propuesta, llegó a la conclusión de que sentía más inclinación hacia trabajar con publicidad y mercadeo, que hacia enseñar las materias.

Llegaron a la Universidad de Utah compañías de renombre para entrevistar a estudiantes próximos a graduarse. Tom fue a las entrevistas bien preparado y recibió excelentes ofertas de empresas como Standard Oil de California y Procter and Gamble. También le habían ofrecido empleo en la Compañía Editorial Deseret News. Cuando más adelante aconsejó a estudiantes que las "decisiones determinan el destino", él lo había comprobado en su propia vida.

Tom sopesó: "Si acepto la oferta de Procter and Gamble o la de la compañía petrolera Standard, tendré que viajar bastante, y a mí no me gusta viajar. Ya no podré ir de pesca a mi arroyo favorito; no podré cazar patos ni faisanes en el otoño; tendré que dejar mi vecindario y a mis padres, tías, tíos y primos, y sacrificar a mi joven familia". Entonces decidió consultar al Señor en oración.

Su decisión fue una demostración de fe y principio, entrelazada con un agudo sentido del deber. Ni siquiera había tomado en cuenta la perspectiva de jugosos salarios y de vacaciones en soleadas playas. "Hay factores en todo ser humano", ha enseñado, "aun principios básicos con los cuales se nos ha investido desde nuestra creación, que parecen exigir nuestras más prudentes decisiones. En aquellos años en particular, todo parecía decirme que buscara lo mejor que la vida tenía para ofrecer; que buscara oportunidades de brindar el mayor servicio"[1].

Declinó las ofertas de Standard Oil y de Procter and Gamble, y aceptó el puesto en la firma editorial Deseret News, tal vez la menos "apasionante" de las tres, y empezó a trabajar como gerente auxiliar de la sección de avisos clasificados.

Después de todo, en las décadas siguientes, sus responsabilidades de la Iglesia no le permitieron ir mucho de caza ni de pesca, y es posible que ningún empleado de Standard Oil o de Procter and Gamble haya viajado tanto como lo ha hecho Thomas S. Monson.

Aquél primer año, después de terminada la guerra, el Deseret News realizó una agresiva expansión de su mercado, agregando la distribución del periódico los sábados por la mañana y emplearon más personal, tanto en noticias como en publicidad. Al competir el periódico vespertino en forma pareja con el matutino *Salt Lake Tribune*, la circulación hizo más que duplicarse.

Dado que Tom ya había aprendido destrezas de impresor, en vez de empezar en ese sector, lo pusieron en ventas. Pasó a integrar "un grupo de personas talentosas e individualistas, entre ellas, Amos Jenkins, un carismático director de publicidad; Susie Miller, que conocía a todos los agentes de bienes raíces y concesionarios de automóviles de la ciudad; Ralph Davison, un infatigable gerente de avisos nacionales, y Kenneth Bourne, gerente de ventas de publicidad, quien siempre usaba sombrero, tanto adentro como afuera del edificio, escondiendo su calvicie"[2]. En relativamente corto tiempo, Tom fue ascendido a gerente de la sección de avisos clasificados.

Como parte de su entrenamiento, Tom pasó cuatro semanas en la zona de San Francisco, dividiendo su tiempo entre el *San Francisco Chronicle*, el *San Francisco Examiner*, el *Oakland Tribune*, y el *Oakland Post Inquirer*. Durante ese largo mes se hospedó en el Hotel California, cansándose rápidamente de estar lejos de su hogar. Al menos, la experiencia le sirvió para reafirmar que había estado acertado en escoger un empleo en Salt Lake City. Regresó de California con normas y procedimientos innovadores relacionados con la publicidad clasificada.

Durante varios años, el periódico matutino *Salt Lake Tribune* había superado ampliamente el tiraje del *Deseret News* y, en particular, contaba con una sección mucho mejor de avisos clasificados. A pesar de que el *Deseret News* había tenido esa sección desde

1890, los avisos no producían los resultados que los anunciantes deseaban. Amparado en su gran optimismo, Tom no se desanimó. Él siempre ha sostenido: "En las profesiones de nuestra elección, los desafíos a los que nos enfrentamos pueden tener la apariencia de montañas imposibles de superar, pero debemos siempre seguir adelante"[3]. Y así lo hizo.

Como gerente de avisos clasificados, con once empleados bajo su supervisión, se propuso renovar el interés del público lector con una audaz campaña de circulación. Él vio "la venta de un producto complicado" como una oportunidad "de trabajar eficaz y arduamente"[4]. El aspecto de mayor relieve de dicho esfuerzo fue trabajar con Robert Cutler en la creación y ejecución de un programa de promoción que denominó: "Publicidad en acción". El nuevo enfoque tuvo enorme éxito, tanto así que representantes de otros periódicos regionales y nacionales, de San Francisco en particular, se interesaron en emplear el mismo diseño: palabra por palabra. Tom habló en el funeral de Bob Cutler en el año 2000 y recordó aquellos primeros años de su carrera, cuando buenos hombres como Bob lo habían encaminado.

Puso en práctica en su trabajo diario lo que él llama "las siete consignas de la sabiduría: visión, paciencia, equilibrio, esfuerzo, comprensión, cortesía y amor". Las aplicó en su carrera comercial, en la comunidad, en sus asignaciones de la Iglesia y en su hogar. Si se siguen estos principios, ha enseñado, "llevaremos vidas más felices, tendremos experiencias más plenas, y sentiremos en el corazón la satisfacción de saber que hemos sido el conducto por medio del cual se ha manifestado el poder de nuestro Padre Celestial"[5].

Al mismo tiempo, procuró elevar la visión de sus colaboradores con una estricta ética laboral: "Cuando nos quejamos no podemos pensar; cuando ridiculizamos no podemos razonar. La responsabilidad personal no tiene que ver con la intención, sino con los hechos. Nadie se siente orgulloso simplemente de lo que intenta hacer . . . sólo la mente humana es capaz de crear, imaginar, ejercer visión y sentir responsabilidad"[6].

M. Russell Ballard, que acababa de regresar de su misión en Inglaterra, conoció a Tom Monson en el salón de exposición de automóviles de su abuelo, ubicado en el 633 Sur de la calle Main. "Desde entonces he observado a Tom Monson y no me sorprendió que lo llamaran como presidente de misión y después como miembro del Quórum de los Doce", dice el élder Ballard. "No conozco a nadie de aquella época que tuviera más don de gentes que Thomas S. Monson. Todo el mundo lo estimaba; era una persona afable, realista y sumamente práctica. Conocía a todos los concesionarios por su nombre de pila y ellos a él de la misma manera"[7].

En 1952, el Deseret News y el Tribune hicieron una tregua, por así decirlo, al firmar un acuerdo de operaciones conjuntas para revertir las pérdidas financieras por las que pasaban ambas instituciones. El élder Mark E. Petersen, gerente general y presidente del directorio del Deseret News, había colaborado en la elaboración del pacto. Para concretar ese acuerdo sin precedentes, tuvieron que solicitar al Congreso que instrumentara una ley de antimonopolio. Como parte de dicho acuerdo, el Deseret News adquirió el *Salt Lake Telegram*, una publicación vespertina del Tribune, y los suscriptores del *Deseret News* recibirían la edición matutina de los domingos del *Tribune*. Ésa no sería la última reorganización de ambos competidores.

Las competencias de circulación y publicidad que los dos periódicos habían tenido durante décadas ahora cesaban, y las perspectivas de una operación conjunta parecían prometedoras. La operación bilateral—siendo cada parte propietaria del 50 por ciento durante treinta años—se encargaría de la producción, la circulación y la publicidad, operando una sola imprenta en vez de dos, un departamento mecánico en vez de dos, y un departamento de publicidad en vez de dos. Ambos periódicos se imprimirían en las mismas prensas, a dos calles de las oficinas del Deseret News, mientras que los empleados de la sección de publicidad se trasladarían al edificio del Tribune, lo cual supuso una fusión del personal de avisos clasificados.

A Tom se le pidió que dejara cesante a la mitad de sus empleados y que, tras haber sido gerente de avisos clasificados, ahora pasara a ser subgerente de la sección en la nueva corporación, con la responsabilidad de la venta de avisos de bienes raíces y automóviles. El cambio lo tomó por sorpresa e hizo saber su preocupación al subgerente general de la Compañía Editorial Deseret News, Preston Robinson, su ex profesor de universidad, indicando que ciertamente tenía más para ofrecer que lo que le exigiría su nueva posición en el Tribune. Robinson estuvo de acuerdo, pero la decisión ya se había tomado.

El trasladarse a lo que había sido territorio enemigo requirió mucha fe a este emprendedor y cada vez más visible ejecutivo de publicidad. Sin embargo, el acuerdo de operaciones conjuntas fue una bendición para ambas entidades, poniendo fin a las debilitantes querellas que durante una época tan larga habían consumido tiempo, energía y recursos. Aun así, continuó la tensión y la competencia entre ambos planteles editoriales.

Con la creación de la nueva corporación, el Deseret News perdió el derecho de publicar un periódico los domingos, lo cual Tom rápidamente reconoció como "un trágico error". En los años siguientes, el valor de la publicación dominical se triplicó. Tom ni imaginaba que treinta años más tarde sería el principal representante de la Iglesia en la negociación de aquél acuerdo, y que estaría en la debida posición para corregir el error.

El día libre de Tom era el lunes. En el mundo de los avisos clasificados, el sábado era uno de los días más ocupados, así que la semana de trabajo de Tom empezaba los martes. Aprovechaba los lunes para ir a cazar patos con su tío Rusty. De aquellas experiencias resultarían muchas cosas más que simplemente cazar patos. Rusty y Tom forjaron una buena camaradería; Rusty "era un sabio maestro y un sensato filósofo". Aunque no se había unido a la Iglesia, "era un hombre honorable en todos los aspectos de su vida". También iban a pescar al río Provo, a Pinedale, en Wyoming, y a la represa Strawberry. El tío Rusty operaba una gasolinera, pero aprovechaba toda oportunidad que se le presentaba para disfrutar de la naturaleza. "Verdaderamente apreciaba las creaciones de Dios"[8].

En diciembre de 1952, Preston Robinson llamó a Tom a su oficina para presentarle una nueva propuesta de empleo. Quería que Tom regresara a lo que entonces se conocía como la Imprenta Deseret News y se sometiera a un programa de capacitación para llegar a ser su gerente general auxiliar. La idea era que Tom pasara un año o dos trabajando en la división de la Imprenta Deseret News y después otro período similar en la división editorial del periódico a fin de tener experiencia publicitaria, editorial y comercial cuando lo ascendieran.

Trabajar en la Imprenta Deseret News era como regresar a casa.

Tom había sido aprendiz de impresor en el negocio de su padre bajo la supervisión de Sheldon Weight. Allí aprendió rápidamente y con destreza. "Cuando uno es aprendiz, tiene que hacer todo el trabajo engorroso, lavar prensas y las tareas más insignificantes", dice[9]. Tom ganó buena reputación por nunca haberse atrapado los dedos en las prensas, lo cual habla a las claras de su excelente coordinación. Tom y Sheldon llegaron a ser amigos de por vida, y en el funeral de éste, el élder Monson alabó a su mentor "por ser la clase de hombre que fue" y por dar un gran ejemplo de dedicación laboral en una industria tan exigente[10].

En la Imprenta Deseret News, gracias a su previo aprendizaje, Tom completó en tiempo récord la capacitación requerida en cada uno de los departamentos, pero consideró que lo más memorable de ese período fue la oportunidad de llegar a estar "tan cerca de todos los empleados de la imprenta. Ellos se encuentran entre los mejores seres humanos del mundo"[11].

Tom entendió lo que el élder Stephen L Richards quiso decir cuando declaró: "La vida es una misión y no una carrera". El veía su trabajo como mucho más que terminar un proyecto a tiempo y dentro del presupuesto estipulado. Realmente llegó a conocer a la gente con la que trabajó. Su diario personal está repleto de detalles sobre cada uno de ellos a lo largo de los años y de la oportunidad de hablar en sus funerales.

En poco tiempo, Tom fue nombrado gerente auxiliar de ventas y más adelante gerente de la división de ventas de la imprenta.

En aquellos años forjó estrechos lazos con hombres con quienes serviría en el futuro al supervisar la publicación de materiales de la Iglesia. En particular, llegó a conocer a Gordon B. Hinckley, quien dirigía la oficina misional, la que contaba con un catálogo de más de cien folletos publicados. Una de las tareas del hermano Hinckley era mantener a mano un abastecimiento adecuado de todos los materiales que se necesitaban alrededor del mundo, mientras que una de las tareas de Tom era ayudarlo. Los dos determinaban qué imprimir, cuántas copias se debían hacer y cuándo imprimir o reordenar. "El trabajo más grande era hacer pedidos del Libro de Mormón", recuerda Tom[11]. Durante la década de 1950, se imprimieron traducciones nuevas, revisadas o actualizadas del Libro de Mormón en español (1950 y 1952), portugués (1951, 1952 y 1958), francés (1952 y 1959), finlandés (1952), alemán (1955 y 1959), japonés (1957), noruego (1959) y sueco (1959). El verse tan intensamente expuesto a la impresión de las Escrituras fue sólo el comienzo de la participación de Tom en la publicación de escritos sagrados de la Iglesia.

También llegó a relacionarse muy bien con aquellos para quienes publicaba libros. En su función de gerente de ventas, forjó una excelente relación de trabajo con la compañía Deseret Book. Alva Perry había sido nombrado gerente general de Deseret Book, y los dos colaboraron estrechamente. Una de las primeras cosas que Tom hizo fue familiarizarse con los libros publicados por Deseret Book y analizar cada uno de ellos. Actualizó el sistema de inventario, ya que los libros impresos aún no encuadernados se almacenaban en la Imprenta Deseret News. Vio que la compañía estaba en transición, que pasó de publicar unos pocos títulos por año a producir muchos. Advirtió que usaban un tamaño reducido de tipografía y de márgenes para que cupiera más texto en cada página, así que recomendó que se aumentara el tamaño de los caracteres de 10 a 12 puntos y el de los libros a 15 x 23 centímetros, a fin de hacer el producto más atractivo para el lector. También recomendó el uso de diferentes diseños y más colores en las sobrecubiertas de los libros. Cada una de sus sugerencias fue aceptada, y el libro *The Candle of the Lord* (La candela del Señor), del élder Adam S. Bennion, recibiría el primer premio en una competencia nacional de compañías editoriales.

"Los libros llegaron a ser amigos", explica Tom. "Al verlos pasar de manuscritos a producto final, me sentía parte de su creación y me encariñaba con ellos, aun antes de leerlos"[12].

Alva Perry asignó a Tom que llevara la cuenta del inventario de libros publicados por Deseret Book, lo cual contribuía a la monopolización de la operación de Deseret Book por parte de la Imprenta Deseret News. Muchos de los libros eran escritos por Autoridades Generales, lo cual hizo que Tom forjara firmes lazos con esos líderes de la Iglesia. El presidente David O. McKay, el presidente Stephen L Richards, el presidente J. Reuben Clark, hijo, el élder Mark E. Petersen y el élder LeGrand Richards valoraban su cuidadosa atención a los detalles de composición, tipografía, del papel que se usaba y del diseño. Las experiencias de Tom con "algunos de los más nobles representantes de Dios", constituyen aspectos memorables de su vida, ya que se benefició "de lo brillante de sus mentes, de lo profundo de sus almas y de lo cálido de sus corazones"[13].

El presidente J. Reuben Clark, hijo, era uno de tales hombres. Tanto él como Tom compartían humildes comienzos y altos ideales, una enorme devoción por los principios de bienestar y una prodigiosa laboriosidad. Ambos eran ávidos lectores y genuinos discípulos de Cristo. El presidente Clark había crecido en un entorno sencillo pero con elevadas ambiciones"[14]. Sirvió durante más de dos décadas y media en la Primera Presidencia bajo los presidentes Heber J. Grant, George Albert Smith y David O. McKay.

Un día, se pidió a Tom Monson y a Alva Perry que se presentaran en la oficina del presidente Clark, donde éste levantó la tapa corrediza de un escritorio, revelando montones de blocs amarillos tamaño legal con las páginas dobladas y arrugadas de tanto uso. El presidente Clark trabajaba en un proyecto de publicación y durante los siguientes ocho meses se reunió casi a diario con Tom para preparar su libro: una concordancia de los evangelios del Nuevo Testamento. Sin duda, aquél libro era la obra de toda una vida. El presidente Clark había dado inicio a su redacción cuando estudiaba Leyes, lo cual resultaba obvio por su estilo. Aquellas hojas estaban repletas de notas y análisis escritos a mano, los cuales llegaron a ser la monumental obra titulada *Our Lord of the Gospels* (Nuestro Señor de los evangelios). El presidente Clark era reconocido por su pasión por la exactitud. Aun detalles aparentemente insignificantes, como una letra *s* invertida en una impresión, lo angustiaban profundamente. El ojo agudo de Tom para las revisiones editoriales lo hacía igualmente infalible. En sus encuentros diarios hablaban de muchas otras cosas, además del contenido de los libros de Mateo, Marcos, Lucas y Juan; analizaban detenidamente las doctrinas y el ministerio de Jesucristo.

En su biblioteca, el presidente Monson tiene un ejemplar con tapas de cuero y personalmente dedicado de esa obra sobre los cuatro evangelios del Nuevo Testamento. La sección titulada "Los milagros de Jesús", le trae al recuerdo, como si hubiera acontecido ayer, un día en particular cuando el presidente Clark le pidió que leyera en voz alta varios de esos relatos mientras él escuchaba con gran atención. Ése fue un día que Tom "nunca olvidaría".

"El presidente Clark me pidió que leyera el relato que se halla en Lucas sobre el hombre que sufría de lepra, y así lo hice:

"'Y aconteció que, estando Jesús en la ciudad, he aquí, un hombre lleno de lepra, el cual, viendo a Jesús, se postró sobre su rostro y le rogó, diciendo: Señor, si quieres, puedes limpiarme.

"'Jesús, entonces, extendiendo la mano, le tocó diciendo: Quiero; sé limpio. Y al instante la lepra se fue de él'. [Lucas 5:12–13.]

"El presidente Clark me pidió que siguiera leyendo en Lucas sobre el hombre paralítico y la iniciativa que demostró al presentarse ante el Señor:

"'Y he aquí, unos hombres que tenían en un lecho a un hombre que estaba paralítico procuraban llevarle adentro y ponerle delante de él.

"'Pero no hallando por dónde entrar a causa de la multitud, subieron por encima de la casa y por el tejado le bajaron con el lecho y le pusieron en medio, delante de Jesús.

"'Al ver la fe de ellos, Jesús le dijo: Hombre, tus pecados te son perdonados'. [Lucas 5:18–20.]

"En el relato de las Escrituras se deja entonces constancia de los insidiosos comentarios de los fariseos concernientes a quién tenía el derecho de perdonar pecados. Jesús los silenció, diciendo:

"'¿Qué pensáis en vuestros corazones?

"'¿Qué es más fácil, decir: Tus pecados te son perdonados, o decir: Levántate y anda?

"'Pues para que sepáis que el Hijo del Hombre tiene autoridad en la tierra para perdonar pecados (dijo al paralítico): A ti te digo: ¡Levántate!, toma tu lecho y vete a tu casa.

"'Y al instante, se levantó en presencia de ellos, tomó el lecho en que estaba acostado y se fue a su casa glorificando a Dios'". [Lucas 5:22–25.]

Mientras Tom leía, el presidente Clark sacó un pañuelo del bolsillo para secarse las lágrimas, y comentó: "Al ponernos viejos, las lágrimas brotan más fácilmente". Tom dijo más adelante: "Tras despedirnos, salí de su oficina, dejándolo a solas con sus pensamientos y sus lágrimas"[15].

Aquellos momentos de aprendizaje tan cargados de espiritualidad, aquellas horas colmadas de gratitud al Señor por Su divina intervención para mitigar el dolor, sanar al enfermo, dar fuerzas al débil y hasta devolver la vida a los muertos, no pasaron desapercibidos para Tom, siendo él un joven obispo que se enfrentaba a muchas de tales realidades.

Al dar los toques finales a su investigación, el presidente Clark dijo que no estaba seguro en cuanto a una sección en particular relacionada con la cantidad de veces que el Salvador se apareció después de Su resurrección. "Permítame pensar en cuanto a ello durante el fin de semana", dijo. Iría a su granja en Grantsville, al oeste de Salt Lake, para meditar sobre el asunto. Ese domingo por la mañana sonó el teléfono en casa de los Monson y Frances contestó. El que llamaba, dijo: "¿Se encuentra el obispo Monson?".

Ella respondió: "No, está en la iglesia".

El hombre preguntó: "¿Piensa usted que un obispo debe estar en la iglesia el domingo?".

Sin duda Frances debe haberse sorprendido ante tal pregunta, pero, con serenidad, respondió: "Pues, pienso que sí".

"Estoy de acuerdo con usted", dijo él. "Habla el presidente J. Reuben Clark; ¿podría pedirle al hermano Monson que me llame cuando regrese?"

Cuando el obispo Monson le devolvió la llamada, el presidente Clark simplemente le dijo: "Tom, puede quitar el signo de interrogación del número que le di; está correcto".

Tom acotaría más tarde: "Sentí que el presidente Clark había recibido una confirmación del Espíritu, así como por medio de su investigación en cuanto a la pregunta que tenía sobre el manuscrito"[16].

Tom también supervisó dos importantes libros hasta su misma impresión, escritos por el élder LeGrand Richards: *Una obra maravillosa y un prodigio* e *Israel! Do You Know?* (¿Sabes, Israel?) "El manuscrito original de *Una obra maravillosa y un prodigio*", comentó más adelante, "estaba redactado de la misma forma como hablaba el élder Richards: ¡Era casi en su totalidad una larga frase!"[17]. El élder Richards le enseñó a Tom sobre el valor del servicio abnegado cuando rehusó recibir regalías por sus libros. Él pensaba de la misma manera que Tom: "No estamos simplemente ocupando un cargo; ciertamente podemos distinguirnos y atraer al mismo tiempo reconocimiento para la Iglesia. Podemos ser pilares en la comunidad y el conducto por el cual otros Santos de los Últimos Días tengan oportunidades. Podemos recibir bendiciones y beneficios para nuestras familias si contamos con la capacidad de ver el fin desde el principio"[18].

Llegaría el tiempo en que Tom escribiría muchos libros propios, entre otros: *Pathways to Perfection* en 1973 (Caminos a la perfección); *Be Your Best Self,* 1979 (Sean lo mejor que puedan); *Favorite Quotations from the Collection of Thomas S. Monson,* 1985 (Citas seleccionadas de la colección de Thomas S. Monson); *Live the Good Life,* 1988 (Vivan la buena vida); *Inspiring Experiences That Build Faith: From the Life and Ministry of Thomas S. Monson,* 1994 (Experiencias inspiradoras que edifican la fe: De la vida y del ministerio de Thomas S. Monson); y *Faith Rewarded: A Personal Account of Prophetic Promises to the East German Saints,* 1996 (Las recompensas de la fe: Un recuento personal de promesas proféticas a los santos de Alemania Oriental); además de varios pequeños folletos y un libro ilustrado que ha llegado a ser un clásico navideño: *A Christmas Dress for Ellen,* 1998 (Un vestido de Navidad para Ellen). En 1985, publicó una autobiografía limitada a los miembros de su familia, titulada: *On the Lord's Errand* (En el mandato del Señor).

De sus mentores, Tom aprendió más que la forma de operar un negocio de imprenta. El gerente general de la Imprenta

Deseret News era Louis C. Jacobsen, un inmigrante danés que había ido a la escuela sólo hasta el tercer grado, pero fue mucho lo que le enseñó a Tom. Louis había servido como obispo del Barrio Quinto de la misma estaca de Tom y, como muchos otros, había padecido la pobreza y sido víctima del ridículo en su infancia. "En la Escuela Dominical, una mañana de un día de reposo", escribió Tom, "los niños se rieron de sus pantalones remendados y su camisa gastada. El orgullo no le permitió llorar, pero Louis salió corriendo del edificio y finalmente, casi sin aliento, se sentó en el borde de la acera de la calle Tercera Oeste. El agua corría por la alcantarilla a sus pies. El muchacho tomó de su bolsillo un trozo de papel que le habían dado en la clase e hizo un botecillo que echó a flotar en el agua. De su herido y tierno corazón surgió una decisión: '¡No volveré nunca más a ese lugar!'".

"De pronto, a través de las lágrimas, Louis vio reflejada en el agua la imagen de un hombre corpulento y bien vestido. Al levantar la cabeza reconoció a George Burbidge, el superintendente de la Escuela Dominical. '¿Puedo sentarme a tu lado?', preguntó el sabio líder, a lo cual Louis asintió.

"Allí, en el borde de la acera, se sentó un buen samaritano para ministrar a un necesitado. Se formaron varios botecillos y se echaron al agua. Años después, Louis presidiría esa misma Escuela Dominical, y nunca dejó de reconocer a aquél viajero que lo había rescatado junto a un camino hacia Jericó"[19].

Pese a que Tom aprendió rápidamente de Louis y de otras personas, cuando se le dio la responsabilidad de comprar el papel para la imprenta, el representante de una compañía importante se burló del nombramiento ante Spence, el padre de Tom. Estaba seguro de que Tom no llegaría muy lejos debido a su falta de "experiencia". Spence, quien rara vez alababa a nadie, no vaciló en responder que su hijo "sorprendería al hombre y haría un buen trabajo"[20].

En marzo de 1957, Tom presidió la convención de la Industria de la Imprenta Estatal en el Hotel Utah y otra que incluía también a Idaho, y al año siguiente llegó a presidir la organización. Sirvió como miembro del directorio de las Industrias Impresoras de los Estados Unidos desde 1958 a 1964, ganándose la reputación de ser un "líder sabio y vanguardista con facilidad para hacer amigos de todos los sectores de la profesión"[21]. En abril de 2009 fue introducido en el Salón de la Fama de los Impresores de Utah.

En una convención de la industria en Dallas, Texas, a fines de la década de 1950, Tom subió a un autobús de turismo para hacer una gira por la que a veces se da en llamar la "ciudad de las iglesias". Al pasar frente a una deslumbrante iglesia tras otra, el guía comentaba: "A la izquierda pueden ver la iglesia metodista", o, "A la derecha vemos la catedral católica". Al pasar frente a una llamativa capilla de ladrillo rojo, el guía dijo en tono coloquial: "En ese edificio se reúnen los mormones". Desde el fondo del autobús, una mujer inquirió: "Conductor, ¿podría decirnos algo acerca de los mormones?". Haciendo el autobús al costado del camino, el hombre respondió: "Lo único que sé es que se reúnen en ese edificio", y después preguntó: "Hay alguien aquí que sepa algo sobre los mormones?"[22].

Nadie respondió. Tom miró a su alrededor y comprendió que nadie sabía nada, así que se puso de pie y durante los siguientes quince minutos dio lo que Pedro describió como una "razón de la esperanza que hay en vosotros"[23]. Otro conocido pasaje de Escritura, "si estáis preparados, no temeréis"[24], le dio el valor para hablar.

Se hizo miembro del Club de Publicidad de Utah, de la Asociación de Ejecutivos de Ventas de Utah, y del Club de Intercambio de Salt Lake, en el que dio forma al programa "La religión en la vida de la nación", el cual ganó el primer premio en la competencia nacional. Cuando el presidente nacional del Club de Intercambio llegó a Salt Lake para conferirle los honores, Tom hizo los arreglos para que conociera al presidente David O. McKay. En la conversación que los tres mantuvieron cerca de una hora, el presidente McKay se refirió a temas de interés nacional que indicaban que el país "se estaba zafando de sus amarras". El visitante lo escuchó con atención y cuando él y Tom salieron de la oficina del presidente, se detuvo en la recepción del Edificio de Administración de la Iglesia y con solemnidad dijo: "¿Sabe, Tom?, David O. McKay se ve como un profeta; habla como un profeta hablaría y piensa como pensaría un profeta". Tom contestó: "Mi amigo, la razón por la que David O. McKay se ve como un profeta, habla como un profeta y piensa como un profeta, es bien sencilla: 'él es un profeta del Dios viviente'". Aquella visita había "cambiado la vida del invitado"[25].

Tom rápidamente cobró notoriedad nacional en la industria. "Tengo ojo de impresor", dice. "Si algo está desalineado, si una letra está descuadrada, si una hoja no está perfecta, lo noto fácilmente"[26]. Pero no son solamente los detalles en la impresión lo que advierte, sino también las personas que compaginan los materiales impresos, las que preparan las planchas de impresión y las que trabajan en la encuadernación. Esos fieles trabajadores son merecedores de las palabras del Señor: "Bien, buen siervo y fiel; sobre poco has sido fiel, sobre mucho te pondré; entra en el gozo de tu señor"[27].

En 1948, la Imprenta Deseret News se había mudado desde cerca de la Manzana del Templo, en el centro de la ciudad, hasta una zona industrial en las proximidades de la calle 1700 Sur y Redwood Road, en el oeste del valle. En 1967, casi veinte años después, se separaría completamente del Deseret News. En 1980, la Imprenta Deseret pasó a ser la División de Impresión de la Iglesia, cediendo su nombre y sus años de servicio a otras entidades comerciales a fin de satisfacer las necesidades de operación de una Iglesia cada vez más grande.

Tom supervisó la transición de la Imprenta Deseret de impresión tipográfica a impresión en offset. La imprenta era la planta más grande de su tipo al oeste del río Misisipi y la demanda de servicios era enorme. Casi todos los trabajos eran proyectos masivos, entre ellos, directorios telefónicos, revistas a todo color, catálogos, libros—muchos de ellos para Deseret Book—y toda una gama de proyectos para la Iglesia, particularmente para el Departamento Misional.

Cuando fue homenajeado en un programa de inicio de cursos en el Colegio Universitario Dixie (en St. George, Utah) en 1986, a Tom se le hizo entrega de un libro escrito por el famoso historiador Karl Larson, en cuyo título se mencionaba el nombre de la institución. Tom había sido el impresor de la obra. Tales coincidencias se presentaban a menudo[28].

Años antes, cuando Tom había enseñado clases de negocios, siempre recalcó la importancia de ser comprensivo. Usaba el ejemplo de uno de los empleados de una línea de encuadernación de libros que constantemente llegaba tarde a su trabajo. Sus compañeros se mostraban impacientes por tener que esperar, desperdiciando valioso tiempo de producción hasta que él llegara, lo cual resultaba particularmente irritante, ya que se les pagaba por unidad terminada. Exasperado, el capataz anunció: "Ésta es su última oportunidad. Si vuelve a llegar tarde, ni siquiera venga a mi oficina". El empleado asintió, y al día siguiente volvió a llegar tarde.

Tom entonces preguntaba: "Si ustedes fueran el capataz, ¿qué harían?". "Yo le daría otra oportunidad", respondía alguien; "Lo echaría", contestaba otro. Tom les decía que las dos posturas eran incorrectas, que más bien se le debía preguntar al trabajador *por qué* llegaba tarde. "No tomen medidas hasta averiguar las circunstancias de la persona", decía, instando a los estudiantes a asegurarse de determinar los hechos[29].

Una noche, Tom recibió una llamada de la Policía de caminos informándole que habían encontrado una gran cantidad de papel impreso a orillas del río Jordan, en Salt Lake City. Ellos daban por sentado que el papel provenía de la Imprenta Deseret News, ya que las hojas contenían el relato de José Smith. "Ese material es nuestro", indicó Tom, y les dijo que iría a retirarlo de inmediato. Cuando llegó, verificó que las 20.000 hojas eran de la planta y sacó en conclusión que uno de los empleados del turno de la noche, tal vez cansado, no había prestado atención cuando una pieza de metal se había roto, descarrilando las hojas que pasaban automáticamente por la prensa, inutilizando cada una de las páginas del folleto.

A la mañana siguiente, cargaron el papel arruinado en un camión y lo llevaron nuevamente a la planta, colocándolo a plena vista en la oficina de Tom, tal como se les había pedido que lo hicieran. Cuando empezó el turno de las 3:00 de la tarde, el hombre que había sido responsable entró en la oficina de Tom, vio el papel amontonado y dijo: "Seguramente me echará".

"Sí, lo haré", dijo Tom, "porque no me llamó. Tuve que

enterarme por el Departamento de Policía. Si me hubiera llamado, no sería tan severo".

Un año después, el hombre volvió y describió su situación. Estaba desempleado y su esposa e hijos estaban sufriendo a causa de ello. "¿Cree que podría ayudarme a encontrar trabajo?"

"Sí", respondió Tom. "Ya ha transcurrido un año. Vaya, marque su tarjeta y empiece su turno a las 3:00. Espero que no haya olvidado cómo hacer su trabajo debidamente". Tom le explicó que había dejado el incidente atrás y que lo mismo debía hacer él. El hombre trabajó en ese turno hasta que se jubiló[30].

El trato que Tom dispensaba a todos sus empleados era compatible con su filosofía: "Uno puede vivir tranquilo si trata a la gente de la forma que desea que lo traten"[31]. Él nos alienta a atesorar nuestra relación con los demás. "Me he dado cuenta de que todos pueden enseñarme algo", ha dicho. "Me encanta aprender de las personas con las que me relaciono"[32].

Tales rasgos de carácter le vendrían bien en las muchas asignaciones que recibiría en su vida.

10

OBISPO PARA SIEMPRE

Como joven obispo en un barrio que requería mucha atención a personas necesitadas, él siempre estuvo a la altura de las exigencias, y por estar íntimamente familiarizado con los problemas cotidianos, desarrolló una sensibilidad que ha caracterizado su vida.

PRESIDENTE HAROLD B. LEE
Presidente de La Iglesia de Jesucristo de
los Santos de los Últimos Días, 1972–1973

No HACE MUCHOS AÑOS, el presidente Monson y su esposa, Frances, dieron un lento paseo en automóvil por las manzanas que abarcaba el antiguo Barrio Sexto-Séptimo en la zona céntrica de Salt Lake City. La fisonomía del vecindario había cambiado, sólo quedando en pie tres de los edificios de apartamentos y casas donde habían vivido más de mil miembros del barrio, y aun esas estructuras no conservaban la más remota apariencia de lo que habían sido una vez. Una de las casas estaba rodeada de vegetación, otra albergaba una pequeña oficina, y la tercera estaba prácticamente abandonada. Un amplio hotel ocupaba ahora el lote donde estaba la capilla del Barrio Sexto-Séptimo, y el mercado que había detrás de ella ya no estaba. El vecindario, tal como él lo había conocido, ya no existía, corriendo ahora por medio de él amplias calles de acceso a las autopistas.

Estacionó el auto, donde ambos permanecieron sentados un buen rato. Preciados recuerdos llenaron la mente de él: recuerdos de personas de las que había aprendido tanto, cuyas vidas eran parte de la suya, cuyas necesidades eran enormes y sus recursos escasos, personas para quienes él siempre sería el obispo Monson.

Décadas antes, el domingo 21 de agosto de 1927, el Barrio Sexto–Séptimo de la Estaca Pioneer sostenía a Richard D. Andrew como su obispo. Gladys Monson se encontraba en el hospital ese día, ya que acababa de dar a luz a su primer hijo. Cuando su esposo, Spence, fue a visitarla esa tarde, le dijo: "Querida, tenemos un nuevo obispo en el barrio".

Sosteniendo a su hijo en alto, Gladys respondió: "Y yo tengo un nuevo obispo para ti"[1].

En cumplimiento de esas palabras "proféticas", veintidós años y medio más tarde, el 7 de mayo de 1950, Thomas Spencer Monson fue sostenido por la congregación como obispo del mismo Barrio Sexto-Séptimo. Tres días después, el 10 de mayo de 1950, el élder Alma Sonne, uno de los Ayudantes del Quórum de los Doce Apóstoles, ordenó a Tom al oficio de obispo, ocupando el lugar de John R. Burt, de treinta y seis años de edad, vecino y amigo de toda la vida, quien había sido llamado como segundo consejero del presidente Adiel F. Stewart, en la presidencia de la Estaca Temple View, dividida de la Estaca Pioneer en 1947. Durante las seis semanas previas a su llamamiento, Tom había sido el consejero del obispo Burt.

Tom llegó a ser, probablemente, el obispo más joven de la Iglesia en aquél momento. En 1950, la Iglesia contaba con un total de 1.541 barrios, la mayoría de ellos en la zona montañosa de los Estados Unidos, en el oeste de Canadá y en el sur de California. El total de miembros de la Iglesia acababa de sobrepasar el millón, pero representaba menos de la décima parte del uno por ciento de la población del mundo. Había 180 estacas, el 47 por ciento de las cuales estaban en Utah. La Iglesia estaba organizada en menos de 50 países o territorios, con 43 misiones y unos 5.156 misioneros. Había ocho templos en funcionamiento y se microfilmaban registros con fines genealógicos en los Estados Unidos y Europa[2].

A los veintidós años, Tom era el obispo de sus padres, sus hermanos y hermanas y de los muchos parientes por el lado de la familia Condie. Por cierto que era el más joven en ser llamado a ese oficio en su unidad. En la zona del Barrio Sexto-Séptimo se veían cada vez más transeúntes, aunque todavía vivían en ella algunas de las viejas familias que se habían establecido allí en los días de los pioneros. Tom describió el barrio como 25 por ciento familias establecidas tales como la de él, 25 por ciento familias de transeúntes y el otro 50 por ciento entre medio[3]. Un artículo publicado en un periódico local en 1935 indicaba: "La gente del barrio forma parte de la clase más pobre, pero se siente en la congregación y en las actividades sociales un espíritu de humildad y camaradería no visto en otros barrios más grandes. Parece ser que sus circunstancias comunes en la vida han acercado a los miembros del barrio y han creado entre ellos un mayor grado de bondad y amor"[4].

Hace muchos años, cuando el apóstol Pablo escribió una epístola a su apreciado compañero Timoteo sobre el deber de un obispo, no dijo nada en cuanto a la edad. "Si alguno desea el cargo de obispo, buena obra desea", declaró, a lo cual Tom frecuentemente añadía: "¡una *dura* obra!". Pablo continúa: "Conviene que el obispo sea irreprensible . . . sobrio, prudente, decoroso, hospitalario, apto para enseñar . . . no codicioso de ganancias deshonestas, sino moderado . . . También es necesario que tenga buen testimonio de parte de los extraños"[5]. Tom tomó el consejo muy en serio: "Esas palabras quedaron grabadas en mi corazón cuando las leí"[6].

Para él, "la magnitud del llamamiento era increíble y la responsabilidad atemorizante". Él recuerda: "Mi ineptitud me hacía sentir humilde, pero mi Padre Celestial no me abandonó en la oscuridad y en el silencio, sin guía y sin inspiración. A Su propia manera, me reveló las lecciones que deseaba que aprendiera"[7].

Y por cierto que aprendió.

El presidente Harold B. Lee dijo una vez que los cinco años de servicio de Tom como obispo del Barrio Sexto-Séptimo equivalían al de un obispo que hubiera servido durante veinticinco años en cualquier otro barrio de la Iglesia. De su experiencia como obispo, el presidente Monson ha dicho: "He sido testigo del hambre y de la necesidad y he visto a personas maravillosas envejecer y enfermar. A muy temprana edad desarrollé un espíritu de compasión hacia los necesitados, pese a su edad o circunstancias"[8].

Había aprendido una poderosa lección antes de que el Señor lo utilizara en tan exigente responsabilidad. Solía ir a cazar patos los dos primeros días de la temporada oficial, si las condiciones del tiempo eran favorables. Un sábado por la noche en que se iniciaba la temporada en el otoño de 1949, él y su hermano Bob vieron que el cielo revelaba que la mañana siguiente sería perfecta para ir de caza: el tiempo era frío, borrascoso, de niebla y húmedo. Los dos se levantaron temprano y emprendieron camino hacia el norte, cerca de la comunidad de Corinne, donde tenían su bote. El viaje les llevaría una hora, pero se sentían animados pues estaba nublado, condición perfecta para cumplir con sus planes.

Cargaron sus escopetas y se abrieron paso por entre la maleza pantanosa hasta el bote, echaron el equipo adentro y lo arrastraron hasta el agua. Tom estaba en la parte de atrás y Bob en el frente. Mientras Tom remaba, el bote se atascó en una barra de arena y Bob se bajó para zafarlo. Ninguno de los dos puede explicar con claridad lo que sucedió a continuación, pero Bob perdió el equilibrio, se resbaló en el barro y se fue hacia adelante en el preciso instante en que su escopeta de calibre 16 cayó del banco del bote y se disparó en dirección a donde habría estado Bob si no hubiese perdido el equilibrio. El proyectil le pasó rozando la espalda.

Los hermanos se miraron el uno al otro, pálidos. Tom salió del bote y se sentó a un costado; Bob hizo lo mismo. Ninguno de los dos pronunció palabra durante largo rato. Finalmente, Tom dijo: "Vámonos a casa"[9].

Nunca más fue de cacería, de pesca ni de nada por el estilo, en domingo. Lo que casi fue una tragedia en un pantanal en el día de reposo, lejos de donde tendría que haber estado, lo hizo pensar detenidamente. Había sido protegido, pero al mismo tiempo aleccionado "para que alcanzara la medida de su verdadero potencial"[10].

Pocos meses después, Thomas S. Monson fue llamado al obispado del Barrio Sexto-Séptimo, y pocas semanas más tarde, llegó a ser el obispo; el "padre" del barrio. "La razón por la que fui llamado como obispo no la sé", ha dicho. "Sólo el Señor lo sabe"[11].

El Barrio Sexto-Séptimo era una combinación de dos de las

diecinueve congregaciones originales que creó Brigham Young cuando era Presidente de la Iglesia, el 14 de febrero de 1849, en la Estaca Salt Lake, presidida por John Smith. En 1862 los miembros empezaron la construcción de su capilla: roca sobre roca. La mayoría de las capillas de esa época eran de madera o de adobe, pero el edificio del Barrio Séptimo se construyó de piedra, trabajo que llevó quince años. El obispo Monson a menudo comparaba las paredes de la estructura a uno de sus himnos predilectos:

> *Constantes cual firmes montañas,*
> *unidos con gran valor,*
> *en la roca nos fundamos,*
> *la Roca del Salvador.*

Pero esa parte de la ciudad estaba decayendo. A comienzos de la década de 1920, diferentes industrias empezaron a desplazar a la población de Santos de los Últimos Días. Los nuevos barrios y estacas empezaron a desmenuzar gradualmente los extensos límites de la Estaca Pioneer y tanto el Barrio Sexto como el Séptimo vieron declinar su número de miembros.

El 12 de noviembre de 1922, los dos barrios, que durante más de setenta años habían sido contiguos, se consolidaron de una manera muy poco común. El obispo del Barrio Sexto se puso de pie ante el púlpito del edificio de su barrio por última vez y anunció que a las 10:15 de esa mañana dejarían esa capilla para siempre. "Saldremos por las puertas del frente y, al compás de la música de la Banda de los Hermanos Poulton, marcharemos por la Calle Tercera Oeste, doblaremos a la izquierda en la Quinta Sur y seguiremos hasta entrar por las puertas de la capilla del Barrio Séptimo, y seremos miembros del recién creado Barrio Sexto-Séptimo". En ese preciso momento, el obispo del Barrio Séptimo dijo a su congregación: "En unos minutos, las puertas de esta capilla se abrirán de par en par y daremos la bienvenida a los miembros del Barrio Sexto. Tengo una sola advertencia que hacerles en cuanto a esa buena gente: Tengan cuidado con lo que digan de ellos, ya que todos están emparentados"[13].

De ese modo nació el Barrio Sexto-Séptimo. El presidente

Monson, quien durante décadas organizaría y reorganizaría barrios y estacas como Autoridad General visitante, ha dicho: "No creo que ningún otro barrio jamás se haya creado de tal manera"[14].

Cuando Tom fue llamado como obispo, otro miembro del barrio que había servido en el obispado durante dieciséis años esperaba recibir la asignación. Disgustado por habérsele "pasado por alto", él y su esposa dejaron de asistir. Ni visitas personales, llamadas telefónicas ni oraciones sirvieron para llevarlos de nuevo a la iglesia. Su repentina inactividad alarmó a su hijo, quien en ese momento servía en una misión. Un domingo, siendo el orador asignado a hablar en la reunión sacramental un buen amigo del misionero, el obispo Monson volvió a suplicar al Señor que se ablandara el corazón de ese matrimonio. Él no tenía ni idea de que el misionero había enviado un telegrama a sus padres, que decía:

"Vayan a la iglesia este domingo. Sé que no me fallarán.

"Su hijo misionero".

Como de costumbre, el obispo Monson se encontraba a la entrada de la capilla antes de la reunión sacramental. Dos minutos antes de que ésta empezara, el matrimonio entró en el edificio. Tom estaba encantado. "Bienvenidos a casa", les dijo. "Los echamos de menos; los necesitamos"[15]. Y *por cierto* que se les necesitaba. Cuando el obispo Monson fue relevado cinco años más tarde, aquel hermano fue llamado para reemplazarlo.

En la pared de cada oficina que Thomas S. Monson ha ocupado desde que fue llamado como obispo, ha estado la conocida pintura del Salvador, del artista Heinrich Hofmann. "Amo esa pintura que me ha acompañado desde que era obispo a los veintidós años y a lo largo de todas mis asignaciones desde entonces. He tratado de emular la vida del Maestro. Cada vez que he tenido que tomar una decisión difícil, he mirado la pintura y me he preguntado: '¿Qué haría Él?'. Entonces trato de hacerlo"[16].

Aprendió esa lección de forma dolorosa al principio de su servicio como obispo. Una noche, durante una reunión de liderazgo de estaca, el obispo Monson ocupó su lugar con los demás obispos. Temprano ese día, un ex compañero de la universidad le había pedido si podía visitar a su tío, un miembro menos activo del Barrio Sexto-Séptimo, que estaba grave en el hospital. El obispo Monson le indicó que esa noche tenía una reunión de sacerdocio de estaca, pero que lo visitaría cuando terminara.

Al prolongarse la reunión, Tom miraba el reloj, tratando de equilibrar su sentido de urgencia con la inquietud de partir antes de que terminara la reunión. Durante el último himno salió deprisa. Una vez en el hospital, se acercó con premura al mostrador de información, preguntó por el número de habitación del paciente y corrió escaleras arriba hasta el cuarto piso. Al acercarse al cuarto, vio a unas cuantas personas en la entrada. Notando su presencia, la enfermera le preguntó: "¿Es usted el obispo Monson?".

"Sí", respondió él, jadeante y preocupado de haber llegado demasiado tarde.

"El paciente estaba preguntando por usted antes de fallecer", le dijo.

El remordimiento lo consumió; no había respondido de inmediato a la impresión del Espíritu; había permitido que su deber de asistir a una reunión tuviera precedencia sobre la necesidad de uno de los suyos. De aquella experiencia, Thomas Monson aprendió una lección y una verdad que han definido su vida: "Nunca debemos postergar una impresión"[17].

Aquél primer año como obispo, continuó con los esfuerzos de "embellecimiento" de la capilla que el obispo Burt había comenzado, entre otros, pintar el edificio por dentro y por fuera. Los hombres del barrio instalaron nuevas bancas y una nueva mesa para la Santa Cena, alfombraron los pasillos y el estrado y pusieron nuevas luces. También pintaron por completo el centro de recreo de la estaca, contiguo al edificio. Tom asignó a algunos de los hombres mayores el mantenimiento de la capilla y del exterior de ambos edificios. Siendo todos ellos jubilados y recibiendo escasas pensiones, esos hermanos se tomaron la asignación muy en serio y se sintieron "útiles"[18].

El edificio del Barrio Sexto-Séptimo se transformó en un santuario para los miembros y para su obispo. El presidente Monson ha dicho que "todo obispo necesita una arboleda sagrada a la que pueda retirarse para meditar y orar para recibir guía. La mía fue la capilla de nuestro viejo barrio. He perdido la cuenta de las veces que a altas horas de la noche me dirigía al estrado de ese edificio donde fui bendecido, confirmado, ordenado, instruido y donde, con el tiempo, se me llamó a presidir. La capilla estaba tenuemente iluminada por el farol de la calle; reinaba un profundo silencio y no había nadie que perturbara la quietud del lugar. Apoyándome en el púlpito, me arrodillaba para compartir con el Padre mis pensamientos, mis preocupaciones y mis problemas"[19].

La renovada apariencia de la capilla levantó el espíritu de los miembros del barrio y atrajo la atención del vecindario. El obispo Monson invitó a oradores especiales para dirigirse a la congregación, entre ellos el élder Mark E. Petersen, quien había llegado a ser un buen amigo en el Deseret News, y el presidente Joseph Fielding Smith, para quien el obispo Monson hizo numerosos trabajos de impresión. La asistencia a la reunión sacramental se duplicó y después se cuadruplicó, llenando la capilla todos los domingos.

El élder Harold B. Lee, ex presidente de estaca del obispo Monson, advirtió los cambios hechos en la capilla y escribió una carta a Tom felicitándolo por sus "logros como obispo" en ese "hermosamente decorado centro de reuniones", y más particularmente "en la fe que se ha fomentado entre la gente mediante la observancia de los mandamientos de Dios"[20].

El presidente J. Reuben Clark, hijo, lo había aconsejado cuando fue llamado como obispo. Sus palabras aún tienen vigencia. Citando de Eclesiastés, le dijo: "Teme a Dios y guarda sus mandamientos, porque esto es el todo del hombre"[21].

El obispo Monson se sintió inspirado por las palabras del Presidente de la Iglesia, George Albert Smith, quien aconsejó: "Ante todo, el deber de ustedes es saber lo que el Señor quiere y después, por el poder y la fortaleza del santo sacerdocio que poseen, magnificar de tal forma su llamamiento ante su gente que ellos se sientan alegres de seguirlos"[22].

El obispo Monson había servido casi un año cuando el presidente George Albert Smith falleció el 4 de abril de 1951. El 9 de abril de 1951, David O. McKay fue sostenido como noveno

Presidente de la Iglesia, con Stephen L Richards y J. Reuben Clark, hijo, como su primer y segundo consejeros, respectivamente. Ese cambio del presidente Clark, de primer a segundo consejero, causó cierto revuelo. Hasta ese momento, el presidente Clark había servido como primer consejero de los presidentes Heber J. Grant y George Albert Smith, mientras que el presidente McKay había sido el segundo consejero de ambos profetas.

El presidente McKay explicó por qué había escogido a sus consejeros en ese orden: "Consideré que un principio a seguir en esta decisión sería tener en cuenta la antigüedad de cada uno en el Consejo de los Doce. Estos dos hombres ocupaban sus lugares en ese cuerpo rector de la Iglesia y sentí la impresión de que sería aconsejable preservar ese mismo orden de antigüedad en el nuevo quórum de la Primera Presidencia"[23].

El presidente Clark habló después del presidente McKay, y sus palabras enseñaron una potente lección: "En el servicio del Señor, no se trata de dónde uno sirve, sino de cómo lo hace. En La Iglesia de Jesucristo de los Santos de los Últimos Días, uno ocupa el lugar al cual es debidamente llamado, lugar al que no aspira ni tampoco rechaza"[24].

La dignidad y reverencia del presidente Clark ante la oportunidad de servir al Señor dejaron una huella en el obispo Monson. Él y el resto de la Iglesia vieron en acción el testimonio de ese gigante de hombre cuya disposición de servir era una expresión de su testimonio. Al reunirse Tom en consejo casi a diario con esa veterana autoridad de la Iglesia, ayudándolo a preparar su libro *Our Lord of the Gospels* (Nuestro Señor de los Evangelios), llegó a conocer personalmente a ese noble líder que se transformaría en un apreciado amigo y mentor.

El nuevo obispado del Barrio Sexto-Séptimo se fijó como primer objetivo dar una asignación a cada miembro del barrio. "La extensión de un llamamiento sería precedida por sincera oración", y cada llamamiento incluiría "una explicación concerniente a lo que se esperaba de la persona". Como parte del plan de embarcar a los miembros en la obra del Señor, el obispado preparó e imprimió un pequeño folleto que detallaba "la historia pionera del barrio, la naturaleza amigable de sus miembros y la necesidad de que todos sirvieran"[25].

- Una personalidad plena de calidad religiosa: "Todo ideal que inculquemos en los demás, debemos, ante todo, vivirlo nosotros mismos".
- Un interés genuino en la gente: "No hay substituto para esta cualidad humana de interés y entusiasmo por la verdad, y de amor por la humanidad".
- Un conocimiento del Evangelio: "Adquieran entendimiento de los Libros Canónicos de la Iglesia y un conocimiento activo en cuanto a cómo los principios del Evangelio, cuando se aplican, pueden llevar felicidad al corazón del hombre".
- Una actitud saludable: "El maestro de éxito acepta el programa de la Iglesia y está dispuesto a ceñirse al consejo y a la instrucción que ofrecen aquellos que están en posiciones de autoridad sobre él".
- El empleo de buenos métodos de enseñanza: "Quien tiene el ardiente deseo de cumplir bien con su deber, halla el tiempo para hacerlo"[26].

El folleto concluía diciendo: "Debido a la ubicación de nuestro barrio en la zona comercial e industrial de la ciudad, ustedes observarán, al prestar servicio, que un gran número de nuestros miembros se halla en un estado de transición y que cada mes, muchas familias se mudan al barrio o se van de él. Tal condición no debe ser un tropiezo para sus esfuerzos, sino una mayor oportunidad de influir positivamente en la vida de más personas"[27].

La vivaz personalidad de Tom y su perspectiva resultaban evidentes en cada página. Él instó: "Para vivir con grandeza, debemos forjar la capacidad de hacer frente a los problemas con valor, a la desilusión con alegría, y al triunfo con humildad. Somos hijos e hijas de un Dios viviente a cuya imagen hemos sido creados"[28]. Él ha seguido viendo a cada miembro como un maestro: "Ninguna persona puede escapar a la influencia de su propio ejemplo. Un maestro mediocre dice, un buen maestro explica, un maestro sobresaliente demuestra; pero un gran maestro inspira"[29].

El presidente Monson es un hombre a quien le gusta ver las cosas hechas bien, con precisión y orden. Como obispo, siguió el procedimiento convencional de ordenar a un joven a un oficio del Sacerdocio Aarónico durante los ejercicios de apertura de la reunión de sacerdocio. Un domingo invitó a un joven a pasar al frente, leyó su nombre e indicó el oficio al que sería ordenado. La silla se colocó de tal modo que el joven diera la cara a los hermanos, tal como se acostumbraba. "Al aprontarnos para proceder, un miembro del sumo consejo, apasionado obrero del templo, dijo: 'Discúlpeme, obispo, pero cuando yo participo en una ordenación, siempre coloco la silla en dirección al templo'. Entonces hizo que el joven se pusiera de pie, tomó la silla, la puso en dirección al templo, e hizo que el joven volviera a sentarse".

Para el obispo, ése fue un momento de decisión. Comprendiendo que el hermano tenía buenas intenciones, y no queriendo disminuir la importancia del templo, el obispo Monson se armó de valor para ajustarse al modelo establecido para una ordenación del sacerdocio y dijo respetuosamente: "Mi querido hermano, eso está bien para algunas ocasiones, pero en este barrio, el candidato da la cara al cuerpo del sacerdocio". Dio vuelta la silla a su posición original y procedió con la ordenación[30].

El obispo Monson veía a su barrio de transeúntes como una oportunidad para traer a los menos activos de vuelta a la Iglesia. "Ya que tantos de nuestros miembros son nuevos, debemos estar siempre preparados para tener con nosotros una actitud amigable y servicial"[31]. Como promedio, todos los meses llegaban al barrio treinta miembros y se marchaban otros treinta. Hacía todo lo posible por mantenerse en contacto con ellos aun después de que se mudaban. Diez años más tarde, en una asignación en Samoa, encontró a un joven isleño que había vivido una vez en su barrio. Le aconsejó que pusiera su vida en orden y viviera los principios del Evangelio. Como obispo, extendió llamamientos a miembros del barrio que no asistían a las reuniones, y muchos de ellos volvieron y permanecieron activos.

El Señor lo ayudó a llenar cargos en un barrio con escaso liderazgo del sacerdocio. En una ocasión, él y sus consejeros trataron de determinar dónde iban a encontrar un nuevo líder para los hombres jóvenes, en aquél entonces conocido como el superintendente de la AMMHJ. Esa mañana, mientras iba en el autobús al trabajo, había visto a un ex miembro del barrio, Jack Reed, caminando por la calle. "Si Jack Reed aún viviera en nuestro barrio, ¡qué gran superintendente sería!", comentó en una posterior reunión de obispado. Su primer consejero observó: "Obispo, ¿no sabía que Jack Reed acaba de mudarse nuevamente a nuestro barrio?". "No lo sabía", respondió el obispo Monson. "Pero el Señor sí lo sabía". Esa dependencia en el Señor, esa confianza y esa fe, nacieron y crecieron en el Barrio Sexto-Séptimo, en donde casi tenían que "implorar" para conseguir un líder[32].

El Espíritu también guió al obispo Monson en otros llamamientos a miembros del barrio. El presidente de estaca, Adiel F. Stewart, pidió que cada barrio recomendara dos capaces poseedores del Sacerdocio de Melquisedec para servir como misioneros de estaca. Ya era difícil llenar los cargos del barrio, ni que hablar de enviar a miembros firmes a servir en la estaca. Cuando el presidente Stewart dijo—bromeando—"Si no me llegan esos nombres, tendré que tomar a sus consejeros", el obispo Monson y sus consejeros recurrieron al Señor en oración. Después fueron a su archivo donde tenían una tarjeta con datos para cada cabeza de familia. "Estaríamos locos si recomendáramos a Richard Moon", coincidieron los tres. "Es el mejor superintendente auxiliar de la Escuela Dominical que hemos tenido". Cuando el obispo Monson trató de poner la tarjeta otra vez en el archivo, ésta se le pegó a los dedos como si tuviera pegamento. Finalmente cedió, diciendo: "El Señor necesita a Richard Moon como misionero de estaca más que como superintendente auxiliar de la Escuela Dominical". Llamó al presidente Stewart y él le pidió que visitara al hermano Moon y le extendiera el llamamiento. No lo encontraron en su casa, sino en la de su madre, a unas cuadras de distancia. "Obispo, nuestras oraciones han sido contestadas", dijo Isabel Moon, la madre de Richard, en cuanto al llamamiento. Su hijo había estado en la lista de limitación de llamamientos misionales durante la Guerra de Corea y no había podido servir. El hermano Moon llegó a ser un excelente misionero de estaca y con el tiempo regresó al barrio transformado en un experimentado líder[33].

Un obispo anterior del Barrio Séptimo había servido más de cuarenta años, pero tal no sería el caso con el obispo Monson, quien batió un récord por su escasa edad pero no por longevidad en el cargo, sirviendo el término más común de cinco años. Y por cierto que tampoco fue el caso de sus consejeros en un barrio de población tan transitoria. Llegó a tener varios durante su servicio: Joseph M. Cox, Alfred Eugene Hemingway, Donald Balmforth, Raymond L. Egan y Elwood A. Blank.

Pese a la dificultad para llenar cargos, llevó la obra adelante con eficacia en esa parte de la viña. La clave del éxito en el servicio del presidente Monson fue y sigue siendo su "gran fe", explica el obispo H. David Burton, Obispo Presidente de la Iglesia, quien ha trabajado con él durante muchos años. Cuando las cosas se ponen "muy difíciles o parecen tener repercusiones desafiantes, él siempre se ampara en su fe. 'Estamos en las manos del Señor', dice. 'No se preocupen; hagan lo mejor que puedan y Él se encargará del resto'"[34].

El presidente Monson siempre "ha tenido un cariño especial por los ancianos", esas personas fácilmente olvidadas en lo alto de las escaleras, al fondo del pasillo, en el sótano de viviendas ruinosas en calles oscuras, como en el vecindario de los Monson. Esas eran sus viudas, como la de Sarepta y la de Naín en la Biblia, aunque tenían otros nombres, como: Zella Thomas, Elizabeth Keachie, Nel Ivory, Nattie Woodbury, Ellen Hawthorne, Edla Johnson, Jessie Cox y muchas más. Estaba también la viuda con tres hijas lisiadas a quien habían desalojado; aquellas que se sentaban junto a la ventana esperando que fueran familiares a visitarlas; la viuda que llamaba a otras para avisarles que el obispo recién había salido de su casa e iba en camino a verlas; la viuda que celebraba un cumpleaños o padecía pesares.

Con el transcurso del tiempo, él se mantuvo en contacto con *sus* viudas. "A tales hogares nos manda el Señor", ha dicho[35]. "Y aun cuando ellas sientan que se benefician con mi visita, me consta que salgo de esas ocasiones siendo un mejor hombre por haber pasado ese tiempo departiendo con esas dulces hermanas que están en el crepúsculo de sus vidas"[36]. Él prometió hablar en sus funerales—en cada uno de los ochenta y cinco—y así lo ha hecho, aunque algunas veces haya tenido que *escaparse* de una reunión o acomodar el servicio entre sesiones de una conferencia general. Ha sido una gran proeza, teniendo en cuenta que muchas veces viajaba cinco semanas consecutivas en asignaciones como Apóstol. Pero ninguna de esas hermanas partió de esta vida antes de que él regresara. El archivo de funerales en la oficina del presidente Monson empezó siendo una pequeña caja de metal con unos cuantos programas de funerales en su interior. Ahora es un cajón en un archivador con carpetas en orden alfabético.

Una noche, al ir en su automóvil por la calle donde vivía un matrimonio anciano, el obispo Monson sintió la impresión de que debía hacerles una visita rápida. El matrimonio no había estado yendo a la iglesia. La esposa, Emily, abrió la puerta y exclamó: "Estuve todo el día aguardando que sonara el teléfono, pero ha estado en silencio. Esperaba que el cartero trajera una carta, pero trajo sólo cuentas. Obispo, ¿cómo supo que hoy es mi cumpleaños?" Mientras entraba en la casa, el obispo Monson respondió: "Dios lo sabe, Emily, porque Él la ama"[37].

Cuando el Barrio Sexto-Séptimo celebró su centenario, el obispo Monson se propuso que su abuelo Condie asistiera a la reunión sacramental. Tom no recordaba la última vez que su abuelo—quien poseía el oficio de presbítero en el Sacerdocio Aarónico—había ido en la Iglesia. Tom lo afeitó, lo ayudó a darse un baño y lo llevó al peluquero para que le cortaran el cabello y recortaran el bigote a fin de "ponerlo de punta en blanco para el evento". Invitó a su abuelo a sentarse junto a él en el estrado, pero a mediados de la reunión, el anciano sintió que ya había estado allí el suficiente tiempo e intentó ponerse de pie y partir. Los poderes persuasivos del obispo Monson pasaron la prueba máxima al tratar de mantener al abuelo Condie en su asiento hasta el final de los servicios; después de todo, era el miembro de más edad del barrio aún vivo.

La vida del presidente Monson es un ejemplo del consejo que ha dado a otras personas: "Las visitas al hogar de miembros del quórum, bendecir a los enfermos, dar una mano de ayuda, o consolar a los apesadumbrados cuando fallece un ser querido, son todos privilegios sagrados del servicio del sacerdocio"[38].

Augusta Schneider, una viuda de la región de Alsacia Lorena en Francia, era también miembro del Barrio Sexto-Séptimo. Hablaba francés y alemán con fluidez, pero su inglés era entrecortado. Tom siguió visitándola mucho tiempo después de que ella se mudó del barrio. En una ocasión, la hermana Schneider le hizo un regalo "de gran valor" a Tom. Prendidas a un delicado trozo de fieltro estaban las medallas que su esposo había recibido como miembro de las fuerzas francesas en la Primera Guerra Mundial. "Quisiera que usted conservara este recuerdo tan atesorado para mí", le dijo. La renuencia del presidente Monson a aceptar algo tan personal no se tuvo en cuenta. "Esto es ahora suyo", continuó ella. "Usted tiene el alma de un francés". Había recibido "la blanca de la viuda". Augusta falleció poco después de aquella visita, y el presidente Monson habló en su funeral.

Como tantas de sus otras experiencias, este relato tiene su continuación. Cuando se aprestaba a asistir a la dedicación del Templo de Fráncfort, Alemania, el cual serviría a muchos miembros alemanes, franceses y holandeses, el presidente Monson sintió que debía llevar consigo las valiosas medallas, sin saber por qué razón.

Durante la sesión dedicatoria en francés, advirtió en el texto del que leía al dirigir, que los miembros eran de la región de Alsacia Lorena y que el apellido del organista era Schneider. Su recuerdo inmediatamente se remontó a aquella dulce hermana y sus medallas y comprendió por qué las había llevado consigo. En su discurso, compartió su experiencia con Augusta Schneider, después se acercó hasta el órgano y obsequió las medallas al organista, indicando que, por ser su apellido Schneider, tenía la responsabilidad de investigar los orígenes de su apellido en sus actividades genealógicas[39].

El presidente Monson ha compartido con frecuencia un poema que habla claramente de su servicio como obispo y el prestado a lo largo de los años:

"¿Dónde trabajaré hoy, Padre?",
Bien dispuesto pregunté.
Un lugar pequeño Él señaló,

diciendo: "A cuidarlo te enviaré".
Con premura y sin pensarlo
al Padre respondí:
"Nadie me vería allí,
ese lugar no es para mí".
Su respuesta no fue dura,
sino tierna y placentera:
"Hijo mío, piénsalo bien,
¿por el hombre o por mí te esmeras?
Lugar pequeño era Nazaret,
y Galilea también lo fue"[40].

Todas las navidades, el obispo Monson trabajó en esos "lugares pequeños", llevándole a cada una de sus viudas una caja de dulces, un libro, o una gallina asada. Es posible que en algunos casos les haya llevado gallinas que él mismo crió, algo que hizo casi a lo largo de toda su vida. Mientras servía como obispo, creó un proyecto de bienestar para el barrio, remodelando un gallinero en el fondo de la propiedad de su tía Margaret. En un claro día de invierno, los hombres del barrio pusieron la sección de hormigón, pintaron el gallinero y cercaron un espacio donde estarían las gallinas. El obispo Monson compró, entonces, treinta gallinas ponedoras, las cuales mantuvo el barrio, distribuyendo los huevos a los miembros necesitados. En un posterior proyecto de servicio de la estaca, hizo arreglos para que los jóvenes limpiaran a fondo otro gallinero, a cargo de la Estaca Temple View. Arrancaron, amontonaron y quemaron gran cantidad de maleza y desechos. Junto al brillo de la hoguera, los jóvenes de la cuadrilla de limpieza comían salchichas mientras revisaban el ordenado entorno. Las gallinas no estaban muy contentas; el ruido y el fuego llegaron a perturbarlas tanto que, la mayoría de ellas dejó de poner huevos durante varios meses.

En los años siguientes, como Apóstol, como miembro de la Primera Presidencia y como Presidente de la Iglesia, el presidente Monson a menudo evocaría sus experiencias con los necesitados del Barrio Sexto-Séptimo. En una reunión del Comité Ejecutivo de Bienestar, Julie Beck, presidenta general de la Sociedad de Socorro, formuló una sencilla pregunta a las Autoridades Generales: "¿Qué es la Sociedad de Socorro?". El presidente Monson respondió con una experiencia relacionada con dos hermanas de la Sociedad de Socorro, Elizabeth Keachie y Helen Ivory, quienes, en camino a procurar suscripciones para la *Relief Society Magazine* (Revista de la Sociedad de Socorro), encontraron a Charles y a William Ringwood, padre e hijo, viviendo en un viejo garaje al fondo de un oscuro callejón. Su visita a aquella última "casa", con una raída cortina en su única ventana, poco tenía que ver con la revista, sino con el rescate de dos almas. Para el presidente Monson, la obra de salvación que llevan a cabo las hermanas de la Sociedad de Socorro y otros miembros, no tiene tanto que ver con programas y asignaciones, como con seres humanos.

Él ha descrito su experiencia al observar a aquellas dos fieles y dedicadas mujeres sentadas en una banca en el funeral de Charles Ringwood. "He contemplado su influencia personal para bien y la promesa del Señor ha colmado mi alma: 'Yo, el Señor, soy misericordioso y benigno para con los que me temen, y me deleito en honrar a los que me sirven en rectitud y en verdad hasta el fin. Grande será su galardón y eterna será su gloria'"[41].

Ése es Thomas S. Monson. Él entiende lo que el Señor requiere: una sencilla disposición a servir a la gente, buscar en los rincones olvidados, en las calles oscuras, y mirar en los ojos que parecen haber perdido la esperanza. "Charles Ringwood era el diácono de más edad que yo había conocido", dice el presidente Monson. Lograron que fuera al templo y lo prepararon para regresar a su hogar celestial. El hermano Ringwood falleció pocas semanas después de haber entrado en la casa del Señor[42].

El obispo Monson había asistido a sólo dos funerales en su vida antes de ser llamado como obispo. Después de su llamamiento, dirigió dos funerales la primera semana, siendo eso sólo el comienzo. En una ocasión, dirigió tres servicios fúnebres en un mismo día, y habló en cada uno de ellos.

Él se siente bien en los funerales porque considera que brindan la oportunidad de enseñar las verdades del Evangelio. "Puesto que el Salvador murió en el Calvario", ha declarado, "la muerte no ejerce control alguno sobre ninguno de nosotros.

Reímos, lloramos, trabajamos, jugamos, amamos, vivimos; y después morimos. La muerte es nuestro legado universal; todos debemos pasar por su umbral. La muerte llama al anciano, al fatigado y al agotado; visita al joven en la plenitud de la esperanza y en la gloria de la expectativa. Los niños pequeños tampoco están fuera de su alcance"[43].

Uno de los funerales que dirigió como obispo fue el de su propio abuelo, Thomas Sharp Condie, quien falleció el 3 de febrero de 1953, a los noventa y tres años de edad, tras sufrir un derrame cerebral después de una operación de cáncer. La influencia que ese hombre había tenido en su nieto era incalculable.

Uno por uno, los miembros de la familia del obispo Monson fueron falleciendo. El 10 de mayo, tan sólo tres meses después de la muerte del abuelo Condie, falleció Richard LeRoy Carter, tío de Tom. La familia lo llamaba cariñosamente "tío Veloz", debido a su manera de actuar tan metódica. Era quien "comía con más lentitud" en la familia, el que "medía cada paso", haciendo frente a la vida a ritmo de caracol; el compañero de pesca de su sobrino Tom. Nunca se unió a la Iglesia, pero su funeral fue dirigido por el obispo Monson.

El hijo de Veloz Carter, Richard, había decidido ir en una misión en vez de entrar en el servicio militar. Mientras él y otro miembro del barrio, Howard Hagen, estaban recibiendo capacitación misional, la Iglesia y las fuerzas armadas anunciaron una restricción de que, a partir de ese mismo momento, a cualquier candidato a misionero que no hubiera sido apartado u ordenado, se le eximiría de sus deberes misionales para ingresar al servicio militar. Richard había sido apartado para su misión en Canadá, pero Howard iba a ser apartado al día siguiente. En vez de ello, se le requirió entrar en el servicio militar. En 1950 había 3.015 Santos de los Últimos Días llamados a servir como misioneros; para 1952 el número había bajado a 872[44].

Temprano una mañana, mientras Richard servía como misionero, su padre, Veloz Carter, sufrió un ataque cardiaco. Tom llegó a su casa a tiempo para darle una bendición y después permaneció horas con él en el hospital, donde Veloz falleció.

Tom envió un telegrama al presidente de misión de Richard

y después llamó por teléfono para asegurarse de que su primo se hubiera enterado de lo sucedido. El obispo Monson dirigió el funeral y el élder Carter permaneció en el campo misional, llegando a ser un misionero "sobresaliente".

La muerte de Veloz fue dura para su esposa, la tía Blanche, que era como una segunda madre para Tom. Ella había perdido a su padre—que vivía con ellos—y a su esposo en pocos meses, y su único hijo estaba lejos en Canadá. Pero Tom advirtió que gracias a su firmeza de carácter, su tía no se compadeció de sí misma, y, tal como lo había hecho toda su vida, siempre invitaba a alguien de la familia a comer en su casa y buscaba la forma de levantar el ánimo de los demás. Durante la Depresión, cuando Veloz había estado desempleado, la tía Blanche había trabajado para el Servicio Civil para mantener a la familia[45].

Meses más tarde, el 20 de agosto de 1953, falleció Franz Johnson, el padre de Frances. Se había jubilado de su oficio de pulidor de muebles, pero trabajaba temporalmente barnizando bancas y otros muebles en un barrio de Moscow, Idaho. Cuando regresó, se le diagnosticó leucemia. "Era un hombre extraordinario: paciente, de pocas palabras y fiel", y su hija ha heredado sus virtudes[46]. La Nochebuena en la casa de los Johnson ese año, pese a que tuvieron la tradicional cena sueca, no resultó igual a la del año anterior.

El Barrio Sexto-Séptimo era una comunidad muy estrecha a pesar de la naturaleza transitoria de la gente. Las reuniones del barrio siempre atraían una gran concurrencia. En una ocasión, cuando Tom era el obispo, un miembro del comité de reuniones llamó a cada miembro del barrio para vender entradas para un banquete, a razón de un dólar cada una. Quienes se habían mudado fuera del barrio recibieron una carta acompañada de una tarjeta de reservación. Otro año, en la celebración del 106 aniversario, el barrio ofreció un libro titulado *Through the Years* (A lo largo de los años), por el precio de 1 dólar con 50 centavos por ejemplar. El obispo Monson, que en ese entonces trabajaba para la Imprenta Deseret News, se aseguró de que la publicación de sesenta y cuatro páginas estuviera bien hecha, con "una buena encuadernación en cuero sintético y papel de la mejor calidad"[47].

Los miembros del barrio amaban a su obispo y le demostraban su afecto. En una actividad del barrio, un grupo de ellos cantó un tributo especialmente escrito para su joven líder, al compás de una conocida canción de la época.

> *Thomas, Thomas Monson, en este mundo no hay un hombre*
>   *como usted.*
> *En estos pocos años lo hemos visto crecer,*
> *aquí él aprendió cuanto ha querido saber.*
> *No ha viajado, ni el mundo fue a recorrer,*
> *pero aquí, entre nosotros, todos lo han de conocer.*
> *Obispo, obispo Monson, obispo del Barrio Sexto-Séptimo.*
> *Esta noche con esta fiesta celebramos*
> *y también a su esposa la bienvenida damos.*
> *Por mucho tiempo esta reunión preparamos*
> *Para que supiera cuánto lo amamos.*
> *Obispo, obispo Monson, en este mundo no hay un hombre como*
>   *usted[48].*

Para muchos de ellos, pese a los cargos eclesiásticos que él llegaría a ocupar, Thomas S. Monson sería por siempre su obispo.

11

"ANDUVO HACIENDO BIENES"

En un mensaje que dio a todas las Autoridades Generales y de Área, dijo que una de nuestras responsabilidades es ayudar a los miembros a sentir el amor del Salvador. Ésa es la clase de persona que él es. La totalidad de su ministerio se centra en discernir las necesidades de una persona y en ofrecer una sonrisa o una palmada en la espalda, en hacer algo sencillo que uno nunca esperaría del Presidente de la Iglesia.

ÉLDER DAVID A. BEDNAR
Quórum de los Doce Apóstoles

LA INTRODUCCIÓN DE THOMAS S. MONSON al programa de bienestar de la Iglesia ocurrió diez años antes de que fuera llamado como obispo. Tenía doce años de edad y era diácono recién ordenado cuando su obispo le pidió que llevara la Santa Cena a un hombre postrado en cama que añoraba tal bendición. Tommy no tuvo reparos en caminar aquellas diez cuadras hasta el otro lado de las vías del ferrocarril un soleado domingo por la mañana. Al llamar a la puerta de la cocina, oyó una débil voz decir: "Entre". Quitó la cubierta de la Santa Cena para el hermano Wright, quien estaba tan débil que tuvo que pedirle a Tommy que pusiera el pan en su temblorosa mano y que llevara el vasito de agua a sus labios. Al reconocer la conmovedora gratitud del hermano Wright, Tommy "sintió el Espíritu del Señor" en la habitación, y comprendió que se encontraba "en un lugar sagrado".

El hermano Wright le pidió que se "quedara un momento", y entonces procedió a darle su testimonio: "Tommy, esta Iglesia es divina. El amor que los miembros tienen los unos por los otros es una inspiración". Después habló de la presidenta de la Sociedad de Socorro, la hermana Balmforth. "¿Sabes lo que ella hizo una semana, hace muchos años?", le preguntó. "Tomó su vagoncito rojo, pasó por casas de miembros para recoger un frasco de melocotones de una, una lata de vegetales de otra, y así llenó los estantes de mis armarios con alimentos". El hermano Wright lloró al referirse a su experiencia y "describió cómo vio a la presidenta de la Sociedad de Socorro volver a su casa tirando, sobre las desniveladas vías del ferrocarril, su vagoncito de misericordia"[1].

Para el presidente Monson, el principio de bienestar siempre ha estado relacionado con llenar el "vagoncito rojo" con lo que sea necesario: alimentos, ropa, amistad o atención personal. El plan de bienestar "nunca tendría éxito sólo a base de esfuerzo", ha atestiguado, "ya que este programa funciona mediante la fe a la manera del Señor"[2].

El presidente de estaca de los Monson, Harold B. Lee, había iniciado un programa de bienestar en la Estaca Pioneer antes de que el presidente Heber J. Grant organizara el esfuerzo para toda la Iglesia. En 1932, a finales de la Gran Depresión, el presidente Lee y sus consejeros, Charles S. Hyde y Paul C. Child, se reunieron en el edificio de la estaca, contiguo a la capilla del Barrio Sexto-Séptimo, e hicieron planes para ayudar a la gente de su estaca. Estaban muy preocupados, ya que el cincuenta por ciento de los miembros de los ocho barrios y una rama carecían de empleo, entre ellos, miembros del sumo consejo y obispos. (La familia Monson no se encontraba en esa situación). "En aquellos primeros días", explicaría más adelante el presidente Lee, "nos aventuramos sin saber a dónde ir, pero sabíamos que debíamos hacer algo, pues habíamos tocado fondo"[3].

Para empezar las reuniones de obispado y de consejo de barrio, el obispo Monson leía un pasaje pertinente de las Escrituras para que todos se enfocaran en sus deberes. Uno de sus predilectos era: "Por tanto, no os canséis de hacer lo bueno, porque estáis poniendo los cimientos de una gran obra. Y de las cosas pequeñas proceden las grandes. He aquí, el Señor requiere el corazón y una mente bien dispuesta"[4].

Al obispo Monson se le llegó a conocer—y amar—por su

corazón y por su mente bien dispuesta, como lo manifiesta la atención que prestó al bienestar de la gente de su congregación. Él declaró: "Siempre me he considerado un obispo que erró hacia el lado de la generosidad, y si tuviera que hacerlo de nuevo, sería aún más generoso"[5].

Sostenía que quienes recibieran ayuda de bienestar deberían trabajar lo más posible por aquello que se les hubiera dado, y que hay muchas formas creativas en que los líderes pueden ofrecer oportunidades de trabajo. Él contaba con una cuadrilla de hombres jubilados que compensaban la asistencia recibida al trabajar en el mantenimiento del exterior y del interior de los edificios del barrio y de la estaca. Él ha dicho: "Una dádiva de la Iglesia sería peor que una dádiva del gobierno, ya que fallaría ante principios más elevados. Las prácticas de la Iglesia representan objetivos más honorables y un potencial más glorioso"[6].

El obispo Monson sirvió como presidente del consejo de obispos de la Estaca Temple View y como consejero en el consejo regional de obispos, "un gran honor para un líder tan joven y tan apto al mismo tiempo"[7]. El élder Glen Rudd, quien sirvió como obispo del Barrio Cuarto de esa estaca y más tarde llegó a ser Autoridad General, observó: "Tal vez él haya tenido más experiencia en la distribución de artículos de bienestar que cualquier otra persona en vida en la Iglesia hoy. Las bendiciones espirituales de un programa de bienestar debidamente administrado sobrepasan enormemente las bendiciones físicas"[8].

Para Tom Monson, el plan de bienestar siempre ha tenido que ver con edificar desde el interior de la persona, y con emplear las necesidades de los demás para fortalecer a quienes son llamados a ayudar. "Para él, el bienestar no es un programa", dice el presidente Henry B. Eyring, quien trabajó estrechamente con aspectos de bienestar cuando sirvió en el Obispado Presidente. "Bienestar consiste en personas que tienen un doble efecto en los demás: Ayudarlos a levantarse edificándolos, y, al mismo tiempo, fomentar su fe en Jesucristo"[9].

Aún cuando los programas y sus aplicaciones se ajustan con el transcurso del tiempo, el presidente Monson testifica que "los principios básicos de bienestar no cambian ni cambiarán jamás, pues son verdades reveladas". Él ha señalado principios rectores en el bienestar, como lo son el trabajo, la autosuficiencia, la debida administración económica, el almacenamiento de artículos, el cuidado de familiares y el uso prudente de los recursos de la Iglesia. También ha enseñado: "Hemos aprendido a velar por la viuda, el huérfano, el indigente, los afectados por accidentes, enfermedades o edad avanzada. Además, tenemos la responsabilidad de hacer frente a necesidades y circunstancias cambiantes, así como a nuevas actitudes y expectativas. ¿A dónde iremos por ayuda? Considero que debemos regresar a lo básico; a las revelaciones del Señor; a las palabras de los profetas de Dios y a los principios fundamentales que han demarcado el programa de bienestar de la Iglesia"[10].

La manera como el presidente Monson enfoca el bienestar la demuestra el hecho de que era ampliamente conocido en el viejo Hospital del Condado de Salt Lake. Una noche lo llamaron para que diera una bendición a una paciente en una de las unidades. Al acercarse a ella, vio que la mujer de la cama contigua se cubría la cara con la sábana. Tras dar la bendición, se aprestaba a partir, pero sintió la impresión de ver quién era la persona de la otra cama. Al levantar la sábana, vio que se trataba de una mujer que vivía en su barrio. "¿Por qué se cubrió la cara con la sábana?", le preguntó. Ella respondió: "Pensé que venía a verme a mí, pero cuando lo vi detenerse junto a la otra cama, me dio vergüenza". El presidente Monson le dijo: "El Señor sabía que usted estaba aquí y por eso me hizo volver. Estoy aquí para darle una bendición"[11]. La mujer era Kathleen McKee.

Varios meses después, el obispo Monson recibió la noticia de que Kathleen había fallecido. Los registros del hospital indicaban que no tenía deudos y que había puesto el nombre de Thomas Monson como la persona a quien notificar cuando muriera. Al llegar él al hospital, una enfermera le entregó un sobre cerrado que contenía la llave del modesto apartamento de Kathleen en un sótano. No había en él nada de mayor valor; la mujer había vivido siempre sola, nunca se había casado, uniéndose a la Iglesia "en el crepúsculo de su vida". Sobre su escritorio había una carta debajo de dos frascos de Alka Seltzer llenos de monedas que representaban su ofrenda de ayuno de ese mes. Kathleen había escrito con esmero:

> Estimado obispo Monson:
>
> No creo que regrese del hospital. En el cajón de la cómoda hay una pequeña póliza de seguro que servirá para cubrir los gastos del funeral. Puede dar los muebles a los vecinos.
>
> En la cocina encontrará mis tres hermosos canarios. Dos de ellos son de bello color amarillo dorado y sus características son perfectas. En sus jaulas he puesto el nombre de las personas a quienes quiero darlos. En la tercera jaula está Billie, mi favorito. Billie tiene una apariencia enclenque, y su tono amarillo está estropeado por un color grisáceo en las alas. ¿Podría usted quedarse con él? No es el más bonito, pero es el que canta mejor.
>
> Atentamente,
> Kathleen McKee

El obispo Monson comprendió que la vida de Kathleen era mucho más que su escueto apartamento. Ella era "muy parecida a Billie, su preciado canario con gris en la alas. No había sido bendecida con belleza física, con elegancia ni con una posteridad. Pese a ello, su "canto" había ayudado a otras personas a sobrellevar sus cargas con más ánimo y a cumplir con sus deberes más hábilmente"[12]. Había brindado amistad a muchos vecinos necesitados, animando y consolando a una de ellas que era lisiada. Había alegrado la vida de otras personas. En términos sencillos, ella anduvo haciendo bienes.

Tarde ya, una noche, en el preciso momento en que el obispo Monson salía del apartamento de una viuda, otra puerta se abrió del otro lado del pasillo. La mujer que estaba allí, hablando con un pronunciado acento griego, preguntó: "¿Es usted el obispo?". Cuando él asintió, ella le dijo: "Me llamo Angela Anastor. Nadie me visita a mí ni a mi esposo que está postrado en cama. ¿Tiene tiempo de hacernos una visita aun cuando no somos miembros de su iglesia?"

Esa misma noche le dio una bendición al esposo y en los meses siguientes pasó a visitarlos cuantas veces pudo. Con el tiempo, la mujer se bautizó y colaboró incansablemente en la traducción de materiales de la Iglesia al griego. Cuando su esposo murió, el presidente Monson habló en su funeral[13].

El obispo Monson tenía una habilidad especial para transformar necesidades de bienestar en oportunidades de servicio para otros miembros de su barrio. Uno de tales ejemplos fue la familia Guertler. Karl Guertler, quien vivía en Ogden, Utah, había alquilado un modesto apartamento en el Barrio Sexto-Séptimo para su hermano Hans, quien llegaría a los Estados Unidos desde Alemania con su esposa e hijos, después de la Segunda Guerra Mundial. Karl se había puesto en contacto con el obispo Monson para hacerle saber que pronto llegarían nuevos miembros a su barrio. Karl y el obispo Monson fueron juntos a ver el apartamento. Faltaban pocas semanas para la Navidad, y Tom se sintió abatido al pensar en la sombría Navidad que tendría esa familia de inmigrantes alemanes en su lúgubre apartamento.

Durante los días siguientes, el obispo Monson alistó la ayuda de miembros del sacerdocio, de la Sociedad de Socorro y de los jóvenes para hacer que el apartamento fuera más acogedor y para llenar las alacenas con alimentos para los Guertler, quienes llegarían pocos días antes de la Navidad.

La noche en que la familia Guertler llegó al apartamento, el aroma del nuevo empapelado de las paredes llenaba el ambiente; una mullida alfombra cubría los pisos; tenían muebles listos para usarse, y los armarios de la cocina estaban llenos de alimentos, al igual que el nuevo refrigerador. En una esquina de la sala había un árbol de Navidad que los jóvenes habían decorado. Diestros miembros del barrio habían colaborado en la pintura, en la instalación eléctrica y en colocar un flamante piso. Los comercios locales habían donado muchos de los artículos necesarios, entre ellos, una cocina. Aquella noche, los miembros del barrio abrieron sus brazos a los atribulados pero agradecidos viajeros quienes habrían carecido de lo necesario para comenzar una nueva vida en una tierra lejana. Todos cantaron villancicos de Navidad, los Guertler en alemán y sus nuevos hermanos y hermanas en inglés.

El obispo Monson recuerda que cuando los miembros del barrio partieron aquella noche, una niña se volvió a él y preguntó: "¿Por qué es que me siento mejor que nunca en mi vida?". El obispo Monson le recordó de una de las estrofas del himno navideño que acababan de cantar: "Oh, pueblecito de Belén":

> *Oh, cuán inmenso el amor que nuestro Dios mostró*
> *al enviar un Salvador; Su Hijo nos mandó.*
> *Aunque Su nacimiento*
> *pasó sin atención,*
> *aún lo puede recibir*
> *el manso corazón[14].*

El concepto de bienestar tomó nueva forma para el obispo Monson al escribir a miembros del barrio que estaban encarcelados y al recibir respuesta de ellos. No era poco común el final de una carta de junio de 1955: "Obispo, por favor escríbame pronto; me gusta saber de usted"[15].

Cuando la gente se mudaba de la zona, les escribía como despedida: "Recuerden que siempre serán bienvenidos en el Barrio Sexto-Séptimo, del cual, para nosotros, serán miembros toda la vida"[16]. También escribía regularmente a miembros del barrio que servían en una misión.

En 1950, el Presidente de la Iglesia, George Albert Smith, emitió una "advertencia profética" de que no transcurriría demasiado tiempo hasta que muchas calamidades cayeran sobre la familia humana a menos que se produjera un rápido arrepentimiento. "No está lejos el día en que millones de habitantes de la tierra morirán a causa de lo que nos sobrevendrá"[17]. Dos meses y medio más tarde, el 25 de junio de 1950, se desató la Guerra de Corea, cobrando la vida de dos millones y medio de personas.

Veintitrés jóvenes del Barrio Sexto-Séptimo sirvieron en las fuerzas armadas durante ese conflicto. Las Autoridades de la Iglesia pidieron que cada soldado miembro de ella recibiera tanto el periódico *Church News*, como la revista *Improvement Era*, así como una carta personal de su obispo todos los meses. Los quórums del sacerdocio del Barrio Sexto-Séptimo "con bastante esfuerzo" financiaron las suscripciones y el obispo Monson escribió las cartas. Habiendo servido en la marina, él sabía qué se sentía al recibir una carta de seres queridos.

Todos los meses escribía veintitrés cartas personales y se las entregaba a Iola Moon, una hermana del barrio, para que las pusiera en el correo. Uno de los jóvenes le contestó desde el frente de batalla en Corea que, un domingo por la mañana, en medio de los bombardeos, él y otros de su pelotón que eran miembros de la Iglesia, habían participado de la Santa Cena, la cual repartieron en un casco.

En una ocasión, la hermana Moon echó un vistazo a las cartas que debía enviar y preguntó: "Obispo, ¿usted nunca se desanima? Aquí hay otra carta para el hermano Bryson. Ya le ha escrito diecisiete veces sin recibir respuesta de él".

"Tal vez me escriba este mes", le respondió. Y así fue; la respuesta llegó con el matasellos de la Oficina Postal del Ejército en San Francisco, puesto que el joven se encontraba "en costas lejanas, aislado, añorando su hogar y solo". El 25 de diciembre de 1953, escribió: "Querido obispo, le he estado debiendo esta carta desde hace mucho tiempo, pero aun al estar escribiéndola, no sé qué contarle. Ésta es la primera vez que le escribo o que he intentado escribirle a un obispo. ¿Cómo están usted y su familia? ¿Cómo marcha la Iglesia? ¿Cómo pasó la Navidad? Ciertamente me hubiera gustado estar allí; la Navidad aquí es muy diferente a la de casa. Bueno, ya no tengo más que contar. Como puede ver, sigo siendo el mismo muchacho retraído que usted conoció". Después añadió: "Siga escribiéndome", y le pidió que diera sus recuerdos a todos en el barrio. Como posdata, escribió: "Gracias por el *Church News* y las revistas pero, principalmente, por sus cartas personales. He dado vuelta una nueva página; me han ordenado presbítero en el Sacerdocio Aarónico. Me rebosa el corazón; estoy muy feliz"[18].

Años más tarde, en una conferencia de estaca, el hermano Bryson se acercó al élder Monson después de la reunión para darle un informe: "Sirvo en la presidencia del quórum de élderes.

Gracias, nuevamente, por su interés y por las cartas personales que me envió y que yo atesoro"[19].

En ocasiones, el obispo Monson tuvo ayuda al proveer "a la manera del Señor". Un otoño, recibió una llamada de un miembro a quien muy de vez en cuando veía en la iglesia. "Obispo", le dijo el hombre, "tengo dos camiones y remolques llenos de naranjas y plátanos, y si usted puede usarlos en el almacén, quisiera donarlos a modo de diezmo". El obispo Monson contestó que sí podían darle buen uso y de inmediato llamó al obispo Jesse M. Drury en la Manzana de Bienestar.

Bajo la dirección del obispo Drury, y con la ayuda de voluntarios, se descargaron los camiones y se distribuyó su contenido. El obispo Monson ya se había puesto en contacto con los obispos de la región para informarles que disponía de toda esa fruta. Cuando escribió el recibo del diezmo, su gratitud iba más allá de los camiones de fruta. El hombre que la había donado—junto con su esposa—se habían visto implicados en una controversia local que fácilmente podría haberlos llenado de rencor contra la Iglesia; otras personas se habían inactivado por asuntos de menor relevancia. En cambio, ellos "produjeron fruto" de lo que sabían que era la viña del Señor. El hombre, más adelante, llegó a ser sellador en el Templo de Salt Lake, y el élder Monson habló en su funeral[20].

En sus deberes de obispo, jamás pasaba por alto las necesidades de la juventud, individualmente. Como en la mayoría de los barrios, algunos jóvenes flaqueaban, otros se mantenían firmes, mientras que otros flotaban entre medio. Tom conocía muy bien el programa de los jóvenes de la Iglesia por haber servido en la superintendencia de la AMMHJ cuando tenía sólo diecisiete años de edad. Había llevado una nueva perspectiva a su asignación. El superintendente y su otro ayudante tenían sesenta y cuatro y cincuenta y nueve años de edad, respectivamente. Ahora, como obispo, él y sus consejeros estaban resueltos a "hacer todo lo necesario para asegurarse de que no se perdiera ni un solo joven ni una jovencita". El amor genuino y un buen sentido del deber los guiaban en tal cometido. Los resultados, como él lo atestigua, fueron "milagrosos"[21].

"No es necesario", aconseja, "*comprar* la actividad de nuestra juventud. El medir lo bueno de la vida por sus deleites y placeres es aplicar una norma falsa"[22]. En los veranos llevaba a los muchachos a Vivian Park, y en otra ocasión, las líderes de la Sociedad de Socorro y de las Mujeres Jóvenes llevaron a las jovencitas. Algunos de los jóvenes nunca habían estado en las montañas, jamás habían visto un elemento de agua natural como el río Provo, ni asado salchichas sobre una hoguera.

Trabajó con un joven de nombre Robert que vivía con su madre. El muchacho tartamudeaba terriblemente. Acomplejado, tímido, temeroso de sí mismo y de todos los demás, rehusaba aceptar asignaciones en la Iglesia y nunca hablaba. Entonces un día, en forma milagrosa, aceptó la asignación de efectuar un bautismo. El obispo Monson se sentó junto a él en el bautisterio del Tabernáculo y lo guió en cuanto al modo de hacerlo. Ya habían repasado los procedimientos en una reunión de sacerdocio, así que Robert sabía lo que se esperaba de él.

En apariencia, Robert estaba bien preparado, vestido todo de blanco, pero cuando el obispo le preguntó cómo se sentía, el joven contestó tartamudeando, casi incoherentemente, que se sentía "terrible". El obispo Monson pasó el brazo por los hombros del muchacho, sugirió que cada uno ofreciera una oración para que "fuera hecho apto para la tarea que tenía por delante", y así lo hicieron. Cuando el secretario del bautisterio leyó: "Nancy Ann McArthur será ahora bautizada por Robert Williams, un presbítero", Robert pasó al frente como se le había enseñado, y tomó a Nancy de la mano y la ayudó a descender al agua. "Después miró hacia arriba, como si buscara ayuda divina, con el brazo derecho en forma de escuadra, y mediante el poder del Sacerdocio Aarónico pronunció las palabras sagradas: "Nancy Ann McArthur, habiendo sido comisionado por Jesucristo, yo te bautizo en el nombre del Padre, y del Hijo, y del Espíritu Santo". No tartamudeó ni cometió un solo error".

El obispo Monson felicitó a Robert en el vestuario. El muchacho volvió a bajar la mirada y, tartamudeando, dijo: "Gracias"[23].

Años después, el presidente Monson habló en el funeral de Robert y se refirió a la ocasión cuando el joven había efectuado un bautismo con absoluta precisión, añadiendo que se había esforzado toda la vida por honrar su sacerdocio[24]. Había trece personas presentes en el funeral de Robert, y debido a que estaban escasos en portadores del féretro, el presidente Monson y su oficial de seguridad se adelantaron para ayudar. "Fui al Cementerio de Salt Lake", dijo, "para completar mi responsabilidad en la tierra para con ese muchacho tan especial"[25].

Otro joven del Barrio Sexto-Séptimo, Richard Casto, faltaba repetidamente a las reuniones del quórum. Un domingo en particular, el obispo Monson fue hasta la casa de Richard durante la reunión de sacerdocio. Su madre y padrastro le dijeron que Richard estaba trabajando en el taller de automóviles West Temple. Resuelto a hacer todo lo posible por que Richard fuera a la iglesia, el obispo Monson lo buscó por todas partes pero no lo pudo encontrar. Finalmente, tuvo la inspiración de fijarse en el foso de engrasado del taller. Allí vio un par de ojitos que lo miraban fijamente. "Me encontró, obispo", dijo Richard; "ya subo". Conversaron un rato y el obispo Monson partió con la promesa de Richard de que asistiría a la reunión de sacerdocio el siguiente domingo. Richard cumplió su palabra.

Aun cuando la familia se mudó del barrio, Richard hizo los arreglos para que el obispo Monson hablara en su despedida misional. El joven dijo que había sido un domingo por la mañana— no en la capilla, sino tras salir de la oscuridad de un foso de engrasado en un taller de autos y encontrar la mano extendida de su presidente de quórum—cuando había tomado la decisión de ir a una misión.

Cuarenta años después, Richard le envió una carta a "su obispo". "El muchacho del foso de engrasado se encuentra bien y aún está firme en la fe", escribió. "Tal vez nunca habría ido a una misión, conocido a mi esposa ni tenido la familia que tengo hoy, si usted no se hubiera tomado la molestia de ir a buscarme y ponerme en línea. Al meditar en los acontecimientos de mi vida, estoy muy agradecido por un obispo que buscó y encontró a alguien que estaba perdido y demostró gran interés en él. Le agradezco desde el fondo del corazón todo cuanto ha hecho por mí personalmente. Lo amo"[26].

Firmó la carta: "el muchacho del foso de engrasado".

Richard Casto ya ha sido obispo en dos ocasiones.

Otro de los "incorregibles" del obispo Monson escribió: "Quizá haya pensado muchas veces que yo no había entendido o ni siquiera escuchado algunos de sus consejos y las cosas que me enseñó, tanto por medio del ejemplo como por el precepto. Quiero asegurarle que sí lo oí y lo entendí y que agradezco profundamente su ayuda. Al recordar muchos de los errores que cometí en mi juventud, también recuerdo su influencia firme y constante que no permitieron que esos errores tomaran control de mi vida.

"Me viene a la memoria una mañana en particular cuando usted llamó para preguntar por qué no estaba en la reunión de sacerdocio. Mi pobre excusa fue que no tenía una camisa blanca limpia, tras lo cual usted me ofreció una de las suyas. Rápidamente encontré una y llegué a la reunión tarde, pero llegué"[27].

El presidente Monson nunca perdió de vista el poder de esas experiencias tan singulares en la vida de un joven, las que dan paso a "dividendos eternos"[28].

Cuando el presidente Monson recuerda su servicio como obispo, reflexiona en la declaración del presidente John Taylor: "Si no magnificamos nuestros llamamientos, Dios nos hará responsables por aquellos a quienes podríamos haber salvado si hubiésemos cumplido con nuestro deber"[29].

Un domingo, el dueño de un comercio cercano llamó para decirle que temprano ese día, un jovencito del vecindario y del barrio había ido a la tienda a comprar un helado. Cuando fue a pagar, sacó el dinero de un sobre de ofrendas de ayuno y había olvidado llevárselo. El hombre llamó a Tom porque sabía que él era el obispo, y cuando describió al jovencito, el obispo Monson reconoció inmediatamente de quién se trataba.

Al dirigirse hacia la casa del muchacho, oró por guía divina. La madre del joven lo invitó a pasar a la sala tenuemente iluminada donde había unos pocos y gastados muebles. Su indignación se esfumó cuando se dio cuenta de las condiciones de la familia. Le preguntó a la mujer si tenían alimentos en la casa, a lo cual ella entre lágrimas respondió que no. Su esposo había estado desempleado por mucho tiempo y no tenían dinero para el alquiler ni para comprar comida, y pronto serían desalojados.

Hizo a un lado su intención de hablar sobre el incidente del sobre de ofrendas de ayuno y empezó a hacer planes para ofrecer ayuda inmediata. Además de concretar los arreglos para proveerles de alimentos y otros artículos de primera necesidad, solicitó la colaboración de los líderes del sacerdocio para ver si podían encontrarle empleo al hombre[30].

El presidente Monson no sólo ha dejado la puerta abierta para que la gente vuelva a la actividad en la Iglesia, sino que ha ido a buscarlos y los ha encontrado. Si hubiera que ponerle un lema a su ministerio, tal vez sería: "Camino al rescate". Lo ha estado haciendo toda su vida.

"Son muchas las personas que imploran ayuda", sostiene. "Hay muchos que están desanimados y que anhelan regresar pero no saben dónde comenzar. Tengamos manos prestas, manos limpias y corazones dispuestos a fin de estar en condiciones de ofrecer lo que nuestro Padre Celestial quisiera que ellos recibieran de Él"[31].

Una de las personas a quienes extendió su ayuda fue Harold Gallacher. Su esposa e hijos eran activos en la Iglesia, pero no Harold. Su hija Sharon le había pedido al obispo Monson si él podía "hacer algo" para que su padre volviera a la actividad. Como obispo, se sintió inspirado a visitar a Harold, y un caluroso día de verano llamó a su puerta, desde donde podía verlo sentado en una silla, fumando un cigarrillo y leyendo el periódico. "¿Quién llama?", preguntó Harold hoscamente, sin siquiera levantar la vista.

"Su obispo", contestó Tom. "He venido a presentarme y a invitarlo a asistir con su familia a nuestras reuniones".

"No, estoy muy ocupado", fue la despectiva respuesta que le dio sin quitar la vista del periódico. Tom le agradeció el haberlo escuchado y se marchó. La familia se mudó sin que Harold jamás asistiera a los servicios.

Años después, un tal hermano Gallacher llamó por teléfono a la oficina del élder Thomas S. Monson para concertar una cita con él.

"Pregúntele si su nombre es Harold G. Gallacher", le pidió el élder Monson a su secretaria, "y si acaso vivía en la calle Vissing y si tenía una hija que se llamaba Sharon". Cuando la secretaria le hizo esas preguntas, Harold se sorprendió de que el élder Monson recordara tantos detalles. Cuando los dos se encontraron poco después, se abrazaron, y Harold le dijo: "He venido a disculparme por no levantarme de la silla para atenderlo aquél verano hace tantos años". El élder Monson le preguntó si era activo en la Iglesia, a lo que Harold respondió sonriendo: "Soy el segundo consejero del obispado. Su invitación de ir a la iglesia y mi respuesta negativa me angustiaron tanto que decidí hacer algo al respecto".

"Ellos regresarán", dice el presidente Monson, "si buscamos la ayuda de los cielos al ir a rescatarlos"[32].

Pocos fueron los que se perdieron en el Barrio Sexto-Séptimo. A todos se les necesitaba y eran de gran valor. Como profeta, el presidente Monson sigue llamando para que vuelvan todos cuantos se han distanciado del Señor y de Su evangelio. En su primera conferencia general como Presidente de la Iglesia, habló en base a su experiencia y desde el corazón:

"A lo largo de la jornada por el sendero de la vida hay pérdidas. Algunos se apartan de las señales del camino que guían hacia la vida eterna, sólo para descubrir que la desviación que han escogido al final lleva a un callejón sin salida. La indiferencia, el descuido, el egoísmo y el pecado cobran su alto precio entre los seres humanos.

"Todos nosotros podemos cambiar para bien. A lo largo de los años hemos hecho llamados a los menos activos, a los ofendidos, a los que critican, a los transgresores, para que vuelvan. 'Vuelvan y deléitense en la mesa del Señor, y saboreen otra vez los dulces y satisfactorios frutos de la hermandad con los santos'.

"En el refugio privado de nuestra propia conciencia yace ese espíritu, esa determinación de despojarnos de la persona antigua y alcanzar la medida de nuestro verdadero potencial. En ese espíritu, volvemos a extender esa sincera invitación: Vuelvan. Les tendemos la mano con el amor puro de Cristo y expresamos nuestro deseo de ayudarlos y recibirlos en plena hermandad"[33].

En eso consiste el bienestar para Thomas S. Monson: en llegar a cada vida, en hacer el bien entre los necesitados y en tender una mano para incluir a todos en el círculo de hermandad y amor que ofrece el Evangelio.

12

"TEN VALOR, MUCHACHO"

*El Señor tuvo que hacer grande a Thomas Monson debido al tamaño de
su corazón.*

ÉLDER RICHARD G. SCOTT
Quórum de los Doce Apóstoles

TOM HABÍA SERVIDO COMO OBISPO durante casi cinco años cuando él y Frances empezaron a buscar una casa fuera de la estaca. Encontraron una ideal para ellos en Bountiful, una comunidad al norte del valle del Lago Salado. Era una casa nueva de dos pisos, lista para que la ocupara una joven familia, pero un llamamiento en la conferencia de estaca puso sus planes en suspenso.

El sábado 25 de junio de 1955, el presidente Joseph Fielding Smith y el élder Alma Sonne entrevistaron a todos los obispos, a los miembros del sumo consejo y de la presidencia de la Estaca Temple View, antes de reorganizarla. Al día siguiente, en la conferencia de estaca que se llevó a cabo en el Salón de Asambleas de la Manzana del Templo, el obispo Monson estaba sentado con los jóvenes en la galería del coro cuando el presidente Smith anunció la nueva presidencia de estaca: Percy K. Fetzer, presidente, y John R. Burt, primer consejero, tras lo cual leyó el nombre del segundo consejero: Thomas S. Monson. Fue en ese momento en que el obispo Monson se enteró de su llamamiento. El presidente

Smith dijo: "Si el hermano Monson está dispuesto a aceptar este llamamiento a servir como consejero en la presidencia de estaca, tendremos el placer de escuchar sus palabras a continuación". La escena trajo al recuerdo las épocas en que los misioneros eran llamados a servir de la congregación del Tabernáculo en conferencias generales sin hacérselo saber con anterioridad.

Cuando el obispo Monson, ahora presidente Monson, se paró detrás del púlpito y observó a sus amigos y vecinos, pensó en la letra del himno que acababa de cantar el coro:

> *El mundo está siempre agitado,*
> *hay peligro cual nunca se vio.*
> *Si a actuar mal te sientes tentado,*
> *ten valor, muchacho, y di "no".*

Tom hábilmente modificó la letra para que dijera: "Ten valor, muchacho, y di 'sí'"[1].

Comprendió que "a todos se nos llama a tener valor, el valor de permanecer firmes en nuestras convicciones, el valor de cumplir con nuestro deber, el valor de honrar nuestro sacerdocio"[2].

Llamó a esa experiencia, "un momento de paro cardíaco". Habría de vivir más momentos como ese a medida que maduraba en su servicio en la Iglesia.

Tom fue relevado como obispo tres semanas después, el 17 de julio de 1955. El Obispado Presidente de la Iglesia, integrado por Joseph L. Wirthlin, Thorpe B. Isaacson y Carl W. Buehner, expresaron agradecimiento por su servicio en una carta que decía: "Usted es relevado con el amor y el respeto de los miembros del barrio, así como con nuestra confianza y estima. El oficio de obispo conlleva una gran responsabilidad; requiere mucho trabajo y el sacrificio de tiempo y de asociación con seres queridos, pero ofrece bendiciones espirituales y satisfacción personal que ciertamente vemos como una compensación adecuada"[3].

Tom dotó de juventud a la presidencia de estaca; tenía apenas veintisiete años. El más cercano a él en edad era John R. Burt, trece años mayor. Los tres miembros de la presidencia se arrodillaban todos los domingos en la oficina de la estaca y después iban

Los recién casados, Tom y Frances Monson, en su recepción de bodas en la casa de la familia Johnson, en el 1046 de la Avenida Yale, el 7 de octubre de 1948.

Consejo de obispos de la Estaca Temple View.
El obispo Thomas S. Monson está sentado en el extremo derecho.

Clase de la AMM en el Barrio Sexto-Séptimo en 1949 cuando Tom Monson
(sentado al frente en el centro) era el superintendente de la AMMHJ.

Tom asistió a la iglesia en el antiguo edificio del Barrio Sexto-Séptimo hasta 1957. La capilla, una de las diecinueve originales edificadas en el Valle del Lago Salado, fue demolida en 1967.

Thomas S. Monson llegó a ser obispo a los 22 años de edad, miembro de una presidencia de estaca a los 27, presidente de misión a los 31 y Apóstol a los 36.

El obispo Monson (fila de atrás, tercero desde la derecha) con el quórum de élderes del Barrio Sexto-Séptimo, el 21 de mayo de 1950, tras haber recibido los más altos honores entre los quórumes de élderes de la Estaca Temple View en 1949–1950.

En la Manzana del Templo, alrededor de 1957, con su amigo y compañero de la presidencia de la Estaca Temple View, John R. Burt y su esposa, Irene.

Tom y su tío Rusty Kirby en el Club de Armas Salt Creek, en 1956.

El tío Rusty Kirby en su estación de servicio de la Phillips 66 en el este de Salt Lake City. Ocasionalmente, Tom ayudaba bombeando gasolina.

Foto cortesía de *LDS Church News*

En el fondo de la casa de los Monson en Salt Lake City con dos de
sus premiadas palomas rodadoras de Birmingham.

El palomar en el fondo de las casa de los Monson.

Tom Monson, gerente de la sección de avisos clasificados del
Deseret News, y otros empleados, alrededor de 1950.

Tom Monson estaba bien familiarizado con todos los aspectos del negocio de imprenta,
desde la compra de papel hasta la venta de publicidad y el trabajo en las prensas.

La Imprenta Deseret News en la década de 1950 era una de las empresas de impresión comercial más grandes del oeste de los Estados Unidos.

En la Imprenta Deseret News en noviembre de 1956. De izquierda a derecha: Louis C. Jacobsen, el presidente J. Reuben Clark, hijo, Tom Monson, Rowena Miller, Alva H. Parry, el élder Mark E. Petersen.

En la Imprenta Deseret News
con el presidente David O. McKay
y David Lawrence McKay.

Con el presidente McKay y O. Preston
Robinson, director del periódico y gerente
general de operaciones del Deseret News.

Verificando una placa de impresión en la Imprenta Deseret News.
A Tom se le veía a menudo en el taller.

G. Spencer Monson en la imprenta Western Hotel Register,
donde Tom aprendió el oficio de joven.

En la imprenta Western Hotel Register en 1977 cuando el padre, G. Spencer (centro),
se jubiló como impresor. Sus hijos (de izquierda a derecha): Scott, Bob y Tom.

El presidente y la hermana Monson sirvieron su misión
en Toronto, Canadá, entre 1959 y 1962.

La familia Monson: Ann (4), Frances, Tom y el pequeño Tommy (8),
poco antes de partir a la Misión Canadiense.

El presidente y la hermana Monson con líderes misionales en una conferencia en 1959.

La casa de la misión en la Avenida Lyndhurst, en Toronto, Ontario, Canadá.

El presidente J. Reuben Clark, hijo, con su tocayo, Clark Spencer Monson.

Los Monson regresaron a casa desde Canadá en 1962.
De izquierda a derecha: Frances; Tom, hijo; Clark; Tom, padre; y Ann.

Tom de niño frente a la casa de la familia con su mascota Peg.

Los Monson cuando Tom, hijo, se preparaba para ir a su misión en Italia.

a cumplir con la obra del Señor. El presidente Percy Fetzer creía en delegar responsabilidades de importancia a sus consejeros, así que asignó al presidente Monson que supervisara el Sacerdocio Aarónico, las Mujeres Jóvenes, la Primaria, la Escuela Dominical, los deportes, el presupuesto y todas las actividades especiales, además de presidir un tercio de las conferencias de barrio efectuadas en la estaca cada año. Al presidente Monson le agradaba ese estilo de delegación de liderazgo, "ya que forja líderes y enseña a los miembros de la estaca que la presidencia es la que preside y no solamente un hombre"[4].

A los miembros del sumo consejo también se les encargó que tomaran sus asignaciones en serio. Tom había observado eso como obispo. En las reuniones de estaca, en sus días de obispo, la presidencia mostraba un tablero con las estadísticas de los distintos barrios. El tablero era tan grande que estaba dividido en dos partes con bisagras en el centro, conectando la parte superior con la inferior. Kasper J. Fetzer (padre del presidente de estaca), quien era miembro del sumo consejo y además ebanista, utilizaba esa ayuda visual en reuniones, a menudo para disgusto de los líderes de los barrios. La mitad de las unidades aparecían por encima de las bisagras y la otra mitad por debajo. El obispo Monson se esforzaba por mantener su barrio "en la parte superior del tablero". Pese a ello, una noche recibió una llamada del hermano Kasper Fetzer, quien, en su fuerte acento alemán, le dijo: "Obispo, gracias por entregar su informe de orientación familiar a tiempo".

El obispo Monson reconoció esa línea como sólo una introducción, ya que el informe siempre se enviaba a tiempo. El hermano Fetzer prosiguió: "Obispo, no entiendo la parte de su informe donde indica que tienen doce familias que son inaccesibles. ¿Qué quiere decir esa palabra: *inaccesibles*?".

Tom le explicó que se trataba de miembros que habían "rechazado" a los maestros orientadores y que no querían tener contacto con la Iglesia.

"¿¡Cómo!?", exclamó el hermano Fetzer. "¿No quieren que los visite el sacerdocio de Dios?".

"Así es".

Entonces el hermano Fetzer preguntó: "Obispo, ¿podría pasar

por su casa para obtener el nombre de cada una de esas familias e ir a visitarlas como su ayudante?". El obispo Monson se sintió "encantado" de que un miembro del sumo consejo fuera a ayudarlo.

En menos de una hora, Kasper Fetzer estaba en la puerta de su casa. El obispo Monson puso el nombre de la familia más difícil al tope de la lista. Allá fue el hermano Fetzer a visitar a la familia de Reinhold Doelle, la que vivía en una espaciosa casa, tal vez la más lujosa del barrio, rodeada por un cerco blanco y celosamente protegida por un enorme perro ovejero alemán. Cuando el hermano Fetzer levantó la tranca, el perro se le fue encima. Instintivamente, el hermano Fetzer gritó en su nativo idioma alemán y el animal se detuvo de inmediato, le dio unas palmaditas y se hicieron grandes amigos. Aquél suceso abrió las puertas de ese hogar y la familia recibió una visita—la primera de muchas—de los maestros orientadores.

El hermano Fetzer regresó ya tarde a casa de los Monson ese domingo para informarle: "Obispo, puede quitar siete nombres de su lista de familias inaccesibles que ahora recibirán a los maestros orientadores"[5]. De ello, el obispo Monson aprendió una lección: "Por tanto, aprenda todo varón su deber, así como a obrar con toda diligencia en el oficio al cual fuere nombrado"[6].

Pero allí no termina la historia. Años más tarde, Tom se encontró con la hermana Doelle en una recepción de bodas y ella le informó que vivían en California y después le preguntó por su buen maestro orientador, Kasper Fetzer. "Su visita, aquella noche, nos cambió la vida", dijo ella. Habían decidido volver a la Iglesia, y ahora ella servía en la presidencia de una de las organizaciones auxiliares de su barrio en Palm Springs.

El presidente Monson tuvo muchas otras experiencias significativas relacionadas con su nueva asignación. Por ejemplo, en una conferencia de octubre, los tres miembros de la nueva presidencia de la Estaca Temple View asistían a la reunión general del sacerdocio en el Tabernáculo de la Manzana del Templo. Llegaron dos horas antes con la esperanza de encontrar buenos asientos y estuvieron entre los primeros en sentarse. Mientras aguardaban, el presidente Percy K. Fetzer les relató una experiencia de cuando había sido misionero en Alemania. Les contó a sus consejeros que una noche de lluvia, mientras él y su compañero estaban presentando el mensaje del Evangelio a un grupo reunido en una escuela, varios manifestantes violentos irrumpieron en el lugar. En un momento crítico, una viuda anciana se puso entre los élderes y los manifestantes y dijo: "Estos jóvenes son mis invitados e irán ahora conmigo a mi casa. Por favor déjennos pasar".

Los rebeldes se hicieron a un lado, y los misioneros caminaron ilesos con su benefactora hasta su modesta vivienda. Ella les preparó algo de comer y después los élderes le enseñaron el Evangelio. El hijito no quiso estar con ellos y se escondió detrás de la cocina, donde no hacía tanto frío.

"Aun cuando no sé si la mujer llegó a unirse a la Iglesia", dijo el presidente Fetzer, "le estaré eternamente agradecido por su bondad aquella lluviosa noche de hace treinta y tres años".

Mientras ellos hablaban, las bancas del Tabernáculo se fueron llenando. Dos hermanos sentados directamente frente a ellos charlaban como viejos amigos aunque recién se habían conocido. "Cuénteme cómo llegó a ser miembro de la Iglesia", Tom oyó que uno le preguntaba al otro, a lo cual el hombre respondió, y los tres sentados en la banca de atrás oyeron el relato:

"Una lluviosa noche, en Alemania, mi madre trajo a casa a dos misioneros empapados a quienes había rescatado de un populacho. Mamá les dio de comer y ellos le presentaron un mensaje sobre la obra del Señor. Me invitaron a acompañarlos, pero yo era muy retraído, así que me quedé sentado detrás de la cocina. Más adelante, cuando volví a oír sobre la Iglesia, recordé el valor y la fe, así como el mensaje, de aquellos dos humildes misioneros y eso me llevó a mi conversión. Supongo que nunca llegaré a conocer a esos dos misioneros en esta vida, pero les estaré por siempre agradecido. No sé de dónde provenían; creo que el apellido de uno de ellos era Fetzer".

Al escuchar esas palabras, los dos consejeros miraron al presidente Fetzer. Lágrimas le corrían por las mejillas. El presidente Monson recuerda que su presidente de estaca le dio al caballero un toque en el hombro y le dijo: "Yo soy el hermano Fetzer; yo fui uno de los dos misioneros a quienes su madre llevó a su casa aquella noche. Me siento agradecido de conocer al muchachito que se sentó detrás de la cocina, el muchachito que escuchó y aprendió"[7].

El presidente Monson admite que no recuerda los mensajes de aquella reunión de sacerdocio, pero nunca olvidará "la emocionante conversación antes de que comenzara la sesión". En una conferencia de estaca, unos años más tarde, compartió la experiencia, y Ernest Braun, un sastre jubilado, se le acercó para presentarse después de la reunión, diciendo que él era el muchachito de la historia. Como siempre, el presidente Monson dio crédito a "la mano del Señor" por haberlo inspirado a hablar sobre ese tema, ya que él "rara vez empleaba ese ejemplo en particular"[8]. Entonces le vino a la mente un pasaje de las Escrituras: "Y en nada ofende el hombre a Dios, ni contra ninguno está encendida su ira, sino contra aquellos que no confiesan su mano en todas las cosas"[9]. El élder Monson vería esa mano divina muchas veces en su servicio en Alemania años después cuando llamó a Percy Fetzer a trabajar con los santos alemanes, aquellos que tenían el valor de dar su amistad a los misioneros y de permanecer firmes en el Evangelio.

Cuando el presidente Monson llevaba dos años en la presidencia de la estaca y el vecindario se había transformado en una zona comercial, deteriorando su aspecto familiar, él y Frances nuevamente querían mudarse a una zona más adecuada. Tom le preguntó al élder Mark E. Petersen, del Quórum de los Doce, quien dirigía el Deseret News y su imprenta, si pensaba que era "injusto" considerar la idea de mudarse. Tras pensarlo durante un momento, el élder Petersen respondió: "Su obligación para con esa zona ya ha concluido".

Frances encontró una propiedad en la entonces zona rural de Holladay, en la parte sureste del valle del Lago Salado. Buscaban un lugar cercano a un recorrido de autobuses, ya que tenían sólo un automóvil y no podía siquiera imaginar que algún día tuvieran dos. Compraron un lote de media hectárea por la suma de 3.500 dólares y construyeron una casa de ladrillo rojo con un garaje para un solo auto.

El presidente Fetzer relevó al presidente Monson en la conferencia de estaca de junio de 1957.

Los Monson se mudaron el 24 de julio de ese mismo año, día en que se celebra la llegada de los pioneros al valle del Lago Salado. La propiedad no se parecía en nada a la que habían ocupado en el centro de la ciudad, donde prácticamente no tenían jardín. Ahora tenían media hectárea de tierra y desde la casa veían las vacas pastar en el campo. Como sucede con casi todas las nuevas casas, "no había ni una brizna de césped en el frente ni en el fondo"[10], no colgaban cortinas en las ventanas y no tenían canteros de flores ni árboles. Tampoco había vías de ferrocarril. Gradualmente, Tom, Frances y sus dos niños, Tommy y Ann, se fueron asentando; plantaron césped y un huerto y construyeron un hermoso palomar y un gallinero para las aves que criaba Tom.

Su nueva unidad, el Barrio Tercero de la Estaca Valley View, estaba construyendo una nueva capilla para dar cabida a la creciente población de la zona. En ese entonces, la Iglesia contaba con los miembros para que colaboraran tanto con los fondos como con la mano de obra. El obispado llamó a Tom para integrar el comité de construcción, con la asignación de llamar por teléfono a miembros del barrio para "invitarlos" a trabajar en el proyecto. Le entregaron una lista de nombres de poseedores del sacerdocio del barrio, indicando que le dirían cuáles de ellos estarían más dispuestos a ayudar. Tom respondió: "No conozco a ninguno de estos hombres; ¿qué tal si me permiten averiguar quién quiere servir?". Muy pocos se negaron, y él trabajó hombro a hombro con ellos.

El obispado también llamó a Tom para trabajar con los miembros mayores del Sacerdocio Aarónico. "Pese a que el trabajo era lento y el éxito no llegaba fácilmente", recuerda, "el Señor me bendijo en buena medida"[12]. Él sabía lo que se tenía que hacer, pues el Salvador había enseñado: "¿Qué hombre de vosotros, si tiene cien ovejas y se le pierde una de ellas, no deja las noventa y nueve en el desierto y va tras la que se perdió, hasta que la halla? Y al encontrarla, la pone sobre sus hombros gozoso"[13].

A pesar de que trabajaba diligentemente para cumplir sus muchas responsabilidades, Tom también reconoció la importancia de llevar una vida equilibrada. Disfrutaba de la cría de gallinas y palomas en su tiempo "libre". Con frecuencia, sus palomas rodadoras de Birmingham recibían los más altos premios en las ferias del condado y del estado, al igual que en otras prestigiosas competencias de cría y de rendimiento en particular. En una importante exposición llevada a cabo en 1959, compitiendo un total de 133 aves, su paloma rodadora de cabeza blanca y mancha roja ganó el primer premio.

Tom sirvió un tiempo como secretario del Club Estatal de Palomas Rodadoras. El grupo presentó sus palomas y las de otro criador, que se consideraban las mejores del estado de Utah, en un evento nacional que se llevó a cabo en Nueva Jersey, en el que competían miles de aves procedentes de todo el país. Su hijo Tommy heredó de su padre la "pasión por las palomas".

Frances planeaba paseos al zoológico y a las montañas, y estableció tradiciones para cumpleaños y días festivos. Todos los Monson celebraban esas ocasiones juntos. Y para ellos, "juntos" quería decir hermanos, hermanas, tías, tíos y primos. Los domingos por la tarde, aun después de que Tom y Frances se mudaron a su nueva casa, iban con regularidad a visitar a los padres de Tom, a sus hermanos y hermanas, y para los cumpleaños, toda la familia se reunía en la casa de la tía Annie y del tío Rusty. En el verano, todos iban a Vivian Park a caminar por las colinas, a nadar, a sentarse alrededor de una hoguera y a pescar.

En las reuniones familiares, la madre de Tom seguía siendo el alma de la fiesta y su padre el feliz espectador. Un Día del Padre, con dieciocho personas abarrotadas en la sala de la casa de los Monson, Spence opinó: "Por cierto que la familia es vida".

A Tom y a Frances les gustaba pasar tiempo con sus parientes. "Como padres", enseñó él más adelante, "debemos recordar que nuestra vida puede ser el libro de la biblioteca familiar que nuestros hijos más atesoren"[14].

Para mantenerse en contacto con la hermana mayor de Tom, Marjorie, y su esposo, Conway, quienes vivían en California, la familia de vez en cuando hacía grabaciones de fiestas en cintas magnetofónicas, en las que todos les decían algo, les cantaban o les recitaban algún verso. "Mi esposita y yo somos los orgullosos padres de seis hijos, los mejores del mundo entero", dijo una vez

Spencer Monson en su estilo mesurado. Gladys añadió elogios sobre cada uno de ellos.

Los nietos continuaron la tradición de la familia de memorizar poemas y lecturas. También les gustaba cantar, lo cual hacían con mucho entusiasmo. Los niños mayores contaban historias o hacían recitaciones; los más pequeños, con Frances al piano, cantaban canciones de la Primaria, tales como "El arroyito da". Año tras año, alguno de ellos ofrecía una versión de: "Todo cuanto quiero para Navidad es que me salgan los dientes". La pequeña Ann deleitó a todos una noche con su nueva canción: "Me siento tan feliz cuando llega papá". Tom relataba las actividades mientras los niños cantaban sus canciones predilectas.

"¿La niñita de quién eres tú?", le preguntaba Tom a la pequeña Ann, a lo que ella respondía sin vacilar: "De mi papi". Cuando el pequeño Tommy se acercaba al micrófono, decía con bastante autoridad: "Escuchen todos", y después, con gran rapidez, repetía todo cuanto pasaba por su mente.

Cada Nochebuena, Tom, Frances y sus niños solían celebrar la Navidad al estilo sueco con la familia de Frances, los Johnson, así que iniciaron lo que llegaría a ser la tradición navideña de los Monson de leer el relato del nacimiento del Salvador que se halla en el libro de Lucas. Tom aprovechaba esa ocasión para recalcar: "El espíritu de la Navidad nace de lo que damos y no de lo que recibimos. Perdonamos a los enemigos, recordamos a los amigos, y obedecemos a Dios. El espíritu de la Navidad ilumina la ventana del alma y, al mirar el ajetreo del mundo, nos interesamos más en los seres humanos que en las cosas materiales. Para captar el verdadero 'espíritu de la Navidad', lo único que tenemos que hacer es concentrarnos en el 'Espíritu de Cristo'"[15].

Entre otras tradiciones de los Monson se encontraba el salir a la calle con sus vecinos a cantar villancicos y a leer *The Mansion* (La mansión), una historia del clérigo norteamericano Henry Van Dyke. Tom también leía *Canción de Navidad*, de Charles Dickens. Le gustaba particularmente este sentimiento: "Siempre, al llegar esta época, he pensado en la Navidad . . . como en una agradable época de cariño, de perdón y de caridad; el único día, en el largo almanaque del año, en que hombres y mujeres parecen estar de acuerdo para abrir sus corazones libremente y para considerar a sus inferiores como verdaderos compañeros de viaje . . . y no otra raza de criaturas con destino diferente"[16].

Tom Monson podría haber escrito esas historias él mismo, ya que expresaban los sentimientos más profundos de su corazón: "En esta maravillosa dispensación del cumplimiento de los tiempos, las oportunidades que se nos presentan de dar son ciertamente ilimitadas, pero también son perecederas. Hay corazones que alegrar, palabras bondadosas que pronunciar y dádivas que ofrecer. Hay buenas acciones que hacer y hay almas que salvar"[17].

13

AMADA CANADÁ

No hay ningún aspecto de la obra misional en la que el presidente Monson no haya influido. Durante el curso de su vida, sirvió en todas las funciones del Departamento Misional y visitó la mayoría de las misiones. Podríamos asegurar que sólo un puñado de personas en cualquier generación se encontraría en la misma categoría. Es único en lo que se refiere a ser un gran misionero.

ÉLDER QUENTIN L. COOK
Quórum de los Doce Apóstoles

E N LA SESIÓN DE LA MAÑANA de la conferencia general, el 6 de abril de 1959, Joseph Anderson, secretario de la conferencia, ofreció el informe estadístico y financiero de la Iglesia, el cual incluía el nombre de ocho presidentes de misión recién llamados, siendo uno de ellos Thomas S. Monson. Era la primera vez que se presentaría el nombre "presidente Monson" ante una congregación de conferencia general, pero no sería la última.

El presidente Stephen L Richards, Primer Consejero de la Primera Presidencia, había extendido el llamamiento misional el 21 de febrero de 1959. En esa ocasión, llamó a Tom por teléfono a la Imprenta Deseret News y le preguntó: "Hermano Monson, ¿podría pasar por mi oficina en algún momento?". Tom conocía muy bien al presidente Richards, ya que había imprimido libros para él y lo consideraba un "gran teólogo y excelente lingüista"[1].

Tom le preguntó cuándo sería un buen momento, a lo cual el presidente Richards respondió: "¿Podría venir ahora?".

El ser citado a las oficinas de la Iglesia no era poco común para Tom, puesto que estaba encargado de la mayoría de los trabajos de impresión de la Iglesia. Mientras iba en su automóvil, repasó en su mente el progreso del *Manual General de Instrucciones*, cuya impresión estaba a punto de completarse. Tom había trabajado con el presidente Richards en esa publicación durante meses. Cuando se le invitó a pasar a la oficina ubicada en la esquina sudoeste de la planta principal—la misma que un día ocuparía el presidente Monson como miembro de la Primera Presidencia durante veintitrés años—en vez de repasar el trabajo de impresión, el presidente Richards le preguntó a Tom sobre las asignaciones que tenía en la Iglesia en ese momento, elogiando el servicio que había cumplido en el pasado como joven obispo y en la presidencia de una estaca. Entonces miró a Tom y le preguntó: "¿Usted no ha servido en una misión?".

"No", respondió Tom, explicándole que había servido en la marina.

Seguidamente, el presidente Richards le extendió un llamamiento para servir como presidente de la Misión Canadiense, una de las cincuenta misiones de la Iglesia de aquel entonces. Le explicó que se le concedería una licencia extendida de su empleo en la imprenta y que debía partir en menos de un mes. Los Monson apenas se estaban asentando en su nueva casa; Frances experimentaba algunas dificultades con su tercer embarazo; Tom tenía más proyectos de impresión que nunca y estaba ocupado con asignaciones de la Iglesia en su barrio y en la estaca, pero no vaciló en responder: "Sí, serviré dondequiera el Señor me necesite"[2].

Ésa sería la última vez que Tom vería al presidente Richards con vida. El 19 de mayo de 1959, cuando llevaba un mes en la misión, recibió este telegrama de las oficinas generales de la Iglesia: "Con profundo pesar, le informamos que el presidente Richards falleció ayer. Funeral el viernes". Estaba firmado por David O. McKay y J. Reuben Clark.

Tom fue a su casa para decirle a Frances acerca del llamamiento. Le explicó el cambio que eso significaría en su vida y cómo afectaría a la familia. Con la experiencia de haber sido la esposa del obispo en un barrio muy difícil, ella estaba preparada para aceptar la asignación. Tommy, su hijo de casi ocho años, se mostró entusiasmado al pensar en aquella aventura, hasta que se enteró de que no regresarían por tres años. Ann, de apenas cuatro, era muy apegada a su papá, así que estaba feliz de ir siempre que estuviera con su familia.

"El ser llamado como presidente de misión a los treinta y un años de edad era tan poco común entonces como lo es hoy", expresa el élder Quentin L. Cook, del Quórum de los Doce Apóstoles. "Consideramos joven para este llamamiento a alguien que no llega a los sesenta años. Él fue un magnífico presidente de misión"[3]. El élder Cook señala el legado de servicio del presidente Monson en Canadá: sus misioneros han sido obispos, presidentes de estaca y presidentes de misión, así como padres y madres ejemplares. En cuanto al presidente Monson, aprendió sobre el servicio misional desde abajo, y cuando más adelante viajó por misiones como Apóstol, intentó entrevistar a cada misionero, infundiéndoles fe en Jesucristo mediante su sincero testimonio.

En la actualidad, la mayoría de los hombres a quienes se llama como presidentes de misión tienen como mínimo seis meses para prepararse, así como varios días de capacitación intensiva impartida por apóstoles y otros líderes de la Iglesia. Los Monson tuvieron unas pocas semanas; pero aquellos apóstoles a quienes Tom conocía bien, contribuyeron a su preparación. El élder Harold B. Lee le indicó que la obra misional era diferente a estar en un obispado o en una presidencia de estaca, donde no se incluía a la esposa en los asuntos del llamamiento. "Frances será su mejor consejera", le dijo. Le dio, además, un "consejo preciso" que ha llegado a ser un tema central en el servicio personal del presidente Monson, y el cual ha compartido en múltiples ocasiones: "Recuerden, amigos", dijo el élder Lee, "que a quien el Señor llama, el Señor califica". También les recordó otros sabios principios: "Cuando estamos en los asuntos del Señor, tenemos derecho a recibir Su ayuda", y "Dios da forma a la espalda del hombre para que pueda sobrellevar las cargas que le son dadas"[4].

En aquella época se acostumbraban las reuniones de despedida de presidentes de misión. La de los Monson tuvo lugar el 12 de abril de 1959 y se centró en el pasaje que dice: "Sé humilde; y el Señor tu Dios te llevará de la mano y dará respuesta a tus oraciones"[5]. La oración siempre ha sido una parte integral de la vida y del ministerio del presidente Monson. Él ha enseñado: "Ningún esfuerzo sincero precedido de la oración pasará inadvertido: tal es la constitución misma de la filosofía de la fe. La aprobación divina vendrá a quienes la busquen con humildad. Ese Ser que advierte cuando un pajarillo cae, a Su propia manera dará oído a nuestros ruegos"[6].

El presidente J. Reuben Clark, hijo, habló en la reunión de despedida de los Monson y, al concluir sus palabras, aconsejó a Tom que nunca se avergonzara de responder a una pregunta diciendo: "No lo sé". El campo misional no era el lugar para aventurarse a especular, dijo el presidente Clark, recalcando: "Nos metemos en problemas si pensamos que tenemos todas las respuestas". Empleó el ejemplo de un presidente de misión que le llevó a un investigador, con la esperanza de que él pudiera responder las complicadas preguntas de aquél hombre. A cada una de las diez preguntas que le hizo, el presidente Clark respondió: "No lo sé".

"Hermano Monson", le dijo entonces, "si un miembro de la Primera Presidencia puede responder 'No lo sé' a diez preguntas consecutivas, un presidente de misión no debería vacilar en responder del mismo modo"[7]. El presidente Monson tomó ese consejo muy en serio y durante muchos años lo ha compartido con líderes de la Iglesia, particularmente con presidentes de misión.

Antes de partir, Tom, Frances y sus dos niños visitaron al presidente Clark, quien tenía ochenta y ocho años de edad, para despedirse. Tom sabía que su viejo amigo no gozaba de buena salud y que probablemente ya no estaría allí para recibirles cuando regresaran de la misión. Tiernamente, el presidente Clark tomó al pequeño Tommy, lo sentó sobre sus rodillas y le besó las manos, y lo mismo hizo después con Ann. Volviéndose a los padres, les expresó su amor y les dijo cuánto los echaría de menos. "Estamos esperando nuestro tercero", dijo Tom. "Si es un niño, le pondremos su nombre".

El presidente Clark preguntó: "¿Cuál de mis nombres?".

"Lo llamaremos Clark", respondió Tom.

El presidente, con brillo en los ojos y una sonrisa irónica, dijo: "Bueno, no tengan miedo de ponerle Joshua Reuben"[8].

Siete meses después, Tom le envió un telegrama al presidente Clark anunciando el nacimiento de Clark Spencer Monson, el 1º de octubre de 1959, en Toronto, Canadá. Pesó 4 kilos y medio, y el parto fue complicado. Frances tuvo una reacción adversa a un medicamento y la presión sanguínea se le fue por las nubes. A Tom no se le permitió entrar en la sala por varias horas, y a ella no le llevaron a su bebé sino hasta el día siguiente. Cuando le dieron el alta del hospital, Frances se sintió agradecida de encontrar a su madre en la casa de la misión, pronta para cuidarla y preparar comidas para los misioneros. Hildur, acostumbrada a supervisar el comedor de un banco en Salt Lake City, se sintió muy cómoda en la cocina.

Tras enterarse del nacimiento del bebé, el presidente Clark de inmediato escribió una carta a su tocayo: "Para Clark Spencer Monson: Realmente confío en que ésta sea la primera carta que recibas en esta vida mortal, y de tal modo invoco sobre ti todas las bendiciones que el Señor tiene reservadas para aquellos que vienen a la tierra en estos últimos días del cumplimiento de los tiempos. Que Dios te bendiga, Clark, en todas las formas que Él considere que deba hacerlo. Que nunca deje de tenerte presente"[9].

Cuando los Monson partieron para Canadá, guardaron sus muebles en la casa de la madre de Frances y mudaron a su casa a los padres de Tom y a su hermano y dos hermanas menores, Scott, Marilyn y Barbara. Tom tuvo que encargar a otras personas el cuidado de sus palomas y gallinas. Ha dicho que nunca olvidará la conmovedora escena del día en que partieron. Frances, con lágrimas en los ojos, acarició el marco de la puerta del frente de esa casa que habían construido y que ella tanto amaba. Al igual que mujeres pioneras antes que ella, Frances "enfrentaba un futuro incierto, una nueva vida y un destino mayor, como ella bien lo sabía", y al igual que aquellas otras, "los enfrentaba con fe en Dios"[10].

La joven familia tomó el tren hacia Toronto, Canadá, ciudad que rápidamente emergía como el eje financiero y comercial de esa nación. Toronto era también el centro de actividad de la Iglesia al este de Alberta. Dos días más tarde, el 26 de abril de

1959, arribaron en medio de una tormenta de nieve a la misma estación de trenes donde, durante los siguientes tres años, el presidente Monson recibiría y despediría a 480 misioneros.

Toronto, capital de la provincia de Ontario, era tanto un centro agropecuario con ricas tierras de labranza, como una creciente zona industrial. Se cree que el nombre *Toronto* es de origen indígena y quiere decir "lugar de encuentro", y tal sería el caso, ya que el Evangelio y la gente se "encontrarían" mediante los esfuerzos misionales. Para fines de la década de 1950, cuando los Monson llegaron, la población de la ciudad había llegado al millón.

La región, comúnmente llamada Alto Canadá, llegaría a ser cual un hogar para los Monson. En 2010, en la celebración cultural que se llevó a cabo como parte de la dedicación del Templo de Vancouver, Canadá, el número 131 de la Iglesia, el presidente Monson deleitó a las miles de personas allí congregadas, luciendo en la solapa una bandera canadiense con pequeñas luces centellantes. Dieron una ovación cuando él cambió el tema de apertura por el "Himno de Canadá".

Apenas llegaron a la casa de la misión, descubrieron que tenían una familia de 130 misioneros, número que llegó a 180 en 1962. El presidente Monson más tarde recordaría: "Los siguientes tres años llegarían a ser uno de los períodos más felices de nuestra vida, al dedicarnos de lleno a compartir el evangelio de Jesucristo con otras personas"[11].

El presidente J. Earl Lewis y su esposa, quienes habían presidido la misión durante los tres años y medio previos, llevaron a los Monson a una gira por la misión que duró dos semanas, durante la cual asistieron a un buen número de reuniones con miembros y con misioneros.

La espaciosa casa de la misión, ubicada en el 133 de la Avenida Lyndhurst, era necesario repararla y renovarla. Periódicamente, caían al piso de la sala pedazos de revoque del techo; las cañerías eran viejas y el sistema de calefacción era por demás temperamental. Pero Frances hizo todo lo posible por que aquello se sintiera como su hogar. En los cuatro pisos no sólo vivía la familia, sino los misioneros que trabajaban en las oficinas, la cual estaba en el tercer piso; el élder que servía como consejero de la presidencia de la misión, junto con su compañero; misioneros que llegaban o que se marchaban, y de vez en cuando aquellos que estaban enfermos. "No cambiaría aquella vieja casa de misión ni a ninguno de los misioneros, incluyendo a los enfermos y a los que echaban de menos a su familia", ha dicho el presidente Monson. "Frances amaba a esos misioneros y ellos lo sabían. Pienso que ella hizo más bien del que se imagina"[12]. Todos comíamos juntos como familia. Por cierto que las conversaciones durante el desayuno, el almuerzo y la cena giraban en torno al tema de la misión. Durante sus tres años en Canadá, los Monson únicamente comieron solos tres veces: la cena de Navidad en el restaurante del Hotel Royal York en 1959, 1960 y 1961.

Tom, duodécimo presidente de misión desde que el área se había vuelto a abrir en 1919, captó rápidamente el trabajo que tenía por delante y sintió sobre sus hombros el peso de presidir las provincias enteras de Ontario y de Quebec[13]. No había barrios ni estacas, sino cincuenta y cinco ramas con más de cinco mil miembros en nueve distritos esparcidos por la amplia región. Algunos miembros vivían a más de mil quinientos kilómetros de Toronto. El templo más cercano estaba en Cardston, Alberta, más de tres mil doscientos kilómetros hacia el oeste.

Al conocerlo por primera vez, los misioneros se sorprendían de cuán joven era el nuevo presidente, de hecho, no mucho mayor que la mayoría de ellos. Después lo oyeron hablar, sintieron la firmeza de su apretón de manos y lo vieron interactuar con los demás. "No llevó mucho tiempo reconocer la marcada diferencia que existía entre el presidente Monson y los misioneros. Tenía una habilidad singular para armonizar con los misioneros y para guiar", recuerda Stephen Hadley, el primer misionero que sirvió como su consejero. "Hablaba con un espíritu muy particular"[14].

"Cuando uno llega a conocer a Tom Monson no puede menos que amarlo", dice Everett (Ev) Pallin, quien fue su primer consejero en la presidencia de la misión. "Es una persona cálida con quien resulta fácil establecer una conexión. Los temas que trata en sus discursos siempre tienen que ver con amarnos y servirnos mutuamente. En eso consiste el Evangelio. Si lo hacemos, todo lo demás encajará en su lugar"[15].

"Sean positivos y al mismo tiempo corteses en su trabajo como misioneros cuando conozcan a sus hermanos y hermanas y les presenten el Evangelio", instaba el presidente Monson. "Son bendecidos con autoridad y talentos; utilícenlos al máximo al servir en el campo misional. Ésta es una obra de amor que les deparará incalculable dicha"[16].

El presidente Monson consideraba que la espiritualidad era esencial para el éxito de los misioneros. "El enseñar, capacitar y testificar estimulará nuestra espiritualidad y despertará en aquellos a quienes ministramos la dedicación y la determinación de seguir los pasos de nuestro Señor"[17].

Los santos canadienses hallaron gran optimismo en su nuevo presidente; disfrutaban de su sentido del humor y la profundidad de sus enseñanzas sobre el Salvador y Su ministerio. Él asistía a todas las actividades y a todos los eventos, incluyendo bodas y otros acontecimientos sociales. Llamaba a los miembros cuando estaban enfermos, los visitaba en el hospital y hablaba en sus funerales. Por sobre todo lo demás, los instaba a enseñar el Evangelio.

"El presidente Monson creó tal entusiasmo que animaba a los Santos de los Últimos Días a permanecer en Ontario y edificar la Iglesia allí", observó Everett Pallin[18]. Antes de su época, muchos miembros se mudaron a Utah o a Alberta, donde la Iglesia ya era fuerte. Para cuando partió de Canadá, se quedaban en Ontario. Tenía la capacidad de unir congregaciones enteras en causas comunes, ya fuera construir una capilla, hermanar a nuevos miembros, invitar a vecinos a escuchar a los misioneros o prepararse para la primera estaca en Canadá.

La misión tenía una pequeña capilla en la Avenida Ossington, en Toronto, la cual había dedicado Heber J. Grant en 1939. La Rama Hamilton ocupaba un modesto edificio construido por la Iglesia; los miembros de la Rama Kitchener se reunían en una casa convertida en centro de reuniones, mientras que todas las demás congregaciones se reunían en capillas "antiguas" compradas a otras denominaciones, o en locales alquilados, tales como salones sociales, escuelas u hoteles, en los cuales, a menudo, tenían que limpiar debido a las actividades de la noche anterior.

Un día, poco después de su llegada a Toronto, y sintiendo el peso de su llamamiento, el presidente Monson fue al patio del fondo de la casa de la misión, donde se arrodilló y volcó su corazón a su Padre Celestial. Allí, en su improvisada "arboleda sagrada", prometió: "daré a esta misión todos mis esfuerzos, pero tengo nada más un deseo: que no pierda ni un solo misionero". Reconocía que "cada misionero es el orgullo de su padre y de su madre, y ellos me han confiado a mí ese preciado muchacho o jovencita"[19]. El Señor honró su pedido. La capacidad del presidente Monson de retener a sus misioneros llegó a ser legendaria.

La primera experiencia del presidente Monson en una gira de misión fue con el élder ElRay L. Christiansen, Ayudante del Quórum de los Doce, cuando los Monson llevaban cuatro meses en Canadá. Tommy, su hijo de siete años de edad, apreció la bondad de ese líder, que demostró interés en un muchachito que echaba de menos a su abuelo. El élder Christiansen "veía la obra misional como una empresa muy seria". Entrevistó a todos los misioneros y también se reunió con todos los líderes del sacerdocio del distrito y los aconsejó tocante a cómo podían prepararse para llegar a ser una estaca. El presidente Monson observó y aprendió mucho de esa instruida Autoridad General, y en el futuro empleó el mismo enfoque en sus propias giras misionales. Tras su regreso a Salt Lake City, el élder Christiansen informó que había quedado "muy impresionado" con la misión y con su joven presidente quien, como resultaba obvio, sabía muy bien lo que estaba haciendo[20]. Algo que le sorprendió fue que el presidente Monson recordara el nombre de todos los misioneros. No sabía del don que Tom Monson tenía para memorizar nombres. El élder M. Russell Ballard, quien presidió esa misma misión una década más tarde, recuerda estar sentado en el estrado en una ocasión en Canadá con el élder Monson: "Me decía, aquél es el hermano tal, y aquella es la hermana tal y recordaba sus circunstancias particulares. Tenía una memoria privilegiada cuando se trataba de recordar nombres. Para eso se requiere un don que uno trae del otro lado del velo"[21].

El élder Bruce R. McConkie, en ese entonces miembro del Primer Consejo de los Setenta, le escribió a su amigo Tom: "Déjame decirte que he escuchado excelentes comentarios relacionados con tu buen trabajo como presidente de misión, tanto del élder Christiansen que acaba de regresar, como de otras personas que te han visto en acción. Claro que nada de ello me sorprende"[22].

Con anterioridad a la visita de una Autoridad General, el presidente Monson y sus colaboradores dedicaban considerable tiempo a prepararse. Quienes han trabajado con él en el curso de los años han visto esa determinación de que todo se haga con exactitud y de la manera debida. Ningún misionero quería decepcionar a su presidente.

Otras autoridades que hicieron giras por la misión fueron el élder Mark E. Petersen, el élder Spencer W. Kimball y el élder Franklin D. Richards. El informe del élder Petersen reflejó los comentarios de los demás en visitas subsiguientes: "El presidente Monson está haciendo un excelente trabajo. Es un líder que inspira confianza en los misioneros. Sus consejeros le brindan gran ayuda en asuntos administrativos y en la obra proselitista, lo cual contribuye a incrementar la actividad en la misión. Todas las ramas tienen liderazgo local. Se han organizado quórumes de élderes y la mayoría de los distritos de la misión los dirigen miembros locales. El programa de construcción de la misión sigue avanzando, con ocho nuevas capillas próximas a construirse"[23].

Canadá ocupa un lugar de prominencia en los comienzos de la historia de la Iglesia, y el presidente Monson quería que los misioneros tuvieran un testimonio de que ciertamente estaban predicando en un lugar sagrado. Canadá fue el primer campo misional en el extranjero; José Smith predicó su primer sermón fuera de los Estados Unidos en Canadá en 1833 y observó que "existía gran entusiasmo en todos los lugares que hemos visitado, dejando los resultados en las manos del Señor"[24]. Con frecuencia, el presidente Monson se refiere a la Sección 100 de Doctrina y Convenios como la "revelación canadiense": "He aquí, tengo mucha gente en este lugar, en las regiones inmediatas; y se abrirá una puerta eficaz . . . en estas tierras del Este"[25].

Una asignación que el presidente Monson tomó particularmente en serio fue la que ahora describe como "el privilegio de mostrar a los misioneros cómo servir al Señor"[26]. Él considera que "el poder de guiar también se puede emplear para engañar, y el engaño puede llegar a destruir"[27], principio que enseñaría reiteradamente y durante años a nuevos presidentes de misión, a líderes de la Iglesia y a maestros. Para ello, se basó en uno de sus pasajes predilectos de las Escrituras: "Por tanto, fortalece a tus hermanos en todas tus conversaciones, en todas tus oraciones, en todas tus exhortaciones y en todos tus hechos"[28]. Imaginaba la escena en el hogar de cada uno de sus misioneros: los padres arrodillados orando a diario pidiendo al Padre Celestial que bendijera a su hijo o hija en el campo misional. "En esa oración", ha dicho a los nuevos presidentes de misión en sus capacitaciones, "también piden bendiciones para ustedes, ya que por ese tiempo son los padres de su hijo o hija"[29].

Su gran fe inspiró a los misioneros. "Un cordel dorado entrelaza todos los relatos de fe desde el comienzo del mundo hasta nuestros días", ha enseñado. "Abraham, Noé, el hermano de Jared, el profeta José y muchos otros, fueron obedientes a la voluntad de Dios. Tenían oídos que oían, ojos que veían y un corazón que podía saber y sentir. Ellos nunca dudaron"[30].

Uno de los primeros viajes del presidente Monson fue a Timmins, el punto más al norte de la misión. Cuando regresó, Frances estaba lagrimeando. "¿Por qué lloras?", le preguntó.

"Echo de menos nuestro hogar", le contestó. "¿Tú no?"

"Tú llora por los dos", dijo Tom. "Yo tengo 130 misioneros a quienes cuidar y si me pongo a llorar, ellos también se echarán a llorar"[31]. La obra siguió adelante y Frances fue más que capaz de hacerle frente. Emprendía sus asignaciones con diligencia, desde dirigir Sociedades de Socorro en los distritos, hasta administrar lo que parecía ser un hostal, y todo ello con gran mesura y eficiencia.

Pero a Frances no le gustaba hablar ni llamar la atención. Uno de los élderes preparó una agenda para una conferencia de zona en la que figuraba que la hermana Monson hablaría veinticinco minutos. Cuando el presidente le comentó acerca de la "asignación", lo hizo riendo entre dientes y después le acortó el tiempo para que le resultara más cómodo a su esposa.

Unos ocho meses después de que los Monson llegaron a

Toronto, el élder S. Dilworth Young, del Primer Consejo de los Setenta, los visitó en camino a otra asignación. El élder Young le escribió más tarde al presidente Monson: "Usted es presidente de misión durante tres años, pero es esposo y padre por la eternidad. Tenga eso presente. Su querido amigo, Dil"[32].

Pese a estar muy ocupado, el presidente Monson apartaba tiempo para sus hijos. En las noches, él y Tommy se sentaban en su despacho para jugar a las damas, juego para el cual Tom era muy diestro. De joven, jugaba a las damas con su obispo, pero casi siempre perdía. Cansado de ser derrotado, compró un libro que presentaba varias estrategias de juego, una de las cuales era numerar cada cuadrado a fin de calcular detenidamente los movimientos. Memorizó todos los movimientos y todas las técnicas y rara vez volvió a perder contra el obispo o contra cualquier otra persona.

El pequeño Tommy llegó a conocer muy bien la comunidad cuando se inscribió para un reparto del periódico *Toronto Telegram*. Los cursos de estudio de la escuela y las tradiciones le resultaron muy distintos a los de Utah; se ceñían al sistema inglés que permitía formas de castigo físico. Un día llegó a casa con los "ojos del tamaño de dos platos", contando cómo al niño que se sentaba delante de él lo habían golpeado en los nudillos con una regla, por "conducta indebida".

En el día del cumpleaños de Ann en 1959, sus padres la llevaron a un desfile en el que pasaría la reina Isabel. "Ann, si saludas a la reina con la mano, ella te devolverá el saludo", le prometió Tom. Ann hizo como le habían dicho y, para su asombro, "la reina no sólo me saludó, sino que también me sonrió, ¿Cómo sabía que era mi cumpleaños?"[33].

Ann comenzó el jardín de infantes en Canadá y también llegó a ser una buena misionera. Le habló a su maestra, la Señorita Pepper, sobre lo feliz que se sentía por ser mormona y le llevó un ejemplar del Libro de Mormón y una publicación para los niños de la Iglesia. Años después, cuando la Señorita Pepper se jubiló, visitó Salt Lake City para ver por sí misma lo que su joven alumna hallaba tan fascinante. Los Monson estaban de viaje y, al llegar a casa, se encontraron con una carta que decía: "Querida Ann: Estuve hoy en Salt Lake City para ver qué es lo que ustedes tienen, porque una niñita de cinco años compartió conmigo el Libro de Mormón y una revista de su Iglesia. Tu valor no se puede negar. Estuve en la Manzana del Templo y en el centro de visitantes, y ahora me doy cuenta de por qué tú tuviste ese valor y ese testimonio. Lamento no haberte encontrado". La Señorita Pepper falleció poco después de regresar a Canadá y, como buena misionera, Ann efectuó la obra en el templo por la primera maestra que había tenido en Toronto[34].

Ann dio su primer discurso en la Iglesia en la capilla de Ossington. El día antes de tener que hablar no podía encontrar lo que había escrito. Al mirar en la jaula del periquito, vio que el papel estaba en el fondo, pero no lo retiró. Había preparado su discurso sobre el profeta José Smith y lo había memorizado, tal como su padre le dijo que lo hiciera. Al día siguiente, lo dio sin tener siquiera apuntes frente a ella[35].

El presidente Monson dio participación a su familia en la obra misional en toda ocasión que le resultó posible. Los misioneros practicaban sus técnicas de enseñanza con Tommy, Ann y aun con Clark. Los niños eran materia dispuesta del mismo modo que lo había sido Tom años antes cuando escuchaba a su hermana ensayar sus lecturas.

Ev Pallin, dos años menor que el presidente Monson, sirvió los tres años como su primer consejero, trabajando específicamente con las ramas y los distritos. Por ser él un converso, entendía la obra misional. Llegaba a la casa de la misión temprano por las mañanas y le entregaba su programa diario al secretario de la misión. Mientras el presidente Monson desayunaba con su familia, los dos conversaban. En los fines de semana viajaban juntos a conferencias trimestrales y se hospedaban en casa de miembros. Con nueve conferencias efectuadas cuatro veces al año, era bastante el tiempo que pasaban fuera de su casa. "Da gusto trabajar con el presidente Monson", explica Ev. "Me trataba de igual a igual y fue para mí un gran maestro. Durante el resto de mi vida, al tener que tomar decisiones importantes, he tratado de actuar como sabía que él actuaría"[36].

El segundo consejero del presidente Monson—a quien hoy día llamarían un "ayudante del presidente"—trabajaba con los misioneros. Stephen Hadley, uno de esos misioneros consejeros, tuvo experiencias con su presidente que resultaron ser lecciones para toda la vida. "Aprendí del presidente Monson que ser un líder significa mucho más que actuar; significa actuar *en favor de otras personas*. Así lo hizo siempre, no sólo en mi favor, sino en favor de todos los misioneros"[37].

Los cambios de misioneros de un lugar a otro no estaban programados para cada seis semanas como acontece en la actualidad. Los nuevos misioneros llegaban varias veces al mes. El presidente Monson recuerda una vez que llegaron trece al mismo tiempo. Durante su presidencia, la edad mínima para el servicio misional se cambió de veinte a diecinueve. Le preocupaba que los nuevos misioneros no estuvieran tan preparados, "pero no fue así"[38].

Si uno pregunta a sus misioneros hoy qué recuerdan de su presidente, ellos se referirán a sus enseñanzas, su ejemplo, su vigor y su capacidad intelectual. "Nos inspiraba confianza", dice uno. "Sentíamos que realmente se interesaba en nosotros", añade otro. "Confiábamos en sus habilidades"[39]. Un misionero recién llegado a la misión, el élder Michael Murdock, estaba sentado en una reunión sacramental cuando el líder que dirigía anunció que el presidente de la misión se dirigiría a la congregación. Al caminar por el pasillo y pasar junto al nuevo misionero, le dio una afectuosa palmadilla en la espalda. "En ese momento, supe que me amaba", recuerda Michael Murdock, "y ese sentimiento permaneció conmigo a lo largo de la misión"[40]. Ev Pallin dice: "Cuando uno piensa en Juan el Amado, piensa en Tom Monson. Según él, todas las cosas suceden en base al amor"[41].

Muchos de los misioneros veían en su presidente las mismas cualidades de liderazgo que imaginaban había poseído el profeta José Smith. Tenía el mismo vigor juvenil, la misma firmeza y la misma humildad. Tenía una manera positiva y decidida de hacer frente a diferentes situaciones, pero "nunca estuvo dispuesto a aceptar los chanchullos". Tenía la habilidad de hacer sentir bien a los misioneros, recuerda Ev, "aun cuando los reprendía. Poseía una combinación singular de destrezas de liderazgo"[42].

Los misioneros sabían a quien recurría su presidente en busca de consejo. Había llevado consigo a la misión una pintura del

Salvador que había colgado de la pared de su oficina en sus años de obispo, (aún la conserva en su despacho hoy). Un misionero recuerda que antes de empezar a trabajar en los traslados, se "levantaba de la silla y se arrodillaba a orar para recibir la guía del Señor. Después me pedía a mí que ofreciera una oración"[43].

Al igual que su predecesor, el presidente Monson efectuaba los traslados con la ayuda de un tablero con las fotografías de todos los misioneros, pero creó su propio método. Sus misioneros consejeros estaban siempre atónitos ante la capacidad que tenía de considerar todas las alternativas. "Observábamos cómo se amparaba en el Señor, y sus decisiones siempre parecían encajar en Su plan"[44].

Canadá se estaba alejando de las prácticas religiosas. En 1960, el electorado aprobó que se exhibieran películas y obras teatrales, así como que se efectuaran conciertos los domingos; los eventos deportivos en el día de reposo ya se permitían. La iglesia católica era la denominación predominante, después estaba la Iglesia Unida de Canadá, y la anglicana en tercer lugar. Los inmigrantes italianos, alemanes, polacos, húngaros y aun los ucranianos ofrecían un terreno fértil para la obra misional.

Los misioneros de Welland, en la península de Niágara, empezaron a enseñar a un grupo de inmigrantes italianos, quienes se mostraban muy dispuestos a escuchar, pero no entendían las charlas, ya que ninguno de los élderes hablaba italiano. Alrededor de ese mismo tiempo, el presidente Monson estaba considerando hacer cambios en esa zona. Al repasar la lista de misioneros, "tratando de ubicarlos conforme a la voluntad del Señor, con el debido compañero y en el debido sector", se detuvo en el nombre de un élder Smith. Se preguntaba por qué había dirigido su atención hacia el nombre de ese élder a quien todavía no le correspondía un traslado. No obstante, la impresión de trasladarlo a la península de Niágara fue tan potente, que lo envió allá.

A la semana siguiente, se le llenaron los ojos de lágrimas al leer en una de las cartas de los misioneros: "Estimado presidente Monson: Sé que usted fue inspirado a mandarnos al élder Smith a Welland. Estamos enseñando a diez familias italianas que hablan muy poco inglés. Había estado orando por un compañero que hablara italiano, y usted encontró al único en toda la misión que habla ese idioma". El presidente Monson no sabía nada en cuanto a las habilidades lingüísticas del élder Smith, y añade: "Con un apellido como Smith, uno jamás imaginaría que sabía hablar italiano"[45].

Los milagros continuaron. El presidente Monson asignó a un nuevo misionero de una zona rural con un compañero a la ciudad de Oshawa. Los dos llamaron a una puerta en medio de una cruda tormenta. Elmer Pollard atendió el llamado y, apiadándose de los dos élderes, los invitó a pasar. Compartieron su mensaje y después le preguntaron si estaría dispuesto a orar con ellos. El hombre aceptó con la condición de que le permitieran orar a él. Sus palabras dejaron perplejos a los élderes. "Padre Celestial", dijo, "permite que estos dos desafortunados e insensatos misioneros vean cuán errados están y regresen a sus hogares. Han venido a una tierra de la cual nada saben, a enseñar cosas de las que tienen tan escaso conocimiento. Amén". Acompañó a los misioneros hasta la puerta y los despidió. Sus últimas palabras fueron por demás mordaces: "¡No me pueden decir que realmente creen que José Smith fue un profeta de Dios!".

Sin esperar a que le respondieran, cerró la puerta, dando por terminada la visita. Los élderes se alejaban de la casa cuando el nuevo misionero se volvió a su compañero y le dijo: "Élder, no le respondimos al Sr. Pollard cuando nos dijo que no podemos creer que José Smith era un profeta verdadero; volvamos para darle nuestro testimonio". Su compañero vaciló pero finalmente consintió.

Volvieron a llamar a la puerta, y cuando el hombre respondió, el inexperto élder habló: "Sr. Pollard, usted nos dijo que nosotros no creíamos que José Smith fuera un profeta de Dios. Yo le testifico que José Smith fue un profeta, que tradujo el Libro de Mormón y que vio a Dios el Padre y a Jesús el Hijo. Lo sé". Sin más, los misioneros partieron.

"Oí al mismo Sr. Pollard, en una reunión de testimonios, contar la experiencia de aquél día memorable", ha dicho el presidente Monson. Aquél investigador que fue tan cortante, describió: "Esa noche no podía conciliar el sueño; daba vueltas y más vueltas. En mi mente resonaban una y otra vez aquellas palabras: 'José Smith es un profeta de Dios. Lo sé . . . lo sé . . . lo sé'. Temprano por la mañana, llamé por teléfono a los misioneros valiéndome de la dirección que estaba en la pequeña tarjeta que me habían dejado con los Artículos de Fe. Ellos regresaron, y esta vez, con el debido espíritu, mi esposa, nuestra familia y yo escuchamos el mensaje como sinceros buscadores de la verdad. Como resultado de ello, todos hemos aceptado el evangelio de Jesucristo. Estaremos eternamente agradecidos por el testimonio de la verdad que nos trajeron dos valientes y humildes misioneros"[46].

La hermana Monson también se acredita sus propios conversos. Encargada de atender la casa de la misión, un día contestó el teléfono y habló con un hombre de marcado acento holandés, quien preguntó: "¿Hablo con la sede de la iglesia mormona?". Frances le respondió que sí, al menos en la zona de Toronto, y le preguntó en qué podía ayudarlo. El hombre dijo: "Hemos llegado de Holanda donde tuvimos la oportunidad de saber algo acerca de los mormones. Aunque yo no estoy interesado, mi esposa quisiera saber más". Como buena misionera que era, Frances le dijo: "Claro que podemos ayudarlos", y tomó todos sus datos.

"Tengo una referencia de oro", les dijo con entusiasmo a los misioneros de la oficina cuando les dio el nombre de Jacob y Bea de Jager y su familia. Pero, como suele suceder, los misioneros demoraron en ponerse en contacto con aquella familia. Los días se volvieron semanas y Frances seguía recordándoles que debían llamar esa misma noche a la familia holandesa. Al cabo de unos pocos días les preguntaba otra vez si habían llamado. Finalmente, exasperada, les dijo: "¡Si no van a llamar a la familia holandesa esta noche, mi esposo y yo lo haremos!".

Los élderes Newell Smith y James Turpin se comprometieron a visitarlos esa noche. Regresaron al hogar de los de Jager a la noche siguiente y a la próxima para enseñar el Evangelio a la familia. El Espíritu les tocó el corazón. Cada uno de ellos se unió a la Iglesia, aun el padre, quien al principio había declarado no tener interés.

Jacob de Jager sirvió como presidente del quórum de élderes hasta que su compañía lo trasladó a México. Más adelante sirvió como consejero de varios presidentes de misión en Holanda, después como representante regional y finalmente como miembro del Primer Quórum de los Setenta entre 1976 y 1993. Los de Jager se sienten honrados de haber sido "conversos de la hermana Monson en Canadá"[47].

El presidente Monson daba participación a los miembros en la tarea de encontrar y hermanar investigadores y nuevos conversos. Los miembros tomaban parte en la enseñanza, ya que podían hablar con autenticidad de su propia conversión. El hermano Anthony Belfiglio y su esposa, quienes habían sido católicos, podían hacer todas las preguntas pertinentes, tales como: "¿A qué parroquia asisten?"[48]. El hermano William Stoneman podía contar cómo había perdido su empleo como principal encuadernador de la Iglesia Unida de Canadá cuando se bautizó en La Iglesia de Jesucristo de los Santos de los Últimos Días. Él testificaba: "Encontré un trabajo mejor, pero más que eso, encontré una verdad mayor, toda la verdad, y usted también la encontrará. ¿Podemos pasar a buscarlo el domingo? Nos sentaremos a su lado durante las reuniones y después podremos responder sus preguntas"[49].

"Ese tipo de participación de los miembros produce conversos que se quedan en la Iglesia, que edifican y que sirven", recalcó el presidente Monson en una reunión en 2002 en la capilla de Ossington. Él sabía de lo que hablaba. Estaban presentes personas que se habían unido a la Iglesia cuando él era presidente de misión, casi medio siglo atrás. "Ninguna misión en la Iglesia", declara, "alcanzará nunca su pleno potencial sin la colaboración entre miembros y misioneros"[50]. En un país como Canadá, con pocos miembros, los misioneros no podían mantenerse ocupados basándose únicamente en referencias. El presidente Monson se sujetó a lo que daba resultado en su misión y a lo que se sintió inspirado a hacer, o sea, ir de puerta en puerta para buscar y rescatar a quienes estaban alejados de las vías de Dios. Pero siempre atribuyó a la participación de los miembros el incremento más notable en el número de conversos.

El espíritu universal del presidente Monson era ideal para la diversidad ideológica de su misión. Entendía que había lugar para la fe y para el servicio de cada persona. Dirigiéndose a una congregación al conmemorar los comienzos de la Iglesia en Canadá, reconoció con beneplácito la naturaleza de la diversidad del país, al declarar: "Considero que hemos sido testigos en nuestra vida de un gran movimiento que nos ayuda a entender que todos somos hijos de Dios, más allá del color de la piel, de la fe o de nuestros antecedentes sociales"[51].

Siendo que aún no se disponía de lecciones estandarizadas en la obra misional, el presidente Monson creó un manual de setenta y cinco páginas con instrucciones generales, ideas tocantes a la preparación y a las pautas proselitistas. El texto de la introducción es tan apropiado hoy como lo fue entonces: "Nuestro manual misional tiene como fin encontrar almas honradas, ayudarlas a obtener un testimonio firme del Evangelio restaurado y traerlas al reino de Dios"[52]. En conferencias de liderazgo de distrito y de misión enseñaba en base a un plan de cuatro puntos: (1) asignar y capacitar parejas coordinadoras en cada rama para facilitar la interacción con investigadores y nuevos conversos, (2) incrementar el énfasis en la asistencia de los investigadores a los servicios de la Iglesia, (3) crear un programa misional de distrito para complementar la obra de los misioneros de tiempo completo y (4) acelerar el proceso de enseñanza misional mediante reuniones más frecuentes con los investigadores[53].

En 1959, el presidente Monson dio inicio a un ambicioso programa de construcción en toda la misión para sacar a los santos de salas alquiladas, sótanos a medio construir, cabañas y terceros pisos en edificios sin ascensor. Contó la historia de cuando llevó a una investigadora al subsuelo de un club de cacería y le dijo: "Aquí es donde se reúne la verdadera Iglesia de Jesucristo", a lo que la mujer preguntó: "¿Qué significa en su religión esa cabeza de animal colgada de la pared?".

Él respondió: "Ah, nos reunimos aquí sólo provisionalmente".

Lo cual originó otra pregunta: "¿Quiere eso decir que su iglesia está de paso por nuestra ciudad?"[54].

El presidente Monson impulsó el programa de construcción para cambiar esas percepciones, pues el éxito de la obra misional requiere tener capillas donde efectuar los servicios.

La fiebre de la construcción se expandió por la misión y, para marzo de 1961, se terminaron nuevos centros de reuniones en

Timmins y Oshawa. El presidente Monson comenzó entonces a planear la construcción de otras capillas en Toronto, St. Catherines, St. Thomas, London y Sudbury. Cuando compró el terreno para el centro de estaca de Etobicoke, hizo un cheque por 27.000 dólares, "la cantidad más alta" por la que jamás había hecho uno. El 11 de diciembre de 1966, el élder Monson, entonces miembro del Quórum de los Doce, volvió para dedicar ese centro de estaca. Colmaba el lugar una congregación de más de 1.700 personas. Para entonces, la estaca contaba con 4.957 miembros, un incremento de 2.654 en seis años[55]. Los miembros eran gente buena, instruidos en el Evangelio y con un firme cometido hacia la obra.

Una de las primeras visitas del presidente Monson entre los santos canadienses fue a la Rama de St. Thomas. Los miembros— sólo tres familias—se reunían en un desvencijado edificio alquilado. Irving Wilson servía como presidente de la rama; bendecía y ayudaba a repartir la Santa Cena y dirigía las reuniones. El hermano Wilson soñaba con una capilla como la que recientemente se había construido en Sydney, Australia, de la cual había visto una fotografía en una revista de la Iglesia. Quería una capilla idéntica en St. Thomas, y el presidente Monson le dijo que en su debido tiempo se podría edificar algo así.

"No queremos esperar", dijo el hermano Wilson. Pidió que se enviaran más misioneros, prometiendo darles suficientes referencias para mantenerlos ocupados. El presidente Monson percibió la sinceridad y el entusiasmo del hermano Wilson y no pudo decirle que no, así que envió seis misioneros a St. Thomas.

El hermano Wilson tenía una pequeña joyería y se reunió con los misioneros en su taller en el fondo del local. Se arrodilló a orar y después dijo: "Éste es el comienzo de un nuevo día en St. Thomas; vamos a edificar una capilla". "Necesitamos miembros; ustedes prepárense para enseñarles y yo se los traeré", les dijo el hermano Wilson a los misioneros. Tomó el directorio de teléfonos, lo abrió en la sección de profesionales y explicó: "El edificio tendrá que ser diseñado por un arquitecto mormón, y puesto que no tenemos un arquitecto entre los miembros de la rama, debemos convertir a uno". Se fijó uno por uno en la lista de arquitectos hasta que encontró un nombre que reconoció. Lo mismo hizo con contratistas, abogados, mecánicos y albañiles. Invitó a esas personas a su casa, les presentó a los misioneros y él y su esposa les dieron su testimonio. En menos de dos años y medio, la pequeña rama de tres familias había llegado a contar con más de doscientos miembros, y así construyeron su capilla.

El hermano Wilson consideraba que su edificio merecía un órgano marca Wurlitzer. La Iglesia contribuía solamente con la cantidad necesaria para comprar un modelo estándar marca Hammond, pero el hermano Wilson no estaba dispuesto a claudicar. Llamó al director del Departamento de Construcción de la Iglesia y le preguntó: "Si podemos conseguir un órgano Wurlitzer por el mismo precio de un Hammond, ¿se comprometen a pagarlo?". Se le concedió la autorización, y el hermano Wilson consiguió un Wurlitzer.

En la primera reunión en el nuevo edificio participaron cinco organistas diferentes. Invitaron a personas que no eran miembros a ir a tocar en el nuevo Wurlitzer, quienes, después de escuchar los discursos y los himnos, comenzaron a investigar la Iglesia y más adelante se bautizaron[56].

Cuando el presidente Monson llegó por primera vez a Toronto, había misioneros que servían como presidentes de distrito sobre ocho o diez ramas; otros eran presidentes de rama. Empezó, lo más rápido que pudo, a llamar a líderes locales del sacerdocio para ocupar esos cargos, a fin de que los misioneros dispusieran de más tiempo para encontrar investigadores a quienes enseñar el Evangelio. Eso también ofrecía a los miembros, quienes tenían mucho talento pero poca experiencia administrativa en la Iglesia, la oportunidad de servir como líderes.

Cuando el presidente Monson asistió a la Rama de North Bay, en una remota zona de Ontario, encontró una pequeña congregación de hermanas, unos pocos investigadores y un poseedor del sacerdocio, el hermano Donald Mabey. Una compañía de productos de diamantes lo acababa de transferir a ese lugar, y tenía experiencia en administración de empresas, pero era un diácono de treinta y cinco años que nunca había tenido responsabilidades del sacerdocio en la Iglesia y que asistía muy de vez en cuando.

Aun así, el presidente Monson lo llamó como presidente de la Rama North Bay.

"No estoy preparado", respondió el hermano Mabey, mencionando su falta total de experiencia en la Iglesia. "Seguramente hay otra persona que pueda hacerlo".

"No, hermano Mabey; si hubiera otra persona, no lo llamaría a usted", le dijo el presidente Monson. Finalmente, el hermano Mabey aceptó el llamamiento y la rama floreció bajo su liderazgo, al igual que su testimonio y su compromiso hacia la obra[57].

Debido a las pronunciadas distancias en la misión, gran parte de la comunicación entre el presidente Monson y los misioneros se efectuaba por medio de correo o telegramas. En una ocasión, recibió un telegrama de un misionero del norte de la misión que decía: "Presidente, la temperatura es de 40 grados bajo cero. Espero instrucciones".

El presidente Monson le contestó de este modo: "Abríguese, trabaje duro y no mire el termómetro".

El líder de distrito de Kitchener, Ontario, una ciudad de unos 80.000 habitantes, escribió: "Presidente Monson: Ya hemos ido por toda la ciudad de Kitchener. Díganos dónde quiere que vayamos ahora".

El presidente Monson respondió: "Estimado élder: Me alegra saber que hayan ido por toda la ciudad de Kitchener. Su asignación ahora es enseñar y bautizar a la gente de Kitchener"[58].

Cuando el presidente Monson se enteró de que el área de Kingston, hacia el este, había tenido un solo bautismo en seis años, decidió que era hora de ejercer mayor fe. Durante años, los misioneros asignados a ese lugar tan improductivo habían marcado en el calendario su paso por allí cual si fuera tiempo en prisión. Un día, la hermana Monson compartió con el presidente un pasaje de un libro que ella estaba leyendo: "Brigham Young llegó a Kingston, Ontario, un frío y nevado día de invierno. Trabajó allí treinta días y bautizó cuarenta y cinco almas".

El pasaje le dio una idea al presidente Monson. Retiró a todos los misioneros de Kingston—quienes se sintieron felices de partir—y esperó un tiempo. Más tarde, anunció que abrirían "una nueva ciudad" para la obra misional, la cual describió como "la ciudad donde Brigham Young enseñó y bautizó a cuarenta y cinco personas en treinta días". Comenzaron las especulaciones y, en sus cartas semanales, varios misioneros dejaban entrever que les gustaría tener la oportunidad de abrir ese nuevo baluarte de la obra misional. Entonces volvió a asignar misioneros a Kingston y llegó a ser "la ciudad más productiva en toda la misión canadiense". Todos aprendieron una valiosa lección. La apariencia de la ciudad no había cambiado; la población era la misma; "el cambio había sido de actitud, cuando la duda dio paso a la fe"[59]. Ciertamente, "tomaron el arado y comenzaron a arar"[60].

El optimismo del presidente Monson era contagioso. Para él, "el éxito depende de nuestro uso eficaz del tiempo que nos es concedido. Cuando dejamos de mirar hacia el oscuro pasado o de extender la vista hacia el lejano futuro y simplemente nos concentramos en hacer lo que tenemos al alcance de la mano, entonces daremos el mejor y más feliz uso a nuestro tiempo. El éxito es la medida de nuestros logros en proporción a nuestras capacidades"[61].

La creación de la Estaca Toronto, la número 300 de la Iglesia, fue un hito de gran magnitud en la misión. El presidente Monson había observado detenidamente la formación de otras estacas, la mayoría de ellas en la zona oeste de los Estados Unidos. La Estaca Alberta, Canadá, organizada en 1895, había sido la primera que se creó fuera de los Estados Unidos. Él admite haberse preocupado de que la Estaca Toronto fuera a ser la número 299 en vez del gran acontecimiento que supondría ser la 300. Cuando la Estaca Puget Sound, en el Estado de Washington, llegó a ser la número 299, el presidente Monson se sintió encantado. Tiempo después, cuando visitó esa estaca como parte de una asignación, empezó su mensaje diciendo: "Me siento honrado de visitar la estaca número 299 de la Iglesia". Los miembros se maravillaron de su conocimiento tan preciso de cuándo se había organizado la estaca y de su número en orden de creación. No les dijo que él había estado pendiente desde Canadá, confiando en que otra estaca se creara antes de la número 300.

Le pidió a su primer consejero, Ev Pallin, quien estaba familiarizado con la ciudad, que recomendara un lugar lo suficientemente amplio para llevar a cabo la reunión de organización de la estaca. El hermano Pallin encontró el lugar perfecto: El Teatro Odeon Carlton, en el centro de Toronto, el cual estaba cerrado los domingos. Le dijo al presidente Monson: "Le gustará el lugar por el órgano; lo hará sentirse como en el Tabernáculo". El presidente Monson llevó a su esposa a esa sala a ver la película *The Story of Ruth* (La historia de Rut), pero no le prestó mucha atención a la película, sino que pasó todo el tiempo caminando por los pasillos contando butacas. Cuando volvió a reunirse con el hermano Pallin, comentó del Odeon: "Ése es el lugar".

Se requeriría la asistencia del 90 por ciento de los miembros de la nueva estaca para ocupar todas las butacas. El presidente Monson pidió al hermano Pallin que organizara un coro de niños de 437 voces y otro de 325 voces de hermanas de la Sociedad de Socorro, a fin de lograr que asistiera la mayor cantidad posible de personas. La creación de la estaca se anunció en toda la misión y llegó gente de todas partes, asistiendo 2.250 personas, el 92 por ciento del total de miembros de la nueva estaca, "la mayor congregación de Santos de los Últimos Días en la historia de la Iglesia en Ontario"[62].

El élder Mark E. Petersen y el élder Alma Sonne organizaron la Estaca Toronto, la primera del este de Canadá, creada de la fusión de tres distritos. William M. Davies, presidente del Distrito Toronto, fue llamado a presidirla. Ahora los santos de ese lugar tendrían todas las bendiciones de una estaca plenamente organizada, incluyendo su propio patriarca. En vez de tener que viajar a la Estaca Detroit para recibir su bendición patriarcal, ahora podrían recibirla en su propia área.

Hasta ese momento no se había establecido la duración estándar de tres años de servicio de un presidente de misión. La mayoría servía ese período, algunos un poco más, otros un poco menos. En enero de 1962, después de haber pasado casi tres años en Toronto, se le informó al presidente Monson que se estaba reorganizando la administración de la Compañía Editorial Deseret News y que a él le darían un puesto importante. Algunos meses antes, Preston Robinson, gerente general de la compañía, lo había invitado a viajar desde la misión para reunirse con él en una imprenta en Detroit para evaluar un nuevo sistema de impresión en offset, ya que el Deseret News habría de adoptarlo. En tal sistema, el papel entra en la prensa desde un rollo continuo, es impreso a todo color de ambos lados, doblado y después preparado para distribución. El Deseret News compró una prensa como la que el presidente Monson y el hermano Robinson vieron.

Cuando el presidente Monson recibió la carta de relevo honorable de su misión, no se sorprendió. Estaba preparado para partir de la misión pero no para dejar atrás a "aquél maravilloso ejército misional". Estaba convencido entonces, tal como lo sigue estando ahora, de que "era uno de los mejores grupos de misioneros que se podía encontrar en el mundo"[63]. Había echado raíces profundas, y Canadá había llegado a ser "una nación atesorada y bendita" para él[64]. Los Monson dejaron un pedacito de su corazón en Toronto.

Frank Pitcher y su esposa, un matrimonio de Calgary, Canadá, reemplazó a los Monson, asumiendo responsabilidad por la misión, el 1º de febrero de 1962.

El presidente Monson dejó una huella indeleble en sus misioneros. Uno de ellos, Wayne Chamberlain, recuerda su propia "entrevista final" en 1961: "Me senté frente a mi presidente de misión, quien tenía treinta y tres años de edad. Era el hombre más dinámico que había conocido en esta vida. Me había dado una visión de lo que este evangelio de Jesucristo era en realidad, de quién era José Smith y, lo más importante de todo, de cómo ser un misionero eficaz. Pero me dio un consejo que nunca he olvidado. Me dijo: 'Le voy a dar una recomendación para el templo, la posesión más valiosa que jamás vaya a tener'. Y después añadió, 'Quiero que la use y espero, élder Chamberlain, que siempre sea digno de tener esa recomendación'"[65].

Al momento de partir cada misionero, el presidente Monson le explicaba que la misión es el campo de entrenamiento para el servicio futuro en el reino del Señor. Él no imaginaba con cuánta exactitud se refería a su propia vida futura.

14

LLAMADO A LOS COMITÉS GENERALES DE LA IGLESIA

El corazón del presidente Monson es como el corazón del Señor. El presidente Monson trata al conserje que limpia un edificio de la misma forma que trata al embajador de un país extranjero que llega a visitarlo. Debido al valor que atribuye a la naturaleza eterna de las personas, no juzga a nadie por su condición económica o social. Él ve como vería el Señor, y así extiende su amistad.

ÉLDER NEIL L. ANDERSEN
Quórum de los Doce Apóstoles

LOS MONSON PARTIERON DE LA MISIÓN Canadiense a fines de enero de 1962. Habían decidido no llevar a su reemplazo, el presidente Pitcher, y su esposa, en una agotadora gira por la misión como la que ellos habían hecho a su llegada. Sin embargo, efectuaron dos recepciones a fin de que el nuevo presidente y su esposa conocieran al liderazgo misional y al de los miembros.

Los Monson compraron en Detroit un nuevo automóvil marca Pontiac, se despidieron de los misioneros, de los miembros y de sus vecinos y emprendieron el regreso a Salt Lake City. Aun los huraños vecinos de al lado se sintieron tristes al verlos partir. Los esfuerzos del presidente Monson de ser amigable con ellos, que tanto resentían las idas y venidas de la casa de la misión a todas horas del día o de la noche, habían dado muy buenos resultados. Los había conquistado enviando a los misioneros a ayudarlos en el jardín, a quitarles la nieve del frente de la casa y a hacer otras tareas.

Frances también había causado una buena impresión en el

vecindario. Cuando ella llegó a la misión, había mujeres en la calle donde vivían que, debido a alguno que otro hecho o comentario, no se habían hablado por años. Frances las invitaba a todas a reuniones sociales en la casa de la misión y poco a poco las tensiones se fueron disipando. Cuando los Monson terminaron la misión, dejaron atrás vecinos que velaban los unos por los otros.

La familia viajó hacia el sur atravesando los Estados Unidos y tratando de evitar el tiempo inclemente del invierno aunque, de todos modos, se encontraron con tormentas de nieve en Misuri. Visitaron al hermano de Frances, Arnold Johnson y su familia, en Phoenix, Arizona, y después continuaron su viaje hacia Disneylandia, en California, la primera vez que los niños disfrutaban del "reino mágico". Tras ello, viajaron hacia Utah.

Cuando los "pescó" una fuerte tormenta a unos treinta kilómetros antes de llegar a su destino, Frances sugirió que dieran la vuelta y pasaran la noche en Provo, pero Tom tomó la decisión de continuar. Esa noche, después de llegar a su casa, sonó el teléfono. Quien llamaba era John R. Burt, de la presidencia de la Estaca Temple View y buen amigo, quien tenía un pedido para hacerles. Su padre, John H. Burt, había fallecido y su último deseo había sido que el "obispo Monson" hablara en su funeral. Tom se sentía complacido de honrar el pedido. El servicio tendría lugar al día siguiente, así que había llegado milagrosamente a tiempo, algo que se repetiría muchas veces en los años posteriores. Ante la asistencia de mucha gente del Barrio Sexto-Séptimo, rindió homenaje a su viejo amigo, llamándolo "ciertamente un hombre de Dios"[1].

Tom presentó un informe a la Iglesia sobre sus "labores misionales", con fecha 3 de febrero de 1962, en el cual indicaba que él y Frances se sentían "ricamente bendecidos" por haber servido en el este de Canadá. "El Señor ha volcado Su Espíritu sobre la gente de esa tierra. Ciudades donde nunca había habido un bautismo, ahora están produciendo conversos todos los meses. Una de las recientes innovaciones es la obra entre la gente de habla francesa. Se han asignado seis misioneros a esa parte de la obra, hay una Escuela Dominical en francés en Montreal y el esfuerzo está empezando a dar frutos"[2].

Bajo su dirección, la Iglesia en Canadá había crecido en número de miembros. En 1958, el año antes de que él llegara, habían tenido 266 bautismos, lo cual equivalía a un promedio de 2,13 conversos por misionero; en 1959, se bautizaron 309 personas, 2,44 por misionero; en 1960, 462 se unieron a la Iglesia, 3,31 conversos por misionero; y en 1961, 1.005 nuevos miembros se sumaron a las listas, con un promedio de 5,49 por misionero"[3].

El élder Franklin D. Richards, quien conocía la misión tras una gira anterior, elogió al presidente Monson por su servicio, escribiendo: "Vamos a echarlo de menos, pero estoy seguro de que le aguarda aquí una asignación importante. Mil cinco bautismos en 1961 es una gran bendición para todos". Firmó su carta: "Frank"[4].

Tom inmediatamente regresó a trabajar en la Imprenta Deseret News como subgerente general. Era entonces la planta de impresión más grande al oeste del río Misisipi. Es posible que él hubiera esperado que le dieran un cargo como asistente de su viejo amigo y mentor Preston Robinson, puesto que una vez ésa había parecido ser la función ideal para Tom. Pero Robinson tenía otras ideas en mente, concluyendo que las destrezas administrativas y de liderazgo de Tom se podrían utilizar mejor en un cargo ejecutivo. Tom había recibido otras ofertas, entre ellas una sociedad mucho más lucrativa en una firma local de bienes raíces. Pero la Imprenta Deseret News le había guardado su empleo mientras servía en Canadá y su lealtad no le permitió ni siquiera considerar dos veces las otras oportunidades.

Tan sólo un mes después, en marzo de 1962, fue ascendido a gerente general de la imprenta, y Louis C. (Lou) Jacobsen, quien había ocupado ese cargo desde 1950, fue nombrado asesor y consultor.

Tom se aseguró de que a Lou se le tomara en cuenta en la planta y de que no se sintiera marginado. Lou había comenzado su carrera como mandadero y había estado en Deseret News cincuenta y ocho años. Wilford Wood, un conocido empresario, elogió a Tom por la forma como había manejado la situación de Lou. Tom le había dicho a Wilford Wood: "Si usted pasa por la planta, nos verá a Lou y a mí hombro a hombro, tal como era antes, trabajando juntos en armonía". Wood comentó: "Ninguna otra persona haría algo así por un digno compañero de trabajo sino usted, y todo eso debido a su profundo amor, a su sabiduría, comprensión y consideración hacia alguien que lo estima y que necesita de usted"[5].

Los empleados de la imprenta querían mucho a Tom. Uno de ellos, de nombre Max Zimmer, le escribió veinte años después: "Cuando usted regresó de Canadá y nos conocimos en la Imprenta Deseret News, yo sentí mucho su apoyo. Cuando falleció mi querida madre—a quien usted ni siquiera conocía—la honró y nos honró a todos nosotros asistiendo a su funeral en Ogden; yo ni me atreví a informarle de antemano, mucho menos a invitarlo"[6].

Los procesos de impresión estaban cambiando drásticamente en todo el país. Las operaciones de tipografía estaban dando paso a la impresión en offset y a la litografía. Habían hecho extensas remodelaciones en la imprenta y habían actualizado la maquinaria a medida que la compañía hacía la transición. El equipo que Tom había evaluado en el Este ya se había instalado en la planta. Las nuevas prensas ni se comparaban con los primeros esfuerzos de impresión que se llevaron a cabo en el valle en enero de 1849, cuando el presidente Brigham Young y su secretario, Thomas Bullock, habían preparado los tipos para la impresión de los primeros billetes de cincuenta centavos que se usarían en Utah[7].

Durante casi dos años, tras su regreso de Canadá, Tom dirigió el cambio masivo en el funcionamiento de la imprenta, el cual requirió volver a capacitar a todo el personal mecánico. Para colaborar en la reestructuración de la imprenta, nombró a LeRoy DeKarver como gerente de la planta y a William James Mortimer como gerente de ventas, cargo que Tom había ocupado una vez.

Aun cuando era claramente un hombre de negocios, Tom tenía un estilo de administración muy similar al de un obispo que "administra" un barrio: era sociable con los empleados, conocía a sus familias y sus aspiraciones, y trataba de mejorar el rendimiento general de la organización.

Una noche, llevó a su compañero de labores Sherman Hummel de la planta a su casa. En el curso de la conversación, se enteró de que los Hummel pronto se sellarían en el Templo de Manti. Tom le preguntó a Sherman cómo era que se había unido a la Iglesia. Por ser el misionero que era, a Tom le encantó lo que oyó y más adelante contaría desde el púlpito la historia de su amigo.

Sherman explicó que cuando vivía en el este de los Estados Unidos, en una ocasión viajó en autobús hacia el oeste para empezar a trabajar en una nueva compañía, tras lo cual trasladaría a su esposa y a sus hijos. Nada especial sucedió en el viaje desde Nueva York hasta Salt Lake City, pero al llegar a esa ciudad, una adolescente se sentó junto a él. Iba a Reno, Nevada, a visitar a una tía. Sherman se volvió hacia la joven y le dijo: "Hay muchos mormones en Utah, ¿cierto?".

Ella respondió: "Sí, señor".

"¿Usted es mormona?", le preguntó.

La joven contestó: "Sí, señor".

"¿En que creen los mormones?", preguntó Sherman, sin esperar una larga respuesta.

La adolescente recitó el primer Artículo de Fe, y después le habló sobre él. Entonces le recitó el segundo y le habló de él, y después el tercero, el cuarto, el quinto, el sexto y así hasta el decimotercero; los sabía todos en orden consecutivo y le habló de cada uno.

"Cuando llegamos a Reno", continuó Sherman, "y la joven bajó y abrazó a su tía que la esperaba, me sentí profundamente impresionado. Camino a San Francisco pensé: '¿Qué es lo que hace que una jovencita conozca tan bien su doctrina?'. Lo primero que hice cuando llegué a San Francisco fue buscar una dirección de la iglesia mormona en el directorio telefónico. Llamé al presidente de misión, J. Leonard Love, y él envió a dos misioneros a mi casa. Me bauticé en la Iglesia, mi esposa también se bautizó y lo mismo hicieron todos nuestros hijos y todas las personas a quienes visité como misionero de estaca, y todo eso porque una jovencita había aprendido los Artículos de Fe en la Primaria y, a su propio modo, me había enseñado lo que ella creía".

Sherman le confesó a Tom que lamentaba sólo una cosa: no haber preguntado a la joven cómo se llamaba. "Nunca he podido agradecerle", dijo. Tom le respondió: "Tal vez sea mejor así, ya que toda maestra de Primaria, al oír la historia, crea que tal vez alguien a quien ella había enseñado fue quien significó tanto para ti y para tantas otras personas"[8].

Tom permaneció en contacto con los Hummel, y en 2007, cuando la familia estuvo en Salt Lake City para la boda de una de sus hijas, pasaron por la oficina del presidente Monson a hacerle "una hermosa visita". Allí estuvieron el hermano y la hermana Hummel, sus seis hijas, cuatro yernos y doce nietos. El presidente Monson se sintió muy complacido por el hecho de que toda la familia hubiera permanecido activa en la Iglesia, y por saber que cada una de las hijas casadas había entrado en el templo. "Infinidad de personas han recibido el conocimiento del Evangelio gracias a los miembros de esa familia, y todo ello debido a una jovencita a quien se le habían enseñado los Artículos de Fe y que tuvo la capacidad y el valor de proclamar la verdad a alguien que buscaba la luz del Evangelio"[9]. Cuando el presidente Monson piensa en los Hummel, recuerda las palabras del apóstol Pablo: "Porque no me avergüenzo del evangelio de Cristo; porque es poder de Dios para salvación"[10]. También nos recuerda: "No sólo enseñamos por medio de palabras, sino por quiénes somos y por nuestra forma de vivir"[11].

Aunque Tom solía quedarse hasta tarde en la oficina, una vez que llegaba a casa se dedicaba de lleno a su familia. Cortaba el césped con la ayuda de los dos varones; trabajaba en el huerto mientras los niños quitaban la maleza; los llevaba a jugar boliche y al cine, a nadar al Gimnasio Deseret, a andar en trineo en el invierno y al desfile de los pioneros en el verano. Cuando iban al desfile, ponían sillas frente a la imprenta donde trabajaba el abuelo Monson y festejaban cuando el tío Bob pasaba montando a caballo, como abanderado al frente de un grupo de jinetes. Con regularidad, Tom llevaba a los muchachos a pescar y a cazar patos, dos de sus pasatiempos predilectos.

La familia siempre fue muy importante para Tom. En los veranos, todos seguían reuniéndose en Vivian Park. "Siempre que voy de visita a Vivian Park me invade una gran nostalgia al recordar las experiencias de mi infancia en ese lugar", escribió en su diario personal[12]. Los recuerdos más inolvidables de su hijo Clark son los desayunos en Vivian Park en compañía de toda la familia y las conversaciones alrededor de una hoguera mientras cocinaban salchichas y bombones. "A menudo era papá quien dirigía las conversaciones", recuerda Clark. "Cuando papá y la tía Marjorie estaban juntos, les encantaba hablar, y a mí estar con ellos"[13].

Tom, hijo, recuerda una de las reuniones familiares en la cabaña en la que todos disfrutaban de las comidas tradicionales de la familia, y él estaba sentado junto al tío Rusty en el porche. "Cada vez que uno de los niños abría la puerta y la cerraba con cuidado, Rusty decía: 'Ése no es un Condie', y cuando salía otro corriendo y la cerraba de un golpe, él decía: 'Ése sí es un Condie'. A ellos sale mi padre", dice Tom. "Pienso que mi padre es mucho más Condie que Monson. Los Monson eran mucho más tranquilos, mientras que los Condie no paraban ni un momento; les apasionaba la caza y la pesca. Papá creció aprendiendo a cazar y a pescar de sus tíos del lado de la familia Condie"[14].

En medio de sus responsabilidades profesionales y familiares, Tom también encontró oportunidades constantes de servicio en la Iglesia. De hecho, la primera noche en su casa tras regresar de Canadá, lo contactó su presidente de estaca, Rex C. Reeve, para extenderle oficialmente un llamamiento para servir en el sumo consejo de la estaca. El élder Delbert L. Stapley lo apartó en el cargo.

El élder Vaughn J. Featherstone, entonces miembro del sumo consejo de la Estaca Valley View y más tarde Autoridad General, recuerda cuando el presidente Rex Reeve recomendó el nombre de Thomas S. Monson. Aun cuando muchos conocían al presidente de misión que acababa de regresar, el hermano Featherstone no. Después de que Tom dio el informe de su misión ante el sumo consejo, el hermano Featherstone se sintió tan impresionado que le dijo al presidente Reeve: "Él debe ocupar mi lugar en el sumo consejo (en ese momento estaba más o menos en el séptimo lugar) y yo ir al último". El presidente de estaca respondió: "Esto no funciona así". El hermano Featherstone dijo: "Lo sé, pero él es increíble"[15].

Esos dos hombres llegaron a ser "almas gemelas". Tom halló

en Vaughn Featherstone "un líder cándido y capaz, así como un querido amigo personal". Los dos llegarían a servir juntos en el liderazgo de la Iglesia durante treinta años.

La permanencia de Tom en el sumo consejo fue breve pero productiva. Una de sus asignaciones era aumentar la asistencia a la conferencia de estaca, algo que él sabía cómo hacer, ya que había llenado un teatro con 2.000 miembros cuando se creó la primera estaca de Toronto. Puso manos a la obra y la siguiente conferencia trimestral contó con la más alta asistencia de todos los tiempos. Había invitado a todos los niños de ocho a once años a cantar en un coro de la Primaria y, "por supuesto que sus padres y otros seres queridos asistieron y fue una conferencia magnífica"[16].

Pero la experiencia de Tom en Canadá lo había preparado para mucho más que llenar asientos. Regresó dotado de un amplio entendimiento del creciente programa misional, de las necesidades de nuevas unidades y del alcance internacional del Evangelio. Además, debido a su relación con muchas Autoridades Generales antes de la misión como su impresor, y durante las giras por la misión, no fue sorpresa para nadie que rápidamente se le llamara a trabajar a nivel general en la Iglesia.

En marzo de 1962, cuando Tom tenía menos de dos meses de haber regresado de la misión, el élder Spencer W. Kimball lo invitó a su oficina y lo llamó para servir como supervisor de nueve misiones de estaca. La Primera Presidencia anunció su nombramiento a lo que denominaron el Área Número 3, y fue relevado del sumo consejo de la Estaca Valley View el 15 de abril. Como uno de los veinticinco supervisores de área, se le comisionó a ofrecer respaldo y capacitación en actividades y esfuerzos misionales de estaca y generales. Se sintió muy animado al promover nuevamente el programa "Cada miembro un misionero", algo que él realmente amaba y a lo que se sentía ligado por un sentido del deber[17].

Sus responsabilidades como impresor lo hicieron un asiduo visitante al Edificio de Administración de la Iglesia en el 47 Este de la calle South Temple. Un día se cruzó con el presidente David O. McKay y su consejero, Hugh B. Brown, en la escalinata del frente del edificio. Tras un breve intercambio tocante a sus experiencias en Canadá, Tom se disponía a cruzar la calle hacia las oficinas de Deseret Book cuando el presidente McKay lo llamó y Tom regresó de inmediato. Mirando en los ojos del ex presidente de misión, el presidente McKay le dijo: "Recuerde, hermano Monson, quien fuere misionero una vez, será misionero para siempre". Tom asintió demostrando entender y el profeta terminó el diálogo: "Eso es todo, hermano Monson; eso es todo"[18].

El programa de supervisores de área se encontraba "en vías de desarrollo" y las autoridades de la Iglesia trataban de determinar cómo podían aprovechar mejor el talento de los nuevos líderes[19]. El objetivo era incrementar la actividad de miembros misioneros en barrios y estacas. Los élderes Spencer W. Kimball, Ezra Taft Benson, Mark E. Petersen y Delbert L. Stapley integraban el Comité de Supervisión de misiones de estaca, y Delbert L. Stapley era el contacto directo de Tom para su área. "Trataremos de permanecer cerca de ustedes", aseguró a los supervisores el élder Spencer W. Kimball, quien presidía el comité, con la oferta de que las cuatro Autoridades Generales estuvieran disponibles para reunirse con grupos de líderes de estaca.

A Tom y a los otros hermanos que se llamó se les aconsejó hacer su trabajo "*mediante* las presidencias de estaca y no *sobre* ellas". El élder Kimball recomendó emplear la técnica de sugerir: "¿Quisiera hacer esto?" "¿Qué piensa de esta sugerencia?" "¿Ha pensado en esto?". Se les pidió que llevaran a cabo "reuniones de desarrollo", no "talleres", y se les capacitó en los aspectos básicos de fijación de metas y planificación[20].

Tom supervisó las estacas Winder, Wilford, Monument Park, Monument Park Oeste, Hillside, Highland, Parleys, Sugarhouse y Wasatch, y enviaba informes mensuales directamente al élder Kimball, en los cuales se le pedía que indicara cambios inusuales en la actividad, tanto de incrementos como de disminución, y que agregara "algunos comentarios" sobre la obra[21].

Los apóstoles seguían de cerca la obra, y cuando las conversiones de los primeros cinco meses del año fueron inferiores a las cifras del año anterior, y los informes indicaban que el número de misioneros de estaca había disminuido por centenares, se pidió a los supervisores de área que instaran a los líderes de estaca a poner más énfasis en la obra misional.

Mientras se preparaba para visitar la Estaca Wasatch, en la ciudad de Heber, en el este de Utah, Tom repasó los informes y "se horrorizó con el número tan bajo de miembros que servían como misioneros de estaca". Él tenía mucho entusiasmo hacia la obra misional en las estacas, particularmente desde que el programa había sido una de las claves del éxito en Canadá. Le aseguró al élder Kimball que "esa estaca pronto tendría más de cuatro misioneros". En una reunión que se llevó a cabo en Heber, llamó al azar al obispo del Barrio Segundo de Midway para averiguar cuántos hermanos de su barrio servían como misioneros de estaca.

El obispo respondió: "Ninguno".

Tom le hizo otra pregunta: "Obispo, ¿cuántas personas viven dentro de los límites de su barrio que no son miembros de la Iglesia?". "Una, hermano Monson", contestó el obispo, para sorpresa de Tom. Entonces le preguntó: "¿Y qué está haciendo usted para llevar a esa preciada persona a las aguas del bautismo?". "Es el conserje del barrio, y su esposa es activa como maestra de la Primaria", explicó el obispo. "Estamos progresando".

Tom terminó la entrevista diciendo: "Que Dios lo bendiga, obispo. Siga adelante con su buen trabajo"[22].

Aquello le enseñó a Tom una lección. Nunca volvería a cumplir con una asignación sin saber lo que debía esperar. Hasta el día de hoy, antes de una transmisión regional, se reúne con el grupo de oradores para repasar el servicio detalladamente, así como los datos de las estacas en la región.

Ese octubre, tres supervisores de área—entre ellos Tom—recibieron la enhorabuena del Comité Misional "por incrementar las horas de servicio misional" en sus áreas. En otras, los resultados habían disminuido[23]. También se advirtió el incremento en el número de bautismos en varias áreas. Una de ellas manifestó un 7 por ciento de aumento, y de allí las cifras subían a 24, 35 y 81 por ciento. El incremento más alto fue de un 160 por ciento en el área del hermano Monson. Los datos también mostraban un "marcado progreso en la eficacia de la obra en algunas áreas". La del hermano Monson era una de ellas[24].

Tom estaba apenas ajustándose al Comité Misional cuando la Primera Presidencia lo nombró para integrar un segundo comité general, el Comité de Genealogía del Sacerdocio. Fue uno de los primeros veintiún miembros en ser llamados a servir en ese cargo específico, siendo la mayoría ex presidentes de misión[25]. También siguió integrando el Comité Misional.

Había cuatro comités generales del sacerdocio en funciones en ese momento, los cuales representaban los primeros pasos en el esfuerzo de correlación que la Primera Presidencia había puesto en las capaces manos del élder Harold B. Lee en 1960. En ese entonces no había concordancia en los cursos de estudio de las organizaciones auxiliares o de los quórumes del sacerdocio, y muchos de los materiales cambiaban cada año.

El presidente David O. McKay recordaba estudios efectuados en 1912 y en 1920 que hacían referencia a ciertos medios de correlacionar programas. En la década de 1940, la Primera Presidencia presentó la idea "de que las organizaciones auxiliares podían consolidar, compartir, eliminar, simplificar y ajustar su trabajo". El presidente J. Reuben Clark, hijo, hablando en nombre de la Primera Presidencia, explicó: "El único propósito de cada organización auxiliar de la Iglesia es plantar y hacer crecer en cada miembro de la Iglesia un testimonio del Cristo y del Evangelio, de la divinidad de la misión de José Smith y de la Iglesia y ver que la gente ordene su vida de acuerdo con las leyes y los principios del Evangelio restaurado y del sacerdocio"[26].

En la década de 1950, tres tipos de organización estaban cobrando fuerzas en la Iglesia: una estructura eclesiástica bajo el liderazgo del sacerdocio; organizaciones auxiliares que funcionaban con sus propios oficiales generales, conferencias, publicaciones y manuales de enseñanza; y departamentos de la Iglesia que supervisaban aspectos tales como educación, necesidades sociales, propiedades, contabilidad y asuntos públicos. Quedó en claro que las borrosas líneas de responsabilidad no llegarían a facilitar el anticipado crecimiento de la Iglesia al irse agregando congregaciones internacionales de diversas culturas y distintos idiomas.

Las primeras estacas fuera de Norteamérica y Hawái se organizaron en 1958 en los Países Bajos y en 1961 en Berlín, Alemania.

Después de más de un año, el élder Lee y su comité habían llegado a la conclusión de que "se necesitaba más que simplemente asegurar que todos los temas del Evangelio se trataran adecuadamente en los cursos de estudio de la Iglesia". El objetivo central era proteger la unidad familiar otrora considerada sagrada en la cultura occidental, y ahora amenazada por los movimientos "modernos". El élder Lee propuso una organización a nivel general de la Iglesia para lograr "mayor coordinación y correlación entre las actividades y los programas de los diversos quórumes del sacerdocio y de las organizaciones auxiliares"[27].

En la reunión general del sacerdocio del 30 de septiembre de 1961, el élder Lee explicó: "Correlación quiere decir sencillamente ubicar el sacerdocio de Dios donde el Señor dijo que debía estar: en el centro mismo de la Iglesia y del reino de Dios, y ver que los hogares de los Santos de los Últimos Días también ocupen su lugar en el divino plan de salvar almas"[28]. Indicó que la meta era la consolidación y simplificación de los programas de estudio, de las publicaciones, las construcciones y las reuniones de la Iglesia, así como muchos otros importantes aspectos de la obra del Señor. El presidente McKay lo calificó como "una de las mayores empresas hasta el momento presentadas al sacerdocio"[29].

El plan incluía los cuatro comités del sacerdocio y la formación de un Consejo de Coordinación de la Iglesia con tres comités de correlación: el de niños, bajo la dirección del élder Gordon B. Hinckley; el de jóvenes, dirigido por el élder Richard L. Evans, y el de adultos, presidido por el élder Marion G. Romney.

El presidente Hugh B. Brown presidió la primera reunión del Comité de Genealogía del Sacerdocio, efectuada en el edificio del Barrio Montgomery, en el centro de Salt Lake City, en la entonces sede de la Sociedad Genealógica. Bosquejó las responsabilidades del comité y recalcó "un nuevo empuje a la genealogía y a la formación de sociedades familiares con el fin de estimular la investigación genealógica". Dijo que la obra misional "continuaba en el mundo de los espíritus a un ritmo acelerado, comparada con la forma en que avanza en la existencia terrenal"[30]. Entonces citó al presidente Joseph F. Smith, quien describió la obra de José Smith, de su hermano Hyrum, de Brigham Young y de otros fieles apóstoles "que predicaban el Evangelio a los espíritus encarcelados". El presidente Smith había enseñado: "Gracias a nuestros esfuerzos en favor de ellos, las cadenas que los sujetan caerán y la oscuridad que los rodea se disipará, a fin de que la luz brille sobre ellos, y oigan en el mundo de los espíritus de la obra que sus hijos aquí han efectuado por ellos, y así se regocijarán con ustedes al cumplir con tales deberes"[31].

El presidente Brown indicó que N. Eldon Tanner, quien se encontraba viajando en esos momentos, dirigiría el comité. Después de diez semanas de capacitación, los miembros empezarían a asistir a todas las conferencias de estaca de la Iglesia por un período de seis meses. Tom visitó catorce conferencias de estaca entre enero y junio de 1963.

Para Tom, estar con Autoridades Generales era "uno de los aspectos más relevantes del servicio". Acompañó al élder Howard W. Hunter a una conferencia de la Estaca Gridley, en el norte de California, lo cual resultó en una experiencia didáctica para él como recién llamado miembro del Comité de Genealogía del Sacerdocio. "El hermano Hunter me trató con amor y deferencia", dijo. Los dos llevaron a cabo muchas ordenaciones y apartamientos, lo cual les tomó bastante tiempo, perdiendo el vuelo hacia San Francisco. La única opción que les quedaba era alquilar un automóvil y manejar hasta esa ciudad para tomar el siguiente vuelo. En el camino, pararon en la casa del hijo menor del élder Hunter, Richard y su esposa Nan, quienes acababan de ser padres. "Richard se llevó una gran sorpresa cuando atendió el llamado a la puerta con el bebé lloroso en brazos. Padre e hijo se abrazaron e intercambiaron besos llenos de afecto en las mejillas. El élder Hunter le dijo a su hijo: "Bienvenido a la paternidad con sus consabidas responsabilidades"; el bebé nunca dejó de llorar. Esa tierna escena hizo que Tom se alegrara de haber perdido su vuelo en Gridley[32].

Las primeras asignaciones de Tom como miembro de un comité general de la Iglesia fueron a California, Nebraska, Nueva York, Canadá, Idaho y Arizona, con los élderes Joseph Fielding Smith, Marion G. Romney, Sterling W. Sill, Victor L. Brown,

Henry D. Taylor y otros. En particular, se sintió agradecido por la oportunidad de trabajar con el élder N. Eldon Tanner, a quien había conocido en 1959, poco después de haber empezado su misión en Toronto. Ese destacado canadiense sería llamado como Ayudante del Quórum de los Doce Apóstoles, después al Quórum de los Doce, y más tarde como consejero de cuatro presidentes de la Iglesia.

"Cuando lo conocí", recuerda Tom, "el élder Tanner, reconocido en Canadá como un hombre de gran integridad, era el presidente de la compañía de oleoductos Trans-Canadá, así como presidente de la Estaca Calgary. En aquella primera reunión hablamos, entre otros temas, de los fríos inviernos canadienses en los que las temperaturas pueden permanecer bajo cero durante semanas enteras, y en los cuales los vientos helados pueden hacerlas bajar aún más. Le pregunté al presidente Tanner por qué los caminos en el oeste de Canadá básicamente permanecían intactos ante tales inclemencias, mientras que la superficie de los caminos en otras regiones, donde los inviernos no eran tan severos, estaban llenos de grietas y baches.

"Él me respondió: 'El secreto yace en la profundidad de la base de los materiales que se usen. Para que se mantengan en buenas condiciones, es necesario colocar capas profundas en los cimientos. De lo contrario, las superficies no pueden resistir los extremos del clima'.

"En el transcurso de los años, he pensado en aquella conversación y en la explicación del presidente Tanner, pues reconozco en sus palabras una profunda aplicación para nuestra vida. En términos sencillos, si no tenemos cimientos profundos de fe y un firme testimonio de la verdad, se nos hará difícil resistir las duras tormentas y los vendavales de la adversidad que inevitablemente nos llegan a todos"[33].

Tom también llegó a relacionarse con muchos líderes de las estacas de la Iglesia. Desde enero a mayo fue asignado a hablar en conferencias de estaca sobre genealogía. Los miembros del comité efectuaban reuniones especializadas de liderazgo los sábados por la tarde y trataban el tema de la genealogía en una reunión para líderes el sábado por la noche. En las sesiones dominicales matutinas y vespertinas de conferencias de estaca también se referían a la genealogía. Tom pronto llegó a la conclusión de que ese tema era, tal vez, uno de los que "menos se entendían entre todos los programas de la Iglesia".

La asignación primordial de los miembros del comité era "convencer a los miembros de la Iglesia de que no era necesario que fueran especialistas; que no era necesario que tuvieran ochenta años ni que fueran exclusivamente genealogistas para entender la responsabilidad" de buscar datos de sus antepasados fallecidos y llevar a cabo su obra del templo, lo que él describía como un "sagrado deber"[34].

Los miembros del comité llevaban consigo ayudas visuales de un metro de lado. "Cuando bajábamos la escalerilla del avión en algún lugar donde hacía mucho viento, era como si tuviéramos una vela de barco en las manos y casi salíamos volando", recuerda Tom[35].

Enseñaba los principios relacionados con genealogía valiéndose de un ejemplo de su misión sobre Myrtle Barnum, la secretaria de uno de los comités de genealogía de uno de los distritos de Canadá. Por años, ella había acumulado datos de historia familiar relacionados con la región del río St. Lawrence, pero se había enfrentado a un "muro de hierro en la obra que no podía penetrar". Volcó su alma a nuestro Padre Celestial, implorándole que, de algún modo, Él interviniera y le allanara el camino, y después siguió con su investigación.

Un día iba por la calle principal de Belleville, Ontario, y llegó a una vieja librería. Se sintió compelida a entrar a mirar libros. Le llamó la atención un juego de dos volúmenes en un estante alto, y supo que debía mirar esos libros. Le pidió al empleado que se los bajara, y al entregárselos, leyó *Pioneer Life on the Bay of Quinte, Volumes 1 and 2* (Vida pionera en la bahía de Quinte, volúmenes 1 y 2). Pensó que eran novelas pero, al ir pasando las páginas, comprendió que no eran otra cosa que relatos familiares. Al darles un vistazo, se dio cuenta de que "uno de los volúmenes le proporcionaba esa llave que abría la cerradura al misterio que había estado frustrando su obra".

Eufórica, preguntó al empleado cuánto valían y él le

respondió que se trataba de libros poco comunes y que costaban doscientos dólares. El quórum de élderes del distrito compró los libros, los que ciertamente resolvieron su problema. Ella, "con fe y sin dudar, había cumplido con su deber", dijo Tom. Más adelante, se enviaron los libros a las oficinas centrales de la Iglesia, donde descubrieron que también respondían preguntas en cuanto a la línea familiar del presidente Henry D. Moyle, cuyos antepasados provenían de la bahía de Quinte, cerca de Belleville, Ontario. "La fe es el requisito de esta obra", afirmaría Tom[36].

En junio de 1962, mientras servía en dos comités generales del sacerdocio—el misional y el de genealogía—el equivalente a mesas generales de las organizaciones auxiliares, Tom recibió una llamada telefónica del élder Marion G. Romney. "Hermano Monson", le dijo, "he recibido instrucciones de la Primera Presidencia y del Quórum de los Doce de llamarlo a integrar el Comité de Correlación de Adultos del Sacerdocio de la Iglesia". El élder Romney indicó que él presidía ese cuerpo y agregó: "Esto tiene precedencia sobre cualquier otra asignación, de las cuales será relevado". Por estar próximo a terminar su trabajo en el Comité de Genealogía del Sacerdocio, Tom pidió autorización para finalizar su asignación, la cual le fue concedida, aunque se le relevó del Comité Misional.

Tom se encontraba entre los quince líderes de la Iglesia asignados a uno de los tres comités existentes del recién establecido Consejo de Coordinación de la Iglesia: los comités de adultos, de jóvenes y de niños[37]. Él sirvió en el comité de adultos hasta que fue llamado al Quórum de los Doce en octubre de 1963.

En poco tiempo, al comité de adultos se le dieron más funciones que planear cursos de estudio. Tom fue asignado a un comité especial que analizaba y recomendaba formas de reestructurar el programa de enseñanza en los barrios, el cual había estado en funciones desde principios de siglo. Con la nueva iniciativa de correlacionar los programas de la Iglesia para apoyar a la familia, la enseñanza en el barrio era un punto de partida en lo concerniente a la participación del sacerdocio.

El comité estudiaba la problemática del hogar, poniendo más énfasis en satisfacer las necesidades familiares más directamente.

De allí surgió un nuevo nombre: *orientación familiar*, y, en el "espíritu de correlación", un programa que supervisarían los líderes de los quórumes del sacerdocio en vez del obispo. A nivel general de la Iglesia, el programa lo dirigiría el Quórum de los Doce y no el Obispado Presidente. Los "maestros orientadores" tendrían mayordomía sobre el bienestar general de las familias a las que fueran asignados, más bien que sencillamente dejarles un mensaje todos los meses. Seguirían haciendo las visitas mensuales, pero ya no presentarían una lección. Se les instaría a depender del Espíritu y de su propia iniciativa para fortalecer espiritualmente a "sus" familias.

El día en que el comité presentó sus recomendaciones a los líderes de la Iglesia, se reunieron en el auditorio del tercer piso del Edificio de Administración. Tom recuerda: "El corazón de cada uno estaba lleno de un sentimiento de entusiasmo y expectativa cuando el presidente McKay entró en la sala"[38].

El élder Romney marcó la pauta: "El propósito del programa de orientación familiar es ver que todo miembro de toda familia cumpla con su deber". El élder Harold B. Lee se hizo eco de la declaración del presidente McKay sobre el programa de orientación familiar: "Éste no es simplemente un paso sino un salto hacia adelante". Con marcado vigor, el presidente McKay había continuado: "¡Mi alma se regocija! Considero que esto es progreso"[39].

Cuando el profeta se paró ante el púlpito para hablar, todos sintieron que "se avecinaba algo importante". Mientras observaba al presidente McKay, Tom pensó: "Vaya que refleja el porte de un profeta". Esas reuniones eran sólo el comienzo para Tom.

El presidente McKay volvió a declarar lo que la Primera Presidencia había escrito en la carta dirigida al élder Lee al poner en marcha el esfuerzo de correlación: "El hogar es la base de una vida recta y ningún otro instrumento puede ocupar su lugar ni cumplir con sus funciones vitales". Luego recalcó a los presentes: "Llevemos el Evangelio a nuestros hogares, pues ésa es nuestra mayor responsabilidad", y puso fin a sus palabras diciendo: "El programa y los principios de orientación familiar que se han articulado hoy provienen de Dios el Padre y son aprobados por Su Hijo Jesucristo, y quiero que sepan que yo soy un defensor de lo que han oído aquí"[40]. El presidente Monson recuerda la ocasión cual si hubiese sido ayer.

Estaba sentado cerca del fondo de la sala cuando tuvo la impresión de que se le iba a pedir que ofreciera la última oración. "Nunca antes había tenido esa impresión, y me preguntaba por qué me sentía de ese modo". Para concluir la reunión, el élder Lee dijo: "Ahora le pediremos al hermano Thomas S. Monson, del Comité de Correlación de Adultos, que ofrezca la última oración en esta reunión"[41]. No sería la única oración que ofrecería en presencia del profeta de Dios.

Se hicieron los planes para presentar el nuevo programa de orientación familiar del sacerdocio en conferencias de estaca durante el segundo semestre de 1963. El presidente McKay asignó a Tom al nuevo Comité de Orientación Familiar, siendo el único que también había integrado el grupo de correlación de adultos, donde se había formulado el programa. En su nueva asignación, asistió a conferencias de estaca, tal como lo había hecho al servir en otros comités generales del sacerdocio, para enseñar a líderes y miembros cómo cumplir con la "orientación familiar". Solía citar las palabras del presidente John Taylor: "Al que no magnifique su llamamiento, Dios lo tendrá por responsable por aquellos a quienes podría haber salvado de haber cumplido con su deber. ¿Quién de nosotros puede darse el lujo de ser responsable del atraso de la salvación eterna de un alma humana? Si gran gozo es la recompensa por salvar un alma, cuán terrible será entonces el remordimiento de aquellos cuyos tímidos esfuerzos permitieran que a un hijo de Dios no se le advirtiera ni ayudara"[42].

Los maestros orientadores del sacerdocio irían al hogar de las familias y forjarían una relación verdaderamente personal con cada uno de sus miembros, caracterizada por la confianza mutua, el amor, la igualdad y el interés. El hermano Monson era ideal para esa asignación que recalcaba que debían ser los guardas de sus hermanos y amar al prójimo como a uno mismo[43].

La orientación familiar mancomunaría las fuerzas de los poseedores del Sacerdocio Aarónico, tanto jóvenes como mayores, con los sumos sacerdotes y los élderes. El nuevo programa requería que cada barrio estableciera un comité de orientación familiar, el cual más adelante llegó a ser el Comité Ejecutivo del Sacerdocio, incluyendo al obispado y otros líderes del sacerdocio. También se instruyó a cada unidad a formar un consejo de barrio que se reuniera mensualmente y que abarcaba al Comité Ejecutivo del Sacerdocio y a los cabezas de organizaciones auxiliares. El consejo de barrio coordinaba la forma de ayudar a miembros necesitados.

A fin de presentar la orientación familiar a miembros y líderes, el comité desarrolló una película de treinta minutos acompañada de instrucciones impresas[44]. Tom colaboró en el diseño, preparación e impresión de dichos materiales, los cuales "representaban el pedido más grande de encuadernación en la historia de la Iglesia o en el estado y una de las mayores impresiones comerciales jamás producidas en la Imprenta Deseret News"[45].

Los miembros del comité llevaban consigo a las conferencias de estaca en toda la Iglesia la película especialmente producida, titulada: "De los cielos y el hogar". Tom la había visto tantas veces que había memorizado el diálogo y se había transformado en "un amigo íntimo de cada uno de sus personajes".

Un día de verano, él y su esposa iban en su automóvil por American Fork (una ciudad a unos veinticinco kilómetros al sur de Salt Lake City). Mientras aguardaban el cambio de luz en un semáforo, "saludé al hombre que conducía el auto junto al nuestro" recuerda. "Le dije: '¡Hola, Dave!' Él me miró y me saludó con la mano. Frances me preguntó quién era y le contesté que se trataba de Dave Bitton".

"Pero enseguida", dice Tom, "me di cuenta de que Dave Bitton no era una persona real, sino uno de los personajes del filme de orientación familiar que tantas veces había visto en los últimos seis meses, pero que había llegado a ser casi un amigo personal para mí"[46].

Años más tarde, Tom vio los frutos de la orientación familiar en su propia familia. En el cincuenta aniversario de bodas de su hermana Marge y su esposo, Conway, en California, Tom se sentó junto a los maestros orientadores de su hermana. "Estamos trabajando con ellos", dijo uno de los hermanos. Marge y su esposo no habían vuelto al templo desde su casamiento en 1943. Su hijo servía como obispo, un yerno estaba en una presidencia de estaca, pero Marge y Conway no habían estado muy activos en la Iglesia. Desde hacía poco, los dos habían tenido serios problemas de salud y habían sanado milagrosamente, y habían comenzado a asistir a la Iglesia con mayor frecuencia. Con el tiempo, volvieron al templo, y Tom atribuyó el cambio a "devotos maestros orientadores"[47].

En septiembre de 1963, a Tom se le asignó asistir a una conferencia en la Estaca Box Elder Norte, en el norte de Utah, en compañía del élder Thorpe B. Isaacson, Ayudante del Quórum de los Doce. Sin embargo, el presidente Henry D. Moyle, Primer Consejero de la Primera Presidencia, falleció súbitamente sólo cuatro días antes de la conferencia. Las autoridades de la Iglesia planearon su funeral para el sábado de la conferencia de estaca. Puesto que el élder Isaacson tenía que asistir a los servicios, le pidió a Tom que fuera a la conferencia y que él lo acompañaría en las reuniones del domingo.

Esa misma semana, Tom y el élder Harold B. Lee hablaron en el funeral de Alfred C. Thorn, un antiguo miembro del Barrio Sexto-Séptimo que había servido en el sumo consejo de la Estaca Pioneer cuando el élder Lee era su presidente. En su mensaje, Tom compartió una carta que él había leído cuando servía como secretario del barrio, antes de ser llamado como obispo. La carta estaba dirigida al obispo Thorn, el padre de Alfred, quien había presidido el Barrio Séptimo durante cuarenta años. Decía así: "Estimado obispo Thorn: Como es de su conocimiento, el obispo Harrison Sperry, del Barrio Cuarto, ha sido llamado en una misión a Inglaterra. A fin de no perder su obispado mientras está en la misión, quisiera que usted, obispo Thorn, además de atender los asuntos del Barrio Séptimo, atendiera los asuntos del Barrio Cuarto en su ausencia"[48].

Después del funeral de Alfred Thorn, el 28 de septiembre de 1963, Tom le comentó al élder Lee: "Por cierto que me entristece el fallecimiento del presidente Moyle. Será difícil llenar el lugar que él deja vacante".

El presidente Lee le indicó que cada hombre llena su propio lugar, más bien que intentar llenar el lugar de otra persona, pero que el Señor proveería un sucesor para el presidente Moyle[49].

15

UN TESTIGO ESPECIAL

Si uno suma las horas y cuenta los años, verá cómo Thomas S. Monson se ha entregado por completo a su llamamiento. Llegó a él a una edad por demás temprana y lo ha estado desempeñando durante mucho tiempo.

ÉLDER JEFFREY R. HOLLAND
Quórum de los Doce Apóstoles

ERA UN SERENO JUEVES POR LA TARDE en la Imprenta Deseret News. Tom estaba reunido con un tasador de seguros cuando su secretaria, Beth Brian, le hizo saber que tenía una llamada telefónica. Tom estaba absorto en su conversación con el tasador, quien no era miembro de la Iglesia y al que le estaba contando el relato de José Smith, antes de entregarle un ejemplar del libro del élder Gordon B. Hinckley *¿Qué hay de los mormones?*, el cual se acababa de imprimir.

Al cabo de unos minutos, la secretaria entreabrió la puerta y le recordó que tenía una llamada telefónica esperando. Tom inmediatamente levantó el teléfono y se percató de que Clare Middlemiss, secretaria del presidente David O. McKay, esperaba en la línea. Ella le hizo saber que el presidente McKay deseaba hablar con él, así que Tom tuvo que despedirse del tasador de seguros.

"Hermano Monson, ¿qué tal le fue en su misión en Canadá?", preguntó el presidente McKay.

Tom respondió que había sido "una experiencia magnífica".

"¿Cómo dejó la Misión Canadiense?", preguntó el presidente.

Interpretando la pregunta literalmente, Tom respondió: "En un auto que compramos en Detroit".

Causándole gracia la respuesta, el presidente McKay le reformuló la pregunta: "¿En qué condiciones la dejó?".

"Ah", dijo Tom, "en las mejores condiciones que pudimos, presidente". "Bien", dijo el presidente McKay, y después le preguntó si podía pasar a visitarlo en "algún momento".

"Claro que sí", respondió Tom, "¿cuándo desea que vaya, presidente?"

"¿Podría venir ahora mismo?"

Tom había imprimido libros para el presidente McKay, pero ningún grado de familiaridad le haría tomar a la ligera una invitación a la oficina del Presidente de la Iglesia. Miró su reloj; eran las 2:30 de la tarde. Su automóvil estaba en el taller por reparaciones, así que pidió un vehículo prestado y fue hasta el Hotel Utah, estacionó en un lugar especialmente reservado y se dirigió al Edificio de Administración de la Iglesia[1].

Era el 3 de octubre de 1963, la semana de la conferencia general, y había una vacante en el Quórum de los Doce Apóstoles, pero nada de eso pasó por la mente de Tom. Se sintió honrado de reunirse con el presidente McKay, un hombre de corazón noble y de actitud cortés. Tom veía en él los atributos del Salvador.

El presidente McKay invitó a Tom a pasar a su despacho y le pidió que se sentara a su derecha, cerca de él. "Con gran emoción y obvio agrado, fue directamente al grano: 'Hermano Monson', dijo, 'con el fallecimiento del presidente Henry D. Moyle he pedido al élder Nathan Eldon Tanner que sea mi Segundo Consejero en la Primera Presidencia, y el Señor lo ha llamado a usted para ocupar su lugar en el Quórum de los Doce Apóstoles. ¿Está dispuesto a aceptar el llamamiento?'"

Fue un momento sagrado. Tom recuerda que la emoción que lo embargó casi no le permitía responder. "Los ojos se me llenaron de lágrimas y tras una pausa que pareció eterna, respondí asegurándole al presidente McKay que cualquier talento con el cual yo hubiese sido bendecido sería puesto en práctica en el servicio del Maestro y hasta mi vida misma si fuera necesario".

El presidente McKay le habló de la "gran responsabilidad" conferida sobre él, "expresó la confianza de las Autoridades Generales", y le dio la bienvenida a sus filas, prometiéndole que ésa sería "una experiencia sumamente gratificante" en la cual sus talentos y energía se emplearían al máximo, y le pidió que no hablara de ello con nadie a excepción de su esposa[2].

Tom regresó a su oficina, después recogió su automóvil del taller y se fue a casa. Frances se preguntó qué estaba haciendo allí tan temprano. Tom era un próspero hombre de negocios, seguro de sí mismo, y un confiable líder en la Iglesia, pero el llamamiento lo hizo reflexionar en su vida y en lo que le aguardaba. Revivió en su mente la visita con el profeta de Dios y el llamado al santo apostolado y meditó en cuanto al impacto que aquello tendría en su familia y en su carrera, y después salió a cortar el césped.

A la hora de la cena apenas probó bocado y más tarde le pidió a Frances que lo acompañara en el auto con el pretexto de ir a entregar unas pruebas de imprenta. "No entendía por qué, tan de improviso, quería salir de la casa. Llevamos a nuestro hijo menor, de tres años", recuerda Frances, "y fuimos hasta el monumento 'Éste es el lugar', en una ladera al este de Salt Lake City. Tom estacionó el coche; nos bajamos y caminamos alrededor del monumento y leímos las inscripciones".

El majestuoso monumento, erigido en 1947 para conmemorar el centenario de la llegada de los pioneros al valle del Lago Salado, llevaba su nombre en honor a la famosa declaración que hizo Brigham Young: "Éste es el lugar exacto; continuemos". Tom se sintió curiosamente conectado con la escena y con Brigham Young "cual centinela, señalando el camino, dándole la espalda a las privaciones y a las penurias de su largo viaje". Su brazo extendido señalaba hacia adelante.

Frances le preguntó: "¿Qué sucede? Sé que algo te inquieta".

Le habló de su conversación con el presidente McKay y de su llamamiento al Quórum de los Doce Apóstoles. Ella recuerda haberse sentido tanto "sorprendida como conmovida" ante "tan significativo llamamiento" y su "enorme responsabilidad"[3].

Con el pequeño Clark siguiéndoles, los dos caminaron alrededor del monumento, hablando de los grandes sacrificios de aquellos primeros colonizadores, sus inesperadas pruebas y su buena disposición a hacer todo cuanto se les pidiera. Junto a ese monumento que honraba a los primeros pioneros, los Monson estaban en buena compañía.

Esa noche ni Tom ni Frances durmieron bien. Tom tenía los pies tan fríos que tuvo que levantarse a ponerse calcetines. "Creo que me encontraba en estado de shock", recuerda, "porque me dicen que ése es uno de los síntomas. A las cinco de la mañana oí a un gallo cacarear y me di cuenta de que no había pegado ojo"[4].

Esa mañana, antes de salir para la conferencia general, Tom llamó a sus padres y les dijo que se aseguraran de ver la primera sesión ya que tal vez invitaran a algún ex presidente de misión a hablar. Después llevaron a los niños a la casa de la madre de Frances y también le recomendaron que viera la conferencia en televisión.

También recibió una llamada de Max Zimmer, uno de los empleados de la imprenta, quien comentó lo siguiente veinte años más tarde:

"Aquél solemne viernes por la mañana, el 4 de octubre de 1963, me sentía particularmente preocupado por mi asignación de interpretar, ya que en aquellos días de interpretación de la conferencia, las instalaciones eran por demás inadecuadas. Llegué a la conclusión de que necesitaba su ayuda, así que lo llamé para pedirle que ofreciera una silenciosa oración en mi favor al asistir a las sesiones del viernes. No tenía la menor idea de cuán trascendental era aquella mañana en su vida. Debe haberse sentido tan tenso antes de esa importante sesión. Pese a ello, con gran calma y con su proverbial espíritu amoroso, me escuchó con plena atención y prometió que oraría por mí. Por cierto que usted es un paladín de la gente humilde y sencilla de la Iglesia, como yo"[5].

Tom encontró un asiento en el Tabernáculo junto a sus compañeros del Comité de Orientación Familiar del Sacerdocio, entre otros, Hugh Smith, Gerald Smith y Jay Eldredge. Cuando se sentó, Hugh, cuyo sentido del humor era ampliamente conocido, dijo: "Mejor no te sientes aquí, porque ya ha sucedido dos veces que los hombres que estaban sentados junto a mí fueron llamados como Autoridades Generales".

Tom se sentó y percibía sobre él la mirada de los miembros del Quórum de los Doce que ya sabían de su llamamiento.

Frances se sentó con Thelma Fetzer, cuyo esposo, Percy, había servido con Tom en la presidencia de la Estaca Temple View. Estaban sentadas en la sección de la mesa general de la Primaria, de la cual Thelma era miembro.

La conferencia se transmitía desde el Tabernáculo a una congregación adicional reunida en el Salón de Asambleas ubicado junto al Tabernáculo, por sistema de altavoces dentro de la Manzana del Templo y por la estación de radio y televisión KSL "al auditorio mundial más grande de la historia de la Iglesia", mediante más de cincuenta estaciones, incluyendo a Hawái y Canadá[6]. El presidente David O. McKay presidía y dirigía.

En sus palabras de bienvenida, el venerable Presidente de la Iglesia se refirió al fallecimiento del presidente Henry D. Moyle, acaecido el 19 de septiembre de 1963, y añadió: "Quiero pensar que él estará escuchando con nosotros esta mañana"[7]. El resto de su discurso tocó un tema que marcó el curso del ministerio de Tom y su constante enfoque optimista. "El verdadero fin de esta vida no es meramente existir", dijo el presidente McKay. "Su verdadero propósito es lograr la perfección de la humanidad mediante esfuerzos personales y bajo la guía de la inspiración de Dios. La vida es plena cuando decidimos vivirla dentro del marco de nuestros más puros atributos. El perseguir los apetitos, el placer, el orgullo y la avaricia, en vez del bien y la bondad, la pureza y el amor, la poesía, la música, las flores, las estrellas, Dios y la esperanza eterna, es privarnos del verdadero gozo de vivir"[8].

El presidente McKay, quien había sido llamado como Apóstol a los treinta y tres años de edad, le pidió al presidente Hugh B. Brown, nuevo Primer Consejero de la Primera Presidencia, que presentara los nombres de aquellos que debían ser sostenidos, incluyendo los cambios en el liderazgo. Antes de leer los nombres, el presidente Brown dijo a la congregación: "Éste no es un mero formalismo, sino un derecho otorgado por revelación". Entonces procedió a leer la larga lista que incluía a Nathan Eldon Tanner como Segundo Consejero de la Primera Presidencia y a Thomas S. Monson como el nuevo Apóstol[9]. A los treinta y seis años, el élder Monson era el hombre de menos edad en ser llamado al apostolado en cincuenta y tres años, siendo diecisiete años menor que el siguiente más joven, el élder Gordon B. Hinckley, quien había sido sostenido como Apóstol dos años antes.

"No recuerdo el primer himno ["Los cielos cuentan", que cantó un coro de madres de Mesa, Arizona], ni mucho de lo que aconteció en la primera parte de esa sesión", escribió más tarde el élder Monson, "pero sí recuerdo claramente cuando se leyeron los nombres de los miembros del Consejo de los Doce y oí el mío como nuevo miembro de ese sagrado Consejo"[10].

Los miembros del Quórum de los Doce eran: el presidente Joseph Fielding Smith y los élderes Harold B. Lee, Spencer W. Kimball, Ezra Taft Benson, Mark E. Petersen, Delbert L. Stapley, Marion G. Romney, LeGrand Richards, Richard L. Evans, Howard W. Hunter, Gordon B. Hinckley y Thomas S. Monson. Durante siete años sería el miembro de los Doce de menor antigüedad. Por largo tiempo había respetado a esos hombres, su espíritu y su espiritualidad; habían sido su ejemplo, discípulos de los últimos días que habían dejado sus redes ante el llamado: "Sígueme". Ahora él era uno de ellos.

El élder Monson se puso de pie para emprender "ese largo trayecto hacia el estrado" al tiempo que un asombrado Hugh Smith susurraba: "¡Ha caído un rayo por tercera vez!". Ocupó su asiento junto al élder Hinckley al final de la segunda fila. Ellos se sentarían lado a lado en el Quórum durante dieciocho años y servirían juntos en la Primera Presidencia otros veintidós. El presidente Tanner, quien había sido llamado tan sólo un año antes, se había sentado en ese mismo asiento antes de ser llamado a la Primera Presidencia.

Primero habló el presidente Tanner y después le llegó el turno al élder Monson. Él recuerda que trató de seguir el consejo del presidente J. Reuben Clark, hijo: "Hay dos casos en que un discurso debe ser breve: cuando uno recibe un llamamiento o cuando se le releva de un cargo".

Esa alta, apuesta y recién llamada Autoridad General,

criada durante la Depresión, educada en un mundo en guerra y no obstante guiada por el Espíritu, habló sin leer de un texto. Durante los siguientes treinta y siete años ofrecería mensajes en conferencias generales desde ese mismo púlpito del majestuoso y noble Tabernáculo antes de que se construyera el Centro de Conferencias.

Sus palabras en esa ocasión se titularon: "Yo estoy a la puerta y llamo". Los miembros de la Iglesia presenciaron por primera vez su estilo reflexivo, su estampa vigorosa y su inclinación hacia la enseñanza del Evangelio por medio de ejemplos extraídos de su propia vida, características que distinguirían sus mensajes en los años futuros.

"Presidente McKay, presidente Brown, presidente Tanner, mis compañeros, y mis hermanos y hermanas", dijo, "desde lo más profundo de la humildad, y con un enorme sentido de ineptitud, me presento ante ustedes y ruego por sus oraciones en mi favor.

"Todos sentimos gran pesar por la pérdida del presidente Henry D. Moyle. También echo de menos la presencia del presidente J. Reuben Clark, hijo, y del presidente Stephen L Richards, quienes sirvieron en la Primera Presidencia.

"Hace algunos años me encontraba ante un púlpito y me fijé en una pequeña inscripción que sólo el orador podía ver, la cual decía: 'Sea humilde quien se encuentre ante este púlpito'. ¡Cómo ruego a mi Padre Celestial que nunca me permita olvidar la lección que aprendí aquel día!

"Deseo agradecer a mi Padre Celestial Sus muchas bendiciones. Agradezco haber nacido de buenos padres, cuyos padres fueron recogidos de las tierras de Suecia, Escocia e Inglaterra por humildes misioneros, quienes, a través de sus testimonios, llegaron al espíritu de esas personas maravillosas.

"Estoy muy agradecido por los maestros y líderes de mi infancia y juventud en un humilde barrio pionero de una humilde estaca pionera. Estoy agradecido por mi dulce compañera y por la influencia para bien que ella ha tenido en mi vida, y por su querida madre quien, en su lejana Suecia, tuvo el valor de aceptar el Evangelio y venir a este país. Me siento muy feliz de que el Señor nos haya bendecido con tres buenos hijos, el más pequeño de los cuales nació en el campo misional en Canadá. Estoy agradecido por estas bendiciones. Estoy agradecido por O. Preston Robinson y mis colegas de Deseret News con quienes he trabajado tan estrechamente en los últimos quince años . . .

"Viene a mi recuerdo una hermanita francocanadiense cuya vida cambió gracias a los misioneros, cuando su espíritu se sintió conmovido al despedirse de nosotros hace dos años en Quebec. Ella dijo: 'Presidente Monson, tal vez yo nunca llegue a ver al profeta ni a oírlo, pero, presidente, mucho mejor que eso, ahora que soy miembro de esta Iglesia puedo obedecer al profeta'.

"Mi sincera oración este día, presidente McKay, es que yo siempre tenga la disposición de obedecerlo a usted y a éstos, mis hermanos. Ofrezco mi vida y todo cuanto poseo. Me esforzaré al máximo de mi capacidad por ser todo lo que se espera que sea. Estoy agradecido por las palabras de Jesucristo, nuestro Salvador, cuando dijo:

"'Yo estoy a la puerta y llamo; si alguno oye mi voz y abre la puerta, entraré . . . con él . . . ' (Apocalipsis 3:20).

"Ruego con todo fervor, mis hermanos y hermanas, que mi vida me haga merecedor de esa promesa de nuestro Salvador. En el nombre de Jesucristo. Amén"[11].

El élder Russell M. Nelson recuerda que su padre, un prominente líder en la industria de la publicidad, que se había respaldado muchas veces en la experiencia de Tom Monson como impresor, comentó: "Este hombre llegará a ser el presidente de la Iglesia". El élder Nelson continúa diciendo: "Mi padre era un observador de la Iglesia, un miembro sólo de nombre, pero él sabía. Yo siempre tuve ese sentimiento de cuán abrumador debe ser oír a la gente decir: 'Él llegará a ser presidente de la Iglesia'. Tom Monson lo ha experimentado todos estos años"[12].

Los otros Apóstoles le daban la bienvenida mientras caminaba hacia su asiento. El presidente Tanner hizo un gesto de salutación a su "compatriota canadiense", a quien, dijo cálidamente, "sostengo de todo corazón". Añadidos a tales expresiones de ánimo y apoyo, llegaron los "firmes apretones de mano" de las demás Autoridades Generales. El élder Monson ha dicho que "nunca olvidará el afectuoso abrazo" del élder Mark E. Petersen[13].

Más tarde ese mismo día, los Monson fueron a la reunión de ex misioneros de la Misión Canadiense, acompañados por sus hijos y sus padres. Al entrar, los misioneros que estaban allí reunidos se pusieron de pie y cantaron: "Te damos, Señor, nuestras gracias". "En ese momento", dijo él más adelante, "pareció penetrar en cada fibra de mi ser la realidad de que los miembros del Consejo de los Doce son sostenidos como profetas, videntes y reveladores"[14].

Ninguno de los misioneros se sorprendió con el llamamiento. "Todos nos imaginábamos que él iba a ser una Autoridad General", comentó uno de ellos, Michael Murdock. "Uno siempre siente el deber de sostener a los líderes de la Iglesia pero, en este caso, levanté la mano antes de que se nos indicara hacerlo"[15].

Ese fin de semana, el élder y la hermana Monson comenzarían a asistir el resto de su vida a la conferencia general, sentándose el élder Monson en el estrado. Lo que escribió en su diario personal en aquella primera conferencia indica claramente sus sentimientos de incomodidad en su nuevo cargo. "Me sentí completamente fuera de lugar sentado entre los miembros del Consejo de los Doce. Al mirar a la congregación, vi a muchos hombres que bien podrían haber sido llamados a ocupar ese cargo"[16]. El élder Hinckley, un viejo amigo, hizo lo que pudo para hacerlo "sentirse cómodo". El élder Monson se sentía agradecido por su amistad, así como por la de los élderes Howard W. Hunter y Richard L. Evans.

En la sesión del domingo por la tarde, la hermana Annette Richardson Dinwoody cantó un solo del himno "Yo sé que vive mi Señor". En esa ocasión, la letra parecía haber sido escrita sólo para él:

> *Él vive para alentar*
> *y mis angustias sosegar.*
> *Él vive para ayudar*
> *y a mi alma alentar*[17].

El élder Monson sintió el espíritu en la letra y más tarde escribió: "Fue hermoso"[18].

El élder David Bednar, llamado como Apóstol en 2004, tenía sólo once años de edad cuando el presidente Monson ocupó su lugar en el Quórum de los Doce. "A lo largo de toda mi vida adulta el presidente Monson ha sido una parte integral de las conferencias generales", dice el élder Bednar. "Sus consejos sobre demostrar amor, especialmente a la familia, han influido mucho en mí. Espero que haya habido ocasiones cuando dije 'no' a las exigencias cotidianas para decir 'sí' a mis hijos debido a la constante influencia del presidente Monson en mi vida"[19].

El llamamiento del élder Monson llegó en un momento en que la Iglesia se extendía por todo el mundo. A fin de satisfacer las crecientes necesidades de la Iglesia, las Autoridades viajaban por todas partes. Antes, ese mismo año, el presidente McKay había dedicado una capilla en Merthyr Tydfil, en el sur de Gales, donde había nacido su madre; el presidente Moyle había hecho dos viajes a Inglaterra y una gira por el Pacífico noroeste; el presidente Brown había viajado por las misiones de Sudamérica; el élder Tanner había estado en las Filipinas, el Oriente, Australia, Samoa, Alaska y Canadá. También el presidente Monson comenzaría pronto a viajar hasta seis semanas a la vez.

En 1963, treinta y ocho Autoridades Generales servían a los 2.117.451 miembros de las 389 estacas y 77 misiones de la Iglesia, y el número de misioneros de tiempo completo llegaba a los 11.653[20]. El total de miembros de la Iglesia alcanzaba el millón y medio y crecía en el mundo a un promedio de casi 100.000 por año[21]. Lo que una vez había sido un grupo bastante homogéneo en la Norteamérica occidental, ahora se extendía por el mundo. Los programas de la Iglesia debían satisfacer las necesidades espirituales, sociales, culturales y físicas de todos los santos. Muchos de los miembros habían conocido solamente a un profeta, David O. McKay.

Las Autoridades Generales habían organizado las primeras estacas de habla extranjera en La Haya, Holanda y en la Ciudad de México, y habían establecido una Misión de Lenguas en Provo, Utah. El Centro Cultural Polinesio sería dedicado ese mismo año, y el Templo de Oakland se dedicaría al siguiente, llegando éste a ser el número trece en funcionamiento.

El lunes por la noche del 7 de octubre de 1963, los Monson celebraron su décimo quinto aniversario de bodas e invitaron a la familia y a la madre de Frances a cenar en el restaurante del Hotel Utah. "Han sido años felices", escribió Tom en su diario personal. "Estamos agradecidos por nuestros tres hijos y por el amor que tenemos los unos por los otros. Frances es una compañera ideal para mí, ya que su personalidad complementa la mía"[22].

Al sentarse a la mesa en el restaurante, Tom podía percibir que "todas las miradas" estaban puestas en él. La reacción de sus tres hijos ante su llamamiento fue "muy interesante". Tommy había dicho: "Es un poco difícil que el papá de uno sea Apóstol porque todos esperan mucho de los hijos". Ann "expresó su felicidad por toda la atención que el llamamiento había atraído sobre ella y la familia". Clark, por supuesto, era "demasiado pequeño para entender lo que significaba el llamamiento". Los padres de Tom, "aun cuando no llegan a comprender la magnitud de mi asignación, se sienten honrados, al igual que Hildur, la madre de Frances"[23].

El élder Monson recibía innumerables llamadas telefónicas, cartas de felicitaciones y telegramas en su oficina y en su casa. Se sentía humilde ante "la gran responsabilidad de vivir digno de la confianza que tantas personas habían depositado sobre mí"[24]. La presidencia general de la Sociedad de Socorro lo llamó a una reunión urgente en sus oficinas "para tratar problemas relacionados con la revista", la cual se imprimía en la Imprenta Deseret News. Cuando llegó, le hicieron una ceremoniosa presentación de un bonito portafolio como muestra de agradecimiento por su servicio en la imprenta y como reconocimiento de su importante llamamiento[25].

William James (Jim) Mortimer, un hombre de negocios colega suyo, escribió: "Usted ha traído dignidad y distinción a la industria de la imprenta en Utah. Siendo un producto de los impresores que no temen ensuciarse las manos con la tinta que imprime palabras de la verdad, usted nos ha mostrado que ésta es una empresa que trasciende la tinta y el papel. Sus nuevos deberes lo alejan ahora de su activa asociación con la industria, pero con gratitud reconocemos que a lo largo de los años usted nos ha indicado el noble camino de la honradez, la integridad y del trabajo arduo. La industria de la impresión estará por siempre endeudada con usted"[26].

En un editorial del periódico *Deseret News* se le encomió por la forma en que añadiría "entusiasmo, vigor, simpatía, devoción, humildad y capacidad a un grupo selecto de personas ya investidas con esas importantes cualidades". El periódico destacó su "extensa y variada experiencia en la Iglesia", así como su "vasto conocimiento en educación comercial y administración" y concluyó diciendo: "Él está dotado de una encantadora personalidad que lo ayudará en el Consejo de los Doce en su gran responsabilidad de propagar el Evangelio por todo el mundo"[27].

Pero tal vez haya encontrado el mayor consuelo en una idea que expresó tiempo después el élder Harold B. Lee, quien por largo tiempo había sido su amigo y mentor, cuando dijo de aquellos llamados a servir en los más altos consejos de la Iglesia: "Oí al fallecido Orson F. Whitney, miembro de los Doce, dar un impresionante mensaje en el Tabernáculo antes de su fallecimiento [1931]. Señaló con la mano hacia abajo, frente al púlpito desde el cual hablaba, donde estaban sentadas las Autoridades Generales, y dijo: 'Hermanos y hermanas, yo no creo que éstos, mis colegas, sean los mejores hombres vivientes en la Iglesia. Creo que hay otros hombres que llevan vidas tan buenas o tal vez mejores que estas Autoridades Generales, pero les diré lo que sí sé, que cuando se produce una vacante entre las Autoridades Generales, el Señor busca al hombre al que necesita para una labor particular y lo llama a servir. Eso es lo que he observado a lo largo de los años'"[28].

Tom confesó en su diario personal que el jueves 10 de octubre de 1963 fue uno de "los días más dramáticos" de su vida. Fue cuando se reunió por primera vez con la Primera Presidencia y el Quórum de los Doce en un salón especial en el cuarto piso del Templo de Salt Lake. Todos los miembros de ambos quórumes estaban presentes, lo cual complació al presidente McKay, quien comentó que ésa era la primera vez en bastante tiempo que el cuerpo estaba completo. Todos estaban vestidos en la ropa del templo y se reunieron para orar.

Se colocó una silla en el centro del salón y "todos participamos en el apartamiento de Hugh B. Brown como Primer Consejero de la Primera Presidencia y de N. Eldon Tanner como Segundo Consejero. El presidente McKay pronunció ambas bendiciones", indicó Tom.

El presidente McKay después pidió al presidente Smith (Presidente del Quórum de los Doce) que ordenara al élder Monson al oficio de Apóstol y lo apartara como miembro del Quórum de los Doce, "como uno de los testigos especiales de nuestro Señor Jesucristo en esta dispensación", para dedicar "su vida entera a la obra del ministerio como siervo de nuestro Maestro, el Señor y Salvador de este mundo"[29].

El sentir las manos del presidente Smith en su cabeza fue un privilegio especial y además un testimonio para el élder Monson de la divinidad de su llamamiento. Joseph Fielding Smith había sido ordenado Apóstol por su padre, Joseph F. Smith, cuando éste era Presidente de la Iglesia, quien fue ordenado Apóstol por Brigham Young en 1866. Los Tres Testigos, Oliver Cowdery, David Whitmer y Martin Harris, ordenaron a Brigham Young en 1835, y ellos habían sido llamados por revelación para escoger a los Doce Apóstoles[30].

Al otorgar al élder Monson su comisión apostólica, el presidente McKay reseñó su responsabilidad como Apóstol del Señor Jesucristo y explicó cómo cada uno de ellos se adhiere al principio de unidad, "en el que cada miembro del Consejo ha de expresar su parecer sin vacilación, pero cuando el Consejo llega a una decisión, su voluntad se debe llevar a cabo incondicionalmente"[31]. Él siempre se ha ceñido escrupulosamente a tal comisión. El presidente después pidió al grupo que sostuviera al élder Monson en su llamamiento, y el voto fue unánime. El élder Petersen expresó su confianza y admiración por su amigo, ahora un Apóstol ordenado, y dijo: "Tenemos frente a nosotros a un israelita en quien no hay malicia". Los tributos son preciados recuerdos en la memoria del presidente Monson[32].

La influencia del élder Harold B. Lee en el servicio apostólico del élder Monson afloró rápidamente. En el templo, el élder Lee lo condujo al vestidor de los apóstoles de mayor antigüedad: el presidente Smith y los élderes Lee, Kimball, Petersen y Stapley, hombres por quienes él había sentido el más alto respeto durante años. El élder Monson continuaría—a invitación del élder Lee—cambiándose a las ropas del templo con esos hermanos hasta que fue llamado a la Primera Presidencia. El élder Lee le pidió que nombrara un himno predilecto, a lo cual respondió: "Qué firmes cimientos", sintiendo de un modo particular la emoción de recurrir a Jesús en busca de refugio.

El élder Lee explicó más tarde el proceso que se sigue y la preparación de aquellos que son llamados al santo apostolado: "El comienzo del llamamiento de quien va a ser Presidente de la Iglesia empieza cuando él es llamado, ordenado y apartado para ser miembro del Quórum de los Doce Apóstoles. Tal llamamiento hecho por profecía o, en otras palabras, por la inspiración del Señor a quien posee las llaves de presidencia, y la consiguiente ordenación y apartamiento mediante la imposición de manos con esa misma autoridad, coloca a cada apóstol en un quórum del sacerdocio de doce hombres que poseen el apostolado. A cada apóstol así ordenado bajo las manos del Presidente de la Iglesia, quien tiene en su poder las llaves del reino de Dios conjuntamente con todos los demás apóstoles ordenados, se le concede la autoridad necesaria del sacerdocio para ocupar todos los cargos en la Iglesia, aun el de presidente de la misma si fuera llamado por la autoridad presidente y sostenido por el voto de una asamblea constituyente de miembros de la Iglesia"[33].

El retrato oficial que se tomó al Quórum de los Doce en 1963 mostró una adición notablemente alta y juvenil. Siete de quienes posaron para esa foto llegarían a ser Presidentes de la Iglesia.

El élder Monson se unió al élder Hunter y al élder Hinckley en el cuartil menor del quórum. Sintió el apoyo de sus hermanos y llegó a admirar el franco intercambio en consejo cuando los líderes de la Iglesia lidiaban con asuntos y acontecimientos en el escenario mundial y trataban temas relativos a normas y programas.

El fin de semana siguiente, el élder Monson cumplió con la asignación que se le había dado como miembro del Comité de Orientación Familiar del Sacerdocio de viajar a Edmonton, Canadá, en compañía del élder Harold B. Lee y de Glen L. Rudd, miembro del Comité de Bienestar del Sacerdocio. Para el élder Monson fue como "volver a casa" y así expresó su beneplácito: "Es por demás inspirador que en éste, mi primer fin de semana como Autoridad General, esté en compañía del hermano Lee, quien ha tenido una influencia tan importante en mi vida, y que se hayan asignado a tres ex miembros de la Estaca Pioneer a viajar juntos como representantes a esa conferencia"[34].

Además de hacer uso de la palabra en las reuniones de la conferencia de estaca, los dos Apóstoles apartaron misioneros y los tres visitaron una granja de bienestar de la Iglesia. En el preciso momento en que llegaban, un hombre se acercó en un caballo bastante grande y le preguntó al hermano Rudd si quería montarlo. Nacido y criado en la ciudad, estaba seguro de que se caería. "Tengo puesto mi mejor traje, así que no creo que sea una buena idea", dijo. El hombre entonces le ofreció el caballo al élder Monson, quien, sin estar seguro del protocolo, también declinó la invitación, usando del mismo modo la excusa del traje. Después habló el élder Lee: "Yo también tengo puesto mi mejor traje, pero quiero montar ese caballo". Y así lo hizo durante unos diez minutos y entonces regresó "a pleno galope", según el hermano Rudd. El élder Lee se había criado montando caballos en Idaho[35].

En la reunión de liderazgo de la conferencia, el élder Monson se refirió a los importantes principios que caracterizan entrevistas eficaces. Él dijo que por cierto oró para recibir la inspiración del Señor en tan improvisada asignación y se sintió inspirado durante la presentación. "La presencia del más nuevo Apóstol atrajo una asistencia casi récord", escribió el élder Lee al referirse a la ocasión[36].

Pese a que el presidente McKay había indicado que el élder Monson podría "continuar por un tiempo" con su trabajo diario en la Imprenta Deseret News, el presidente Lee le aconsejó que se desvinculara rápidamente de tales responsabilidades a fin de prestar su "total atención a la obra de los Doce". En aquella época, algunas Autoridades Generales solían mantener sus empleos diarios además de su servicio en ese alto rango de liderazgo. Pero así como años antes había seguido el consejo del élder Lee de no aceptar una comisión en la marina, Tom se preparó para dejar su puesto en la imprenta. "El hermano Lee fue uno de los maestros más sabios que la Iglesia jamás haya producido", ha dicho[37].

Tras su segunda reunión en el templo, el élder Monson escribió en su diario personal: "Me cuesta acostumbrarme al hecho de que soy un miembro del Consejo de los Doce y de que tengo la oportunidad de sentarme junto a esos gigantes espirituales en el Consejo. Después de la reunión almorzamos con la Primera Presidencia en el comedor. Ése es un momento en el que todos hacemos a un lado las agendas de trabajo y disfrutamos la compañía mutua. Me maravilla la lucidez del presidente McKay. Él puede citar tanto a Shakespeare como mantenerse al corriente de todos los temas del momento. En verdad es un profeta de Dios que nos enseña mediante su ejemplo cómo debemos vivir y amar"[38].

Durante los siguientes quince meses, según su propio cálculo, el élder Monson asistió, por lo menos, a cincuenta y cinco conferencias de estaca en Estados Unidos, México y Centroamérica. También llenaban su agenda tareas tales como efectuar entrevistas misionales, aconsejar, dedicar centros de reuniones, asistir a diferentes ceremonias y predicar el Evangelio.

El primer jueves de cada mes, los miembros de la Primera Presidencia y de los Doce se reunían en el templo en un servicio de ayuno "muy especial" en el cual participaban de la Santa Cena. En la primera de tales sesiones en que participó el élder Monson, el presidente McKay anunció en ese momento tan solemne: "Antes de participar de la Santa Cena, quisiéramos que nos instruyera nuestro nuevo miembro, el élder Thomas S. Monson, en cuanto al sacrificio expiatorio del Señor Jesucristo".

Él describiría ese inesperado momento como "un shock total"[39].

De pie frente al augusto grupo y amparado en la fe y el valor nacido de años de servicio y estudio, dio testimonio de la expiación de Jesucristo.

Las cosas se hicieron considerablemente más llevaderas durante el almuerzo. En el curso de una conversación informal, el presidente McKay le preguntó al élder Monson si había leído en el *Selecciones del Reader's Digest,* un artículo titulado: "Dejé de fumar".

El élder Monson asintió con la cabeza y dijo que pensaba que el hombre que lo había escrito había estado inspirado.

El presidente McKay sonrió y le dijo: "Lo escribió una mujer, pero igual estuvo inspirada". Entonces preguntó: "Hermano Monson, ¿ha leído obras de Shakespeare?".

Algo vacilante, contestó: "Sí, presidente".

El presidente McKay, un ex profesor de inglés, le preguntó: "¿Cree usted que el Bardo de Avon realmente escribió los sonetos que se le atribuyen?".

"Sí, lo creo", respondió el élder Monson.

"Magnífico", exclamó, "yo también lo creo".

El élder Monson tenía la esperanza de que ya no hablaran más de Shakespeare. Él tenía un título en negocios, ésa había sido su carrera profesional y se sentía intimidado por el curso que parecía tomar la conversación.

Sin embargo, el presidente McKay no abandonó el tema. "¿Cuál es su obra predilecta de Shakespeare?", preguntó.

El élder Monson hizo una pausa—tal vez más para ofrecer una oración en desesperación que para pensar—y respondió: *"Henry VIII (Enrique VIII)"*.

"¿Recuerda algún pasaje favorito?", preguntó el presidente McKay.

Otro momento de "shock". Entonces le llegó a la mente el cardenal Wolsey, el hombre que había servido a su rey pero desatendido a su Dios. "El lamento del cardenal Wolsey", dijo Tom con confianza y después recitó: "De haber servido a mi Dios con sólo la mitad de celo que he puesto en servir a mi rey, no me hubiera entregado éste, a mi vejez, desnudo, al furor de mis enemigos".

El presidente McKay sonrió complacido. "Ah", dijo, "a mí también me encanta ese pasaje". Entonces cambió de conversación, por lo cual el élder Monson se sintió "enormemente agradecido" ya que su conocimiento de Shakespeare se "estaba agotando"[40].

Aun cuando el presidente McKay había llegado a ser una Autoridad General antes de que el élder Monson tan siquiera naciera, se parecían en muchos aspectos. Ambos provenían de nobles familias pioneras pero se habían criado fuera de la notoriedad de la Iglesia. Los dos habían sido llamados a muy temprana edad y así llegaron a ser lo que se podría denominar un "recuerdo institucional" en sus largos años de servicio. Ambos acaparaban la atención de los miembros con sus característicos estilos de oratoria, su amor por la poesía y la prosa, y por reconocer que la "verdadera prueba de cualquier religión es la clase de hombre que ésta forja"[41]. Una de las citas predilectas del presidente McKay expresaba también el sentir del élder Monson:

> *Hay un destino que nos hace hermanos,*
> *nadie vive solo en esta vida.*
> *Todo aquello que a otros seres damos,*
> *vuelve a nosotros en igual medida*[42].

El presidente McKay atravesaba años de deterioro físico, pero el élder Monson siempre lo reconoció como el siervo inspirado del Señor: "Cuando escuchaba al profeta, interiormente le daba gracias a nuestro Padre Celestial por sostenerlo y por proveer para Su Iglesia un líder tan noble como lo era el presidente McKay. Estoy particularmente agradecido de que haya sido él quien me llamó a mi santo oficio, porque uno no puede menos que ser un hombre mejor por haber estado cerca del presidente McKay"[43].

En noviembre de 1963, la publicación de la Iglesia *Improvement Era*, la cual antecedió a las revistas *Ensign* y *Liahona*, presentó al élder Monson a los miembros de la Iglesia, describiéndolo como un hombre respetado por sus compañeros "por su adaptabilidad" y honrado "por su enorme poder". Añadía: "Sus cualidades de liderazgo resultan evidentes a todos cuantos lo conocen: es modesto, humilde, bondadoso, servicial, capaz, alegre, dócil y sincero; es la personificación de un verdadero Santo de los Últimos Días.

"Los miles que han conocido y amado al élder Monson lo reconocen como un devoto aunque no adusto Santo de los Últimos Días. Aquellos que han oído su voz en el teléfono o han hablado con él en persona, y notan el tono amigable en su conversación, su interés y su conocimiento, reciben el testimonio adicional de que tales cualidades de las que ellos se han favorecido, se extenderán por toda la Iglesia para bendición de los santos y la gloria de nuestro Padre que está en los cielos"[44].

Cuarenta y cinco años más tarde, en octubre de 2008, el presidente Monson se encontró nuevamente frente a los miembros de la Iglesia, cuyo total se había multiplicado varias veces desde 1963, y declaró: "En esta conferencia se cumplen cuarenta y cinco años desde que fui llamado al Quórum de los Doce Apóstoles. Como el miembro de menos antigüedad de los Doce, admiraba a catorce hombres excepcionales que tenían más antigüedad que yo en el Quórum y en la Primera Presidencia. Con el paso del tiempo, cada uno de esos hombres ha vuelto a su hogar celestial. Cuando el presidente Hinckley falleció hace ocho meses, me di cuenta de que yo había llegado a ser el apóstol de más antigüedad. Los cambios producidos durante cuarenta y cinco años que surgieron poco a poco ahora parecen monumentales"[45].

Tras dar inicio a sus deberes apostólicos, los años siguientes traerían desafíos así como bendiciones pero, por el momento, el élder Monson estaba resuelto a poner manos a la obra y dar sus mejores esfuerzos para lograr lo que fuera que se le pidiera.

16

SU SERVICIO EN LOS DOCE

Estoy tan agradecido de que nuestras vidas se hayan cruzado a lo largo de los años. Confío en que nuestra relación se extienda en ambos lados del velo. Gracias por estar tan pendiente de tantas cosas de orden administrativo y, al mismo tiempo, por tener interés por la gente y por demostrarlo.

ÉLDER NEAL A. MAXWELL
Quórum de los Doce Apóstoles, 1974–2004

AUNQUE JOVEN DE EDAD, el élder Thomas S. Monson llegó al apostolado bien preparado para servir en la Iglesia. Había presidido una misión y había servido en comités generales del sacerdocio, en una presidencia de estaca y como obispo. Había hablado en conferencias de estaca y se había relacionado estrechamente con Autoridades Generales como impresor de sus libros y otros materiales de la Iglesia. Sabía lo que el Señor esperaba de él: "No ser ministrado, sino ministrar"[1].

"Ser miembro del Quórum de los Doce significa, entre otras cosas, ser miembro de comités que supervisan importantes asuntos de la Iglesia. Significa asistir semanalmente a conferencias 'el resto de la vida'", ha explicado. Pero lo que más se ha aplicado a él, más allá de su trabajo, fue lo que "una de las Autoridades Generales dijo una vez que, ser uno de los Doce, significa absorber las asignaciones y las oportunidades de servicio que requieren un compromiso total hacia la obra del Maestro de fortalecer y elevar, enseñar y capacitar, dirigir y guiar a los santos de Dios.

Significa aceptar las cargas y fortalecer las esperanzas de la Iglesia y de sus miembros"[2].

El Quórum de los Doce se reunía con la Primera Presidencia en el Templo de Salt Lake todos los jueves, y aún lo hace. El élder Monson rápidamente valoró el "espíritu de devoción" que reinaba en esas reuniones "en las que el mundo exterior parece dejar de existir y donde la paz espiritual interior cala profundo la actitud de todos los hombres presentes"[3]. Las páginas de su diario personal están repletas de sus testimonios del profeta: "No deja de maravillarme la espiritualidad manifestada en esta reunión. El presidente McKay es por cierto un profeta"[4].

Semanas después de que el élder Monson fue sostenido, el presidente McKey sufrió un leve ataque de apoplejía. A fines de octubre, el presidente Monson escribió: "Asistí a la reunión del templo a las 8:30. Las reuniones no se llegan a disfrutar tanto cuando el presidente McKay no puede asistir. Echamos de menos a nuestro profeta"[5]. Pese a que el presidente McKay faltó a muchas de las reuniones a medida que su salud se deterioraba, el élder Monson se asombraba de su "capacidad de recuperación". Tras una conferencia general, él escribió: "El Señor sostuvo por completo al presidente McKay, quien dirigió las sesiones. Hace tres semanas, no habría podido realizar tal proeza"[6].

Cuando los miembros del quórum tomaron la Santa Cena juntos, el élder Monson describió ese momento como "uno de los más sagrados en nuestra vida, siguiendo el modelo de cuando el Salvador repartió el Sacramento a los Doce Apóstoles. No podemos menos que recordar en sagrada memoria la administración del Sacramento de los primeros Doce Apóstoles en el meridiano de los tiempos. Estamos más cerca de ellos ahora de lo que estamos en cualquier otro momento en nuestra asociación los unos con los otros"[7].

El élder Monson se transformó en un prodigioso escritor de su diario personal, llevando cuenta de acontecimientos y reuniones a los que asistía, de sus asignaciones oficiales, de sus "mandatos del Señor" y de los tiernos momentos que pasaba con su familia.

Sus primeros meses en el Quórum de los Doce se vieron

colmados de "primicias". En su primera reunión como Apóstol con los representantes del Comité de Orientación Familiar del Sacerdocio "todo pareció bastante extraño". Su previa asistencia a tal reunión había sido como miembro del comité. Tres de los otros miembros eran buenos amigos de la vieja Estaca Pioneer: Percy K. Fetzer, Theodore M. Burton y Glen L. Rudd[8].

El 15 de octubre de 1963 habló por primera vez en el Instituto de Religión de la universidad a la que asistió, la Universidad de Utah, apartó misioneros por primera vez el 16 de octubre, y presidió su primera conferencia de estaca el 19 y el 20 de ese mismo mes, en la Estaca Willamette, en Eugene, Oregón. Efectuó su primer casamiento en el templo el 25 de octubre. El día 28 de ese mes le tomaron su primera fotografía oficial, admitiendo sentirse "bastante complacido, ya que, normalmente, no me gustan las fotos que me toman". Dirigió su primera división de una estaca el 2 y 3 de noviembre en Salem, Oregón, en compañía de Howard W. Hunter, y dio su primer discurso en la Universidad Brigham Young el 5 de noviembre en un recinto cerrado para deportes, el cual estaba "colmado de personas" que fueron para oír su mensaje, titulado: "Los tres aspectos más importantes de las decisiones"[9]. Asistió a su primera reunión del Consejo de Administración de la Universidad Brigham Young el 5 de diciembre, a su primera reunión de Consejo de Disposición de Diezmos el 12 de diciembre, en la que captó "en profundidad la gran responsabilidad" puesta sobre sus hombros, y a su primer funeral en honor de una Autoridad General, Levi Edgar Young, el 16 de diciembre. En medio de esas ocupadas primeras semanas, se le citó para integrar un jurado civil, aunque el abogado defensor quitó su nombre de la lista. Se le desligó de tales deberes justo a tiempo para asistir a una reunión de un comité del sacerdocio.

El programa de trabajo del élder Monson en poco tiempo se vio repleto de giras de misión, reuniones de comités y sesiones de capacitación. Supervisaba presidencias de organizaciones auxiliares, hablaba en graduaciones de seminario y en ejercicios de licenciatura en universidades. Los fines de semana viajaba ya fuera por aire, por mar, en autobús, automóvil o tren. Era joven, capaz, dispuesto y lleno de energía. No es de extrañar que su primer año durmiera en su propia cama sólo la mitad del tiempo. "Uno no valora el dormir en su cama hasta que tiene que hacerlo en una cama extraña todos los sábados de su vida", dijo una vez[10].

Pese a tan agotador programa, él recalcaba: "Llego a casa todos los domingos por la noche sintiendo que me he beneficiado enormemente con las conferencias y el espíritu de la gente, y agradecido por la oportunidad de servir al Señor"[11].

Ya fuera que sus asignaciones lo llevaran a estacas cerca o lejos de su hogar, los objetivos eran siempre los mismos: fortalecer a los líderes y a los miembros de cada estaca, dar dirección y ofrecer consejo espiritual. Se asombraba de "cómo el don del discernimiento le es dado a quienes tienen la responsabilidad de visitar las conferencias de estaca"[12]. Tal como escribió Isaías sobre los últimos días: "Ensancha el sitio de tu tienda, y las cortinas de tus habitaciones sean extendidas; no escatimes; alarga tus cuerdas y fortalece tus estacas"[13]. Él estaba preparado para hacer eso y mucho más.

Además de asistir a conferencias, dedicó capillas, las cuales surgían por todas partes a medida que el programa de construcción de la Iglesia florecía. Un fin de semana, el obispo del Barrio Williamson, en Vidor, Texas, confesó que la congregación lo había llevado allí "a fuerza de oración" pues querían que fuera a esa unidad y el Señor les había concedido sus dignos deseos[14].

En noviembre de 1964 asistió a la dedicación del Templo de Oakland, California, lo cual describió como "una ocasión maravillosa". Ésa era la primera vez que participaba en la dedicación de un templo. Esa casa del Señor, edificada en la ladera de una colina con vista a la bahía de San Francisco, era la decimotercera en la Iglesia y la segunda en California. Las palabras de Pedro cuando estaba con el Salvador en una ocasión diferente aunque igualmente sagrada, llegaron a la mente del élder Monson: "Señor, bueno es que estemos aquí"[15]. Él habló en una de las sesiones del último día de dedicación y dijo: "he sentido las bendiciones de nuestro Padre Celestial sosteniéndome en esta ocasión"[16].

El élder Monson siempre tuvo un marcado sentido del deber y estuvo resuelto en todo momento a cumplir con sus responsabilidades y edificar a la gente. "Él toma en cuenta el aspecto personal de todas las cosas", observa el élder Marlin K. Jensen, de los Setenta, quien ha oído al presidente Monson relatar la experiencia que tuvo cuando era un joven miembro de los Doce y el presidente McKay lo envió a una conferencia en California. Había un problema en la estaca; uno de los obispos había hecho colocar una estatua de Cristo en un empotrado de la capilla, y durante el servicio sacramental, se encendía una luz que la iluminaba. El presidente de la estaca no había podido persuadir al obispo para que quitara la estatua y las Autoridades Generales estaban preocupadas con ese tipo de desviación de las prácticas aprobadas. El presidente McKay le dijo al élder Monson: "Aprovechando su asignación, vaya con el presidente de la estaca a ver a ese obispo, pongan fin a esa práctica y asegúrese de que el obispo se sienta bien al respecto". Y eso fue precisamente lo que hizo.

"El presidente Monson siempre ha sido un ejemplo para mí", explica el élder Jensen, "en cuanto a cumplir con su deber y hacerlo de tal manera que la gente se sienta bien con ello. Él sobreentiende que todos hacen las cosas lo mejor que pueden y las harán mejor aún si podemos ayudarlos"[17].

Como miembro de los Doce con una joven familia, el élder Monson se las arreglaba para lidiar con las exigencias de su oficio y el dedicar tiempo a su esposa e hijos. En febrero de 1964 asistió a una actividad especial de padres e hijas en su barrio con su hija Ann, de nueve años. "Era la primera vez que había asistido a una actividad con mi hija, y nos divertimos mucho. No recuerdo haberla visto antes tan feliz. Ann es una niña encantadora y posee un espíritu muy especial. Me siento orgulloso de ser su padre"[18].

Una tarde, su familia lo recogió en el aeropuerto y de allí fueron directamente a la feria del condado. "Para sorpresa mía", escribió, "me enteré de que nuestras palomas habían ganado todos los premios otorgados por la feria y hasta un trofeo por la mejor ave joven y una escarapela por la mejor ave mayor. Nuestras gallinas blancas también recibieron honores pero se vieron privadas del trofeo por un hermoso gallo de color beige"[19].

Él había dado todas sus aves menos una docena de ellas cuando fueron a la misión en Canadá. Cuando regresaron, reclutó a algunos amigos del viejo Barrio Sexto-Séptimo para que lo ayudaran a remodelar su palomar y transformarlo en lo que él llamó "un exhibidor", y junto a su hijo Tommy, comenzaron de nuevo a criar palomas, principalmente con el fin de participar en competencias. Los jueces se concentraban en "la apariencia, la estructura de la cabeza y en la postura—a veces en el arco del cuello—la calidad de las plumas y el debido equilibrio entre el hueso del lomo y del pecho"[20], explica Tom, el hijo del presidente Monson, quien progresivamente se hizo cargo del cuidado de las palomas.

En otras competencias, el joven Tommy ganó numerosos premios con su paloma rodadora "Campeona". En el periódico se publicó una fotografía de Tommy sosteniendo dos de sus aves y también apareció en la tapa de un catálogo de publicación anual. Cuando el élder Monson asistió a una conferencia en la Estaca Alpine, a unos 25 kilómetros de Salt Lake City, llevó algunas de las palomas mensajeras de Tommy y las echó a volar antes de la sesión de las 8:30 de la mañana. Se sintió complacido al llegar a su casa y enterarse de que todas habían regresado a salvo.

En otra ocasión llevó a Tommy hasta Los Ángeles en tren para conocer a varios distinguidos criadores de palomas. "Vimos en acción a las mejores palomas rodadoras de Birmingham que jamás haya visto hasta ahora, en particular las del palomar del Sr. Patrick", observó[21]. Concluyeron su pequeña aventura visitando un museo en el que Tommy se sintió en especial impresionado con una paloma disecada.

"Las palomas no son en realidad mascotas", explica su hijo; "no son como un perro. Si uno le pone nombre a un par de ellas es sólo como información para las gráficas de reproducción. Uno las cruza para tratar de aumentar la calidad de las aves"[22]. En la actualidad, Tom se encarga de todas las palomas—sesenta del presidente Monson y otras cien de él—alojadas en el fondo de la casa de su padre.

Cuando Clark, el otro hijo del presidente Monson, llegó a ser más grande, su pasatiempo era más hacia los halcones que hacia las palomas. También le gustaban los pueblos fantasmas, así que los Monson recorrían los caminos alejados buscando vestigios y ruinas. El 27 de octubre de 1967, Clark Spencer Monson fue bautizado por su padre, quien dijo: "Es un placer tener a Clark en nuestra familia, y nos sentimos honrados de ser sus padres"[23].

Llevó a Clark en tren a California a visitar Disneylandia. "No recuerdo si alguna vez había visto a Clark tan feliz. Me preguntó si iría en uno de los juegos con él y le respondí que esa vez subiría a todos los juegos con él, y así fue. A las 10:00 de la noche, cansados pero felices, regresamos al motel y dormimos como lirones"[24].

El élder Monson recordó una ocasión cuando era adolescente y se sentó en la sala de la casa de su presidente de estaca, Paul C. Child, y fue interrogado en cuanto a su conocimiento de las Escrituras. Ahora asistía a conferencias de estaca en el valle del Lago Salado y se sentaba en el estrado junto a ese mismo hombre, entonces miembro del Comité de Bienestar del Sacerdocio. Años más tarde, cuando el presidente Child y su esposa vivían en una casa de convalescencia, el presidente Monson los visitaba regularmente y algunas veces hablaba en sus servicios dominicales. Como parte de uno de tales mensajes, rindió tributo al presidente Child. Más tarde escribió: "Creo que logramos mucho al haber dado a ese venerable líder de la Iglesia la oportunidad de oír a uno de nosotros resaltar sus virtudes y reconocer su influencia para bien antes de hacerlo en su funeral. Cuando llegué a casa le comenté a Frances que sentía que había prestado un mejor servicio en aquella visita que en muchas conferencias a las que pudiera asistir"[25].

Pero en aquellos primeros meses, el presidente Monson sentía que tenía que dividirse entre la presión de su nuevo llamamiento y su trabajo en la imprenta. Solía salir de una reunión en el templo y regresar a la imprenta, donde "trabajaba hasta altas horas de la noche". Veía que le "resultaba complicado encontrar suficientes horas en el día para administrar la Imprenta Deseret News y dedicar tiempo a las responsabilidades de la Iglesia"[26]. Encontrar a un sucesor para su puesto en la imprenta llevó más tiempo del esperado; fue el 10 de enero de 1964 cuando se nombró a John Brown, procedente de una imprenta de California, para suplantarlo. El Sr. Brown permanecería durante un año y medio.

El último día del élder Monson en la imprenta fue el 31 de enero de 1964, exactamente dos años después de haberse reintegrado tras su servicio como presidente de la Misión Canadiense. "Me siento feliz del notable progreso que hemos tenido en la Imprenta Deseret News", expresó emocionado en esa ocasión, "y me complace dejar la empresa tras un año de éxito financiero. Me va a parecer extraño no ser ya parte de la Editorial Deseret News; va a ser la primera vez que no tenga algún tipo de conexión con la firma desde julio de 1948"[27].

En 1964 fue nombrado miembro del directorio de la Compañía Deseret Book, cargo en el que volcó su prolongada experiencia en las industrias de la imprenta y la editorial. En 1965 llegó a ser miembro del directorio de la Editorial Deseret News y más adelante presidente de la misma, en donde sirvió hasta 1996, cuando se decidió que las Autoridades Generales ya no servirían como integrantes de directorios. En 1965, las Industrias de Imprenta de los Estados Unidos otorgaron al élder Monson un certificado de reconocimiento grabado a mano "por sus sobresalientes logros comerciales, liderazgo, integridad personal y devoción religiosa"[28]. Él seguiría manteniéndose informado de los nuevos avances de la industria, visitando a menudo establecimientos en otros países y asistiendo a exhibiciones internacionales. Sin embargo, su participación diaria en la planta de impresión había quedado atrás.

Dejar el empleo fue "por demás difícil", teniendo en cuenta que había dedicado "largos años a dirigir una institución de imprenta". Cuando todo aquello llegaba a su fin, él escribió en su diario: "Mis primeros pasos en el ramo de la imprenta fueron como auxiliar en la empresa Western Hotel Register, en el año 1942, y desde entonces he estado ligado a él y me ha encantado. Cuando camino por la planta me invaden muchos recuerdos y sé que se me hará difícil dejar a quienes amo tan entrañablemente"[29]. Por cierto que no abandonó a esas personas. Ha efectuado sellamientos en el templo para sus hijos, ha hablado en sus barrios y, por supuesto, ha hablado en honor de ellas en sus funerales.

Por cierto que marcaba el fin de una era. El 3 de febrero de 1964, el élder Monson asistió al funeral de Louis C. Jacobsen, su "querido amigo" y predecesor en la Imprenta Deseret News. Asistieron al servicio muchas personas, "ya que Louis era amigo de todos". Él había ejercido "una magnífica influencia" en la vida del élder Monson. "Me enseñó a valorar a mi familia del mismo modo que él valoraba a la suya", declaró el élder Monson. "Su lema era: 'Sólo tres cosas tiene un hombre: Su Dios, su familia y sus amigos'. Lo echaremos de menos, pues fue mucho lo que él significó para nosotros"[30].

El 4 de febrero de 1964, cuatro meses después de haber sido sostenido como Apóstol en la conferencia general, el élder Monson se mudó a la oficina 211 ubicada en el segundo piso del Edificio de Administración de la Iglesia. Se produjo un gran intercambio de despachos. El élder Bernard P. Brockbank, Ayudante de los Doce, se mudó al que había sido el despacho del élder Nathan Eldon Tanner, en el cuarto piso, quien se mudó al primer piso, lo cual dejó un despacho desocupado para el élder Monson. Él escribió en su diario personal: "Ni siquiera me imaginaba hace años, cuando vine a estas oficinas con el fin de ser ordenado sumo sacerdote y para otros asuntos de la Iglesia y personales, que iba a ocupar una de ellas como Autoridad General"[31].

Su primera secretaria fue Ann Jones Lee. Lynne Fawson ocupó su lugar en junio de 1965 y nunca lo dejó. "Sus destrezas eran múltiples y su actitud, excelente", dijo el élder Monson, y así llegó a ser invalorable. Sus muchos diarios personales están repletos de comentarios de elogio hacia el trabajo de ella: "Estoy agradecido por una secretaria excelente quien es también una persona muy especial"[32]. Cuando sus niños eran pequeños ella trabajaba desde casa, cuando empezaron a ir a la escuela, trabajaba jornadas parciales, y con el tiempo regresó a las jornadas completas. Ella, al igual que el presidente Monson, a menudo trabajaba después de horas. Él la considera "la secretaria más competente del edificio, o, a decir verdad, de cualquier lugar donde haya observado el desempeño de secretarias competentes. Sus habilidades en taquigrafía son espléndidas y mantiene el decoro de la oficina a un nivel más que apropiado. Le dispensa a la gente un trato profesional y cordial y cumple sin fallas sus numerosas y complicadas responsabilidades"[33].

Cuando Lynne empezó a trabajar para el élder Monson, ella estaba esperando el regreso de un misionero, Bill Cannegieter, quien servía en la Misión Indígena del Norte (en Estados Unidos). Tras su retorno, el élder Monson ofició la boda en el Templo de Salt Lake. Cuando ellos recibieron a la primera de sus tres hijas adoptadas, él testificó: "Nuestro Padre Celestial ha guiado esta adopción, o sea, la llegada de esta criatura tan especial a esta familia tan especial". El élder Monson estuvo en el círculo cuando dos de las hijas, Jennifer y Kristen, recibieron un nombre y una bendición, y también selló a las niñas a sus padres en el templo[34].

El élder Monson y su esposa han celebrado cumpleaños y otras ocasiones especiales con la familia Cannegieter, y también han estado a su lado en momentos difíciles. La segunda hija, Michelle, falleció víctima del síndrome de muerte infantil repentina, cuando apenas tenía seis semanas de edad. El Señor guió al élder Monson a encontrar palabras de consuelo y conocimiento de la vida después de la muerte para esa preciada familia: "Me dirigí a la obra *Doctrina del evangelio,* la cual contiene los escritos del presidente Joseph F. Smith, tal vez el más prolífico de nuestros presidentes de la Iglesia en lo que se refiere a la aclaración de principios de doctrina. Noté que la página 452 (445 en español) tenía una de sus esquinas dobladas, de la manera que lo suelo hacer con una página a la que más tarde quiero remitirme. Advertí el encabezamiento 'La condición de los niños en el cielo'. Después leí varias páginas en cuanto a las verdades que enseñó José Smith el Profeta tocante a los niños que mueren en su infancia. Me sentí particularmente conmovido por la siguiente declaración hecha por Joseph F. Smith: 'José Smith declaró que la madre que sepulta a su niño pequeño, y se ve privada del privilegio, el gozo y la satisfacción de criarlo en este mundo hasta su desarrollo completo como hombre o mujer, tendrá todo el gozo, satisfacción y placer, después de la resurrección, y aún más de lo que habría sido posible tener en el estado terrenal, de ver a su hijo desarrollarse hasta la medida completa de la estatura de su espíritu'. Me conmovió la sencillez de tal declaración. Más tarde, cuando llamé por teléfono a Lynne para compartir con ella en forma textual lo que había leído, tomé mi libro y, para mi gran asombro, vi que no había ninguna página con la esquina doblada ni el más mínimo indicio de que la hubiera habido. Si alguna vez la esquina de esa página haya estado doblada o no, nunca lo sabré, pero lo que sí sé es que recuerdo haberla visto doblada. Tal vez en el plan de nuestro Padre Celestial, y sólo Él lo sabe, aquella fue una indicación, o hasta una marca, para guiarme a una fuente de consuelo para ayudar a una madre y un padre apesadumbrados"[35].

Los Monson consideran a los Cannegieter familia.

La primera asignación de comité del élder Monson como Apóstol la recibió del presidente Tanner, quien lo nombró asesor de las organizaciones AMMHJ y AMMMJ. El élder Monson, debido a su juventud y dinamismo, era ideal para ello. De ese modo comenzó una conexión con la juventud de la Iglesia que nunca ha terminado. Le encantaban los festivales de danza en el estadio de la Universidad de Utah al que asistían jóvenes de todas partes de la Iglesia para participar en conferencias anuales efectuadas en el mes de junio. Presentó trofeos en competencias deportivas generales, habló en servicios devocionales para jóvenes y participó en eventos del programa de los scouts.

No es de extrañar que haya sugerido restaurar tales actividades efectuadas en toda la Iglesia a nivel local. Se unió a algunas de las otras Autoridades Generales para fomentar la realización de festivales de jóvenes como parte de la celebración del 200 aniversario del nacimiento de José Smith en 2005, así como celebraciones culturales previas a la dedicación de templos. En una de las conferencias generales en 2009, describió la actuación de 900 jóvenes en Ciudad de Panamá y de otros 3.200 en Twin Falls, Idaho, quienes presentaron bailes y mensajes de fe en Jesucristo. "Soy un defensor de tales eventos", dijo. "Ellos permiten a nuestra juventud ser parte de algo que les resulta inolvidable. Las amistades y los recuerdos que ellos forjan les pertenecerán para siempre"[36].

Durante sus primeros años como asesor de la AMM, el élder Monson ayudó a dar forma al programa de manera tal que encajara dentro de los esfuerzos de correlación de la Iglesia. Hizo lo necesario para amortiguar el avance de los decadentes valores de la sociedad. "Vemos a todo nuestro alrededor el deterioro de las normas morales", dijo. "Vemos cómo se acepta la sociedad permisiva y todo lo que ello conlleva"[37]. En una conferencia de junio para las organizaciones de la Mutual, pidió a las líderes de las

Mujeres Jóvenes que cumplieran con sus llamamientos. "Nuestro deber es guiar a nuestras jovencitas al reino celestial de Dios", dijo. "Recuerden que el manto de liderazgo no es una capa de comodidad, sino una vestidura de responsabilidad"[38]. Él ha enseñado esa verdad en toda nación que ha visitado.

En los años siguientes, los programas de la AMM de adultos serían divididos; las organizaciones de Hombres Jóvenes y de Mujeres Jóvenes se administrarían como programas del sacerdocio, mientras que las conferencias de junio, que habían sido un modelo por tantos años, se descontinuarían. Todos los cambios se realizaron con el fin de reafirmar a la familia e incrementar el enfoque en Jesucristo.

Tan sólo un año después de haber sido sostenido como miembro de los Doce, se le asignó al élder Monson que hiciera una recomendación en cuanto al futuro de su "querido antiguo barrio pionero", el cual había jugado un papel tan importante en su vida. La zona se había transformado en un sector estrictamente comercial.

El Barrio Sexto-Séptimo había absorbido el Barrio Decimocuarto en 1957, cuando esa unidad original en el valle "ya no era ni sombra de lo que un día fue", y ahora también casi trasponía los límites del Barrio Cuarto. En una reunión de los jueves en el templo, el élder Harold B. Lee presentó la propuesta de derrumbar el viejo edificio del Barrio Sexto-Séptimo. Aun cuando le resultaba difícil, el élder Monson estuvo de acuerdo con la necesidad de aceptar dicha propuesta del élder Lee.

El edificio, el cual había estado en pie casi cien años, fue demolido el 10 de junio de 1967. Su construcción en 1867 había costado 12.000 dólares y era el único edificio de ladrillo rojo de su tipo que quedaba en la ciudad. Antes de ser derrumbado, el élder Monson rescató el púlpito desde el cual había hablado en su juventud y ante el que se había arrodillado varias veces como obispo a orar tarde en la noche. Resultó adecuado que, en junio de 2009, cuando él dedicó la nueva Biblioteca de Historia de la Iglesia en Salt Lake City, se pusiera ante aquel púlpito hermosamente tallado. Para él representaba lo que expresaba uno de sus pasajes poéticos predilectos: "Dios nos dio recuerdos para que podamos tener rosas de verano en el invierno de nuestra vida"[39].

La zona del Barrio Sexto-Séptimo siguió deteriorándose y disminuyendo en números y en liderazgo. Cinco años después de que el edificio fue derrumbado, el élder Monson y el élder Boyd K. Packer recibieron la asignación de examinar el estado de todas las estacas en la parte central de Salt Lake City para efectuar posibles reajustes de límites. Asistidos por dos ex líderes de esa zona, Percy K. Fetzer y Glen L. Rudd, diseñaron un plan para extraer fortaleza de estacas del valle que tenían abundancia de liderazgo. Importarían líderes de tales zonas para fortalecer las estacas del sector céntrico de la ciudad, a fin de ocupar cargos tales como consejeros de obispos y otros. El Barrio Cuarto de la Estaca Liberty que albergaba a quienes aún quedaban en la zona del Barrio Sexto-Séptimo, empezaron a recibir matrimonios de las estacas Monument Park y Hillside. Ése fue un arreglo que tuvo un efecto exitoso en la zona durante tres décadas.

Con el tiempo se empezó a trabajar en un proyecto especial bajo la dirección del Presidente del Área de Utah, el élder Alexander Morrison, y el presidente de la Estaca Central, el cual se extendía más allá de la Estaca Liberty, con misioneros extraídos una vez más de las estacas circunvecinas. A esa altura, la responsabilidad de los misioneros no era servir en posiciones de liderazgo, sino apoyar a quienes habían sido llamados a cargos en sus propios barrios. Hoy día, esos misioneros—al mejor estilo del obispo Monson—dedican la mayor parte de su tiempo a satisfacer las necesidades de bienestar de los miembros, respaldándose en lo que ha llegado a ser una amplia red de apoyo y experiencia. Más de 6.000 personas han servido en lo que empezó con la inspiración de mandar a un matrimonio aquí y a otro allá.

A medida que la obra del reino siguió avanzando, el programa de trabajo del élder Monson se hizo extenuante. El 1º de junio de 1965, escribió: "La conferencia de relaciones con el movimiento scout terminó tarde, el Comité de Correlación para Adultos ya estaba reunido, y una reunión con la presidencia de la Estaca Rose Park empezó antes de lo que yo había anticipado. Puesto que debía asistir a esas tres reuniones, le dediqué tiempo a cada una en forma proporcional. Prefiero programar mi tiempo más eficientemente de lo que sucedió hoy"[40].

Pero los miembros de la Iglesia no lo veían correr de una reunión a otra ni de país a país. Para ellos, él siempre parecía tener tiempo para cada uno de ellos. Sus relatos de experiencias personales se transformaron en el distintivo de sus enseñanzas.

El élder Ronald A. Rasband, de la Presidencia de los Setenta, explica: "Si uno desea oír una buena anécdota del viejo Barrio Sexto-Séptimo, eso es lo que oirá. Pero si uno tiene oídos para oír cómo ministró a las viudas de su barrio, cómo visitó a cada una de ellas y habló en sus funerales, uno aprenderá algo de esas experiencias. Sólo hay que estar dispuesto a aprender; él tiene un estilo diferente del que poseen muchos líderes, un estilo sumamente instructivo"[41].

El presidente Monson emplea ilustraciones para personificar los programas, para dar un propósito a los comités y a las reuniones. Para él, no hay ninguna duda de que la gente es lo que más importa. Por esa razón, en medio de un debate intenso o como respuesta a una pregunta en una reunión de comité, él tal vez diga: "Permítanme compartir una experiencia con ustedes". Su reconocido estilo de liderazgo tiene como fin relacionar temas con personas, basando decisiones no en principios académicos, sino en términos humanos. En una reunión de su Barrio Sexto-Séptimo, dijo a los presentes: "Sus vidas son mis sermones".

En la sesión del domingo por la mañana de la conferencia de octubre de 1967, el élder Monson habló sobre cómo hacer frente a nuestros propios Goliats, el cual probó ser un tema apropiado. Durante su mensaje, un hombre empezó a gritar desde la congregación que era *su* turno de hablar, alegando: "¡Suficiente, élder, ya basta!" El élder Monson miró a la Primera Presidencia en busca de dirección, y entonces, tras ellos darle una señal de aprobación, él siguió con su mensaje como si nada hubiera pasado. Los acomodadores escoltaron al alborotador hasta la salida del edificio, quien no salió calladamente. Más tarde ese día, el mismo joven trató de entrar en la sesión vespertina para repetir su actuación. Los acomodadores lo detuvieron y esta vez fue llevado a la cárcel, aunque no se le presentaron cargos.

El incidente no impidió que el élder Monson comunicara su mensaje. Un ejecutivo de ventas no miembro de la Iglesia que "casualmente escuchaba" el discurso por radio, escribió: "Su discurso sobre cómo hacer frente a nuestros Goliats me llegó como una pedrada en la frente, y desde ese día no he vuelto a fumar (consumía tres cajetillas por día). Y un par de Goliats, aunque no están completamente muertos, yacen sangrantes y heridos de muerte". El hombre explicó que había utilizado su mensaje con todos sus vendedores, habiéndoles leído el discurso entero. "Nuestros 23 agentes—protestantes, católicos y judíos—todos sienten que usted es obviamente un hombre que tiene un don divino"[43].

Además de valerse de experiencias personales y de Escrituras en sus mensajes, al presidente Monson le encanta citar himnos, poemas, obras de teatro y musicales que enseñan verdades. Generalmente, tras haber visto una obra, escribe en el programa una frase o declaración del diálogo que le llegó al corazón. Por ejemplo, a menudo recurre al autor George Bernard Shaw y su aclamada realización *Pigmalión*, que llegó a ser la obra musical "Mi bella dama", para ilustrar cómo tratar a la gente: "Lo más importante, Eliza, no es tener buenos o malos modales ni ningún otro tipo de modales, sino tener los mismos modales para todos los seres humanos; en definitiva, comportarse como si uno estuviera en el cielo, donde no hay carruajes de tercera clase y donde todas las almas son iguales"[44].

Al ir aumentando las responsabilidades del presidente Monson, él seguía ayudando a los necesitados, como el apóstol Pedro ante la puerta llamada Hermosa en tiempos bíblicos, quien dijo: "En el nombre de Jesucristo de Nazaret, ¡levántate y anda! Y tomándole de la mano derecha le levantó"[45]. Ese enfoque "individual", esa voluntad de detenerse, de prestar atención a los susurros del Espíritu, lo definieron mucho antes de que llegara a ser un Apóstol, y esa expresión del amor de Dios lo ha acompañado durante toda su vida.

En términos sencillos, él encuentra cosas buenas en toda persona. Él valora las muchas maneras en que la gente contribuye a la edificación del reino de Dios en la tierra. Él no espera que todos tengan las mismas capacidades o talentos, pero sí espera que cada uno cumpla con su deber, que tenga la disposición y el cometido de dar lo mejor de sí. Como administrador, siempre ha sido resuelto y perspicaz y nunca imperioso o dictatorial. Es bondadoso y compasivo, tiene una mano firme pero también un tacto tierno.

El élder Monson es un defensor del servicio "desinteresado", el cual, a menudo, llega a cambiar vidas, y no sólo la de quien lo recibe. Él observa: "En cada ejemplo de servicio a otra persona, uno comprenderá que no disminuirá ninguna habilidad personal, sino que tendrá un corazón pleno de gratitud, al descubrir que ha estado en el mandato del Señor y que ha sido el beneficiario de Su ayuda y bendiciones"[46].

El presidente Monson siempre ha prestado particular atención a los pobres y oprimidos, a los olvidados y a los que parecen ser comunes y corrientes, así como a aquellos que se encuentran solos. William Edwin "Ed" Erickson fue un buen ejemplo. Ed vivió toda su vida en el Barrio Sexto-Séptimo, llegando a ser con el tiempo quien cuidara a su anciana y aquejada madre. Su vista era deficiente pero era inteligente y buen trabajador. Tom, dieciocho años menor que Ed, fue su obispo y, como tal, se aseguró de que se atendieran las necesidades temporales de Ed. Los dos forjaron una amistad que se prolongó a lo largo de toda la vida de Ed. Él no tenía muchos amigos, pero tenía al élder Monson.

Ed era poseedor de una bondad que se derramaba en otras personas. Había trabajado para el Departamento Urbano de Salt Lake City casi toda su vida, ganando poco dinero y gastando casi nada. Era "una persona capaz de hacer cualquier cosa por quien fuera"[47]. Era orgulloso miembro del Batallón Mormón y ofrecía servicios voluntarios todas las semanas en la Manzana de Bienestar. Ed caminaba a todas partes debido a su mala vista, lo cual no le permitía conducir un automóvil.

Con el tiempo, la madre de Ed falleció y su pequeña casa en el Barrio Sexto-Séptimo quedó atrapada en el desarrollo comercial e industrial de la zona. En medio de todo ello, el élder Monson se aseguró de que Ed tuviera un apartamento limpio y asequible donde vivir, lo suficientemente cerca del centro de la ciudad, en particular de un establecimiento al que iba todas las mañanas a desayunar.

El élder Monson siempre lo invitaba a ir con su familia a eventos tales como el rodeo o el circo y le pedía que hiciera algunos trabajos en su residencia para que tuviera algo de dinero para gastar sin sentir que le estaban dando una limosna. A menudo invitaba a Ed a almorzar en un restaurante y cada año celebraban su cumpleaños con un pequeño grupo de amigos.

Cuando Ed estaba próximo al final de su vida, desenvolvió su última nueva camisa, la cual había comprado después de la Segunda Guerra Mundial. Cuando falleció a la edad de noventa y cinco años, el 21 de febrero de 2005, dejó todos sus ahorros—una cantidad considerable—en parte al Hospital de la Primaria para ayudar a niños con problemas de la vista, y también al fondo misional de la Iglesia, para contribuir al servicio que él no había podido prestar. En un homenaje a su amigo, el presidente Monson dijo: "Lo más importante es que dio todo cuanto tenía"[48].

Ed es tan sólo una de las muchas personas por quienes Tom Monson veló a lo largo de los años, consiguiéndoles empleo, dedicándoles tiempo para escuchar sus problemas y dándoles ánimo en momentos difíciles. Llamaba a Ed su "consejero", y Ed, en broma, preguntaba a dónde les asignarían ir cada semana. Ed sabía que Tom Monson lo estimaba.

Hablando a una congregación de Mujeres Jóvenes de la Iglesia en 2009, el presidente Monson se refirió a lo que había aprendido de Ed Erickson: "Tengan el valor de abstenerse de juzgar y criticar a quienes las rodean, así como el valor de asegurarse de que toda persona se sienta incluida, amada y valorada"[49].

El hacer que otras personas se sientan amadas ha sido la característica distintiva de la vida y del ministerio del presidente Monson.

17

"ESTABA EN TODAS PARTES"

Tom Monson era joven y dinámico cuando fue llamado a los Doce; no sólo era el de menor antigüedad en el Quórum, sino que a los treinta y seis años era el de menor edad, ya que los demás le llevaban casi veinte años. Desde el comienzo mismo de su servicio, recibió muchas asignaciones y llevó sobre sí muchas cargas, lo cual era una muestra de la confianza que le tenían sus colegas y el Señor.

ÉLDER JEFFREY R. HOLLAND
Quórum de los Doce Apóstoles

EL MARTES SIGUIENTE A LA CONFERENCIA de octubre de 1966, Frances fue hasta la oficina de su esposo para informarle, entre lágrimas, que su médico le había encontrado un tumor que requeriría cirugía inmediata, así que al día siguiente fue internada en el hospital. El élder Monson escribió: "El hermano Harold B. Lee le dio una de las bendiciones más inspiradas que jamás haya oído. Sentimos tranquilidad después de sus palabras proféticas que llenaron el alma de paz"[1].

Temprano en la mañana del jueves 6 de octubre, Frances fue llevada a la sala de operaciones. Para el élder Monson, "los minutos parecían años y las horas una eternidad". Pero se sentía reconfortado pues sabía que las Autoridades Generales "se encontraban en ese momento en sesión en el cuarto superior del templo, uniendo su fe y oraciones en favor de mi amada esposa"[2].

Nunca había recibido un informe con más dicha que cuando le hicieron saber que el tumor era benigno. Cuando el Dr. Vernon Stevenson le dio las buenas noticias, el élder Monson le dijo que al día siguiente era su decimoctavo aniversario de bodas, a lo que el médico respondió: "Es usted un hombre muy afortunado, ya que esto bien podría haber tenido un resultado distinto. Su esposa estará a su lado por muchos años". El élder Monson dijo entonces, señalando el Templo de Salt Lake, que los hombres a quienes él más amaba lo habían tenido presente a él [al médico] en sus oraciones esa mañana, a lo cual el cirujano respondió: "Eso me hace sentir muy humilde"[3].

El élder Monson recuerda cuando participó de la Santa Cena en la siguiente reunión que se llevó a cabo en el templo: "Expresé en silencio mi gratitud hacia mi Padre Celestial por la forma tan maravillosa en que había bendecido a mi compañera". El presidente Hugh B. Brown le pidió que diera su testimonio, en el cual el élder Monson reconoció que él y su esposa se habían "enfrentado súbitamente a la posibilidad de que el tumor fuera maligno". A la madre de Frances se le había diagnosticado cáncer pocos meses antes, lo cual había contribuido a la ansiedad de la familia.

"A lo largo de toda esa experiencia sentimos que estábamos en las manos del Señor, y teníamos la seguridad de que cualquiera que fuera Su voluntad, estaríamos dispuestos a aceptarla. Mi amada esposa leyó su bendición patriarcal en donde el Señor le decía que ella estaría a mi lado durante muchos, muchos años, y ella me dijo que no me preocupara, que todo saldría bien.

"Ayer, en nuestra noche de hogar, cada uno de mis niños estuvo más cerca de mí que nunca hasta ahora y yo quiero dar testimonio de que en el hogar de los Monson nos sentimos orgullosos de servir al Señor. Es mucha la humildad que sentimos ante la enorme responsabilidad que se ha depositado en nosotros, y nuestro deseo como familia es sostenerlos a ustedes, hermanos, y servir constantemente al Señor y ser dóciles ante Sus deseos y hacia todo cuanto Él nos pide que hagamos".

Entonces concluyó con estas palabras: "Soy el menor entre ustedes y ruego que sea digno de mi asociación con cada uno"[4].

Las palabras del mensaje del presidente Monson en la conferencia general anterior de abril cobraron nuevo significado para él y su familia: "Al que ha sentido el toque de la mano del Maestro le es difícil explicar el cambio que se produce en su vida, pero tiene el deseo de vivir mejor, de servir fielmente, de ejercer humildad y de vivir más como el Salvador"[5].

La misma semana del susto del cáncer, el élder Monson tuvo el privilegio de oficiar en la boda de su hermano menor, Scott, en el Templo de Salt Lake. Scott había servido su misión en Suecia. Tras más o menos un año en el campo misional, le había escrito una carta a su padre, Spence: "Todos los domingos, para empezar el día, asisto a la reunión de sacerdocio. Sé que no has asistido a esa reunión desde hace mucho tiempo. Sigo pensado qué bueno sería si cuando yo asisto a la reunión de sacerdocio los domingos aquí, tú hicieras lo mismo en casa".

Spence se levantó temprano el siguiente domingo y empezó a ponerse su camisa blanca y su traje. Gladys le preguntó a dónde iba, y él respondió: "A la reunión de sacerdocio". Su esposa comentó asombrada: "Hace siglos que no vas a la reunión de sacerdocio", a lo cual Spence respondió: "Bueno, nuestro muchacho me escribió y me dijo que sería bueno que yo asistiera a la reunión de sacerdocio el mismo día que él va, así que decidí hacerlo"[6].

La ceremonia de boda de Scott fue el primer sellamiento de sus hijos al que Spence asistía, sirviendo como uno de los testigos.

La familia era entonces y por siempre ha sido muy importante para Thomas Monson. Él entendía bien el fundamento del movimiento de correlación que comenzaba a abrirse paso en el sistema de la Iglesia, cuyo propósito principal era proteger la institución familiar. También captaba la importancia de que cada miembro de la familia obtuviera una mayor comprensión del Evangelio mediante programas correlacionados.

La huella del élder Monson se deja ver en aquellos primeros esfuerzos de correlación y en casi todo departamento, programa y organización de la Iglesia, así como en toda compañía de propiedad de la Iglesia desde principios de la década de 1960. También participaba íntegramente en la capacitación y enseñanza de principios y mayordomías espirituales y temporales. Como lo declaró alguien que trabajó estrechamente con él: "Estaba en todas partes"[7].

Resulta sencillamente imposible catalogar o registrar las innumerables actividades de cada comité, de cada presidencia, líder o misionero que el élder Monson ha aconsejado, cada propuesta que ha revisado o cada país que ha visitado, dedicado o bendecido. El cumplió una función vital en cada aspecto de administración, especialmente cuando los esfuerzos de correlación reestructuraron y redefinieron la obra de la Iglesia. Sirvió en cada comité general y en muchos casos se le pidió que los presidiera. Asistía a innumerables reuniones; estaba siempre abocado a la tarea de rescatar a algún necesitado; era un hombre ocupado.

El élder Monson era el miembro de menor antigüedad en los Doce y su nombramiento a ciertos comités clave tal vez haya asombrado a algunos, incluso a él. Sabiamente concluyó: "Siendo que se me han dado todas estas asignaciones tan importantes, es mejor que sepa lo que hago"[8].

Bajo la dirección de la Primera Presidencia, el élder Harold B. Lee encabezó el liderazgo y la visión general del Comité de Correlación, pero el élder Monson era quien se encargaba de llevar a la acción muchas de las ideas de su líder. El élder Lee sabía que podía contar con el élder Monson para dar forma a los programas de la Iglesia que llegarían a fomentar la fe y el progreso y a forjar testimonios más firmes de los principios del Evangelio, siempre que la familia y el sacerdocio trabajaran juntos.

A lo largo de los siguientes veinte años, los esfuerzos de correlación lentamente desmantelaron las operaciones autónomas de las organizaciones auxiliares y de los departamentos de la Iglesia, reemplazándolas con un sistema centrado en la familia bajo la coordinación del sacerdocio.

Correlacionar significaba más que estandarizar los cursos de estudio de la Iglesia para que todos los temas del Evangelio se enseñaran "tan completamente como fuera posible, por lo menos tres veces durante los períodos de la infancia, la adolescencia y la madurez"[9]. Tenía como objetivo responder al rápido crecimiento que la Iglesia experimentaba en muchos países, así como para definir y establecer líneas de organización, empezando con la Primera Presidencia y pasando por los Doce Apóstoles a presidentes de estaca, obispos y familias. En el corazón del plan se encontraban las organizaciones auxiliares y los quórums correlacionados dentro de la estructura del sacerdocio, con el fin de respaldar el hogar en una era en la que ya se veía un marcado deterioro en los cimientos mismos de la vida familiar en la sociedad.

El término *correlación* adquirió un nuevo significado entre todos quienes estaban conectados con el amplio plan. Más bien que un "término frío y académico", llegó a ser una entidad "sagrada y de enorme valor"[10].

En 1965, el élder Monson pasó a ocupar el lugar del élder Marion G. Romney como presidente del Comité de Correlación para Adultos, el principal cuerpo de correlación de la Iglesia. El élder Monson se sintió conmovido por la "enorme responsabilidad", y les dijo a sus colegas: "Estoy al tanto de las grandes capacidades del élder Romney, así que espero y ruego que el Señor me faculte para esta asignación"[11]. Allí trabajó muy de cerca con el élder Harold B. Lee. En cierto momento le comentó al élder Lee que tal vez él (el élder Monson) tenía demasiadas asignaciones importantes. El élder Lee no vaciló en responder: "Si yo hubiera querido a alguien más para hacer este trabajo, lo habría llamado"[12].

El élder Monson pronto se dio cuenta de que todo lo que no correspondía a las categorías de niños y de jóvenes, cualquier cosa con la cual sus líderes no supieran qué hacer, la pasaban al Comité de Correlación para Adultos. De inmediato comenzó un detenido estudio de manuscritos pendientes de todos los manuales y cursos de estudio, los cuales eran numerosos. Uno de los asuntos más importantes era la introducción de nuevo material de lecciones todos los años, no particularmente relacionado con ningún propósito definido. Informó al élder Lee: "El comité para adultos está al tanto de que nos acercamos a una nueva e importante fase del programa de correlación de la Iglesia y consideramos que es necesario tener ciertas cosas presentes. Nuestro fin primordial es ayudar a todo miembro de la Iglesia a caminar rectamente ante el Señor, experimentar el tipo de gozo que el Señor desea para nosotros, y ser salvos y exaltados en Su reino celestial. Para lograrlo, todo miembro de la Iglesia debe entender, amar y vivir los principios del Evangelio. Si cada miembro basa su motivación en dicho entendimiento, tomará las decisiones correctas por las razones debidas"[13].

El élder Monson recalcó al comité que debían pensar en términos de "un Señor, una fe, un jovencito, una jovencita y un programa"[14]. Eso era lo que quería que sucediera con todos los líderes adultos de la Iglesia al captar ellos la visión de la correlación y al ser capacitados en los principios de liderazgo que facilitaran su ejecución. En 1965 se renovó el enfoque en la noche de hogar para la familia, designando el lunes como el día para llevarla a cabo, y ha llegado a ser una importante tradición para apoyar a la familia ante las adversas influencias mundanas. El ímpetu para fortalecer a la familia por medio de la correlación del sacerdocio en la década de 1960 ha dado frutos más de cincuenta años después, al mantenerse la Iglesia firme a pesar de los ataques del mundo contra la vida familiar.

El élder Lee también llamó al élder Monson a presidir el Comité de Capacitación del Sacerdocio. Dicho comité desarrolló capacitación para dos grupos: (1) líderes del sacerdocio en reuniones y conferencias del sacerdocio, y (2) especialistas en enseñanza, bibliotecas, música, actividades recreativas, y otros programas de barrio, estaca o región que las Autoridades Generales determinaran necesarios. Cada plan se envió al Comité de Correlación para su aprobación y después al Quórum de los Doce y a la Primera Presidencia. Las Autoridades Generales, a su vez, llevarían ese modelo a conferencias de estaca y reuniones regionales para capacitar a líderes del sacerdocio y de las organizaciones auxiliares. El élder Monson seleccionó dos líderes capaces para trabajar con él en el Comité de Liderazgo: Wendell J. Ashton, con quien había servido en el Comité de Correlación para Adultos, hombre muy activo en asuntos de la comunidad y tenaz para los detalles, y Neal A. Maxwell, a quien conocía debido a su reputación en métodos innovadores de enseñanza y de capacitación, quien además había servido como miembro de la mesa de la AMMHJ y en la administración de la Universidad de Utah. Al aumentar el trabajo en los años subsiguientes, el élder Monson pidió dos personas más para que se unieran al comité: James E. Faust y Hugh W. Pinnock. David B. Haight y J. Thomas Fyans colaboraban como miembros administrativos.

El élder Monson no estaba simplemente poniendo en práctica

destrezas, métodos y técnicas teóricas de liderazgo, sino que estaba capacitando a líderes en la enseñanza de principios verdaderos. "Todos ustedes son maestros", él ha dicho. "Ninguna persona puede escapar a la influencia de su propio ejemplo. Un maestro mediocre cuenta, un buen maestro explica, un maestro superior demuestra, pero los grandes maestros inspiran"[15].

Los miembros del comité estudiaron métodos de capacitación altamente exitosos de grandes corporaciones, esfuerzos históricos de la Iglesia y pasajes de las Escrituras, todo lo cual infundió una mayor percepción espiritual. Reconocieron que una de las responsabilidades centrales de las Autoridades Generales es hablar por revelación, enseñando los conceptos básicos del marco de La Iglesia de Jesucristo de los Santos de los Últimos Días. Algunos de los primeros temas desarrollados en el Comité de Liderazgo del Sacerdocio eran bien elementales: "Cómo llamar y cómo relevar", "Cómo escuchar con atención", "Cómo dar dirección", así como otros temas extraídos del Manual General de Instrucciones. El comité creó materiales para enfocar la atención en cómo escuchar, que es el elemento esencial para enseñar, aprender y dirigir.

El élder Monson adelantó un bosquejo de liderazgo para el segundo semestre de 1969 que tenía como punto de enfoque: "Cómo mejorar nuestra habilidad—de manera individual y como organización—para llegar a las ovejas perdidas". Nadie conocía ese tema mejor que Thomas Monson.

Algunos de los programas de capacitación más eficaces del comité se extrajeron de apuntes que el élder Monson había tomado como obispo: "Los deberes de un obispo" y "La organización y deberes de un sumo consejo". El élder Harold B. Lee—Apóstol y ex presidente de estaca en el valle del Lago Salado—había capacitado a líderes en la Estaca Temple View sobre esos dos temas y lo había hecho con precisión y persuasión. El hecho de que el élder Monson hubiera guardado esos apuntes—y aún los conserve hoy—es evidencia del entrenamiento que recibió. El Comité de Liderazgo del Sacerdocio elaboró exactamente esa misma capacitación para toda la Iglesia, la que fue prestamente aprobada por el Quórum de los Doce y la Primera Presidencia.

En febrero de 2004, en la transmisión mundial de una

Tom Monson en la congregación de la conferencia general aguardando el anuncio de su llamamiento al Quórum de los Doce Apóstoles, el 4 de octubre de 1963.

En su primera conferencia general como apóstol. De derecha a izquierda:
los élderes Thomas S. Monson, Gordon B. Hinckley, Howard W. Hunter,
Richard L. Evans y Ezra Taft Benson (al púlpito).

Saludando al presidente David O. McKay y a sus consejeros (de izquierda a derecha) Alvin R.
Dyer, Hugh B. Brown, Nathan Eldon Tanner y Joseph Fielding Smith, en diciembre de 1968.

Entrando al Edificio de Administración de la Iglesia,
en el 47 Este de la calle South Temple, en 1967.

Foto cortesía de *Desert News*

Presentando uno de sus primeros mensajes como apóstol.

Conversando con el presidente Spencer W. Kimball, en compañía del élder
Howard W. Hunter y del élder Gordon B. Hinckley, en abril de 1970.

Con su amigo y mentor, el élder Mark E. Petersen.

Junto al élder Gordon B. Hinckley en una conferencia general.
Los dos se sentaron lado a lado en el Quórum de los Doce durante dieciocho
años y sirvieron juntos en la Primera Presidencia por más de veintidós.

Foto cortesía de *LDS Church News*

Los santos de los mares del Sur reciben cálidamente a los Monson en una visita en 1965.

Saludando a Tahauri Hutihuti, de unos ochenta y cinco años de edad, en marzo de 1965. El hermano Hutihuti había ahorrado el dinero que había ganado durante cuarenta años en la pesca de perlas para ir al Templo de Nueva Zelanda.

En el Taj Mahal, en agosto de 1971, en una escala entre un campamento scout en Tokio y una conferencia de área de la Iglesia en Manchester, Inglaterra.

En la Estaca de Londres Inglaterra, frente a la Capilla de Wandsworth, en la calle Nightingale, donde solía estar ubicada la casa de la misión.

En una asignación en África cerca de las Cataratas de Victoria,
Rodesia, el 29 de noviembre de 1974.

En Estoril, Portugal, el 22 de abril de 1975, donde dedicó
esa tierra para la predicación del Evangelio. Directamente detrás del
élder Monson está el presidente de misión, W. Grant Bangerter.

En la dedicación del Templo de Freiberg, Alemania, en junio de 1985. De derecha a izquierda: el élder Thomas S. Monson y su esposa, Frances; el élder Robert D. Hales y su esposa, Mary; el élder Joseph B. Wirthlin y su esposa, Elisa; y Emil Fetzer.

En Haití para dedicar la tierra para la predicación del Evangelio, en 1983.

Recibiendo un doctorado honorario en leyes de la Universidad
Brigham Young en la ceremonia de fin de cursos, en abril de 1981. Jeffrey R. Holland,
el recién nombrado rector de dicha universidad, lee la mención.

Recibiendo títulos honorarios de la Universidad del Valle de Utah, en mayo
de 2009. El presidente Monson recibió un doctorado honorario en comunicaciones
y la hermana Monson un doctorado honorario en letras humanitarias.

Firmando un nuevo acuerdo el 1° de junio de 1982 para continuar el contrato conjunto de impresión y publicidad de la Corporación de la Agencia de Periódicos. El presidente Monson representó a Deseret News y John W. (Jack) Gallivan al Salt Lake Tribune.

Haciendo un recorrido por la Imprenta Deseret News con el presidente Spencer W. Kimball y el élder Gordon B. Hinckley mientras se imprimía la edición vespertina del periódico.

Después de una reunión de sacerdocio en la recién organizada
Misión Dresde, en Alemania Oriental, el 14 de junio de 1969. El élder
Monson está en el extremo derecho de la primera fila.

Tras organizar la Misión Dresde el 14 de junio de 1969.
De izquierda a derecha, fila del frente: Walter Krause; Henry Burkhardt,
presidente de la Misión Dresde; Gottfried Richter; fila de atrás: el élder Monson;
Percy K. Fetzer; Stanley D. Rees, presidente de la Misión Hamburgo.

Lugar de reuniones en Görlitz, en un edificio abandonado donde el élder Monson prometió a los santos de Alemania Oriental que recibirían todas las bendiciones del Señor.

Dirigiéndose a los santos por medio de un intérprete durante la organización de la Estaca Düsseldorf, Alemania, el 4 de junio de 1972.

En una colina con vista al río Elba, el élder Monson ofreció una oración para dedicar la tierra de Alemania Oriental el 27 de abril de 1975. De izquierda a derecha: Gary Schwendiman, el élder Monson, Walter y Edith Krause, Gottfried y Gertrude Richter, y Henry e Inge Burkhardt.

En la dedicación de la nueva capilla de Görlitz, con sus viejos amigos alemanes, entre ellos, el élder Dieter F. Uchtdorf (a la izquierda), el 27 de agosto de 1995.

Obsequiando la estatua "Primeros pasos" a Erich Honecker, jefe de estado de la República Democrática Alemana, junto al (de izquierda a derecha) élder Russell M. Nelson, Henry J. Burkhardt, Manfred Schütze y Frank Apel.

El 26 de agosto de 1996, caminando por el sendero desde
el lugar sagrado en una colina entre Dresde y Meissen, donde ofreció la
oración dedicatoria de la República Democrática Alemana en 1975.

capacitación de líderes—la versión actual de medios de capacitación—el presidente Monson nuevamente traería a colación aquellos apuntes de la capacitación del élder Lee y enseñaría a una nueva generación de líderes del sacerdocio sobre "El obispo y el bienestar espiritual y temporal de los santos". Trazó cinco círculos en una pizarra que representaban las áreas de influencia y responsabilidad de un obispo y las identificó de la siguiente manera: El obispo es el sumo sacerdote presidente y el padre del barrio; el obispo tiene responsabilidad hacia el Sacerdocio Aarónico; el obispo vela por los necesitados; el obispo es responsable por las finanzas; el obispo es un juez común. Terminó diciendo que las "responsabilidades sagradas que Dios da a los obispos se crearon en los cielos para bendición de cada miembro de la Iglesia en nuestros días"[16].

En 1967, el élder Lee estaba analizando con el élder Monson otras estructuras para llegar al liderazgo de la Iglesia por encima de aquella del Comité del Sacerdocio. La Primera Presidencia, bajo la dirección del presidente Heber J. Grant, había llamado Ayudantes del Quórum de los Doce en 1941 para añadir fuerzas en ese alto rango de autoridad. Desde entonces, la Iglesia había crecido notablemente en cantidad de miembros, así como en nuevos distritos, barrios, nuevas estacas y misiones, y el programa de correlación sugería un modelo de liderazgo más sintetizado.

Tras prolongadas conversaciones entre los miembros del Quórum de los Doce y la Primera Presidencia, surgió un nuevo nivel de liderazgo en el sacerdocio: "representantes regionales de los Doce". Su llamamiento consistía en "llevar consejo e instrucción a grupos de estacas o regiones"[17]. Tales hombres no serían Autoridades Generales, sino asesores de alto nivel que servirían como nexo entre las estacas y el Quórum de los Doce.

El élder Lee inmediatamente dio participación en la empresa al élder Monson debido a sus bien afinadas destrezas en dirigir y motivar a otras personas, su capacidad de pensar globalmente y su tenacidad y disciplina para capacitar a los llamados como representantes regionales. La primera larga jornada de capacitación de esos hombres recién llamados, efectuada el 28 de septiembre de 1967, estableció una tradición de liderazgo del sacerdocio que ha continuado como parte integral de las conferencias generales. El élder Lee escribió en su diario: "Thomas S. Monson y sus colaboradores, Neal A. Maxwell y Wendell Ashton, han hecho un trabajo magnífico en la planificación de todos los detalles"[18].

Al año siguiente, al prepararse el comité para una nueva ronda de reuniones de capacitación, lo que él describía como "el aspecto más notable del semestre", el élder Monson fue a visitar al élder Lee en el hospital, donde se estaba recuperando de una operación. "Me enseñó una gran lección", dijo el élder Monson, "algo que todos los líderes deberían aprender".

"Tom", dijo el élder Lee, "tú sabes mejor que yo lo que hay que hacer mañana, y si se te diera la asignación de actuar en mi lugar, tú lo harías y todo saldría mejor que si yo estuviera allí". Entonces continuó diciendo: "Tú conoces el orden de la Iglesia y yo también lo conozco, así que Spencer W. Kimball, quien me sigue en antigüedad, debe ser la persona indicada a quien pasarle la antorcha de la correlación en el seminario de mañana". Y le preguntó: "¿Serás para él lo que has sido para mí, un fiel colaborador en la causa de Cristo?".

El élder Monson respondió: "Así lo haré, hermano Lee".

Entonces el élder Lee le pidió una bendición.

Al día siguiente, el élder Kimball, encargado de dirigir la reunión, procedió a enseñar "una magnífica lección en cuanto al gobierno de la Iglesia". En horas de la tarde, exhausto, el élder Kimball le escribió una nota al joven Apóstol en su inconfundible caligrafía: "No puedo dar mi discurso; apenas si puedo ponerme de pie. Por favor hable usted de lo que desee. Yo voy a recostarme un poco durante el descanso para ver si logro recuperar mis fuerzas". El élder Monson cumplió con el pedido e hizo uso de la palabra hasta que, caminando lentamente hasta el púlpito, el élder Kimball continuó. "Fue precisamente antes de que lo operaran del corazón", explicó más adelante el élder Monson, "y no había forma de que el élder Kimball hubiera podido dar ese discurso a no ser con la ayuda del Señor"[19].

Durante las varias décadas siguientes, los representantes regionales ofrecieron capacitación a líderes del sacerdocio y de las organizaciones auxiliares en sus áreas geográficas asignadas.

En la conferencia general de abril de 1995, los 284 hombres que servían como representantes regionales fueron honorablemente relevados. Desde 1967, 1.072 varones habían servido en ese cargo[20], siendo reemplazados por Autoridades de Área Setentas (más tarde llamados Setentas de Área), quienes continuarían el curso trazado para los representantes regionales, con la responsabilidad adicional de atender las crecientes necesidades y presiones de la Iglesia en todo el mundo.

La influencia del élder Monson se extendía más allá de los programas y las capacitaciones internas. Sus experiencias al crecer cerca de tíos que no eran miembros de la Iglesia, así como en un vecindario donde había diversas religiones—o ninguna religión—le habían enseñado a llevarse bien con todo el mundo. Cuando el presidente David O. McKay le dio asignaciones de representar la Iglesia ante la comunidad en general, él estaba ampliamente preparado para hacerlo.

Tom suplantó a su "coterráneo canadiense", el presidente Hugh B. Brown, en el Servicio Interreligioso en Lethbridge, Alberta, Canadá, en junio de 1967. Habló los dos días en lo que era el mayor servicio religioso jamás llevado a cabo en el sur de Alberta, compartiendo el podio con el archidiácono de la Iglesia anglicana, Cecil Swanson; el obispo de la Iglesia católica romana de Calgary, el Reverendísimo Francis J. Klein; y el Reverendo de la Iglesia Unida de Canadá, W. C. Lockhart. Se sintió "un poco incómodo al tener que hablar después de esos dignatarios en sus togas", pero totalmente en su medio al referirse al Salvador Jesucristo.

"La fórmula para encontrar a Jesús ha sido y siempre será la misma: la oración ferviente y sincera de un corazón humilde y puro", declaró al numeroso auditorio[21].

Asistió a una sesión ecuménica que honraba el centenario de la iglesia episcopal de Utah y fue invitado del obispo Richard Watson en un almuerzo especial para líderes eclesiásticos de las varias congregaciones de la ciudad y del estado. Se sentía cómodo con líderes de otras religiones y ellos se sentían cómodos con él.

Recibió un reconocimiento de la comunidad por sus servicios. El 8 de marzo de 1966, la Universidad de Utah le concedió un reconocimiento de distinción como ex alumno, el primero de sus muchos reconocimientos cívicos. Su madre, quien siempre había sido una gran defensora de la educación era "tal vez quien se sentía más orgullosa en el auditorio", entre quienes estaban sus padres, tías y tíos, hermanos y hermanas, sus hijos y aun amigos de la infancia. Otras personas que lo acompañaban en el podio y que también recibieron reconocimientos eran Calvin L. Rampton, Gobernador del Estado de Utah; Frank S. Forsberg, quien llegó a ser el Embajador de los Estados Unidos en Suecia; Dean Olson, fundador de una compañía en Los Ángeles; y Joseph Jensen, destacado industrial.

En aquellos años, las Autoridades Generales servían en muchos directorios de entidades de la comunidad, no solamente en negocios de propiedad de la Iglesia. El élder Monson fue nombrado para servir por un término de tres años en la mesa directiva de ex alumnos de la Universidad de Utah[22]. La compañía de teléfonos de Utah, en aquellos tiempos la más grande de la región, invitó al élder Monson a ocupar un lugar en su cuerpo de asesores. Varios años después pasó a integrar el directorio de la compañía con sede en Denver, Colorado, en el cual sirvió junto a prominentes líderes comunitarios de varios estados del oeste. Las reuniones del directorio se efectuaban en Denver, así que una vez al mes debía viajar en avión a esa ciudad.

El Commercial Security Bank también le pidió que integrara su directorio. Allí sirvió como titular del comité de auditorías durante veinte años. Cuando llevaba tres años en esa institución, el banco decidió cambiar sus reuniones a un cierto martes de cada mes. El élder Monson habló con Richard Hemingway, presidente del banco, y le explicó que tendría que retirarlo del cargo que ocupaba pues en esos mismos días era cuando debía viajar a Denver para sus reuniones de la compañía de teléfonos. El Sr. Hemingway le respondió: "Hay treinta días en cada mes, así que podemos llevar a cabo nuestra reunión de directorio en cualquiera de los otros veintinueve. Con gusto la cambiaremos para cuando sea". El banco la cambió para otro martes[23].

Cuando otra institución bancaria más grande invitó al élder Monson a ocupar un puesto en su directorio, lo cual requeriría que renunciara al que tenía en el Commercial Security, se sintió halagado, pero permaneció fiel a la institución donde había estado.

Cuando se vendió el Commercial Security al Key Bank, una operación de mayor envergadura, los nuevos dueños pidieron al élder Monson que permaneciera en el directorio. Allí sirvió hasta marzo de 1996, cuando la Primera Presidencia determinó que las Autoridades Generales ya no ocuparían puestos en mesas directivas externas. El nuevo presidente del banco, Maurice P. Shea, escribió una carta expresando su gratitud por el servicio del élder Monson, en la que decía: "En nombre de Key Corporation y de Key Bank, se echarán de menos sus esfuerzos y su apoyo. Como amigo, yo lo extrañaré aún más. Disfruto nuestras conversaciones sobre Larry Bird y los Celtics y sobre Ted Williams y sus Red Sox. Como los irlandeses nos enorgullecemos en decir: 'Que el camino siempre se eleve hacia sus pies, que el viento siempre sople a sus espaldas. Que el sol brille con calidez sobre su rostro, que la lluvia caiga suavemente sobre sus campos y que, hasta que volvamos a vernos, Dios lo lleve en la palma de Su mano'"[24].

Los años que pasó en el directorio del banco no sólo se dedicaron a los negocios. Forjó una gran amistad con ejecutivos como Richard Hemingway y Robert Bischoff. En mayo de 2001, Robert se hallaba en estado crítico en el hospital tras una operación de cáncer del páncreas. El presidente Monson sintió que debía visitarlo. Su intercambio fue tierno. Robert le dijo al presidente Monson que su enfermedad lo había hecho comprender cuáles eran las cosas más importantes en la vida. "Me expresó su profundo deseo de estudiar la doctrina de la Iglesia, de llegar a ser miembro y de entrar en la casa del Señor", recordó más adelante el presidente Monson, quien le dio una bendición del sacerdocio y luego lo abrazó[25]. Robert murió dos días más tarde. El presidente Monson habló en su funeral y rindió homenaje a su querido amigo, quien también había servido como miembro de la mesa directiva de Deseret News, describiéndolo como "un hombre de integridad, un hombre de valor, un hombre de discernimiento y un hombre de buena voluntad"[26].

El élder Monson tenía gran afinidad hacia la prensa escrita, y en poco tiempo también ganó aprecio por la oral y la televisiva. En septiembre de 1964, la Primera Presidencia combinó sus compañías de radiodifusión y televisión bajo una nueva entidad, la Corporación Internacional Bonneville. Ésta ofrecía respaldo centralizado en financiación, ingeniería, adquisiciones, promoción, publicidad y otras funciones esenciales a las estaciones de radio y televisión de propiedad de la Iglesia, aunque se mantenía al margen de sus normas y operaciones. Fue un paso audaz en lo que sería una red vital de comunicaciones en los más de cuarenta años siguientes. Al élder Monson se le pidió que sirviera en el directorio de Bonneville, con lo cual se sintió "muy complacido"[27]. También se le nombró para integrar la mesa directiva de la estación local de radio y televisión KSL. Iba resultando claro que a fin de propagar el mensaje del Evangelio, la Iglesia necesitaba tener acceso a los medios de difusión, nacionales e internacionales. En años posteriores, las transmisiones vía satélite también llegaron a ser cruciales[28].

El élder Monson siempre daba a conocer su opinión. Aun cuando a menudo lo más popular era "expresar aprobación", él constantemente "debía ser sincero" consigo mismo, y, tras analizar los hechos, daba a conocer su opinión personal, fuera ésta o no "popular". Sin embargo, en todos los casos apoyaba la decisión final[29].

Su estilo de liderazgo siempre ha sido fomentar la manifestación de opiniones y consejos, ya fuera que esas ideas se asemejaran o no a las de él. Como Presidente de la Iglesia ha dicho en ocasiones: "No me están ayudando", cuando miembros de los comités se guardaban su opinión en asuntos urgentes. Quienes han trabajado a su lado coinciden en que él siempre está abierto a escuchar consejos. "Le gustan las cosas claras y directas", dicen, añadiendo que tiene poca paciencia hacia las personas que en una reunión esperan hasta ver cuál es "la manera diplomática" de opinar en cuanto a un asunto. A menudo él ponía al presidente N. Eldon Tanner como ejemplo. "Él era un líder, un hombre de la más absoluta integridad, un hombre que tenía la capacidad de ser un verdadero consejero, tenaz, firme, buscador, ante todo, del reino de Dios y Su justicia"[30].

A pesar de que el presidente Monson ha escrito todos sus discursos en una máquina de escribir sobre la mesa de la cocina, ha sido un paladín del esfuerzo de la Iglesia por adoptar nuevas tecnologías, habiendo presidido los comités que instituyeron nuevos sistemas. Aún recuerda cuando asistió a una presentación de una innovación que se decía revolucionaría el trabajo de oficina. Se llamaba: "procesamiento de textos"[31].

De comités de la Iglesia a esfuerzos ecuménicos, a entidades comunitarias y a nuevas empresas, Thomas S. Monson verdaderamente estaba en "todas partes" en su ministerio como Apóstol del Señor Jesucristo.

18

CERCA Y LEJOS

Un hombre lleno del amor de Dios no se conforma con bendecir sólo a su familia, sino que va por todo el mundo, ansioso de ser una bendición para toda la humanidad.

JOSÉ SMITH
Presidente de La Iglesia de Jesucristo
de los Santos de los Últimos Días, 1830–1844

MARK MENDENHALL CRUZÓ EL ESCENARIO durante la ceremonia de fin de curso de la Universidad Brigham Young en 1983 para recibir su doctorado en sicología social. El recinto estaba colmado de familiares y amigos de los graduados, entre ellos el élder Monson, quien ocupaba un lugar en el estrado en representación del Consejo de Administración de la Iglesia. "Eso fue perfecto para mí", comentó Mark más tarde, quien había conocido y amado al élder Monson desde su infancia.

En la juventud de Mark, su padre, Earl, había servido como misionero de trabajo, encargado de un rancho de cría de ganado ovino y vacuno propiedad de la Iglesia en Nueva Zelanda. La comunidad, en las afueras de Hamilton, era básicamente un centro habitacional de misioneros de trabajo, maestros y administradores del colegio de la Iglesia en Nueva Zelanda y de obreros que servían en el templo. Era un lugar multicultural que consistía principalmente de maoríes (aborígenes de Nueva Zelanda), neozelandeses, australianos, tonganos, samoanos y algunos estadounidenses.

En una de las habitaciones de los Mendenhall solían hospedar a Autoridades Generales visitantes y, periódicamente, desde 1965 a 1968, el élder Monson fue una de ellas. Earl lo llevó de pesca al lago Taupo, uno de los más hermosos que el élder Monson había visto. La primera vez que fueron, llovió el día entero, pero el élder Monson no se sintió frustrado; pescó cuatro truchas arco iris de casi dos kilos y medio y se le escaparon otras tantas. Sus compañeros de pesca no fueron tan afortunados.

"Lo que recuerdo del élder Monson en nuestra casa es que siempre estaba animado y lleno de vida", dice Mark. "De niño lo vi 'más en confianza', por así decirlo, fuera de la naturaleza oficial de su llamamiento, conversando con mi papá y otros hombres y contando historias. Nunca lo vi hacer ni lo oí decir nada que estuviera por debajo de la dignidad de su llamamiento; siempre sentí que era un hombre de Dios".

Sabiendo que el jovencito Mark coleccionaba sellos, el élder Monson siempre le llevaba algunos de la correspondencia que recibía en su oficina en Salt Lake. En una de esas visitas, hizo feliz a Mark con una nueva edición de sellos de Tonga. "Era el amor puro de Cristo que demostraba un siervo de Dios a un niño", dice Mark, quien aún se pregunta: "¿Cómo podía acordarse de mí, teniendo en cuenta cuán ocupado estaba con su trabajo y responsabilidades?"[1].

Ahora, cuando Mark estaba a punto de recibir su doctorado frente a su "obsequiante de sellos" de la infancia, se preguntaba si el élder Monson lo recordaría. Tal vez, siendo que llevaba el mismo nombre de pila de su padre, era posible que así fuera. Mark mantenía la mirada puesta en el élder Monson y entonces pasó al frente tras anunciarse su nombre: "Mark Earl Mendenhall".

"Lo vi darse vuelta de inmediato para mirarme. Lo miré directamente a los ojos y él a los míos e hizo un movimiento de cabeza y me sonrió, indicando lo que a mí me pareció un 'bien hecho' o quizá 'has honrado a tu padre y a tu madre'. Yo le devolví el reconocimiento como una expresión de gratitud por todo lo que él había hecho por mis padres a lo largo de los años"[2].

La experiencia de Mark Mendenhell es tan sólo una ilustración de la capacidad que tiene el élder Monson de influir en la vida de las personas en medio de un horario increíblemente agotador. Escenas similares se han manifestado año tras año por todas partes, inesperadas y hasta desconocidas para el mundo, pero grabadas en el corazón de agradecidos partícipes.

Durante los primeros dos años de su llamamiento como Apóstol, el élder Monson supervisó el Área Norteamérica Oeste, realizando giras misionales, conferencias y reuniones especiales. Durante ese mismo período, otras asignaciones lo llevaron a Nebraska, Nuevo México, Ohio, Oregón, Texas y Minnesota, así como varias veces a Toronto, Canadá, donde se sintió complacido al enterarse que el total de miembros de la Iglesia en algunos lugares se había más que duplicado desde que había servido allí como presidente de misión.

El presidente McKay pidió que durante sus visitas a misiones, las Autoridades Generales entrevistaran a todos los misioneros. El élder Monson siempre cumplió con su deber. Se sentía agradecido cuando la calefacción de la capilla funcionaba y así no tenía que entrevistar con el abrigo puesto. Aquel primer año entrevistó a 1.700 misioneros—unos 50 por día—y el año siguiente lo hizo otra vez. Las entrevistas a misioneros pasaron a ser una parte integral de sus giras misionales. Años después, estaba entrevistando en un salón pequeño y oscuro y sin levantar la vista extendió la mano para estrechar la del misionero. Sintió algo frío y húmedo en la palma de la mano. Un perro se había metido en el salón y lo había agarrado por el hocico.

Los viajes por avión solían presentar contratiempos. Muchas veces quedaba varado en aeropuertos debido a niebla o tenía que desviarse de su trayecto, y todo eso sin tiempo de sobra para llegar a su destino. Algunas veces le preparaban itinerarios cuestionables, como fue el caso del largo viaje de regreso a casa desde Seattle, el cual hizo escalas en San Francisco, Los Ángeles y Las Vegas antes de llegar a Salt Lake. El piloto de un vuelo a Canadá anunció que no podrían aterrizar debido a niebla. El élder Monson ofreció una oración en silencio e inmediatamente el piloto hizo saber a los pasajeros: "Nos acaban de avisar que se ha producido un claro momentáneo en nuestra aproximación al aeropuerto, así que lo aprovecharemos al máximo"[3]. Oraciones como ésa abrieron las nubes en varias ocasiones, permitiendo al élder Monson continuar con lo que se le había asignado hacer. Cuando no podía viajar por avión, conducía su automóvil por miles de kilómetros, después entrevistaba, efectuaba reuniones y regresaba a la carretera para emprender otro largo viaje.

En junio de 1965, la Primera Presidencia dividió el mundo en nuevas áreas: cinco en los Estados Unidos; Norteamérica hispana; Centro y Sudamérica; Gran Bretaña; Europa Occidental; Europa Oriental; el Oriente y Hawái; y el Pacífico Sur. El presidente McKay asignó al élder Monson supervisar el Área del Pacífico Sur, una de las más alejadas de la cabecera de la Iglesia. El élder Paul H. Dunn, de los Setenta, serviría con él.

El élder Monson había estado en el Pacífico Sur. En aquella visita, él y Frances habían partido el 5 de febrero de 1965, dejando a los niños en casa bajo el cuidado de la madre de Frances, a quien llamaban "Mormor" (término sueco usado para referirse a la abuela materna). La visita de los Monson al Colegio Sauniatu en Upolu, Samoa, el lugar que el presidente McKay había visitado en 1921 y en 1955, fue memorable. Cuando el élder Monson les habló, sintió la impresión de invitar a los 200 niños a pasar al frente para que él pudiera darle la mano a cada uno. Antes había desechado la idea debido a su ocupado itinerario, pero le volvió a sobrevenir la impresión. Preguntó a la persona encargada si sería posible estrechar la mano de cada niño. El administrador respondió con un arranque de gozo: "Nuestras oraciones han sido contestadas. Les dije a los jovencitos que si tenían fe y que si todos oraban, el apóstol del Señor saludaría personalmente a cada uno cuando visitara Sauniatu"[4].

A dondequiera que iban el élder y la hermana Monson, se reunían con misioneros. Frances, cómoda en medio de ellos, "les daba buenos consejos". Sus comentarios le recordaban a su esposo sus "experiencias juntos en el campo misional"[5].

Cuando llegaron de regreso a Salt Lake City el 9 de marzo, llevaron a Frances de inmediato al hospital, preocupados de que tuviera cólera. Cuando los médicos, en cambio, le diagnosticaron salmonella, un tipo de botulismo, todos se sintieron aliviados. A los pocos días volvió a casa, débil, pero más repuesta, y pronto se sintió casi normal. Eso fue importante porque unos días más tarde, todos ellos—el élder y la hermana Monson con los niños—disputaron su tradicional torneo de ping-pong en el subsuelo de la casa. Frances fue la ganadora.

Después de informar sobre aquella primera gira al presidente McKay, quien en otro momento también había pasado bastante tiempo en el Pacífico Sur, el élder Monson salió de la reunión emocionado: "Cuando uno está en la presencia del presidente McKay, siempre se siente edificado y termina la entrevista siendo mejor de lo que era antes"[6].

Más tarde ese año, después de que el élder Monson había sido oficialmente asignado a supervisar el Área del Pacífico Sur, hizo un segundo viaje a esa parte del mundo, esta vez en compañía del presidente Hugh B. Brown. Planeaban visitar Samoa, Tonga, Fiji, Nueva Zelanda y Australia. Llegaron a Auckland, Nueva Zelanda, el 21 de octubre de 1965 y allí festejaron "los ochenta y dos años del presidente Brown" hablando en una reunión misional regional. En una conferencia especial en la Estaca Hamilton, se dirigieron a 2.000 miembros, quienes de inmediato llegaron a ser "amigos". Más adelante en su viaje tuvieron una audiencia especial con el jefe de estado de Samoa y el primer ministro de Nueva Zelanda.

Durante muchos días previos a la visita de las Autoridades al colegio de la Iglesia en Mapusaga, Samoa Estadounidenses, maestros y alumnos habían estado ayunando y orando para que lloviera. Una cruda sequía casi había agotado el abastecimiento de agua, el cual dependía por completo de las lluvias. Durante las sesiones matutinas de la conferencia, los cielos se abrieron y llovió copiosamente. El piloto de un avión que aterrizó poco después del aguacero, dijo: "Nunca había visto nada igual; no se veía ni una nube en el cielo, excepto sobre el colegio mormón en Mapusaga. ¡No lo entiendo!"[7].

En Apia, Samoa Estadounidenses, las dos Autoridades Generales se reunieron con 1.300 miembros de la estaca. El élder Monson y el presidente Brown hablaron en cada sesión con la ayuda de intérpretes para que los miembros que sólo hablaban samoano pudieran entender sus palabras en inglés. El élder

Monson observó lo que él llamó "un milagro de interpretación de lenguas" mientras hablaba el presidente Brown:

"Un consejero de la presidencia de la misión comentaba en voz baja con el presidente de la estaca (ambos eran samoanos), que habían observado que la congregación estaba recibiendo el mensaje del presidente Brown sin la intervención del intérprete. Se le excusó de inmediato y el presidente Brown habló otros cuarenta minutos. Todos en la congregación, tanto los miembros que hablaban inglés como los que sólo hablaban samoano, entendieron el discurso"[8].

El presidente Brown acortó su gira y volvió a Estados Unidos desde Auckland, Nueva Zelanda. El élder Monson continuó el viaje solo. El regreso adelantado del presidente Brown se precipitó a raíz del anuncio inesperado del presidente McKay de que se habían llamado dos consejeros adicionales de la Primera Presidencia: el élder Joseph Fielding Smith, Presidente del Quórum de los Doce, y el élder Thorpe B. Isaacson, Ayudante de los Doce. Pocos meses después, el élder Isaacson sufrió un debilitante derrame cerebral y el presidente McKay llamó al élder Alvin R. Dyer, otro Ayudante de los Doce, como consejero de la Primera Presidencia. El élder Isaacson y el élder Dyer nunca fueron llamados al Quórum de los Doce.

El élder Monson siguió hacia Fiji y después hacia Tonga, donde se reunió con el príncipe Tui Pele Hake, hijo de la reina Salote y hermano del príncipe heredero de la corona, y después terminó su viaje en Tahití. Tras regresar a casa, compartió con su familia los desafíos a los que los miembros se enfrentaban para entrar al templo. El tema captó el interés de su hija Ann, y unos pocos años después, al servir como vice presidenta del consejo de seminario del valle del Lago Salado, ella lanzó una campaña, sin el conocimiento de su padre, destinada a recaudar fondos para ayudar a familias de los Mares del Sur a recibir las bendiciones del templo. Estudiantes de muchas escuelas preparatorias donaron modestas sumas y trabajaron en varios proyectos hasta superar su meta de juntar 8.000 dólares. Una noche, los oficiales de seminario se reunieron en la casa de Ann y sorprendieron al élder Monson con el dinero. Él hizo arreglos para enviar lo recaudado al presidente de la Misión Samoana. El élder Monson declaró: "Un pequeño sacrificio para alumnos de seminario ha resultado en bendiciones eternas para otras personas. Esos jóvenes amaron como ama Jesús"[9].

Durante los siguientes dos años y medio, el élder Monson viajó ocho veces por el Pacífico, perdiendo un día y después recuperándolo al cruzar la línea internacional de cambio de fecha a la ida y a la vuelta. Cuando le resultaba posible, Frances lo acompañaba al menos la mitad del viaje. Los vuelos sobre miles y miles de kilómetros de océano tal vez hayan sido los causantes de su desagrado por viajar de noche, lo cual sigue hasta el día de hoy. Pero un apasionado por la historia, llegó a leer la serie completa de seis volúmenes de la historia de la Iglesia durante los largos viajes en avión hacia los Mares del Sur.

Sus itinerarios dejarían exhaustos hasta a los más intrépidos viajeros. Por lo general estaba fuera de casa tres o cuatro semanas—de vez en cuando hasta cinco—manteniendo escaso contacto con las oficinas de la Iglesia o con su familia. Las comunicaciones eran principalmente por correo. El presidente Joseph Fielding Smith, en aquel momento su presidente de quórum, le escribía cartas, las cuales se demoraban en llegar. Hacer una llamada telefónica a los Estados Unidos era algo casi desconocido; en muchas de las islas ni siquiera había servicio telefónico. Él se desplazaba mayormente en pequeñas embarcaciones y las condiciones del tiempo determinaban si los barcos podrían navegar por entre los arrecifes.

Durante una de las asignaciones del élder Monson a Australia, mientras viajaba con el presidente de misión, Horace D. Ensign, el avión hizo escala en la ciudad minera de Mount Isa. El élder Monson se sorprendió al encontrar a una mujer con sus dos niños esperándole en el aeropuerto. La mujer, Judith Lauden, explicó que en los cuatro años que llevaba de miembro en la Iglesia, nunca había vivido en una rama organizada; su esposo no era miembro. Conversaron unos momentos y cuando el élder Monson se aprestaba a abordar el avión, la hermana Lauden le suplicó: "No se vaya todavía; he echado tanto de menos la Iglesia". De pronto, anunciaron que debido a un desperfecto mecánico, la partida del vuelo se atrasaría media hora. Siguieron hablando y ella le preguntó cómo podía influir en su esposo para que se uniera a la Iglesia. El élder Monson le sugirió que le diera participación en las lecciones de la Primaria de hogar y que ella fuera para él un testimonio viviente del Evangelio. Después le prometió que le enviaría una suscripción a las revistas de la Iglesia, así como ayudas adicionales para enseñar a su familia. "Nunca se dé por vencida con su esposo", le dijo, tras lo cual él y el presidente Ensign subieron al avión y partieron.

Algunos años más tarde, al hablar en una reunión para líderes del sacerdocio en Brisbane, Australia, el élder Monson se refirió a aquel encuentro en Mount Isa y a la importancia de enseñar y vivir el Evangelio en el hogar. Concluyó sus palabras diciendo: "Supongo que nunca sabré si el esposo de la hermana Louden llegó a unirse a la Iglesia, pero él nunca podría haber encontrado un mejor modelo a seguir que su esposa".

Uno de los hermanos de la congregación se puso de pie. "Hermano Monson, yo soy Richard Louden", dijo. "La mujer de la que usted habló es mi esposa y los niños son nuestros hijos. Somos una familia eterna, gracias, en parte, a la perseverancia y la paciencia de mi amada esposa"[10].

A dondequiera que iba en el Pacífico Sur, el élder Monson encontraba santos dedicados al Evangelio. Muchos de ellos ponían a sus hijos nombres de líderes de las Escrituras o, en el caso de Perla de Gran Precio Harris, el nombre mismo de un libro. A donde iba, el élder Monson tocaba el corazón y las manos de la gente. "Por lo general, nuestro amor se manifestará en nuestra relación cotidiana con otras personas", enseñó. Él tuvo muchas de esas experiencias cotidianas en el Pacífico Sur[11].

En un viaje a Papeete, Tahití, sintió que debía bajar del estrado mientras la congregación entonaba un himno, para darle la mano a un hombre anciano que estaba sentado cerca del frente. Se llamaba Tahauri Hutihuti, y provenía de las islas Tuamotu. El élder Monson se enteró de que ese noble hermano era un famoso pescador de perlas y que había sido un fiel miembro de la Iglesia a lo largo de toda su vida. Cuando Tahauri oyó acerca de la profecía del presidente McKay de que un día se edificaría un templo en el Pacífico, empezó inmediatamente a ahorrar dinero, escondiendo una parte de sus ganancias debajo de su cama. Cuando el Templo de Nueva Zelanda abrió sus puertas en 1958, Tahauri empleó sus 600 dólares, ahorrados en el curso de más de cuarenta años, para llevar a su familia al templo. Al élder Monson le resultó claro por qué "había sentido que debía extenderle un saludo especial durante la reunión"[12].

Durante su ministerio, ha dispensado esa misma atención individual a otras personas en muchas ocasiones. Minutos antes del comienzo de la sesión del sábado por la tarde de la conferencia general de abril de 2010, cuando ya todos estaban sentados, el presidente Monson descendió del estrado para dar un abrazo a Eldred G. Smith, ex Patriarca de la Iglesia, reconociendo la fidelidad de ese siervo de Dios de 103 años de edad, nieto de Hyrum Smith, el hermano del profeta José.

Y esas demostraciones de respeto le son retribuidas. En otra visita a Papeete, Tahauri Hituhitu hizo fila para saludar el élder Monson, a quien se le agradecía su visita del modo tradicional, colgándole del cuello un collar de caracoles de mar a la vez hasta casi cubrirle la cara. Tahauri le dijo que no tenía "ningún obsequio para darle a no ser el amor de su corazón". Los dos se abrazaron y Tahauri besó al élder Monson en la mejilla[13].

El élder Monson se sentía muy a gusto con la humilde gente de las islas del Pacífico. Les enseñó principios del Evangelio, y ellos también le enseñaron a él. Tarde una noche, durante una de sus visitas, una pequeña embarcación atracó en el rudimentario muelle de una pequeña isla. Dos mujeres polinesias ayudaron a Meli Mulipola a salir del bote y lo guiaron a la villa donde el élder Monson se encontraba reunido con un grupo de líderes del sacerdocio. Meli era ciego, habiendo perdido la vista cuando trabajaba en una plantación de piña, y "quería recibir una bendición de las manos de quienes poseían el santo sacerdocio". Se le concedió su anhelo y recibió la bendición. Entonces el hermano Mulipola se arrodilló y ofreció su propia oración: "Oh, Dios, Tú sabes que soy ciego. Tus siervos me han bendecido, y si es Tu voluntad, la vista tal vez me será devuelta. Ya sea que en Tu sabiduría yo vuelva a ver la luz o permanezca en oscuridad por el resto de mis días, estaré por siempre agradecido por la verdad de Tu Evangelio que ahora veo y que me da luz de la vida". Meli se puso de pie, agradeció al élder Monson y a los demás la bendición y desapareció en la oscuridad de la noche. "En silencio llegó y en silencio se marchó", recuerda el presidente Monson, "pero nunca olvidaré su presencia. Reflexioné en las palabras del Maestro: 'Yo soy la luz del mundo; el que me sigue no andará en tinieblas, sino que tendrá la luz de la vida'"[14].

En una de las visitas del élder Monson a Brisbane, Australia, asistió a la conferencia de estaca el mayor número de personas registrado en su historia. Su llegada se había anunciado en el periódico: "Visita de jerarca mormón". En la ciudad de Melbourne visitó el gran Museo de Guerra, una imponente estructura en esa ciudad del sur de Australia. Se sintió cautivado por las inscripciones del monumento y más tarde habló de cómo se había sentido en ese lugar tan "sagrado":

"En ese edificio, cuando uno camina por sus silenciosos corredores, hay placas que aluden a los actos de valor de quienes hicieron el supremo sacrificio. Uno casi podía oír el rugir de los cañones, el sonido de las municiones, el ensordecedor silbido de los proyectiles y el lamento de los heridos. Uno casi podía sentir la euforia de la victoria y, al mismo tiempo, la desesperación de la derrota. En el centro del salón principal, para que todos lo vieran, estaba el mensaje de ese monumento. La luz que entraba por la claraboya del techo permitía leer con claridad, y una vez al año, a las once horas de un día de noviembre, el sol brilla directamente sobre el mensaje que casi se incorpora para decir: 'Nadie tiene mayor amor que éste, que uno ponga su vida por sus amigos'. El desafío actual no es tanto el que debamos ir al campo de batalla para entregar la vida, sino que debemos permitir que nuestra vida refleje el amor que sentimos por Dios y por nuestros semejantes mediante la obediencia que prestamos a Sus mandamientos y el servicio que rendimos a la humanidad"[15].

Y así fue; creó estacas, revisó finanzas, se reunió con representantes legales, restauró bendiciones, habló con misioneros y los entrevistó, bendijo a miembros locales que estaban enfermos, habló en conferencias de estaca, buscó edificios que pudieran llegar a ser casas de misión adecuadas, asistió a presentaciones tradicionales de danzas y hasta una vez lo escoltó desde el muelle una banda de música que tocaba "Con valor marchemos". Visita tras visita, viajaba en bote sobre encrespados mares para reunirse con personas que no habían visto a una Autoridad General por décadas, o que nunca las habían visto. En una ocasión regresó a casa justo a tiempo para hablar en el funeral de una de sus ochenta y cinco viudas del Barrio Sexto-Séptimo.

En Auckland, Nueva Zelanda, tuvo "una buena entrevista" con el élder Ryan Jones, hijo único de una madre viuda de la Estaca Lost River, Idaho. A la madre del misionero, Belva Jones, se le había diagnosticado cáncer, pero no se lo había dicho a su hijo, quien llevaba en la misión apenas dos meses, y sentían gran temor en la familia por la terrible enfermedad. El padre de Ryan había muerto de cáncer poco antes de que el joven saliera a la misión. El hermano de Belva, Folkman Brown, director de relaciones mormonas del consejo scout del valle del Lago Salado, había ido a la oficina del élder Monson para pedir su consejo de si se debía informar al joven misionero sobre la enfermedad de su madre y, en caso de que se considerase apropiado, quién se lo diría.

El élder Monson le dijo a Folkman que dejara el asunto en sus manos, ya que él viajaría a Nueva Zelanda y allí determinaría el mejor curso de acción cuando hablara con el misionero. Una vez en Hamilton, tuvo que tomar "una decisión muy difícil" y, en compañía del presidente de misión, habló personalmente con el joven y le informó del diagnóstico de su madre. "Pensé que lo mejor era hablar con el muchacho mientras el presidente Hugh B. Brown y yo estábamos allí para apoyarlo, en vez de que recibiera la noticia en otras circunstancias". Al informárselo, el élder Monson sintió "el poder del testimonio del misionero y de su fe en Dios, y el joven tomó la decisión de permanecer en su misión"[16].

No mucho después, el élder Monson fue asignado a visitar la Estaca Lost River, Idaho. Consideró la asignación una manifestación de la mano del Señor. La madre del misionero que servía en Nueva Zelanda estaba sentada en la congregación. Tras los servicios, el presidente Monson le dio un informe personal acerca de su hijo, sobre la forma en que había reaccionado a la noticia y lo mucho que Ryan amaba a su madre. Después, él y el presidente de estaca le dieron una bendición: "De todas las Autoridades Generales que podrían haberse asignado a esa conferencia", él escribió sobre aquella tierna experiencia, "se me asignó a mí, siendo el único que podría haber dado un informe fidedigno de mi conversación con el hijo de esa noble mujer"[17].

El presidente Monson ha recibido infinidad de cartas de personas en cuyas vidas ha influido de alguna forma en todos los rincones del mundo. Típica entre ellas es la que recibió de John Telford, un joven de la estaca del élder Monson, que había recibido un llamamiento misional a Samoa en 1965 y que fue asignado al élder Monson para que lo apartara[18]. El hermano Telford se sintió muy feliz, ya que consideraba al élder Monson en parte responsable por su decisión de servir. Algunos años antes, escuchó hablar en una reunión sacramental a un presidente de misión que recién había regresado, de nombre Thomas Monson. "No podía recordar ninguna vez en mi vida en que hubiera sentido el Espíritu como en aquella reunión", le escribió más adelante al presidente Monson. "No me acuerdo de todo lo que se dijo, pero nunca olvidaré lo que sentí ni el renovado compromiso que me fijé de algún día servir en una misión"[19].

Durante una de sus visitas a Tonga, el élder Monson se enteró de que el presidente de la misión, John H. Groberg, tenía un bebé, nacido en la isla, que estaba pasando por serios problemas de salud. "El élder Monson debe haber tenido algún presentimiento espiritual", observó el hermano Groberg, "pues le comentó a mi madre, quien había ido a ayudarnos cuando el bebé nació, que si el pequeñito tenía más problemas, no deberíamos vacilar en llevarlo de inmediato a los Estados Unidos". Todos los habitantes de la isla, incluyendo a la reina de Tonga, habían celebrado el nacimiento del pequeño John Enoch, pero estaba mal de salud. Tras la gira por la misión, el presidente Groberg recibió una llamada inesperada del élder Monson para preguntar cómo seguía el bebé y reiterar: "Si es necesario, ni siquiera vacile en enviar a su esposa con el bebé a los Estados Unidos para recibir atención médica". La hermana Groberg siguió el consejo del élder Monson y emprendió su regreso a Utah, donde el pequeñito fue internado de inmediato en el Hospital de la Primaria y fue sometido a una operación. "Después de mucha oración y consideración", los Groberg decidieron dejar al bebé al cuidado de sus abuelos durante el último año de su misión, a fin de que estuviera cerca de los médicos. La hermana Groberg regresó a Tonga para acompañar a su esposo y a sus otros hijos.

Algunos meses más tarde, al organizar la primera estaca en Tonga en compañía del élder Howard W. Hunter, el élder Monson mencionó que había visitado al pequeño John Enoch en el hogar de sus abuelos antes de ir a Tonga. Describió "cuán saludable y feliz se encontraba el niñito y cuánto habían influido la fe, los ayunos y las oraciones de los tonganos en la habilidad de John Enoch de sobrevivir y de crecer". En toda la congregación observó "miles de movimientos de cabeza indicando que entendían lo que les decía", y "decenas de miles de lágrimas brotando libremente de sus ojos"[20].

La creación de la estaca en la isla fue un hecho tan significativo que hasta el rey de Tonga concedió a los apóstoles y a sus respectivas esposas una audiencia privada y decretó que la totalidad de la conferencia se transmitiera por la radio nacional la noche siguiente, haciendo posible que los miembros que vivían en islas lejanas pudieran oír el memorable evento. "Qué cosa tan magnífica", observó el presidente Groberg, "que la nación entera pudiera oír el testimonio de dos apóstoles"[21].

Cuando el élder Monson ordenó al oficio de sumo sacerdote a uno de los nuevos miembros del sumo consejo, el hombre le dijo: "Hoy se ha cumplido una profecía". En 1938, el élder George Albert Smith, mientras se encontraba de visita en la isla, había ordenado al hombre al oficio de élder y le había dicho: "Llegará el día en que un Apóstol le impondrá las manos y lo ordenará sumo sacerdote"[22].

Los Hunter y los Monson fueron al aeropuerto acompañados por una banda musical que entonaba una conocida composición de Broadway. Un hermano de nombre Uliti Uata, se acercó al élder Monson con cierta timidez y le dijo que su esposa había dado a luz a un niño hacía pocos días. "Quisiéramos ponerle su nombre", le dijo. El élder Monson se sintió halagado y le dijo que le parecía muy bien. El niño ha llevado el legado de los eventos de aquel fin de semana en su nombre: Thomas Monson Uata[23].

El sentido del humor del élder Monson se puso de manifiesto durante una visita particular a Australia en medio de una gran sequía, donde le causaron bastante gracia los nombres de los presidentes de estaca del lugar: el presidente Percy *Rivers* (ríos) y el presidente William *Waters* (aguas). Les hizo notar esto a sus compañeros de viaje, uno de los cuales le recordó al élder Monson que su nombre era Harry *Brooks* (arroyos). Los misioneros que los esperaban en el aeropuerto eran el élder *Rainey* (cuya pronunciación en inglés suena parecido a "lluvioso") y su compañero. Cuando llegaron al hotel, el empleado de la recepción no podía encontrar la reservación, hasta que la localizaron por el nombre de Thomas S. *Monsoon* (monzón) [24].

Tras la división de la Estaca Sydney en mayo de 1967, Frank Lord, cuya esposa era la presidenta de la Primaria de la estaca, se acercó al élder Monson con lágrimas en los ojos y le explicó que él no había sido miembro de la Iglesia durante todos los años que su esposa había disfrutado tanto su propia asociación con los santos. "Hermano Monson", le dijo, "el mensaje que usted dio la última vez que asistió a la conferencia de la Estaca Sydney fue el punto decisivo en mi vida. Al oír su testimonio, supe en mi corazón que el Evangelio era verdadero y tomé allí mismo la decisión de entrar en las aguas del bautismo". El élder Monson escribió en su diario personal: "Comentarios como ése me llevan a lo más profundo de la humildad y me hacen comprender la responsabilidad que descansa sobre mí"[25].

¿Cuáles eran sus enseñanzas y testimonio en aquellas visitas? ¿Qué era lo que conmovía el corazón de la gente y hacía crecer su fidelidad? Él siempre enseñó las sencillas verdades del Evangelio, acomodando el mensaje a la gente, sin importar dónde se encontrara: "Ruego que amen y sirvan a Dios; ruego también que amen a su prójimo; ruego que tengan paz en el corazón y gozo en el alma"[26].

El 6 de octubre de 1967, la Primera Presidencia autorizó que se enviaran misioneros a servir en Nueva Caledonia. Siete meses después, el élder Monson tomó el vuelo semanal desde Nueva

Zelanda a Numea, Nueva Caledonia, territorio francés a 4.800 kilómetros de Tahití, para dedicar esa tierra para la predicación del Evangelio. Lo primero que hizo aquella tarde, acompañado del presidente de misión, Karl Richards, fue reunirse con oficiales del gobierno. "Siempre entramos por la puerta del frente", ha reiterado el élder Monson, explicando que la Iglesia honra al gobierno de cada país. En Nueva Caledonia, había llevado muchos años lograr que se abriera una puerta y lograr las aprobaciones gubernamentales[27].

Temprano por la mañana el 2 de mayo de 1968, el élder Monson y el presidente Richards llegaron a la cima del monte Coffyn, con vista a la bahía y las leves colinas de Numea, junto a Teahu Manoi, presidente de la Rama Numea; su esposa e hija; y su consejero, Mahuru Tauhiro. Antes de ofrecer la oración, el pequeño grupo entonó el himno: "Ya rompe el alba". Después, el élder Monson invocó "las bendiciones de nuestro Padre Celestial sobre los oficiales del gobierno y el pueblo, para que la obra no se dificulte, sino que siga avanzando". El presidente Richards interpretó para los tahitianos que estaban presentes, y no hubo persona que no derramara lágrimas. Para el élder Monson, aquella primera oportunidad que tuvo de dedicar una nación, fue una de sus experiencias más espirituales[28].

El élder Monson amaba a la gente del Pacífico Sur. Viajaba largas horas para ministrarles. En Samoa, la tierra donde está sepultado el famoso escritor Robert Louis Stenvenson, visitó el lugar donde éste había vivido. Encontrándose cerca de la casa blanca, situada en un claro en medio de densa vegetación, imaginó "retroceder en el tiempo a la época de su ocupante, quien bien resumió la actitud que debiéramos tener hacia las ocupaciones diarias, cuando declaró: 'Sé lo que es el verdadero placer, pues he hecho un buen trabajo'"[29].

En junio de 1968, como parte de la rotación normal de asignaciones, la Primera Presidencia transfirió al élder Ezra Taft Benson de Europa a supervisar la obra en el Oriente. Asignaron al élder Monson a supervisar las misiones europeas: Alemania, Italia, Austria y Suiza. Nunca podría haber imaginado lo que le esperaba.

En compañía de Frances y de su hijo Tom, viajó primero a París el 22 de julio de 1968, y de allí a Estocolmo, Suecia. Los tres asistieron a una reunión en Eskilstuna, Suecia, para encontrarse con familiares de la madre de Frances. Aun cuando ninguno de ellos hablaba inglés ni tampoco eran miembros de la Iglesia, "el vínculo del amor familiar era igualmente cálido y amigable". Era su primer viaje a su "tierra natal". Al día siguiente, visitaron la vieja granja de la familia en Smedjebacken, Dalarna, donde había vivido la familia del padre de Frances. "Sentimos que nos encontrábamos en un lugar preciado al ver la casa y los viejos graneros, y al comprender cómo nuestras familias se habían cruzado gracias al Evangelio"[30].

Los Monson se quedaron en Hamburgo, Alemania, con el presidente de la misión, Stan Rees, y su esposa. El jovencito Tom estaba feliz por encontrarse con los niños de los Rees y de buena gana se hubiera quedado con ellos mientras sus padres continuaban su viaje, pero no lo dejaron atrás. El élder Monson habló en un seminario para presidentes de misión en el área de habla alemana y entrevistó a cada uno de ellos. Él, Frances y Tommy también asistieron a la competencia de teatros ambulantes, en la que ganó Austria[31].

En la tarde del 31 de julio de 1968, el élder Monson y los Rees realizaron una breve visita detrás de la Cortina de Hierro. "Qué contraste tan crudo", observó el élder Monson, "al pasar uno por el puesto de control y ver cómo la libertad se apaga y el comunismo lo domina todo". Visitaron el museo de guerra soviético y después volvieron a cruzar hacia el lado occidental, donde advirtió una sencilla corona que honraba a los que habían perdido la vida al tratar de escapar sobre el muro de Berlín. Las evidencias de los bombardeos de la Segunda Guerra Mundial se veían por todas partes. Por el contrario, Berlín occidental demostraba ser una ciudad nueva y próspera, "aunque resulta inevitable saber que está asediada y rodeada por el comunismo"[32].

Después viajaron a Atenas, Grecia, donde subieron por una colina en la que se dice que Pablo dio uno de sus potentes sermones, y al día siguiente continuaron hacia Roma, después Zurich y Berna, en donde visitaron el Templo de Suiza, el primero edificado en Europa, y luego abordaron un tren con destino a Heidelberg. Allí se encontraron con la hermana del élder Monson, Marilyn, y su esposo, Loren—quien estaba en el ejército, en Alemania—y su hijo Robert. Los seis viajaron juntos a Francfort, desde donde los Monson viajaron de vuelta a París y después a Glasgow, Edinburgo y Londres.

Londres tal vez haya sido el punto culminante del viaje para Tommy, ya que él y su papá viajaron en tren por varias horas hasta las afueras de Londres para encontrarse con Bernie Stratford, un famoso criador de palomas rodadoras de Birmingham. "Después de un día entero de observar palomas, regresamos a Londres, y al día siguiente, el 12 de agosto, emprendimos el regreso a los Estados Unidos"[33].

Tan pronto como llegaron a casa, el élder Monson se dirigió a la oficina, poniéndose al día con correspondencia y tareas que requerían su atención. Esa semana también fue a la Universidad Brigham Young a hablar en una convención de genealogistas.

Él tenía un conocimiento preliminar del estado de la Iglesia en Europa y estaba preparado para ayudar a los presidentes de misión y a los miembros a dar los primeros pasos para fortalecer sus cimientos y lograr más conversos. Meses después, una asignación a Sudamérica—futuro baluarte de la Iglesia—aumentaría su comprensión de la presencia de la Iglesia en el mundo entero. En Montevideo, Uruguay, se reunió con 100 misioneros antes de asistir a la conferencia de la Estaca de Montevideo, unidad recién creada y la primera estaca en el país.

Después viajó a Buenos Aires, Argentina, para asistir a una conferencia de estaca. Años más tarde, un presidente de estaca describiría el efecto que la visita del presidente Monson había tenido en él, personalmente. Sebastián Felipe Rodríguez estaba en edad de servir en una misión pero no sabía si iría o no, ni siquiera sabía si Dios existía. Fue a la conferencia con la esperanza de que algo lo inspirara. Al partir de la reunión, el élder Monson extendió la mano por encima de una barrera de cuerda para saludar al joven. "Usted irá en una misión, ¿cierto?", le preguntó. "Va a prestar un gran servicio para el Señor", y después se marchó. Fue la respuesta a la oración. Un futuro líder de la Iglesia en ese país fue encaminado claramente gracias a la atención personal del élder Monson[34].

En São Paulo, Brasil, el élder Monson se reunió con las dos estacas, recién divididas, para llevar a cabo una conferencia trimestral. La energía eléctrica de todo ese sector se había interrumpido, pero un ingenioso misionero había conectado un sistema altoparlante portátil a la batería de un automóvil y las reuniones se llevaron a cabo. Para el élder Monson, el punto culminante de la conferencia fue el nombramiento de Leonel Abacherli como patriarca de la Estaca São Paulo Este, que se había organizado hacía tres meses. El élder Monson mencionó el nombramiento al patriarca de la Estaca São Paulo, quien se puso muy feliz. El hombre le explicó que él, José Lombardi, había dado su bendición patriarcal a la hermana Abacherli hacía un par de meses y se sintió inspirado a decirle que un día su esposo sería también un patriarca. Ni imaginaba que su profecía se cumpliría en menos de un período de sesenta días.

El élder Monson viajó de regreso a casa un viernes y partió para una conferencia en Phoenix, Arizona, ese fin de semana.

Como parte de una asignación para crear una estaca de personal militar en Europa, el élder y la hermana Monson realizaron su primer viaje a la Tierra Santa, visitando la ciudad de Jerusalén y maravillándose "con la rocosa colina y el escarpado terreno", y preguntándose "cómo Jesús el Cristo y otros habían podido desplazarse por tan desolada región"[35]. Visitaron un modelo a escala de la antigua ciudad, el mercado y otros significativos lugares bíblicos. En Beirut, Líbano, se reunieron con un pequeño grupo de misioneros que servían allá, donde la obra no marchaba muy bien, e hicieron ajustes a algunas normas. El ritmo era agotador, pero el élder Monson no parecía verse afectado, nunca registrando en su diario el más mínimo indicio de cansancio.

En Italia se reunió con misioneros y miembros. Un hombre había viajado seis horas y media en bicicleta y tren para llegar a la reunión. El élder Monson fue testigo de esa misma dedicación y fe en otras partes de Europa, entre ellas, los países escandinavos. Los números eran escasos pero iban en aumento, y resultaba obvia en todas partes la necesidad de concentrarse en ayudarse los unos a los otros a vivir el Evangelio. La orientación familiar languidecía, llegando a un 10 por ciento en algunas partes, y la asistencia a las reuniones sacramentales era también del 10 por ciento. Pero ése no era el caso en Alemania Oriental. La disposición de los santos de ese lugar de velar los unos por los otros y reunirse para adorar al Dios Todopoderoso, era todo cuanto tenían.

El sábado 9 de noviembre de 1968, el élder Thomas S. Monson realizó su primer y verdadero trayecto a esa nación aislada del mundo. Allí encontraría devoción y resolución, pese a la extrema opresión. Su asignación sería una de las más prolongadas que jamás se daría a un miembro del Quórum de los Doce, y llegaría a ser un capítulo sumamente significativo en su ministerio: el rescate de los santos de Alemania Oriental.

19

"NO OS CANSÉIS"

Al igual que en todas partes del mundo, nosotros, los alemanes, considerar al presidente Monson uno de los nuestros. Él hace a todos sentirse como su primera prioridad; ése es uno de sus grandes talentos. Las bendiciones que él trajo a nuestro país y a Europa son tan reales, tan significativas y tan singulares en su valor que yo creo que el Señor lo preparó como instrumento para cambiar la historia de Alemania.

PRESIDENTE DIETER F. UCHTDORF
Segundo Consejero de la Primera Presidencia

D ESDE QUE SE HABÍA LEVANTADO el muro en 1961, sólo unos pocos líderes de la Iglesia habían visitado la zona soviética de Alemania. Era el año 1968 y, "confiando en el Señor", el élder Monson, quien poco antes había sido asignado a las naciones europeas, decidió que él sería quien realizaría esa visita. De inmediato se puso en contacto con el gobierno de Estados Unidos para determinar qué era lo que hallaría—exactamente—en la Alemania dividida, en particular detrás de la Cortina de Hierro. El oficial del Departamento de Estado trató de disuadirlo de viajar a Alemania Oriental, en ese entonces llamada la República Democrática Alemana (RDA)[1], explicándole que Estados Unidos no tenía relaciones diplomáticas con ese país, y le dijo con franqueza: "Si algo le sucede, no podremos sacarlo de allá"[2].

Pero el élder Monson fue de todos modos.

"Uno tenía que darse cuenta", explicó años después, "de que el objetivo era mucho mayor que cualquier autoridad terrenal y, con confianza en el Señor, uno iba"[3].

Ésa no era una asignación más a otra parte del mundo; detrás de la Cortina de Hierro había miembros que necesitaban ayuda, ser rescatados. En gran medida, Alemania definiría el ministerio apostólico de Thomas Monson. Fue en esa nación que él vio, aun en medio de trágicas circunstancias, el amor del Señor por los oprimidos y olvidados. Fue en Alemania, del otro lado del mundo, donde ese fuerte y vigoroso joven Apóstol puso en práctica sus destrezas administrativas y su noble corazón. Allí se basó en sus años de experiencia con las viudas del Barrio Sexto-Séptimo, añadiendo a ese cuadro mujeres que habían perdido a sus maridos en la guerra y familias privadas de seres queridos.

La primera vez que el élder Monson le hizo saber a Frances que planeaba visitar la República Democrática Alemana, le preguntó si le gustaría acompañarlo. Frances respondió: "Tom, tenemos niños que criar; ve tú y yo me quedaré aquí con ellos. De ese modo, si tú no regresas, ellos tendrán a uno de nosotros para guiarlos".

"Ora por mí", le dijo Tom[4].

El élder Monson visitaría una Alemania que los vencedores habían dividido en cuatro zonas militares, ocupadas por ejércitos estadounidenses, británicos, franceses y rusos. Rápidamente, Estados Unidos, Inglaterra y Francia habían comenzado a reconstruir la destrozada economía de "su" Alemania. Rusia, por su parte, aisló su territorio y estableció un estado policía en el que la censura y las restricciones de desplazamiento atrasaron los esfuerzos de recuperación durante medio siglo. Edificios bombardeados y cubiertos del hollín que producía el carbón barato marcaban el panorama. En un elocuente discurso pronunciado en 1946, el ex primer ministro de Gran Bretaña, Winston Churchill, declaró: "Desde Stettin hacia el Báltico, hasta Trieste en el Adriático, ha descendido una cortina de hierro a lo largo del continente"[5].

Quienes estaban en condiciones, cientos de miles de alemanes orientales, escaparon a otras naciones en aquellos primeros años después de la guerra. Por lo menos una quinta parte de la población se marchó. Entre los que escaparon la opresión rusa se encontraban cientos de Santos de los Últimos Días.

El presidente David O. McKay había viajado a Berlín

Occidental en 1952, oportunidad en la que se había permitido a 1.300 miembros cruzar de la zona del este para oírlo hablar, teniendo algunos de ellos que vender lo poco que tenían, hasta sus mismos muebles, para hacer el viaje. Al día siguiente, el gobierno de la RDA rehusó permitir a ciudadanos de Alemania Oriental visitar Berlín. En agosto de 1955 el élder Spencer W. Kimball habló de su "gloriosa visión" de lo que sucedería si los miembros permanecían en Alemania y hacían su parte "desinteresadamente por reconstruir el gran reino"[6]. El élder Adam S. Bennion visitó Berlín Occidental en julio de 1956 y el presidente Henry D. Moyle se dirigió a los santos de Leipzig en 1958, siendo ése un reencuentro para él, puesto que años antes había servido allí como misionero. Al igual que el élder Kimball, recalcó que estaban "entrando en una nueva era que requerirá que la gente permanezca en sus respectivas tierras natales para edificar y fortalecer la Iglesia en ellas y, al hacerlo, pondrán los cimientos para establecer las organizaciones regulares"[7]. La última visita de representantes oficiales anterior a la del élder Monson fue la del élder LeGrand Richards en 1959. Los miembros oyeron el mensaje: "Permanezcan en la zona". Y muchos lo hicieron, "debido a las palabras de los profetas"[8].

Después de la Segunda Guerra Mundial, la ciudad de Berlín, adentrada en la zona soviética, había sido dividida, como Alemania misma, en cuatro sectores bajo los cuatro poderes militares. Los sectores controlados por Estados Unidos, Inglaterra y Francia se llegaron a conocer como Berlín Occidental, mientras que el sector soviético como Berlín Oriental. Al despertar en la mañana del 13 de agosto de 1961, los berlineses del oeste hallaron una alambrada de púas rodeando su parte de la ciudad, con guardias armados a lo largo de ella para "proteger" a los ciudadanos de la zona soviética, ahora la República Democrática Alemana, contra las influencias occidentales. Además, las comunicaciones se habían interrumpido, las principales arterias estaban bloqueadas y el tránsito entre el este y el oeste clausurado. Ese septiembre, Erich Honecker, un severo comunista que había subido al poder después de la guerra, supervisó la construcción de una extensa estructura de concreto que se llegó a conocer como el Muro de Berlín, la barrera más infame en el mundo. Separaba los dos países aún más una extensión deshabitada patrullada por tropas con órdenes de abrir fuego a cualquiera que intentara cruzar hacia el oeste[9].

Los menos de 5.000 miembros que habían permanecido en Alemania Oriental—muchos de ellos siguiendo el consejo profético de ayudar a edificar la Iglesia en su tierra—se enfrentaban a gravosas prácticas del gobierno cuyo fin era desanimar toda actividad religiosa. El objetivo era substituir el cristianismo con un dogma y prácticas socialistas. La constitución de la RDA de 1949 concedía a las iglesias el derecho de existir—a diferencia de otros países comunistas—pero hacía que las prácticas religiosas resultaran muy difíciles y siempre sospechosas[10]. Las actividades eclesiásticas las controlaba un departamento del gobierno encargado de asuntos religiosos, aunque no logró impedir que sus ciudadanos adoraran. El estado requería la notificación de reuniones e incluso monitoreaba los servicios dominicales; prohibía toda actividad misional y no permitía que entraran al país Escrituras, manuales o himnarios. Negaba la entrada a universidades y las promociones en el empleo a cualquier ciudadano que demostrara inclinaciones religiosas. El escaso esfuerzo misional que se permitió por un tiempo en Alemania Oriental después de la guerra lo llevaron a cabo miembros que vivían en la RDA, muchos de ellos soldados recién llegados que apenas habían sobrevivido el conflicto.

Por cierto que los Santos de los Últimos Días eran pocos en comparación con las otras denominaciones cristianas más conocidas, tales como la católica y la protestante, pero el pasar más desapercibidos no los resguardó de la constante vigilancia ni de la persecución. El hecho de que la sede de la Iglesia estuviera en los Estados Unidos, de que la mayoría de sus miembros también estuviera allí y de que se hubiera fundado en ese país, sólo sirvió para aumentar las sospechas del gobierno en cuanto a los mormones[11].

Sin embargo, Alemania había sido por mucho tiempo un bastión de la Iglesia. En la primera mitad del siglo veinte, la zona que rodeaba Freiberg, Dresde y Leipzig, era "una de las más productivas en lo que respecta al crecimiento del número de miembros" de la Iglesia. Los registros oficiales de la Misión Alemana del Este, organizada a fines de 1937, indicaban que la misión contaba con una población de 7.267 miembros en 1939 y "era una de las misiones más grandes del mundo (en población) en ese momento"[12]. De hecho, Alemania ocupaba el tercer lugar en el mundo en el total de miembros de la Iglesia, con Estados Unidos y Canadá en el primer y segundo lugares, respectivamente[13].

Algunas de las ramas alemanas de la Iglesia que ahora se encontraban dentro de la zona soviética se habían establecido antes que muchas de las creadas en las nuevas comunidades de Utah[14]. La Rama de Dresde, por ejemplo, se organizó el 21 de octubre de 1855; el converso alemán Karl G. Maeser sirvió como presidente. Él, junto con la mayoría de los miembros de la rama, emigraron a Utah en 1856; regresó a Alemania como misionero en 1867, donde sirvió tres años y después volvió a Utah para aceptar el cargo de director de la academia que llegó a ser la Universidad Brigham Young. Maeser, un hombre de fe inquebrantable, es famoso por su compromiso de que en la academia ni siquiera "se enseñaría el abecedario sin el Espíritu"[15]. (El 14 de julio de 2001, el presidente Monson dedicó una enorme estatua del Dr. Maeser en el centro de estaca de Dresde, ubicado en el corazón de la ciudad).

Al promediar la década de 1930, el régimen de Adolfo Hitler empezó a reconstruir las fuerzas militares alemanas y readquirió el territorio perdido en la Primera Guerra Mundial. Durante dicho período, los nazis interrumpían las reuniones de la Iglesia y se interrogaba a los líderes locales. Tras el anexado de varios países con Alemania en 1938, incluyendo Austria y partes de Checoslovaquia, la intención de Hitler era clara. La agresión política alemana despertó preocupación en los líderes de la Iglesia. La ambición de Hitler atentaba contra el bienestar de los santos alemanes.

Con el objetivo de juzgar la peligrosa situación, en 1937 el presidente Heber J. Grant y otros líderes de la Iglesia hicieron una gira por Alemania y otras naciones europeas. La visita ofreció a los santos de Europa la singular oportunidad de estar en la presencia del profeta de Dios, lo que superó sus expectativas. El presidente Grant los animó a "valorar y asumir sus plenas responsabilidades como miembros de la Iglesia y poseedores del sacerdocio" y a no "depender ya tanto de los misioneros"[16]. Al año siguiente, se llamó a miembros locales para ocupar los oficios, lo cual hicieron con integridad y seriedad[17].

Al avecinarse la guerra en junio de 1938, el presidente J. Reuben Clark, hijo, en aquel entonces Primer Consejero de la Primera Presidencia y ex diplomático de los Estados Unidos, hizo una gira por las misiones europeas y después se reunió con sus respectivos presidentes en Berlín. Sugirió que ante el aumento en las tensiones, cada presidente de misión debía idear un método para evacuar misioneros y los ayudó a determinar una ubicación segura para enviarlos. "Ni nos imaginábamos que en menos de seis semanas daríamos inicio a la propuesta", informó el presidente Franklin J. Murdock, de la Misión de los Países Bajos. "No creo que el presidente Clark lo imaginara tampoco"[18]. La primera retirada ocurrió en 1938, aunque fue poco más que un simulacro, ya que los misioneros regresaron a sus respectivos campos de labor una vez que las tensiones en Alemania se calmaron. Un año después, el 24 de agosto de 1939, mientras el élder Joseph Fielding Smith viajaba por las misiones europeas, la Primera Presidencia ordenó por medio de un telegrama una segunda y última evacuación de todos los 697 misioneros extranjeros que servían en Europa, incluyendo a los presidentes de misión. Una semana después, el 1º de septiembre de 1939, se desató la guerra.

Al comenzar la evacuación de misioneros, la responsabilidad por la Misión Alemana del Este se depositó en los miembros locales. El 25 de septiembre de 1939, Thomas E. McKay, el último líder misional en partir del continente europeo, envió una carta a todos los miembros de Alemania, animándolos al hacerse cargo de la responsabilidad de administrar la misión: "Oramos sinceramente a nuestro Padre Celestial que bendiga y proteja a quienes han sido llamados a pelear y que fortalezca a quienes permanecerán en sus hogares ante las responsabilidades adicionales que descansan sobre sus hombros. Oren, vivan una vida pura, guarden la Palabra de Sabiduría, paguen el diezmo, asistan a todas las reuniones y participen en ellas, absténgase de criticar y juzgar, apoyen a quienes han sido llamados a presidir, y les prometemos que el Señor los guiará en todas las cosas y que, aunque padezcan aflicciones, hallarán gozo y satisfacción. Tengan siempre presente que estamos embarcados en la obra del Señor y que Jesús es el Cristo"[19].

Cuando el presidente Thomas E. McKay presentó su informe ante las autoridades de la Iglesia en Utah, les aseguró que los santos alemanes entendían el Evangelio y estaban capacitados para seguir adelante. Algunos de los líderes eran miembros de segunda y tercera generaciones. A K. Herbert Klopfer, un traductor de la misión alemana de veintisiete años de edad, se le dio la responsabilidad sobre la Misión Alemana del Este poco después de que el presidente Thomas McKay diera su informe en Salt Lake City: "Las reuniones se llevan a cabo con regularidad y son bien concurridas. Todos cumplen con su deber"[20].

Cuando la Sociedad de Socorro celebró su centenario en toda la Iglesia en marzo de 1942, estando la guerra en pleno auge, más de 500 personas asistieron a un evento en Hamburgo, considerándosele una de las más concurridas celebraciones de la Sociedad de Socorro en la Iglesia[21]. Y "el 27 de junio de 1944, las ramas de Alemania llevaron a cabo un homenaje por el centenario del martirio de José Smith"[22].

Pero los efectos de la guerra fueron tremendos. El racionamiento de alimentos era severo y los bombardeos aéreos eran continuos. Dos millones y medio de alemanes perdieron la vida en un período de seis meses en 1944, entre ellos se encontraba el presidente en funciones de la Misión Alemania Este, K. Herbert Klopfer. Él había sido un genio en organización, encargándose de los asuntos de la misión al mismo tiempo que cumplía su asignación en las fuerzas militares de Alemania. Se cuenta que una vez asistió a un servicio sacramental en Dinamarca en su uniforme alemán. Cuando se puso de pie para cantar con los santos, lo reconocieron como un miembro más y "lo aceptaron en el redil". Murió como prisionero de guerra en el frente ruso. Sus consejeros, Paul Langheinrich y Richard Ranglack, siguieron proporcionando liderazgo, fortaleza y consejo a los asediados miembros.

Los miembros de la Iglesia continuaron con fidelidad a pesar de que a medida que la guerra progresaba, la asistencia a las reuniones bajó debido al trastorno de la vida cotidiana y a los miembros que se mudaban a zonas rurales en busca de seguridad. "Pero el espíritu no ha decaído", informó un presidente de distrito. "Regresaron y se volvieron a unir a nosotros muchos miembros que estaban menos activos", recordó Henry Burkhardt, que era líder en la Iglesia. "Todos buscábamos algo a que aferrarnos"[23].

En aquellos días, en toda la Iglesia se repartía la Santa Cena en la Escuela Dominical y en la reunión sacramental[24]. Debido al frío y a la falta de combustible en la RDA, el agua de la Santa Cena se congelaba en los vasitos, así que los miembros tenían que quebrar el hielo para tomar el agua. Los pocos líderes del sacerdocio que no estaban en el frente de batalla bendecían a los bebés y bautizaban a los niños de ocho años, así como a los pocos nuevos conversos. Para mantener contacto con las ramas alejadas, los líderes de la Iglesia viajaban en bicicleta hasta que los caminos fueron destruidos y las bicicletas les fueron robadas; después caminaban. A medida que la guerra se intensificaba en varios frentes y más hombres—de quince a sesenta años de edad— eran reclutados, algunas de las ramas perdieron todo el liderazgo del sacerdocio. Las hermanas seguían reuniéndose para enseñar lecciones de Primaria y para cantar en coros buscando el poder del Espíritu. Compartían relatos de sus milagros y reconocían la mano del Señor en sus vidas.

A medida que la guerra avanzaba, también empeoraban sus horrores. Al llegar a su fin, la gente estaba exhausta, hambrienta, sin hogar y aguardando el regreso de sus soldados, muchos de los cuales no volvieron. Pero los miembros no se descorazonaron; mantuvieron la vista puesta en el futuro con profunda fe, pues era todo lo que tenían, y les bastaba. El deber, el honor, los convenios y la cooperación fueron los elementos que los sostuvieron y alentaron. No es de sorprender que el élder Monson los amara.

El pasaje de las Escrituras que dice: "Salid . . . según os lo permitan vuestras circunstancias"[25], adquirió nuevo significado. Mientras se aprestaban para reacondicionar un establo para que sirviera de lugar de reunión, un hermano comentó: "Nos remangamos y nos ponemos a trabajar, y el Señor hace el resto"[26].

Los miembros se alimentaban con cáscaras de papas y se cubrían el cuerpo con andrajosas ropas, pero hallaban refugio los unos en los otros, viviendo, algunas veces, hasta cincuenta de ellos en una habitación, ya que habían perdido sus viviendas. En enero de 1946, sólo siete meses después de que terminara la guerra, el élder Ezra Taft Benson, del Quórum de los Doce, llegó a Europa con una asignación de la Iglesia. Fue uno de los primeros civiles a quienes se dio permiso para viajar en Alemania. Las historias de su ministerio en los países asolados por la guerra son de naturaleza épica. Gracias al plan de bienestar de la Iglesia pudo distribuir alimentos, ropa, frazadas y medicamentos. Al ver la gran cantidad de cajas llenas de alimentos enlatados, el líder de la misión Richard Ranglack "se echó a llorar"[27]. El élder Benson había ido a "rescatar a todos y a cada uno"[28]. Durante su "misión de misericordia" de diez meses, viajó casi 100.000 kilómetros, cruzando puentes bombardeados y recorriendo caminos destrozados. Los santos se congregaban de a miles para oírlo hablar. La mayoría de ellos se veían pálidos, delgados y harapientos, pero "la luz de la fe" brillaba en sus ojos[29]. Enseñó a la gente a "perdonar, pues no hay triunfadores ni perdedores". En la guerra, dijo, "todos pierden"[30].

"Sólo con fe en la culminación final de los propósitos del Señor puede la gente, despojada de todas sus posesiones terrenales, seguir adelante con un espíritu dulce y un corazón libre de amargura", dijo el élder Benson al partir del país tras concluir su asignación. "Les prometo las más ricas bendiciones de la eternidad en tanto permanezcan fieles"[31]. Esa promesa la reiteraría más de veinte años después Thomas S. Monson, otro joven y vigoroso apóstol.

El élder Monson llegó a Berlín Occidental el 31 de julio de 1968 en su primera visita como supervisor del área de Europa y sus misiones en Alemania, Austria, Suiza e Italia. Allí lo recibió Stanley D. Rees, presidente de la Misión Alemana del Norte, con sede en Hamburgo. El presidente Rees era responsable de los estados del norte de Alemania Occidental (la República Federal Alemana) y Berlín Occidental, así como por Berlín Oriental y todo el sector de Alemania Oriental (la República Democrática Alemana, Polonia, Hungría y otros países de detrás de la Cortina de Hierro). Juntos, los dos hombres pasaron cautelosamente por el puesto de control en la frontera para entrar brevemente a Berlín Oriental, regresando más tarde por el mismo camino a la parte occidental. El élder Monson comprobó que, aun con un pasaporte de Estados Unidos, la salida de Alemania Oriental suponía ser un largo proceso[32]. Durante los siguientes veinte años cruzaría esa frontera varias veces al año, aunque nunca afrontó la experiencia en forma despreocupada.

"Causaba un poco de temor pasar por ese puesto de control y ver las ametralladoras y los perros ovejeros y Doberman pendientes del más mínimo movimiento en falso", recordó más tarde. "Los guardias nunca sonreían, sino que lo miraban a uno fijamente sin perderle pisada"[33].

En la primera visita del élder Monson, los registros de la Iglesia en Alemania Oriental daban cuenta de 4.641 miembros en lista en 47 ramas y 7 distritos, con un total de 47 bautismos en 1968, de los cuales 17 eran de conversos[34]. En las misiones alemana e italiana había unos 1.000 misioneros, la mayoría de ellos de los Estados Unidos, que servían en países europeos, aunque ninguno de ellos detrás de la Cortina de Hierro. En Alemania Oriental, los porcentajes de asistencia a la reunión sacramental, de orientación familiar y de otras actividades de la Iglesia eran mucho más elevados que en Alemania Occidental o que en las otras estacas u otros distritos europeos.

En su segundo viaje a Alemania Oriental, el 9 de noviembre de 1968, el élder Monson cruzó nuevamente hacia el sector del Este en compañía del presidente Rees y su esposa. Le pidió al presidente Rees que orara para que los guardias no descubrieran "el verdadero propósito" de su visita. Esa vez se adentrarían en territorio oriental hasta Görlitz, en el extremo sur, frente a Polonia y Checoslovaquia. Al pasar por la inspección, ellos fueron "de los pocos a quienes no les abrieron el equipaje para que los guardias pudieran realizar una detenida inspección de todo su contenido"[35].

Mientras manejaban hacia Görlitz, pasaron por zonas rurales en donde la maquinaria agrícola era tirada por caballos, sin un solo tractor a la vista. "Hacía frío y había niebla, lo cual creaba un entorno lúgubre", escribió el élder Monson[36]. En las carreteras no se veían vehículos, lo cual indicaba la escasez de automóviles en Alemania Oriental. Aquellos que los tenían, viajaban envueltos en mantas, ya que los vehículos, en su gran mayoría, no tenían calefacción.

Por mucho tiempo, el élder Monson se había sentido intrigado por la historia de las guerras que se habían peleado en suelo alemán y disfrutaba leer acerca de la Primera y la Segunda Guerras Mundiales. Cuando cursaba la universidad, había considerado seriamente obtener un título en historia y llegar a ser maestro. Uno de los muchos libreros de su despacho está lleno de libros de historia de ese período, y él los ha leído todos.

En esa visita de noviembre de 1968, el élder Monson y el presidente Rees se detuvieron en Dresde, una de las ciudades más devastadas por los bombardeos durante la guerra. En tres noches de febrero de 1945, las bombas aliadas habían cobrado la vida de entre 25.000 y 40.000 habitantes de Dresde[37]. Sólo unos pocos nuevos edificios indicaban la necesidad de una reconstrucción masiva, aunque de ellos no había mayor evidencia por el momento. En 1855, los primeros misioneros habían establecido una unidad de la Iglesia en Dresde, y los miembros aún se aferraban a aquel legado, ya que ninguna guerra interferiría con su propósito en el reino de Dios.

Las instalaciones del hotel de Görlitz eran "las más anticuadas" que el élder Monson había visto. La habitación era fría, con un techo de cinco metros de altura, "una cama que tenía la apariencia de una caja", un lavabo antiquísimo y una bandera comunista en la ventana. "Sólo en el segundo piso del hotel había baños y éstos eran por demás deplorables"[38].

El élder Monson y el presidente Rees y su esposa llegaron a la reunión de Görlitz inesperadamente. Tal sería siempre el caso en las décadas siguientes debido a los que "observaban y escuchaban" en ese país comunista. La asistencia ese día fue de 235 personas. Inicialmente, los miembros confundieron al élder Monson con un misionero, ya que era obviamente norteamericano y tan joven, pero enseguida oyeron el potente timbre de su voz y sintieron el poder de su testimonio y la fuerza de su espíritu.

Ésa era la primera vez desde antes del comienzo de la

Segunda Guerra Mundial que una Autoridad General visitaba Görlitz. Como miembro de los Doce, el élder Monson llevaba consigo la comisión mencionada en las Escrituras: "... el poder para abrir la puerta [del reino de Dios] en cualquier nación a donde [la Primera Presidencia] los [mande]"[39].

La fascinación de Thomas Monson con Alemania comenzó en esa reunión en Görlitz. La congregación estaba llena de personas que eran santos en el más puro sentido de la palabra. Había en ellos una fuerza que provenía del haber sobrevivido el régimen de Hitler; casi toda familia había perdido un ser querido en la guerra. La mayoría había perdido sus hogares y posesiones, lo cual despertaba en el élder Monson compasión por ellos. "Una cosa es hacer un gran sacrificio y salir victorioso", observó, "pero otra muy distinta es hacer un gran sacrificio y terminar derrotado"[40].

Ese día en Görlitz, la hermana Edith Krause sirvió de intérprete al élder Monson. "Me di cuenta de que con frecuencia ella interpretaba su propia versión de lo que yo decía", observó él más adelante, "y yo no tenía ningún problema". Cuando él se refería al "presidente McKay", por ejemplo, ella decía "David O. McKay", reconociendo que los soldados que estaban escuchando podían malinterpretar esa referencia a un "presidente"[41].

Cuando los rusos invadían la ciudad cerca del fin de la guerra, el presidente de la rama, temiendo que inspeccionaran su casa, llevó los registros de la Iglesia a Edith y le dijo: "Protéjalos y el Señor la protegerá a usted". Edith vivía en el tercer piso de un edificio de apartamentos. Poco después, los soldados rusos saquearon los primeros dos pisos del edificio y se dirigían hacia el tercero cuando "milagrosamente, su líder los llamó para ir a otro sector". Los registros de la Iglesia y la familia permanecieron a salvo[42].

Al igual que otros Santos de los Últimos Días, a los Krause se les castigó por su afiliación a la Iglesia. A su hijo de diecinueve años, Helaman, le habían ofrecido una beca para la universidad si se unía a la juventud del Partido Comunista, pero no aceptó, declarando que prefería costearse los estudios él mismo. Se le permitió ingresar en la universidad sólo porque sus calificaciones eran superiores, las más altas de todo el colegio. El élder Monson anhelaba que ese excelente joven sirviera en una misión, pero sabía que eso no sería posible "en ese momento en particular"[43].

Esa primera reunión en Görlitz se llevó a cabo en el segundo piso de un dañado almacén en una sombría calle. La gente era pobre y tenían poco para hacer más ligeras sus cargas cotidianas. No tenían un patriarca, barrios ni estacas, sólo ramas, y no podían recibir las bendiciones del templo. Pero tenían esperanza. "Para el Espíritu no hay límites; no requiere aprobación para llegar al corazón de quienes se aferran a sus creencias", indicó el élder Monson[44]. Ellos eran verdaderos Santos de los Últimos Días.

A pesar de las condiciones imperantes en Görlitz, la congregación irradiaba "un espíritu maravilloso", renovación, esperanza y resistencia. Uno de los himnos que cantaron en la reunión era particularmente apropiado:

> *Si os agobian los pesares, ¡no os canséis!*
> *Ante tantos duros males, ¡no os canséis!*
> *Si el dolor os hace hoy llorar,*
> *mañana os habréis de alegrar*
> *al buen fruto ver brotar;*
> *¡no os canséis!*[45]

El élder Monson "nunca había escuchado cantar de ese modo". Por cierto, "los santos demostraban su amor por el Señor por la forma en que cantaban los himnos", y emanaba de ellos una gran unión al entonarlos juntos. Los mensajes de la reunión fueron sobresalientes; el élder Monson se "sintió edificado e inspirado", y se maravilló "ante el conocimiento que los oradores tenían del Evangelio y de las Escrituras, lo cual reflejaba cuánto las estudiaban y analizaban"[46].

Esos miembros no tenían otra cosa que las Escrituras para estudiar y enseñar. Un hombre explicó: "Recibimos instrucciones del presidente Burkhardt [en aquel entonces consejero en la presidencia de la misión con sede en Hamburgo] que todos los materiales religiosos no autorizados, libros, manuales, etc., debían ser destruidos. Se me partió el corazón. Con el paso de los años había creado una pequeña pero útil biblioteca de materiales de la Iglesia, para lo cual no tenía ninguna autorización. Me senté frente a una chimenea encendida y me dije: 'No, no puedo hacerlo'. Pero al fin de cuentas, quemé todos los libros y los manuales". Menos de dos semanas después, la policía secreta llamó a su puerta. "Requisaron mi casa para ver si tenía materiales impresos no autorizados, pero no tenía nada. Aprendí una gran lección de esa experiencia en cuanto a líderes inspirados y a seguir su consejo"[47].

Al élder Monson lo conmovió la sinceridad de esos maravillosos santos y se sintió sobrecogido ante sus circunstancias. "Me he reunido con pocas congregaciones que hayan demostrado un amor tan grande por el Evangelio"[48], recuerda. Al encontrarse ante el púlpito, lleno de emoción, sintió la inspiración y la siguió, apartándose del texto que tenía preparado. Las cosas que dijo cambiarían su vida y la de los santos alemanes, a quienes les prometió:

"Si permanecen verídicos y fieles a los mandamientos de Dios, recibirán las mismas bendiciones que disfruta cualquier miembro de la Iglesia en cualquier otro país"[49].

Esa noche, de regreso en la habitación del hotel, cayó en plena cuenta de la promesa que había hecho. "No tenían patriarcas de quien recibir bendiciones, un muro les impedía ir al templo por sus investiduras, no había misioneros entre ellos, no podían realizar conferencias para la juventud y no podían imprimir ningún material de la Iglesia"[50]. Entonces se arrodilló y oró: "Padre, estoy en Tu mandato; ésta es Tu Iglesia. Pronuncié palabras que no provinieron de mí, sino de Ti y de Tu Hijo. Te ruego, por lo tanto, que des cumplimiento a esas promesas en la vida de esta noble gente"[51]. Por su mente cruzaron las palabras del salmista: "Quedaos tranquilos, y sabed que yo soy Dios"[52].

En aquella reunión histórica en Görlitz, el élder Monson conoció a Henry Johannes Burkhardt, quien llegaría a ser una figura clave de la Iglesia en Alemania Oriental. Henry, un miembro de la Iglesia de tercera generación, se crió en Chemnitz, una ciudad de 375.000 habitantes. En 1939, al desatarse la guerra, Chemnitz—a la que el gobierno dio el nombre de Karl-Marx-Stadt después de la guerra—tenía tres prósperas ramas. La Rama Central contaba con 469 miembros, siendo oficialmente la más grande de las ramas de la Iglesia en toda Alemania y tenía un programa completo de actividades de organizaciones auxiliares. Algunos de los amigos de Henry estaban fascinados con el movimiento juvenil de Hitler, pero Henry no; él prefería las actividades de la Iglesia, aunque debido a que nunca se unió al movimiento, se le negarían oportunidades educacionales y ascensos en el empleo.

La Rama Central de Chemnitz perdió al menos cincuenta de sus miembros en la guerra, más que ninguna otra rama de la misión. El 5 de marzo de 1945, masivos ataques aéreos habían reducido la ciudad a escombros. El primer ataque ocurrió poco antes del mediodía. Henry, quien se había refugiado en el sótano con una manta mojada sobre la cabeza, pensó "que no sobreviviría". Pero la guerra le enseñó lecciones que pondría en práctica el resto de su vida. Aprendió "a no tener miedo", fortaleza que emplearía para defender la Iglesia en un sinnúmero de experiencias ante oficiales del gobierno[53]. Se le conocía por su afiliación religiosa y el gobierno llevaba un expediente de él. En 1952 había sido llamado como consejero en la Misión Alemana del Este (más tarde la Misión Alemana del Norte), sirviendo lo mejor que pudo detrás de la Cortina de Hierro.

El élder Monson describió a Henry como "una persona que tipifica la fe y la devoción de la gente". Henry trabajaba día y noche. En una visita posterior a Dresde, el élder Monson escribió: "Tuvimos que decirle a Henry que se fuera a casa, que debía dormir en su propia cama en vez de hacerlo unas pocas horas en un catre. Así de dedicado era él al bienestar de los santos. Henry se ganó la confianza de las Autoridades Generales; era el hombre en quien depositamos tantas responsabilidades y de quien dependíamos por liderazgo entre los santos de ese lugar"[54].

Puesto que al presidente de la Misión Alemana del Norte le era difícil recibir aprobación de la RDA para visitar a los miembros de la Iglesia detrás de la Cortina de Hierro, el presidente Monson propuso la creación de la Misión Dresde, con sede en la ciudad del mismo nombre, con el hermano Henry Burkhardt como su nuevo presidente. No sería una misión real, ya que en el país no se permitía la entrada ni la salida de misioneros, pero habría muchos menos problemas con el gobierno alemán si se le llamara la Misión Dresde, con liderazgo local y fuese lo más autónoma posible. El élder Monson propuso que a Percy K. Fetzer, un representante regional, ex presidente de misión en Hamburgo y ex presidente de la Estaca Temple View en Salt Lake City (con quien Tom Monson había servido), se le asignara a trabajar con la Misión Dresde como si fuera una estaca totalmente desarrollada, a fin de proporcionarles la mayor ayuda y capacitación posibles. "Percy conoce bien a la gente, habla alemán con fluidez y, puesto que no reside en Alemania Occidental, puede ir y venir con bastante libertad". El hermano Fetzer fue unánimemente aprobado en la reunión del Quórum de los Doce[55].

El presidente Burkhardt escogió como consejeros a Erich Walter Krause y a Gottfried Richter. Esos hombres estaban llenos del Espíritu de Dios y conocían la forma de hacer las cosas dentro de la República Democrática Alemana. Walter viajaba de rama a rama entre las cuarenta unidades y mantenía los edificios en el mejor estado de uso posible. Gottfried administraba una papelería, lo cual le daba acceso a materiales difíciles de conseguir, tales como papel carbónico. Debido a que no podían entrar materiales ni manuales al país y que las impresiones y publicaciones estaban estrictamente prohibidas, toda la información y los cursos de estudio se debían escribir a máquina, usando papel carbónico para hacer copias.

El élder Monson siguió visitando Alemania Oriental, reuniéndose con líderes, misioneros y miembros. En la noche del 14 de junio de 1969 se dio por terminado un taller en genealogía con una reunión de testimonios en la que abundó "un espíritu glorioso". Los miembros no sólo habían sometido la cuota que se habían fijado de 10.000 nombres, sino más de 14.000. "No recuerdo ninguna vez en mi vida", escribió el élder Monson, "en que se haya logrado algo tan positivo"[56]. La fidelidad de los santos, "su unión y su confianza absoluta en su Padre Celestial", eran sencillamente asombrosas.

Al día siguiente, en una reunión de liderazgo con las presidencias de rama y de distrito de la Misión Dresde, el presidente Henry Burkhardt presentó material extraído del nuevo Manual General de Instrucciones, lo cual agradó sobremanera a los líderes, quienes, por naturaleza, "se deleitaban en seguir instrucciones detalladas"[57].

El élder Monson acababa de supervisar la revisión del Manual General de Instrucciones de la Iglesia, proyecto que había llevado tres años. Mientras estaba en el templo un jueves por la mañana, le había dicho al élder Spencer W. Kimball: "Quisiera con todo mi corazón que en la República Democrática Alemana tuviéramos disponible un ejemplar del manual recientemente traducido al alemán".

"¿Por qué no les hace llegar uno por correo?", preguntó el élder Kimball.

El élder Monson respondió: "La importación de esos materiales está prohibida. No hay forma de hacerlo".

"Tengo una idea, hermano Monson", dijo el élder Kimball. "Ya que usted trabajó con el manual, ¿qué tal si lo memoriza y después lo mandamos a *usted* del otro lado de la frontera?"

El élder Monson rió, y después miró al élder Kimball y comprendió que no estaba bromeando. El élder Monson tenía una enorme habilidad para memorizar, pero se trataba de una tarea imposible, no sólo para él, sino para cualquier persona. Ya conocía el material, así que empezó a familiarizarse con las diferentes categorías a fin de ir a Alemania Oriental y escribir un texto que resultara útil para los santos.

Cuando cruzó la frontera, dijo a uno de los líderes: "Consígame una máquina de escribir y una resma de papel y déjeme trabajar". Se sentó a la mesa de la oficina de la rama y empezó a escribir el manual como si estuviera sentado a la mesa de la cocina de su casa preparando un discurso. Llevaba escritas unas treinta páginas cuando se puso de pie para estirar las piernas y caminar alrededor de la oficina. Quedó perplejo cuando advirtió en un estante lo que parecía ser un Manual General de Instrucciones. Al tomarlo, no sólo vio que era el manual, sino la versión en alemán. Pese a que su trabajo había sido innecesario, durante muchos años fue bien versado en el contenido del manual. Cómo llegó ese ejemplar a Alemania Oriental, nadie lo reveló[58].

Una de las personas que asistió a la reunión de liderazgo

en junio de 1969 en la que el presidente Burkhardt enseñó del Manual de Instrucciones fue Horst Sommer, quien había conocido al élder Monson en la Rama Görlitz el noviembre anterior. Después de esa reunión, los Sommer habían hablado con el élder Monson sobre su hijo que estaba enfermo, y él les había respondido: "Matthias recibirá otra bendición del sacerdocio, y entonces el Señor decidirá si sanará o si lo llevará a Su presencia". El hermano Sommer explicó que Matthias había fallecido poco después de que ellos hablaron con el élder Monson. Se produjo silencio. El hermano Sommer, quien en ese momento servía como presidente de rama, vio cómo "el rostro del Apóstol se iluminó y miró un momento hacia los cielos. Entonces dijo: 'No tema por su hijo. Él está en la presencia del Señor trabajando duro. Ahora usted tiene la responsabilidad de ser fuerte en el Evangelio para poder ir donde él ya está'". Sin saber que la esposa del hermano Sommer estaba en su casa pronta para dar a luz a su tercer hijo, el élder Monson añadió: "El Señor les enviará otro hijo, y ése no será el último". La hermana Sommer tuvo otro niño, tal como el élder Monson lo había profetizado, y ocho años después les nació una niña.

Años más tarde, el 26 de agosto de 1995, cuando el presidente Monson dedicó una nueva capilla en Görlitz, la hermana Sommer se le acercó, segura de que tras veintiséis años no recordaría a la familia. Cuando ella empezó a hablar, él la interrumpió, se puso de pie, y dijo a todos los presentes: "Ella es la hermana que perdió un hijo y se le prometió otro". Esa última hija, Tabea, ahora de dieciocho años de edad, estaba allí y comenzó a llorar. La familia Sommer se congregó alrededor del élder Monson y lo abrazó. Para ellos, "fue un momento sagrado"[59].

Frances pudo comprobar por qué su esposo se sentía tan a gusto entre la gente de Alemania. "Creo que eres un alemán de corazón", le dijo. "Te gusta que todo esté en orden"[60]. Percy Fetzer veía también una semejanza y comentó: "Usted tiene apellido sueco, Monson, pero es alemán de corazón"[61].

Un mes después de regresar de su visita a Alemania en junio de 1969, el élder Monson invitó a Percy Fetzer a su oficina y le comunicó que la Primera Presidencia y el Quórum de los Doce habían aprobado su nombre para ser ordenado patriarca, con la autoridad de dar bendiciones a los santos dignos de Europa Oriental. A pesar de que Karl Ringger, un patriarca ordenado con residencia en Suiza, había podido dar algunas bendiciones a miembros cuando viajaba detrás de la Cortina de Hierro, eran demasiados para que él pudiera dar tantas bendiciones en sus poco frecuentes visitas. Sólo en Dresde había una lista de 800 personas dignas que habían solicitado su bendición patriarcal. Por tal razón, el élder Monson había recomendado que Percy Fetzer fuera llamado. La promesa que había hecho en su primera reunión en Görlitz se estaba cumpliendo.

El hermano Fetzer, con su asignación especial, dio bendiciones patriarcales en Alemania Oriental y en otros países comunistas. En una ocasión en que estaba dando bendiciones a una familia de apellido Konietz en Selbongen, Polonia, se sintió inspirado a prometer "a uno de los hijos que serviría una misión en otro país". Después le prometió a la hija "que se casaría en la casa de Dios". A los padres les prometió que "ellos y la familia entera entrarían a un santo templo". Puesto que las fronteras de Polonia estaban cerradas, el hermano Fetzer se sintió preocupado por las bendiciones que había dado.

Cuando regresó de su viaje, llamó al élder Monson para concertar una cita. Cuando se sentó en la oficina del élder Monson, se echó a llorar. "Hermano Monson", le dijo, "pronuncié bendiciones que no se pueden cumplir, pero el Espíritu Santo me persuadió a decir tales cosas. ¿Qué debo hacer?"

En silencio, el élder Monson le hizo una seña para que se arrodillara con él a orar. Al terminar la oración, los dos "sabían que de algún modo las bendiciones se cumplirían"[62]. Al poco tiempo, un tratado que se firmó en Polonia permitió que viajaran hacia el oeste todos los ciudadanos alemanes que habían quedado atrapados en el país al finalizar la guerra. La familia Konietz se mudó a Dortmund, Alemania Occidental, donde, con el tiempo, el hermano Konietz llegó a ser obispo. En 1973, Percy Fetzer, quien había sido llamado como presidente del Templo de Suiza, con su esposa, Thelma, como directora de las obreras, llevó a cabo el sellamiento de la familia en el templo. Entonces acudió a la mente del élder Monson una conocida verdad: "A menudo el hombre ve la sabiduría de Dios como insensatez, pero la lección más grande que podemos aprender en la vida mortal es que cuando Dios habla y el hombre obedece, ese hombre siempre estará en lo correcto"[63].

Durante las visitas del élder Monson a Europa, con frecuencia lo acompañaba quienquiera fuera presidente de la Misión Alemana del Norte. El élder Hans B. Ringger, un presidente de estaca de Suiza, quien con el tiempo llegó a ser Autoridad General, lo acompañó en muchas de tales visitas. Las características singulares del élder Ringger, su devoción hacia el Señor, el hecho de que era ciudadano suizo y su capacidad multilingüe, hacían de él la persona ideal para trabajar con los santos en el bloque oriental. El hermano Ringger valoró las muchas experiencias que tuvo a lo largo de esos años en que trabajó junto al élder Monson, diciendo que "su gran espíritu y amor por la gente" fueron un gran incentivo para los santos. "Les dio esperanza en el futuro; les demostró el amor que sentía por ellos y los apoyó en todo cuanto pudo"[64]. Fue una obra histórica y emotiva.

Durante una visita a la Misión Alemania Central en Düsseldorf, en octubre de 1970, el élder Monson se reunió con los misioneros, entre ellos el élder Marc Larson. Apenas dos semanas antes, había sido asignado para asistir a una conferencia de estaca en Grand Junction, Colorado. Durante la misma, el presidente de la estaca le preguntó si se podía reunir con Hale y Donna Larson, cuyo hijo Marc acababa de anunciarles que volvería de la misión antes de completar su servicio. Él asintió a reunirse con los afligidos padres.

"¿Dónde está sirviendo su hijo?", preguntó el élder Monson.

"En Düsseldorf, Alemania", respondieron.

El élder Monson posó sus brazos sobre los hombros de los hermanos Larson y les dijo: "Sus oraciones fueron escuchadas y ya están siendo contestadas. Entre las veintiocho conferencias de estaca que se llevan a cabo hoy a las que asisten Autoridades Generales, a mí se me asignó ésa". Les explicó que estaría en Düsseldorf la semana siguiente y que se reuniría con su hijo.

Se reunió con el élder Larson, quien se comprometió a terminar su misión, y así lo hizo[65].

Las visitas del élder Monson a Europa eran frecuentes. Llegó a encantarle el poblado de Berchtesgaden, uno de los más pintorescos parajes de la Bavaria de Alemania Occidental, al cual iba siempre que podía. En el verano, la plaza se llena de hombres en pantalones cortos de cuero bordados, y de mujeres que usan blusas con volantes, faldas largas y delantales. Alrededor de la plaza hay docenas de pequeños comercios, detrás de los cuales hay un muelle donde se puede abordar una embarcación que funciona a electricidad para viajar desde Berchtesgaden hasta puntos de interés a través del hermoso lago Königsee, casi completamente rodeados por empinadas laderas de montañas alpinas. El élder y la hermana Monson solían disfrutar el viaje en barco hasta la iglesia St. Bartholomä, fundada por monjes en el siglo doce, y después regresaban a Berchtesgaden. La posición del lago, rodeado de montañas, crea un eco famoso por su claridad. En esos viajes, a los Monson les gustaban particularmente las paradas tradicionales de la embarcación en donde se hacía sonar una trompeta para resaltar el eco.

Una de las experiencias más tiernas que los Monson tuvieron en Alemania fue con Dieter Berndt, quien un día serviría como presidente de estaca en Berlín. Comenzó con Edwin Q. "Ted" Cannon, quien había servido en Alemania como misionero antes de la guerra. En una ocasión, Ted llevó a la oficina del élder Monson unas diapositivas que había encontrado entre sus fotos de la misión. Le dijo al élder Monson que habían transcurrido cuarenta años desde su misión y que recién estaba ordenando las diapositivas, entre las cuales había algunas que Ted no podía identificar específicamente. Cada vez que planeaba deshacerse de ellas, sentía que tenía que guardarlas, aunque no sabía por qué. Eran fotografías que había tomado mientras servía en Stettin, Alemania, y mostraban a una familia: la madre, el padre, una niña y un niño. Recordaba que se apellidaban Berndt y que había un Berndt que servía como representante regional en Alemania. Se preguntaba si ese hermano Berndt podría identificar a quienes aparecían en la fotografía.

El élder Monson indicó que pronto viajaría a Berlín donde se encontraría con Dieter Berndt, y que le mostraría las dispositivas para ver si acaso reconocía a las personas que estaban en ellas.

El presidente Monson escribió más adelante: "El Señor ni siquiera me permitió llegar a Berlín antes de que Sus propósitos se cumpliesen. Estaba en Zurich, Suiza, tomando un vuelo hacia Berlín, cuando ni más ni menos que Dieter Berndt también subió al avión y se sentó junto a mí. Le dije que tenía unas viejas diapositivas de Stettin, de personas con su mismo apellido. Se las mostré y le pregunté si podía identificar a las personas que aparecían en ellas. Al mirarlas detenidamente, comenzó a llorar, y dijo: 'Nuestra familia vivía en Stettin durante la guerra. Mi padre murió en un bombardeo de los aliados en la planta donde trabajaba. Poco después, los rusos invadieron Polonia y la región de Stettin. Mi madre nos tomó a mi hermana y a mí y escapamos de las fuerzas enemigas. Tuvimos que dejarlo todo, incluyendo fotografías. Hermano Monson, yo soy el niño que aparece en estas diapositivas y mi hermana es la niña. El hombre y la mujer son nuestros queridos padres. Hasta ahora no había tenido ninguna fotografía de nuestra infancia en Stettin ni de mi padre'"[66].

Los dos lloraron juntos y Dieter guardó cuidadosamente las diapositivas en su portafolio. Durante la siguiente conferencia general en Salt Lake City, tuvo la oportunidad de visitar al hermano Cannon y agradecerle que hubiese tenido la inspiración de guardar las dispositivas durante cuarenta años.

En las visitas del élder Monson a Alemania Oriental, generalmente se reunía con el presidente Burkhardt, a quien consideraba "un gigante del Señor que marcha hacia adelante dirigiendo nuestros asuntos detrás de la Cortina de Hierro sin temor a las consecuencias". Por razones de seguridad, llevaban a cabo sus reuniones en un "automóvil a fin de que no pudieran grabar sus conversaciones"[67]. Si los miembros disponían de teléfonos en sus casas, con frecuencia estaban intervenidos. Era una práctica común que la gente diera parte de las actividades de sus vecinos. Incluso a algunos miembros de ramas de la Iglesia se les había obligado a dar parte al gobierno sobre las actividades de sus líderes[68]. No era tanto el élder Monson quien corría peligro, sino los líderes de la Iglesia que eran ciudadanos de ese país.

Al terminar una de tales "reuniones" en Erfurt, Alemania Oriental, en octubre de 1970, el élder Monson le dijo a Henry que el presidente Harold B. Lee estaba preocupado por él. "Dígale al hermano Burkhardt", había dicho el presidente Lee, quien en ese entonces servía en la Primera Presidencia, "que él y los demás líderes, aunque estén alejados de nosotros, nunca están ausentes de nuestras oraciones y pensamientos. Los felicitamos por su espiritualidad y los sostenemos en sus importantes responsabilidades"[69]. El élder Monson escribió en su diario personal: "Cuando Henry salió del automóvil hacia la noche lluviosa, no pude menos que comprender que el día de sacrificio no ha terminado y que hay hombres en la Iglesia hoy que sirven con igual dinamismo y espiritualidad que en otras dispensaciones"[70].

Otra noche, bajo la lluvia en un automóvil alquilado, el élder Monson se sintió inspirado a preguntarle a Henry: "Si su gobierno recibiera una carta de la Presidencia de la Iglesia invitándolo a asistir a una conferencia general, ¿cree usted que le otorgarían el permiso para asistir?".

El hermano Burkhardt respondió con su acostumbrada fe: "Creo que el Señor abrirá el camino"[71]. Llevó dos años de invitaciones constantes, pero el gobierno finalmente cedió, permitiendo que el hermano Burkhardt—siempre bajo cuidadosa vigilancia—fuera a la conferencia general en Salt Lake City y pudiera dar a la Primera Presidencia un informe completo de la Misión Dresde. El presidente Burkhardt tuvo que dejar a su esposa e hijos en su país como "rehenes", a fin de asegurar su retorno. Durante esa primera visita, habló en la parte final de la conferencia en alemán llevada a cabo en el Salón de Asambleas (en la Manzana del Templo) en combinación con la conferencia general. Disfrutó un magnífico reencuentro con miembros alemanes que no había visto por muchos años.

Después, se le permitió al primer consejero de la presidencia de la Misión Dresde, Walter Krause, y a su esposa, Edith, viajar a la conferencia general. Mientras estaban en Salt Lake City, asistieron al templo. Fue un día histórico aquel 3 de abril de 1973, cuando el élder Monson formó parte del círculo en el que el presidente

Kimball ordenó al hermano Krause al oficio de patriarca para dar bendiciones a miembros que vivían en países comunistas. El número de personas que querían recibir su bendición era tan elevado que el patriarca Percy K. Fetzer no podía hacerlo solo. Pero el llamamiento del hermano Krause, hombre sumamente respetado e infatigable en su servicio, envió un importante mensaje a los santos de esos aislados países, que uno de entre ellos podía servir de tal modo. El élder Monson declaró que cuando la gente recibe la bendición patriarcal, también recibe esperanza[72].

En 1974, se le permitió a Gottfried Richter, segundo consejero de la presidencia de la Misión Dresde, junto a su esposa, asistir a la conferencia general, lo cual quería decir que también podían entrar en el templo. Milagrosamente, en 1975, el gobierno de Alemania Oriental revocó una denegación previa de visado a Henry e Inge Burkhardt. Se habían requerido muchas oraciones para que los dos pudieran viajar juntos a una conferencia general. Tanto los Richter como los Burkhardt recibieron sus investiduras y fueron sellados por el élder Monson en el Templo de Salt Lake y "literalmente bañaron con sus lágrimas la mantilla que adornaba el sagrado altar"[73].

En los años subsiguientes, pequeños grupos de miembros de Alemania Oriental viajaron a Salt Lake City para entrar al templo o asistir a la conferencia general. El élder Monson siempre recibía a alguien y hacía arreglos para que los visitantes se reunieran con oficiales de la Iglesia. En una de tales ocasiones, una hermana de Alemania Oriental se reunía con el presidente Kimball y el élder Monson. Les comentó cómo había anhelado el día en que el presidente Kimball visitara Dresde. "Había contado las semanas, después los días y después las horas hasta el momento en que pudiera ver al profeta del Señor y oírlo hablar, un deseo que nunca se llegaría a cumplir". Su madre había enfermado y no podía dejarla sola para viajar a Dresde, donde el profeta hablaría. "Todas mis esperanzas habían desaparecido", les dijo a quienes estaban reunidos en la oficina del Presidente de la Iglesia. Nunca "vería al profeta del Señor".

Al relatar la experiencia, el presidente Kimball caminó desde detrás de su escritorio, tomó la mano de la hermana y la besó en la frente. Ella había cumplido con el mandamiento de honrar a su madre, y el Señor le había concedido una bendición mucho mayor que la que ella había esperado recibir[74].

En agosto de 1973, el élder y la hemana Monson asistieron a una conferencia de área en Munich, Alemania Occidental. El Coro del Tabernáculo, que se encontraba de gira en Europa, también estuvo en esa conferencia. Al presidente Burkhardt y a sus consejeros se les había permitido asistir, aun cuando sus respectivas esposas e hijos tuvieron que permanecer del otro lado del muro. "Habíamos prometido al gobierno alemán que todos a quienes se les permitiera ir regresarían", dijo el élder Monson. Cuando una anciana falleció durante una de las reuniones, cumpliendo con su palabra, los líderes de la Iglesia se aseguraron de regresar el cuerpo a Alemania Oriental.

Esa clase de sujeción a las leyes del país y respeto hacia los líderes del gobierno y a las reglas que imponían beneficiaría a la Iglesia en los años siguientes, al igual que las cantidades masivas de información "recabada" por quienes observaban lo que acontecía. Años más tarde, al hermano Burkhardt se le permitió ver su expediente del gobierno, grueso y lleno de fechas, citas de discursos, comentarios "escuchados", e informes de reuniones. Pero el élder Monson repetidamente había aconsejado a los miembros que se atuvieran al duodécimo Artículo de Fe: "Creemos en estar sujetos a los reyes, presidentes, gobernantes y magistrados; en obedecer, honrar y sostener la ley". El hecho de que ellos obedecieron las leyes del país, por más difícil que fue hacerlo, que procuraron permisos por los canales apropiados y que no se rebelaron contra la autoridad, les llegó a beneficiar. Demostraron ser dignos de confianza y fueron bendecidos.

Lo que sucedió en la República Democrática Alemana sirvió para que a la Iglesia se le permitiera entrar en otros países. El élder Russell M. Nelson explicó más adelante que al trabajar el presidente Monson y él con líderes de otras naciones detrás de la Cortina de Hierro, los invitaron a examinar el impacto que tuvo la Iglesia en los ciudadanos de Alemania Oriental. Dichos gobiernos enviaron emisarios a la RDA para hablar con los líderes y verificar que las doctrinas de la Iglesia habían sido útiles para su gente. Los santos no sólo eran "buenos ciudadanos, productivos, honrados y respetuosos de la ley, sino que además, el hecho de que no consumen alcohol ni drogas, vicios tan prevalentes en tantas sociedades modernas, ha influido en que dichos gobiernos quisieran más de eso para su propia gente"[75].

Durante una visita a Dresde en abril de 1975, el élder Monson, quien llegaba de dedicar Portugal para la predicación del Evangelio, sintió que también debía dedicar la República Democrática Alemana, que como país separado nunca había recibido una dedicación del sacerdocio de un miembro del Quórum de los Doce. Actuando en base a esa inspiración, temprano por la mañana del 27 de abril de 1975, reunió a unos pocos líderes y fue con ellos a una pequeña elevación con vista al río Elba. Entre los presentes estaban el presidente Burkhardt, sus consejeros y sus respectivas esposas, así como el presidente Gary L. Schwendiman (quien actuaba como intérprete) y su esposa, de la Misión Alemania Hamburgo. Caminaron por la foresta durante unos veinte minutos; el cielo estaba nublado y lloviznaba intermitentemente. El élder Monson tomó unos minutos para describir la importancia de una oración dedicatoria.

Encontrándose en un claro, con la ciudad de Meissen a la derecha y Dresde a la izquierda, el élder Monson ofreció una oración "que fue confirmada en su totalidad por el Espíritu del Señor"[76]. Más adelante, dijo: "Allí inclinamos la cabeza y suplicamos a nuestro Padre Celestial al dedicar esa tierra para los fines de Su obra"[77].

El élder Monson ofreció una hermosa oración dedicatoria en la cual expresó gratitud por la presencia de la Iglesia en esa tierra, mencionó la enorme fe de los miembros, invocó las bendiciones de nuestro Padre Celestial sobre los santos y su posteridad, imploró que los fieles recibieran las bendiciones del templo y pidió que pudieran volver a enviar misioneros a ese país. Suplicó que "el programa de la Iglesia en su plenitud" volviese a la gente, indicando que "mediante su fe" se habían hecho "merecedores de tales bendiciones". Esa oración pasaría a la historia[78].

Más adelante escribió: "Durante la oración, un gallo cantó a la distancia, señalando el comienzo del día; las campanas de la iglesia empezaron a doblar en el valle, indicando que era el día de reposo. Durante esos momentos, sentí calor en las manos. Sabía que estábamos en medio de una tormenta de lluvia, pero al terminar la oración y mirar hacia el cielo, vimos que había aclarado. Un rayo de sol descansaba directamente sobre ese lugar y nos cubría con su calor. La tibieza que sentimos en nuestras manos y nuestros rostros era del rayo del sol de los cielos, lo cual me confirmó que se trataba del alba de un nuevo día, reconocido por nuestro Padre Celestial". El élder Monson sintió "que la mano del Señor estaba en esta obra"[79].

Ese hermoso lugar en la colina donde se ofreció la oración es, para el presidente Monson y para la gente de Alemania Oriental, suelo sagrado. Escribió que hasta ese día, él nunca "había tenido una experiencia más espiritual como miembro del Consejo de los Doce que la experiencia de ofrecer la oración en esa tierra controlada por el comunismo, invocando las bendiciones de nuestro Padre Celestial sobre un grupo de santos tan fieles"[80]. En varias ocasiones ha regresado a ese lugar sagrado, donde siempre siente el Espíritu.

En la conferencia de distrito que siguió a la dedicación de esa tierra, al observar a la congregación que se preparaba para la reunión, el élder Monson se sintió inspirado a pedir a una joven de diecisiete años, Sabine Baasch, que diera su testimonio. Antes le había pedido al presidente Burkhardt que seleccionara dos jóvenes para que compartieran su testimonio. Para su sorpresa, el presidente Burkhardt también había elegido a Sabine. Como integrante del coro, la joven no sólo habló, sino que cantó un solo del himno "Oh mi Padre". El padre de ella, un músico profesional de Leipzig, dirigió el coro en esa ocasión[81]. Ciertamente los padres habían sido instruidos en su hogar desde jóvenes y ahora preparaban a sus hijos de un modo similar.

Al terminar la reunión, cuando cantaron: "Para siempre Dios esté con vos", su "Auf wiedersehen, auf widersehen", el élder Monson se emocionó hasta las lágrimas. Para él, ellos eran "los santos más maravillosos que pudieran encontrarse en ninguna parte" porque vivían "siguiendo el ejemplo del Salvador"[82].

El canto de los santos alemanes siempre lo conmovía. En una sesión de liderazgo oyó un grupo cantar en otro salón y preguntó si era un coro que estaba ensayando. "No", le respondieron, "los hombres están haciendo tiempo hasta que comience la reunión". El élder Russell M. Nelson informó una vez que un líder del sacerdocio en Alemania le había dicho que si quería captar la atención de alguien en su congregación, simplemente tenía que prohibir a esa persona cantar en el coro[83].

Durante la década de 1970, miembros y líderes hicieron repetidas peticiones a las autoridades de Alemania Oriental para que les permitieran viajar a Suiza para entrar al templo. La respuesta fue siempre negativa, pero ellos siguieron haciendo las peticiones.

Gunther Schulze y su esposa, Inge, ambos miembros de la Iglesia de tercera generación, se sentaron en un automóvil con el élder Monson durante una de sus visitas a la RDA en la que él propuso que la Iglesia enviara una carta de invitación para que ellos visitaran uno de los templos. Los Schulze respondieron: "Ése es un tema muy delicado aquí". Cuando terminaron de conversar y se alejaban por el estacionamiento, el élder Monson miró al fiel matrimonio y los llamó y en su limitado alemán les pidió que volvieran por un momento. Al acercarse, él les dijo: "Siento que el Señor quiere verlos recibir sus investiduras en Su santa casa. Ustedes son personas dignas; tienen una conducta ejemplar y son fieles en el cumplimiento de sus responsabilidades en la Iglesia. Confiemos en el Señor y permitamos que nuestra fe supere nuestra duda". Los tres se arrodillaron en el estacionamiento, bajo la lluvia, y volcaron su corazón a Dios[84]. Se envió la invitación y con el tiempo el gobierno les concedió el permiso al hermano y a la hermana Schulze para ir al templo.

En 1978, tras las conferencias en el área de Dresde, en compañía de otros miembros, el élder y la hermana Monson visitaron un pequeño cementerio para rendir tributo a un misionero que muchos años antes había muerto en el servicio del Señor. Alumbrando la lápida con una linterna, el élder Monson leyó:

Joseph A. Ott
Nació: 12 diciembre 1870, Virgin, Utah
Murió: 10 enero 1896, Dresde, Alemania

Inmediatamente reconoció algo curioso en cuanto al sepulcro. Alguien había pulido el mármol de la lápida, arrancado la maleza de alrededor, cortado los bordes del poco césped que había allí y colocado flores en la tumba. El élder Monson preguntó quién había arreglado el lugar.

Al principio nadie respondió, pero después, Henry Burkhardt admitió que su hijo de doce años, Tobias, había estado limpiando la tumba del joven norteamericano que había muerto poco después de llegar a la misión. Tobias no creía que iba a tener la oportunidad de cumplir una misión proselitista, pero quería servir de algún modo, así que había pensado que el limpiar la tumba cumpliría tal fin. Él, al igual que tantos otros jóvenes en esa tierra apartada, "tuvo que decidir entre el mundo y la Iglesia, así que eligió la Iglesia"[85].

El pequeño grupo llevó a cabo un breve servicio en el cementerio, el cual está ubicado cerca de la colina donde el élder Monson había dedicado esa tierra para la predicación del Evangelio.

El diario del élder Monson detalla muchos acontecimientos significativos relacionados con edificios, dedicaciones y reuniones. También se incluyen relatos de visitas a hospitales para ver a enfermos o a cementerios para honrar a los muertos. Cuando se rompió la calefacción de la capilla de Leipzig y las reuniones se llevaban a cabo en el frío, escribió que los miembros se agrupaban hombro a hombro para cantar los himnos de Sión. "Pese a todo, abundaba el calor en el corazón de la gente". De los treinta y nueve miembros inscritos, treinta y siete estaban presentes con sus Escrituras abiertas[86].

Una carta de un miembro de Alemania Oriental expresaba los sentimientos de muchos: "Con los santos que han venido de esa parte del mundo y que han demostrado marcado interés en todo lo relacionado con la edificación del reino, queremos expresarle, presidente Monson, nuestra más sincera gratitud por el infatigable servicio brindado y el amor especial extendido a los santos de este lado de la cortina. Tal vez nunca llegue a saber el gran amor que sienten por usted y por el liderazgo de la Iglesia"[87].

En abril de 1978, el élder Monson se reunió con el Quórum de los Doce y la Primera Presidencia para informar formalmente en cuanto al progreso de la Misión Dresde. Cuando el élder Mark E. Petersen le preguntó si tenía alguna reserva en cruzar la frontera hacia Alemania Oriental, él le aseguró: "¡Absolutamente ninguna!". Se le extendió entonces la asignación de supervisar el área, aun cuando había estado llevando a cabo esa responsabilidad durante diez años.

Sobre fines de ese mes de abril de 1978, el élder Monson y el élder Charles Didier cruzaron a Berlín del Este, donde el presidente Burkhardt les informó que el gobierno había monitoreado reuniones previas en el centro de reuniones. Atentos a ello, se reunieron en un apartamento en los altos de una panadería para tratar los planes y repasar las decisiones de las Autoridades Generales relacionadas con la Misión Dresde. Las casas de Alemania Oriental eran frías, sombrías y estaban en muy malas condiciones, pero los hogares de los miembros eran cálidos y estaban llenos del Espíritu, pese a que no tenían muchas posesiones materiales.

En ese pequeño apartamento, hablaron de combinar los distritos de Zwickau y Karl-Marx-Stadt y repasaron planes de visitas de Autoridades Generales y miembros de mesas generales de la Iglesia. Al concluir la reunión, el élder Monson sintió la necesidad de bendecir el hogar y a la familia que vivía allí: padre, madre, una hija de dieciséis años y un hijo de nueve. Más tarde escribió: "No puedo menos que sentir que nuestro Padre Celestial recompensará la devoción de tan escogidos miembros de la Iglesia que viven y que adoran bajo tan difíciles circunstancias"[88].

No pasaría mucho tiempo hasta que la verdad de tales sentimientos se manifestara plenamente.

20

LA FE DE LA GENTE

Alemania fue una asignación formidable para él. Era la única persona que podía ir detrás de la Cortina de Hierro. Merece todo el crédito por mantener el Evangelio vivo allá durante ese período tan difícil.

ÉLDER L. TOM PERRY
Quórum de los Doce Apóstoles

DESPUÉS DE LA CONFERENCIA GENERAL de abril de 1975, el élder Monson concertó una reunión entre el presidente Spencer W. Kimball y Henry Burkhardt. La responsabilidad de Henry como presidente de la Misión Dresde incluía tener contactos directos en representación de la Iglesia con oficiales de Alemania Oriental. El gobierno había dejado en claro que no tratarían directamente con representantes del Oeste. El año antes, en la conferencia general de abril, el presidente Kimball había pedido a los miembros de la Iglesia que "alargaran el paso" a fin de redefinir las ideas preconcebidas que existían con respecto a la Iglesia, la cual ya no debería considerarse como una religión de los Estados Unidos. El Evangelio era para cualquier persona, en cualquier parte del mundo y de cualquier condición social. El objetivo del presidente Kimball era redefinir la Iglesia como un cuerpo mundial de santos con fe en Jesucristo y amor por todos los hombres.

Entonces, en su estilo inimitable, el presidente Kimball

desafió a Henry Burkhardt a cambiar su propia manera de pensar, y le dijo: "Si quiere ver un cambio en Alemania Oriental, tiene que empezar con usted personalmente. Debe empezar con usted porque usted es el líder de los santos de ese país, y eso requerirá que tenga un cambio de actitud, lo cual quiere decir que debe forzarse a usted mismo a hacerse amigo de los comunistas. No puede guardarles rencor; tiene que cambiar su actitud por completo"[1].

Era mucho lo que el presidente Kimball estaba pidiendo que ese incansable líder hiciera con ese régimen que había gobernado Alemania Oriental con mano de hierro y que había catalogado a Henry de "enemigo del estado". Pero, fiel y obediente como siempre, Henry aceptó el pedido del presidente Kimball y de a poco cambió su enfoque para con los oficiales del gobierno. El presidente Kimball le había pedido que les preguntara: "¿Qué debemos hacer para obtener plenos derechos para funcionar como iglesia?"[2]. Aquello era lo más difícil que Henry había hecho, pero los muros en el corazón de los santos y de los líderes comenzaron a caer mucho antes de que se derrumbara el masivo símbolo de opresión: el Muro de Berlín.

Henry no fue el único a quien el presidente Kimball hizo ese tipo de pedidos.

Lo que necesitaba la gente detrás de la Cortina de Hierro era acceso a un templo. Más tarde ese mismo mes, el 27 de abril de 1975, el élder Monson, en la rededicación del país, imploró: "Padre Celestial, ten a bien abrir el camino para que los fieles puedan recibir el privilegio de ir a Tu santo templo para recibir allí las santas investiduras y ser sellados como familias por el tiempo y por toda la eternidad"[3]. Las personas a quienes se les permitió viajar a Salt Lake City en donde pudieran entrar al templo fueron muy pocas. El élder Monson entendía que "la gente digna se siente privada" cuando no puede recibir las bendiciones del templo. Ésa llegó a ser "la oración de fe de ellos y su expresión de esperanza". Cuando él se reunía con las Autoridades Generales todos los jueves, "expresaba esa misma esperanza"[4].

Después de una reunión de los jueves en el templo, en la primavera de 1978, el élder Monson había regresado a su oficina cuando recibió este mensaje: "El presidente Kimball quisiera verlo en el templo, ahora mismo". Recuerda que lo primero que le cruzó la mente fue: "¿Qué es lo que he hecho mal?". Más adelante, escribió sobre la reunión: "Estaba el presidente Kimball con sus consejeros, el presidente Nathan Eldon Tanner y el presidente Marion G. Romney. El presidente Kimball me dijo: 'Hermano Monson, usted tiene un gran amor por la gente de la República Democrática Alemana. He oído que lamenta el hecho de que no hayan recibido sus investiduras ni sus sellamientos. Lo he oído decir que son personas dignas de ir al templo y que con todo su corazón quisiera que tuvieran uno en su tierra'. Después continuó: 'El Señor no negará las bendiciones del templo a esos miembros dignos'. Entonces, sonriendo, dijo: 'Busque la solución'"[5].

"Exploramos todas las posibilidades" para brindarles las bendiciones del templo, informó más adelante el élder Monson. "¿Un viaje una vez en la vida al templo de Suiza? No lo aprobaría el gobierno. Tal vez los padres pudieran viajar a Suiza dejando a los hijos en casa. Eso no estaba bien. ¿Cómo se sellan los hijos a los padres si no se pueden arrodillar ante el altar? Era una situación trágica"[6]. El élder Monson, con la ayuda del élder Robert D. Hales, en aquel entonces miembro del Primer Quórum de los Setenta, con responsabilidades administrativas para partes de Europa, exploró con la Primera Presidencia la posibilidad de autorizar sellamientos fuera del templo, construyendo salones de ordenanzas en un centro de reuniones o estableciendo una casa de investiduras, como en las primeras épocas en el valle del Lago Salado.

A pesar de los desafíos, que parecían insuperables, Henry Burkhardt siguió insistiéndole al gobierno para que concediera el permiso para que seis familias a la vez visitaran el Templo de Suiza. La idea era que esas seis familias establecerían un buen antecedente de salir de Alemania Oriental y regresar y, tal vez, a otras se les permitiría hacer lo mismo hasta que todos los miembros dignos de la Misión Dresde que no hubieran sido investidos recibieran las bendiciones del templo.

Finalmente, en mayo de 1978, los líderes de Alemania

Oriental dejaron a Henry perplejo con una idea propia: "¿Por qué no edifican un templo aquí?".

El élder Monson dio la gran noticia a la Primera Presidencia, pero aún había asuntos que resolver: ¿Exigiría el gobierno tener acceso al templo? ¿Serían el edificio y el terreno propiedad de la Iglesia? Tras dedicar la casa del Señor, ¿qué garantías tendría la Iglesia de que el gobierno no fuera a confiscar la propiedad y el templo?

El élder Monson llegó a Berlín del Este el sábado 10 de febrero de 1979 con los planos de un templo en su portafolio. Cuando Henry Burkhardt vio los bosquejos, los ojos se le llenaron de lágrimas. Él habría de "responder a la oferta de su gobierno" con planes de que la Iglesia edificara un templo en ese país en vez de pedir autorización para que ciudadanos de la RDA viajaran a Suiza.

El 28 de marzo de 1979. Henry, a quien el gobierno de Alemania Oriental le había permitido viajar a la conferencia general, "indicó que las autoridades gubernamentales habían quedado conformes con los planes" y habían dado "el visto bueno para proceder"[7]. En un principio, la Iglesia se inclinaba por construir el templo en Karl-Marx-Stadt debido al gran número de santos que vivían en esa región, pero el gobierno alemán insistía en hacerlo en una comunidad más pequeña como Freiberg.

El que el gobierno permitiera a la Iglesia construir capillas en Dresde, Zwickau, Leipzig, Freiberg y Plauen, además de un templo en Freiberg, en un país hostil a toda religión, insinuaba algo más que el ablandamiento del corazón de los oficiales hacia el bienestar espiritual de la gente. El élder Monson observó: "La entrada de moneda del Oeste en su debilitada economía era un gran incentivo para permitir la construcción del templo en Freiberg y otros edificios de la Iglesia en Karl-Marx-Stadt y Dresde"[8]. La Iglesia pagaría en moneda del Oeste—guilder holandés y corona sueca—que tenían un valor mucho mayor que el de los marcos de Alemania Oriental[9].

Pero a no ser que se pasara por alto en las negociaciones con el gobierno estaba el papel que habían jugado los miembros de la Iglesia en su estricta obediencia a las leyes de su país. En contraste, había otras religiones que eran mucho más bruscas y hasta contenciosas. El hecho de que los santos hubiesen probado ser industriosos, confiables, perseverantes y conscientes del deber, dio a la Iglesia más credibilidad.

Los miembros no estaban al tanto de las negociaciones y de los planes que se consideraban para construir un templo. El élder Monson y otras Autoridades Generales pidieron a los santos de Alemania Oriental que se prepararan para un templo. Ellos no cuestionaron la petición, más bien, organizaron clases de preparación, creyendo que un día tendrían el privilegio de recibir esas bendiciones.

Mientras tanto, los líderes de la Iglesia siguieron con los esfuerzos de proporcionar las bendiciones del templo de otros modos, tales como invitar a líderes eclesiásticos de Alemania Oriental a viajar a la conferencia general en Salt Lake City. Al principio, sólo a los líderes de la Misión Dresde se les permitía asistir a la conferencia. En 1979, el presidente Monson preguntó si se podría invitar a otros líderes de distrito y de rama a asistir a la conferencia general, a fin de que pudieran ser investidos y sellados en el templo. La respuesta fue: "Sólo si van en lugar de un miembro de la presidencia de la Misión Dresde". No queriendo ceder ante el gobierno, el élder Monson sugirió que se siguiera pidiendo autorización para que otros miembros viajaran.

Tal como el presidente Kimball había aconsejado que se hiciera, la presidencia de la misión se esforzó por establecer mejores relaciones con los oficiales del gobierno. Gottfried Richter, segundo consejero de la presidencia de la misión, había asistido a una reunión de líderes de varias religiones en Dresde. Cuando les pidieron sugerencias en cuanto a "la mejor manera de celebrar el decimotercer aniversario de la fundación de su país", el hermano Richter citó de Doctrina y Convenios que "Dios instituyó los gobiernos para el beneficio" del pueblo[10]. Los oficiales quedaron impresionados con el comentario. Cuando el gobierno de Berlín del Este negó una solicitud de permiso para que un presidente de rama local viajara a la conferencia general en Utah, se pidió a los oficiales de Dresde que intercedieran en su favor, tras lo cual se aprobó el viaje del presidente y de su esposa. El élder Monson reconoció que nuestro "Padre Celestial generó la oportunidad"[11]. Durante su visita a Salt Lake City en 1979, el matrimonio fue a más de veinte sesiones en el templo.

Con el tiempo, un paso a la vez, el Señor fue abriendo el camino. Las relaciones mejoraron, el respeto por la Iglesia creció y se concedieron permisos, aunque se corría el peligro de que, en cualquier momento y sin ninguna razón aparente, las aprobaciones se cancelaran. Durante los años siguientes, a muy pocos líderes de la Iglesia de detrás de la Cortina de Hierro se les permitió viajar a la conferencia general. También se autorizaba de vez en cuando la entrada al país de representantes de habla alemana de las mesas generales de la Escuela Dominical, los Hombres Jóvenes, las Mujeres Jóvenes, la Primaria y la Sociedad de Socorro con el fin de dar capacitaciones. Las Autoridades Generales hacían visitas cuando les resultaba posible, a fin de que los miembros se familiarizaran con sus rostros.

Durante los muchos años que supervisó Alemania Oriental, el élder Monson sintió que a pesar de que el número de santos de allí no llegaba a los cinco mil, los niveles de actividad superaban los de cualquier otra parte del mundo, y eso, a pesar de "la falta de capillas espaciosas con múltiples salones de clase y hermosos alrededores con verdes céspedes y coloridas flores. Las bibliotecas de centros de reuniones, así como las personales de los miembros, consisten sólo de los libros canónicos, un himnario y uno o dos libros adicionales. Éstos no permanecen en los estantes de los libreros, sino que sus enseñanzas están grabadas en el corazón de los miembros y ellos las demuestran en su vida diaria. El servicio es un privilegio. Un presidente de rama de cuarenta y dos años de edad ha servido en su llamamiento veintiún años, la mitad de su vida. Jamás una queja, sólo gratitud"[12].

No había ninguna duda de que esos santos eran dignos de un templo, pero de enorme trascendencia era el hecho de que la Iglesia hubiera recibido permiso para edificar un templo detrás de la Cortina de Hierro. El gobierno controlaba el uso de todas las tierras y su aprobación de construcciones privadas era por demás limitada. Desde fines de la Segunda Guerra Mundial, no se había oído que en Alemania Oriental se concediera autorización a una iglesia de construir un nuevo edificio. Cuando Henry Burkhardt informó a los oficiales del gobierno que el acceso al edificio después de su dedicación se limitaría a miembros dignos de la Iglesia, los oficiales accedieron a obedecer. Eso sorprendió a los santos alemanes, quienes estaban acostumbrados a la constante opresión del gobierno.

Se disponía de materiales de calidad y de diestros artesanos para trabajar en el edificio, aunque el proceso de construcción en la RDA era desconcertante e impredecible. Las solicitudes para construir muchas veces se negaban, y aquellas que no se rechazaban rotundamente, en realidad nunca se "aprobaban". Eso significaba que el gobierno podía suspender cualquier proyecto en cualquier momento, basándose en el argumento de que "nunca lo habían aprobado". Puesto que la solicitud de la Iglesia no se negó, los planes siguieron adelante. La ubicación y compra de la propiedad llevó tres años. Finalmente se eligió Frieberg debido a que estaba ubicada en el mismo centro de lo que el élder Monson llamaba el triángulo de miembros de la Iglesia de Laipzig, Karl-Marx-Stadt (otrora Chamnitz) y Dresde. Finalmente, en febrero de 1982, se obtuvo un predio—milagrosamente, en moneda de la RDA—para un templo y un centro de estaca, y al ir desarrollándose el proyecto, agregaron un hostal. En octubre de 1982, la Primera Presidencia hizo el anuncio público de que se construiría un templo en Freiberg, el primero de La Iglesia de Jesucristo de los Santos de los Últimos Días en un país comunista.

Debido a sus dificultades financieras, en un principio no se pidió a los miembros de la RDA que contribuyeran con dinero para construir el templo, como se acostumbraba en esa época en otros países. Ya que sabían que lo común era esperar donaciones de los miembros, se preguntaban cuándo se requerirían sus contribuciones. "¿Nos consideran inferiores a otros mormones?", preguntaban. "¿Piensan que no podemos donar para el templo?" Fue así que se dio inicio a un proyecto de donaciones para el templo y se pidió a los miembros que donaran lo que pudiesen, sin fijar cifras ni metas. Al mismo tiempo, en Alemania Occidental se dio comienzo a otro proyecto para recabar fondos para el anunciado Templo de Fráncfort, con la meta de recaudar 150.000 marcos germano occidentales en dos años. Eso equivalía a 50.000 marcos en moneda de la RDA. Cuando el élder Hans B. Ringger se reunió con el presidente Burkhardt tres meses después de que se iniciara la recaudación de fondos, se enteró de que los miembros de Alemania Oriental ya habían juntado 50.000 marcos germano orientales y planeaban contar con 150.000 en tres meses, tres veces más de lo que se esperaba. El élder Ringger pidió que se enviara una carta agradeciendo a los miembros de Alemania Oriental sus contribuciones, pero la carta los motivó a hacer aún más donaciones. Así lo hicieron durante dos años más, y al momento de la dedicación, habían recaudado 880.000 marcos germano orientales; mucho más de lo que se había pedido de las estacas del Oeste[13].

En Alemania Oriental resultaba difícil comprar materiales de construcción. Emil Fetzer, arquitecto de la Iglesia, dijo sobre el proyecto: "En aquellos días, si uno quería una bolsa de cemento en Alemania Oriental, no iba a la barraca o al almacén más cercano. No había barracas ni bolsas de cemento; todos los materiales los debía adjudicar el gobierno local"[14].

A medida que progresaban los planes para la construcción del templo, el élder Monson creó la primera estaca en la República Democrática Alemana el 29 de agosto de 1982, ocasión que describió como "un día de regocijo y gratitud". Los límites formaron un triángulo entre Karl-Marx-Stadt, Dresde y Erfurt, recibiendo el nombre oficial de Estaca Freiberg, República Democrática Alemana de La Iglesia de Jesucristo de los Santos de los Últimos Días. Cerca de mil de los 1.800 miembros de la estaca asistieron a la histórica reunión. El liderazgo era "abundante", así como la fe y la devoción de los miembros. Eran personas cuyo "espíritu de entrega y sacrificio, así como su deseo de servir al Señor" no tenían paralelo[15]. El hermano Wilfred Möller, profesor de inglés procedente de Dortmund, Alemania Occidental, sirvió como intérprete en la conferencia, tal como lo había hecho en muchas otras ocasiones.

En ese día memorable, el élder Monson se puso ante el púlpito mirando a la congregación de personas a quienes tanto amaba por su "infatigable servicio". Les habló de los informes de fidelidad que por muchos años él había dado en cuanto a ellos a las Autoridades Generales. Les contó acerca de una ocasión en que estaba reunido con otros apóstoles y el élder Harold B. Lee dijo: "Tom, confío en que un día tendremos una estaca en ese país". El élder Spencer W. Kimball se había hecho eco del mismo sentimiento. En aquel momento, el élder Monson no podía siquiera imaginar cómo se llegaría a lograr, pero confió en la expresión de fe de esos dos experimentados miembros del Quórum de los Doce. Al crear la estaca, con gozo y gratitud, el élder Monson declaró: "Ese día es hoy"[16].

Por cierto que era un día que "jamás se olvidaría", el día en que "una profecía se cumplía". El élder Monson escribió más adelante: "En mi segunda visita a la Misión Dresde, al encontrarme ante el púlpito, dije a la gente que nunca había visto mayor fe y que ciertamente el Señor recompensaría esa fe otorgando toda bendición que otros miembros de la Iglesia recibieran. He visto cómo esa profecía se cumplió paso a paso y sé que vino del Señor"[17].

Los que fueron llamados para dirigir la nueva estaca eran hombres cuyo servicio se contó no en años, sino en décadas. Frank Herbert Apel fue llamado para servir como presidente de la estaca. Era mecánico automotriz de cuarenta y dos años de edad que durante dieciocho años había servido en la presidencia del distrito y también como secretario ejecutivo de la Misión Dresde. Como consejeros se llamó a Heinz Koschnicke y a Reimund Dörlitz. Más adelante, el gobierno permitió al presidente y a la hermana Apel viajar a Salt Lake City en marzo de 1983. El élder Monson tuvo el privilegio de sellarlos en el Templo de Salt Lake en medio de lágrimas de gratitud[18].

El élder Monson llamó a Rudi Lehmann como el nuevo patriarca de la estaca. El hermano Lehmann había sido uno de los presentes en aquella primera reunión con el élder Monson en Görlitz, quince años antes, y había servido como presidente del distrito durante dieciséis años. En un inglés humilde y entrecortado, el hermano Lehmann testificó: "Todo lo hice por el Señor". Ésas eran personas, observó el élder Monson, que habían "sido fortalecidas de manera especial mediante necesidades, pesares y pruebas"[19].

"A veces, en ciertos lugares, sabemos de hombres que aspiran a ser presidentes de estaca u obispos y que tal vez hasta se postulen para tales cargos", explicó una vez el élder Monson. En Alemania Oriental, "nadie aspira a recibir llamamientos. Uno puede preguntarle a un hombre: '¿A quién cree que se deba llamar como presidente de estaca?', y él respondería: 'Cualquiera de los hermanos podría ser un excelente presidente de estaca'. '¿Y usted sostendría a quienquiera que fuese llamado?' 'Totalmente'"[20].

Ése fue también el comienzo del "proyecto de ropa" del élder Monson. Advirtió que Werner Adler, el miembro del sumo consejo de mayor antigüedad, un hombre de comparable estatura a la suya, tenía puesto un traje sumamente gastado. Lo que sucedió después es típico de Thomas S. Monson. Encontró un pequeño cuarto, se quitó el traje, se puso un par de pantalones y una camisa sport y le dio su traje al hermano Adler. Cuando el hermano Adler se probó la ropa, su euforia fue evidente: "Me queda todo perfecto".

Más tarde, el hermano Adler escribió con gratitud: "El hermoso traje que me regaló en Dresde me queda perfecto y lo uso con mucha alegría. Pedimos a diario en oración a nuestro Padre Celestial por usted, nuestro amado hermano Monson". Entonces prosiguió: "Es una gran bendición ver cómo las promesas que usted ha hecho para esta tierra se cumplen sistemáticamente. Usted dijo que el Señor despertará en el corazón de los hombres el deseo de conocer y la voluntad de escuchar el Evangelio. Hoy esas promesas se han cumplido y reconocemos la profunda obligación que tenemos de hacer todo cuanto podamos por magnificar nuestros llamamientos y de ser activos con todas nuestras fuerzas"[21].

El élder Monson una vez regaló sus zapatos y volvió a casa en pantuflas; regaló también su calculadora. Mientras dirigía la palabra a una numerosa congregación de santos, se volvió al presidente Burkhardt, le pidió que se acercara y le entregó a ese gran líder alemán su propio juego de Escrituras marcadas, sabiendo que a los miembros de Alemania Oriental no se les permitía llevar a su país materiales de la Iglesia del Oeste. También regaló su abrigo de cachemir que lo había mantenido abrigado en Canadá. Frances se contagió de ese espíritu de dar y regaló mucha de su ropa a hermanas necesitadas. El élder Monson dejaba en sus visitas a la Misión Dresde maletas con trajes, camisas, corbatas, cinturones, zapatos y hasta calcetines.

Cuando invitaba a un hombre para una entrevista, era posible que ese hombre saliera vestido en ropa completamente diferente. Personas de otros lugares del mundo también se vieron beneficiadas con su generosidad. Nadie ha llevado la cuenta, pero su secretaria, Lynne Cannegieter calcula que él ha regalado diez trajes por año durante cuarenta años, así como otras incontables prendas de vestir.

El élder Monson acostumbraba llenarse los bolsillos con paquetes de goma de mascar—lo que no se podía conseguir en ninguna parte de la RDA—para regalar a los jovencitos por dondequiera que viajara en Alemania Oriental. Beatrice Bartsch había sido una de las beneficiadas. Años más tarde, en abril de 2004, ella se sentó directamente detrás del presidente Monson en una conferencia regional en Berlín. Llevaba en su bolsillo una barra de goma de mascar aún en el mismo envoltorio que "había guardado por todos esos años como recuerdo de haber estrechado la mano de un apóstol de Dios". Él le había regalado esa goma de mascar en una conferencia de distrito en Erfurt, Alemania Oriental, cuando ella tenía quince años y ni siquiera era miembro de la Iglesia. Su padre, un comunista, no le había permitido bautizarse hasta que cumpliera los dieciocho años. De todos modos, ella había asistido fielmente y se había bautizado dos semanas después de cumplir esa edad. Por más de treinta años había llevado consigo su "goma de mascar de un apóstol"[22]. Después de la sesión de la conferencia en Berlín, ella habló con el presidente Monson, le mostró la goma de mascar y le dijo cuánto había significado eso para ella a lo largo de los años.

El ministerio del élder Monson fue una asombrosa combinación de actos personales de servicio y guía en lo que llegaron a ser acontecimientos históricos. El sábado 23 de abril de 1983, los santos de Alemania Oriental, en compañía del élder Monson, el élder Robert D. Hales, Hans B. Ringger, Emil B. Fetzer, del

Departamento de Construcción de la Iglesia, F. Enzio Busche y Amos Wright, director de asuntos temporales del área, fueron testigos de un "milagro supremo" al dar la palada inicial del Templo de Freiberg. Para el élder Monson, era una fecha muy especial en su vida, pues sintió que así daba por cumplidas la asignación y la promesa a favor de los santos de Alemania Oriental. Con su proverbial sentido del humor puso al élder Hales (en inglés suena fonéticamente como *granizo*) "encargado del estado del tiempo" para asegurarse de que brillara el sol en "esa gran ocasión". Evidentemente, el élder Hales tuvo éxito, ya que el día resultó hermoso. Aun cuando no se hizo un anuncio público, se reunió en el lugar un "buen grupo" de miembros y oficiales gubernamentales[23].

El élder Monson pronunció la oración dedicatoria del terreno, apartándolo para sus propósitos especiales de erigir en él una casa del Señor. Había invitado a todos los presentes a inclinar la cabeza. Heinz von Selchow, del Sistema Educativo de la Iglesia en Alemania, observó con ojos entrecerrados durante la oración para ver cómo respondían los visitantes del gobierno, quienes, aun cuando eran comunistas por persuasión política, todos menos uno inclinaron la cabeza[24].

Cuando el élder Monson tomó la pala para dar vuelta la tierra, un funcionario del Departamento de Construcción de la Iglesia le dijo: "Tenga cuidado cuando se apoye. Cuando el hermano Packer dio la palada inicial en una ceremonia en otro país, la pala se rompió bajo el peso de su pie". El élder Monson respondió con picardía: "Las palas de fabricación alemana no se rompen"[25].

El élder Monson escribió sobre la experiencia: "Partí de la República Democrática Alemana con gozo en el corazón y en el alma, ahora que se ha aprobado la construcción de un templo del Señor y se ha dedicado el terreno"[26].

Pocos días después, el domingo 1º de mayo de 1983, el élder Monson dedicó una capilla recién terminada en Bonn, Alemania Occidental, del otro lado del muro. Consideró un gran privilegio dedicar el edificio en la capital de la nación, el cual estaba repleto de miembros e invitados especiales del gobierno.

Antes había ido a la iglesia en Wittenberg, en cuya puerta

Martín Lutero había clavado su famosa proclamación en 1517. En su diario personal, en vez de escribir sobre el histórico acontecimiento, plasmó sus observaciones sobre una persona que conoció en el lugar. Se refirió a la guía como una dama "sumamente cortés. Ella no aceptaba ninguna contribución para sí, indicando simplemente que cualquier contribución iría para el mantenimiento de la iglesia"[27]. El élder Monson puso una ofrenda en una caja destinada para tales fines. Cabe destacar el hecho de que hizo un comentario de elogio hacia la guía que ella ni siquiera llegaría a leer. Ése es Thomas S. Monson. Para él, las personas menos notorias son tan dignas de reconocimiento como las más destacadas.

En junio de 1984, el élder Monson y el élder Robert D. Hales crearon la segunda estaca en Alemania Oriental, la Estaca Leipzig. Dedicaron toda la tarde del sábado para llevar a cabo entrevistas. Cuando entraron en la capilla de Leipzig, el élder Monson se "asombró de que todos los hermanos del sacerdocio que iban a ser entrevistados" estuvieran cantando. ¡Los alemanes cantaban en todo momento! "Es como si para ellos el paso del tiempo se hubiera detenido. Parecen no estar contaminados por las debilidades y la degeneración que vemos en otros países, incluyendo el nuestro (Estados Unidos)". Se contaban, acotó, "entre los más puros poseedores del sacerdocio" que él conocía y eran en todo sentido iguales a los hermanos del sacerdocio que él había entrevistado antes de la creación de la Estaca Freiberg el año anterior[28].

El domingo, el élder Monson se puso de pie ante la numerosa congregación y habló de cuando se había establecido la Misión Dresde en 1969. Dijo que había servido como precursora de la organización de esa estaca en Lipzieg ese día y de la Estaca Freiberg con anterioridad.

Los miembros de Alemania Oriental siempre fueron ejemplos de fiel devoción hacia la Iglesia y entre sí. En una ocasión, al ver un intervalo en su ocupado programa de trabajo en Alemania Oriental, el élder Monson sintió que debía asistir a la conferencia de distrito en Annaberg, en la Misión Dresde. Él y el élder Ringger llegaron de improviso cuando la reunión iba a comenzar. Al ir por el pasillo de la capilla, advirtió cuán emocionados estaban los miembros con su repentino acto de presencia. Un hermano de ochenta y cuatro años de edad, Willi Schramm, quien había sido miembro durante sesenta años, comenzó a llorar. Por medio de un intérprete, compartió un sueño que había tenido la noche anterior en el que había visto al élder Monson asistir a la conferencia. Le dijo: "Hermano Monson, yo creo en sueños y en visiones"[29].

El élder Monson recordó otra ocasión cuando una dulce hermana anciana se le acercó y le preguntó: "¿Es usted un apóstol?".

"Cuando respondí que sí, ella tomó de su cartera una fotografía del Quórum de los Doce Apóstoles y me preguntó quién de ellos era yo.

"Miré la foto y vi que el miembro de menor antigüedad de ese Quórum de los Doce era el élder John A. Widtsoe. Esa hermana no había visto a un miembro de los Doce por largo tiempo"[30].

Cuando el élder Monson se sentó en el podio provisorio para una reunión de la Iglesia, advirtió a un hermano en un asiento preferencial en la fila del frente, quien miraba alrededor de la sala. Lo vio ponerse de pie e ir hasta el fondo, donde estaba un hermano anciano. Entonces lo acompañó hasta el frente y lo ayudó a sentarse en su asiento y después fue hasta el fondo donde permaneció de pie durante toda la reunión. Cuando le llegó al élder Monson el turno de hablar, se refirió al ejemplo de aquel hermano: "Ése es el tipo de cortesía silenciosa pero significativa", dijo, "que demuestra alguien que realmente ama a su hermano como a sí mismo"[31].

Debido a sus responsabilidades en Europa, el élder Robert D. Hales solía acompañar al élder Monson en sus visitas a Alemania Oriental. En una de ellas, inspeccionaron el templo y el nuevo centro de estaca, ambos ubicados en la misma amplia propiedad. El arquitecto del gobierno los había instado a edificar el hostal en un terreno de una hectárea adyacente al predio del templo e incluso había hecho los arreglos necesarios con el gobierno para que la Iglesia comprara esa parcela. El élder Monson siguió maravillándose de cómo la mano del Señor guiaba la obra; la propiedad en la RDA nunca estaba a disposición de nadie ni estaba jamás para la venta.

La creciente notoriedad de la Iglesia, a medida que se construían nuevos edificios, produjo algo de envidia en la gente de otras iglesias, quienes formularon protestas al gobierno. Además, la nueva estructura de la estaca y sus nuevos líderes crearon confusión en las autoridades del gobierno que estaban acostumbradas a tratar sólo con Henry Burkhardt. El gobierno empezó a sentir inquietud por los compromisos que había hecho. En un día entero de reuniones en Alemania Oriental, el élder Monson y la presidencia del área, con la ayuda de los asesores legales de la Iglesia en la RDA y en Fráncfort, prepararon un documento de "declaración de propósito" para los oficiales del gobierno, el cual contribuiría a resolver las preocupaciones cada vez mayores que el gobierno tenía y que, al mismo tiempo, le permitiría asegurar a otras congregaciones que el número de miembros de la Iglesia no había aumentado y que ésta proporcionaba los recursos financieros para mejorar sus edificios[32].

Al regresar de Europa el 17 de septiembre de 1984, el élder Monson sintió que debía reunirse de inmediato con el presidente Gordon B. Hinckley, que en aquel entonces era uno de los consejeros de la Primera Presidencia, para repasar el mencionado documento. Pese a la fatiga tras largas horas de vuelo, fue directamente a reunirse con el presidente Hinckley, quien hizo un solo cambio en una palabra y aprobó el documento para que se enviara a las autoridades de la RDA. La declaración apaciguó las tensiones y la construcción prosiguió.

Cuatro meses más tarde, el 23 de enero de 1985, el élder Monson, en compañía del élder Joseph B. Wirthlin, en aquel entonces supervisor del área de Europa, y el hermano Hans B. Ringger, se reunieron con el ministro Gysi, un respetado funcionario de Alemania Oriental que "sabía bastante sobre la Iglesia, y hablaba perfecto inglés". El ministro Gysi elogió a los oficiales de la Iglesia por la declaración de propósito y preguntó: "¿Cómo es que su iglesia es suficientemente rica para construir edificios en nuestro país?"[33].

El élder Monson le explicó que la Iglesia no era adinerada, sino que se ceñía al antiguo principio bíblico del diezmo, recalcado en las Escrituras modernas, lo cual hacía posible la construcción de edificios, incluyendo el templo en ese país. Al explicar el diezmo a los líderes del gobierno, les dijo: "Creemos en un clero laico que no recibe salario. La gente presta servicio por amor a su Padre Celestial y a su prójimo. Los miembros de la Iglesia viven libremente la ley del diezmo, la cual proviene del Antiguo Testamento y pide que un diez por ciento de nuestros ingresos se devuelvan a Dios. Así que, en realidad, este edificio lo ofrendaron los miembros de la Iglesia de todo el mundo: una familia pobre, otra adinerada y así sucesivamente, en todas partes del mundo. Es el diezmo de los miembros de la Iglesia lo que hace posible que se construyan estos edificios"[34].

Al terminar la reunión, el ministro Gysi ofreció su ayuda con la inminente dedicación del templo. Ésa fue tan sólo otra indicación de los grandes cambios que el élder Monson había presenciado en los años en que había viajado a la Alemania comunista. El gobierno había desarrollado confianza en los miembros de la Iglesia y en sus líderes, sabiendo que guardarían su palabra.

La asistencia al programa de puertas abiertas del Templo de Freiberg, en junio de 1985, superó las expectativas. Cerca de 90.000 personas visitaron el templo en dieciséis días. La cifra era sorprendente, teniendo en cuenta que la población total de la ciudad de Freiberg era de sólo 40.000. En su mayoría, los visitantes no eran miembros de la Iglesia y, aun así, muchos manejaron cientos de kilómetros para llegar hasta allí y algunos hasta dormían en sus automóviles. Hubo quienes hicieron cola hasta cinco horas, aun bajo la lluvia, para entrar. Eran personas que acostumbraban hacer cola para todo. A medida que llegaba más y más gente, se extendieron los horarios de visita del público, de 8:00 a 22:30, pero un día, la cantidad de gente que aún aguardaba para entrar hizo que las puertas permanecieran abiertas hasta la 1:30 de la madrugada. Cuando se le preguntó: "¿Por qué hace cola para visitar un templo mormón?", una mujer respondió sin vacilar: "Porque quiero. No me importa hacer cola cuando es mi decisión".

El recuerdo del élder Monson se remontó a aquella oración dedicatoria a favor de la República Democrática Alemana en 1975 cuando le había pedido a nuestro Padre Celestial que despertara en los ciudadanos de esa nación curiosidad con respecto a la

Iglesia y el deseo de aprender más sobre sus enseñanzas[35]. Los resultados del programa de puertas abiertas dieron cumplimiento a esas súplicas.

Antes de la dedicación, el 28 de junio de 1985, el presidente Gordon B. Hinckley y el élder Monson auspiciaron un evento especial para oficiales gubernamentales de Berlín y Dresde. Apartándose de la tradición, efectuaron la reunión en el templo aún por dedicarse, con una congregación adicional en el centro de estaca de Freiberg, ubicado en la propiedad. La ceremonia de colocación de la piedra angular tuvo lugar después de esa reunión, permitiendo a los dignatarios presenciar el poco común y significativo servicio. Después se sirvió un almuerzo para honrar a los invitados.

Les dio la bienvenida el élder Monson, conocido para muchos de los oficiales debido a su "expediente", aun cuando no habían sido presentados. Se sentía a gusto con esas personas y les dijo: "Estoy seguro de que las cosas que nos unen son más grandes que cualquier idea que nos separe. Compartimos totalmente el énfasis que ponen en la familia; creemos en honrar a la patria en la que vivimos y en cumplir estrictamente con las reglas de ese país, porque de ese modo demostramos nuestra lealtad. De la misma manera, creemos en honrar las leyes de Dios, demostrando así nuestra lealtad hacia nuestro Padre Celestial". Entonces agregó: "Pienso que el gobierno de esta nación no encontrará ciudadanos más leales ni que den más apoyo que entre los miembros de nuestra Iglesia. Expreso a nuestro Padre Celestial mi agradecimiento y espero ansioso la oportunidad de futuras reuniones y futuras dedicaciones de edificios"[36]. En una de las ceremonias se obsequió al alcalde de Freiberg una estatuilla de bronce de una mujer pionera con su hija.

El Dr. Dieter Hantzsche de la "Academia de Construcción" del gobierno de Dresde, quien había colaborado con asuntos relacionados con la edificación del templo, respondió: "Esto que ha acontecido aquí hoy muestra que en nuestro país hay un principio muy firme que se podría definir como tolerancia y amplitud de criterio hacia todas las creencias religiosas. Considero que ustedes ven que les hemos dado nuestro pleno apoyo en cuanto a aprobaciones, permisos y la ejecución de los edificios terminados"[37].

El presidente Gordon B. Hinckley recordó al grupo lo que

había declarado el élder Monson en la ceremonia de la palada inicial del templo en abril de 1983, de que la paz es un don invalorable por el que bien vale la pena hacer grandes esfuerzos. "Esas palabras y, añadiría, ese consejo, resultan ahora más importantes que nunca, teniendo en cuenta la cada vez más difícil situación mundial", dijo[38].

Los oficiales de la Iglesia que habían ido para la dedicación se estaban quedando en Dresde y viajaban por tren hasta Freiberg, lo cual les llevaba más o menos una hora. Pese a la evidencia de la buena relación que tenían con el gobierno en la reunión especial, cuando llegó el momento de que los líderes de la Iglesia que estaban de visita viajaran a sus lugares de alojamiento, el gobierno les proporcionó un guía "supuestamente para responder preguntas aunque, más particularmente", dedujo el élder Monson basado en la experiencia, "para observar de cerca" sus actividades[39].

En la mañana del 29 de junio de 1985, el presidente Hinckley, con el élder Monson a su lado, presidió las sesiones dedicatorias del Templo de Freiberg. La trascendencia de ese día no tenía paralelo en la vida de la gente de Alemania Oriental. El Templo de Freiberg era, para los miembros, una manifestación física del poder de Dios y de lo pendiente que estaba Él de ellos y de su largo y difícil éxodo a través del tiempo. También era un punto culminante en la vida de Thomas S. Monson. Habían transcurrido ya diecisiete años desde que hiciera su promesa a la gente de Görlitz, y diez desde que había dedicado esa tierra, cerca de Dresde.

En cuanto a la experiencia, escribió: "Tener la oportunidad de ser el primer orador en la primera sesión dedicatoria del Templo de Freiberg no era sólo un gran honor para mí, sino el cumplimiento de un profundo y largamente esperado deseo de los maravillosos santos de la RDA de tener la bendición de un templo. Me era difícil controlar la emoción mientras hablaba, ya que me pasaban por la mente ejemplos de la fe y la devoción de los santos en esa parte del mundo. Con frecuencia la gente pregunta: '¿Cómo fue posible que la Iglesia obtuviera permiso para construir un templo detrás de la Cortina de Hierro?'. Yo sencillamente creo que la fe y la devoción de los Santos de los Últimos Días de esa nación facilitó la ayuda de Dios Todopoderoso y les proporcionó las bendiciones eternas que tan abundantemente merecían"[40].

La dedicación continuó al día siguiente, con múltiples servicios para dar cabida a todos cuantos asistieron. La Sociedad de Socorro proporcionó refrigerios entre las sesiones. "La mesa estaba arreglada tal como un artista pintaría una escena sobre un lienzo. Los alimentos estaban artísticamente ubicados en diseños geométricos, aun los vasos", observó el élder Monson. "Nunca había visto en mi vida una atención tan meticulosa y detallada para lo que muchos podrían considerar una asignación mundana"[41].

Henry Burkhardt fue llamado como el primer presidente del Templo de Freiberg, con su esposa, Inge, como directora de las obreras. Amado por la gente, Henry había sido el pastor del rebaño por muchos años, y tanto él como su esposa eran "verdaderamente personas nobles y totalmente dedicadas a la obra del Señor"[42]. Durante una conferencia regional años después, el presidente Monson pidió que levantaran la mano todos aquellos que alguna vez en su vida hubieran recibido una bendición o un llamamiento o hubieran sido apartados o aconsejados por el presidente Burkhardt. Una mayoría considerable de los presentes levantó la mano[43].

El Templo de Freiberg de inmediato empezó a estar ocupado. La gente había esperado largo tiempo y había estado activamente ocupada en preservar registros genealógicos y buscar los nombres de sus antepasados. Un obispo le comentó al élder Monson: "Me está resultando difícil hacer la orientación familiar entre los miembros del barrio porque siempre están en el templo". El élder Monson pensó: "¿En qué otro mejor lugar podrían estar?"[44].

Consideró realmente un milagro el que los miembros de la Iglesia de la RDA pudieran ahora disfrutar esas bendiciones, incluyendo el programa completo de la Iglesia, bendiciones patriarcales y un hermoso templo dedicado y en pleno uso en medio de ellos. Todo miembro de la Iglesia de esa nación era ahora miembro de una estaca, pero ni imaginaban la magnitud de lo que estaba por venir como resultado de tener un templo detrás de la Cortina de Hierro.

Edith Krause, la esposa del patriarca Walter Krause, quien

transcribió a máquina sus más de 1.000 bendiciones, dijo después de la dedicación del templo: "Tratamos de hacer lo que el Señor quería que hiciéramos, y eso nos acercó a un templo. Walter siempre dijo que el Señor tiene el poder y que nosotros nunca debemos dudar. Recibiremos muchas bendiciones porque profetas, apóstoles y otras autoridades han venido a nuestro país y nos han dejado sus oraciones y sus bendiciones. Y pudimos sentirlas. Cualquiera que se encuentre en nuestra situación, podrá sentirlas. Éstas no son sólo palabras, es una bendición, y uno se siente más fuerte, más agradecido y más humilde ante el Señor, a quien tanto amamos, al saber que la distancia entre nosotros y Él es la misma que entre América y Él, y uno puede acortarla si cree. Eso es lo que aprendimos en el templo. ¡Qué gran oportunidad! Cuando el templo estuvo terminado, todos dijimos que teníamos que ser dignos y que teníamos que vivir mejor para que el templo permaneciera en este país. Confiamos en que así sea"[45].

En su diario personal, el élder Monson escribió: "La noche que regresábamos a Dresde, tras la dedicación del templo, reparé en el hecho de que habían transcurrido diecisiete años desde mi primera visita a Alemania como miembro del Consejo de los Doce. En aquella ocasión fui la primera Autoridad General en entrar a la RDA para visitar a los miembros tras levantarse el Muro de Berlín y agudizarse las medidas de seguridad de parte del gobierno. Algunos de los acontecimientos más destacables habían sido la oración dedicatoria que yo ofrecí; la organización de la Misión Dresde y el establecimiento de distritos en preparación para la formación de futuras estacas; la creación de la Estaca Freiberg y, más adelante, la Estaca Leipzig; los servicios de la palada inicial para el Templo de Freiberg, Alemania, y la oración dedicatoria que tuve el privilegio de ofrecer en aquella ocasión; y ahora la culminación y la dedicación de la casa del Señor. Todo el honor y la gloria pertenecen a nuestro Padre Celestial, porque es sólo mediante Su divina intervención que estas cosas han sucedido. Yo sólo siento más satisfacción de lo que las palabras pueden expresar por haber contribuido a lo que considero uno de los capítulos más llenos de fe en la historia de la Iglesia"[46].

21

CAE EL MURO

Observé el milagro que sucedió cuando Erich Honecker dijo: "Presidente Monson, confiamos en usted". Todos esos años habían estado siguiéndole. Los comunistas llevan muy buenos registros de personas que entran y salen. Habían examinado sus sermones, y Erich Honecker dijo: "Confiamos en usted. Por lo tanto, se le conceden sus pedidos".

ÉLDER RUSSELL M. NELSON
Quórum de los Doce Apóstoles

QUÉ INFLUENCIA TUVO EL TEMPLO de Freiberg en la caída del Muro de Berlín? Al contemplar la serie de eventos de esa segregada nación, podemos apreciar que es un país apartado del mundo por muchos kilómetros de cemento, alambre de púa, minas terrestres, y torres de guardia y, sin embargo, es bendecido por milagros que sólo pueden atribuirse al Señor y Su evangelio. Se crean estacas; se llaman patriarcas; se termina un templo sagrado y miles de personas forman filas para recorrerlo. Hay misioneros que entran y salen, una práctica desconocida en esa región de puertas cerradas. Para demostrar su devoción a su Padre Celestial, los miembros de la Iglesia viven y manifiestan las enseñanzas de Jesucristo, muchas veces ante grandes peligros. Y entonces el muro—y juntamente el gobierno—se derrumba.

No importa qué papel hayan desempeñado los políticos y los presidentes, la reflexión a fines de esta dispensación bien podría indicar que fue la diligencia y la fe de los santos alemanes, además de la inspiración de profetas modernos y las oraciones de los fieles en todas las naciones, lo que fue carcomiendo ese muro.

El presidente Dieter F. Uchtdorf fue testigo ocular de ello. "Recuerdo la primera vez que tuve en mis manos la oración dedicatoria de ese país. Eso fue mucho antes de que cayera el muro y leí todo lo que el élder Monson prometió en el nombre del Señor y pensé, ¿cómo podrá suceder eso? A través de los años, guardé la oración en mi pequeña carpeta donde conservaba papeles importantes y marcaba lo que iba pasando. Era asombroso cómo sucedían esas cosas. Él influyó de tal manera en nuestro país que la unificación se produjo mucho más rápido de lo que esperábamos. Yo sabía que un día Alemania se volvería a unir; lo sabía en mi corazón y en mi alma. No obstante, pensaba que ocurriría, si mis hijos fueran afortunados, durante sus días, pero más probablemente en la época de mis nietos o biznietos. Un largo tiempo; pero sucedió de la noche a la mañana, en gran parte gracias a tantas cosas que el presidente Monson hizo después de pronunciar la bendición"[1].

Alemania es verdaderamente una historia de milagros modernos, tan dramáticos como el derrumbe de un gobierno opresivo, tan simple como cuando una persona se esfuerza por levantar a otra.

El desafío de los santos de Alemania Oriental fue tan monumental como el de una gente pobre que trata de ubicar un templo en la abrupta frontera de América en los primeros días de la Iglesia. Y en ambos casos, el Señor abrió el camino para que fluyeran las bendiciones del sacerdocio y del templo. El élder Monson le proporcionó fe, ánimo y perseverancia a la tarea. Se sentó con hombres de los más altos cargos políticos de un país sin religión y, como Apóstol del Señor, habló de cosas sagradas y venerables. Y ellos escucharon. Nunca tuvo que ver con visados y permisos, aunque eran herramientas necesarias. Lo que siempre importaba era el principio. Él obedecía al Señor, formulaba las debidas preguntas y respondía a la inspiración. Año tras año demostraba su fe y daba esperanza a los fieles que allí vivían.

Lo maravilloso es que los santos edificaron un templo y Dios hizo caer el muro: el Muro de Berlín.

Durante años, los santos alemanes que viajaban a Salt Lake City iban a visitar al élder Monson en su oficina, ubicada en 47 East South Temple. Para ellos eran visitas al estanque de Betesda, y el élder Monson estaba listo para ayudarlos a entrar en las aguas curativas, o a hacer lo que pudiera para aligerar sus cargas. Henry Burkhardt, el presidente de la Misión Dresde durante 15 años, y el primer presidente del templo en Freiberg, fue uno de ellos. En una visita en 1992, un tanto desalentado después de haber cumplido su asignación en el Templo de Freiberg, el hermano Burkhardt recurrió al presidente Monson y le preguntó: "¿Qué hago ahora?".

El presidente Monson, siempre maestro, percibió una oportunidad para encaminar a Henry, quien durante muchos años había ocupado pesadas responsabilidades administrativas, al gozo de prestar servicio. "Quizás ésta sea una de las más singulares asignaciones que usted haya recibido", le dijo. "Quiero pedirle que converse con el hermano Walter Stover. Él tiene noventa y tantos años y su salud no es muy buena. No creo que esté con nosotros mucho tiempo. Quiero que vaya y se siente junto a su cama y le pida que le cuente acerca de su vida. Él va a disfrutar tal oportunidad y usted atesorará el recuerdo de su visita".

El presidente Monson sabía lo que estaba diciendo. Al iniciar su asignación en Europa, había ido a visitar a Walter Stover, el primer presidente de misión asignado a la Alemania Oriental después de la guerra. Él aprendió mucho de ese converso alemán que tiempo más tarde se había mudado a Utah y establecido un próspero negocio. El presidente Monson, que tanto admiraba al hermano Stover, dijo: "Si alguna vez hubo un hombre que ejemplificó las Escrituras—'de toda cosa que invita a hacer lo bueno, y persuade a creer en Cristo'—ese hombre era Walter Stover". Con su propio dinero, el hermano Stover "construyó dos capillas en Berlín, una hermosa ciudad que había sido asolada por el conflicto bélico. Él planeó una reunión en Dresde para todos los miembros de la Iglesia de esa nación y luego alquiló un tren para traerlos de todas partes del país a fin de que pudieran reunirse, participar de la Santa Cena y dar testimonio de la bondad de Dios". Aconsejó a los jóvenes que deseaban escaparse a la

Alemania Occidental "que fuesen pacientes y fieles a los mandamientos del Señor hasta que Él, en Su debido tiempo, les abriera las puertas para que recibieran todos los privilegios"[2]. Él fue a la Misión de los Países Bajos en busca de alimentos y provisiones para los alemanes derrotados, quienes se morían de hambre.

El hermano Burkhardt advirtió que tenía que hablarle en alemán al hermano Stover, el único idioma que conocía. "El hermano Stover disfrutará de conversar con usted en alemán", respondió el élder Monson. Henry fue y su informe indicó exactamente lo que el presidente Monson esperaba: "Al salir de allí, me sentí mejor y más resuelto que nunca a servir a nuestro Padre Celestial"[3].

En 1985, cuando fue llamado a ser consejero del presidente Ezra Taft Benson, el élder Monson pasó la batuta de mando para supervisar los países de la Europa Oriental, incluso la República Democrática Alemana, Checoslovaquia, Yugoslavia y Polonia al élder Russell M. Nelson, quien se encargaría de Europa junto con el élder Joseph B. Wirthlin. Mientras tanto, el presidente Monson mantuvo su mano guiadora en la obra de la Iglesia detrás de la Cortina de Hierro.

El presidente Monson tuvo el privilegio de regresar a Leipzig, Alemania Oriental, para dedicar el hermoso centro de estaca que se había edificado allí. Pronunció un "discurso de despedida" el 24 de agosto de 1986 en una sala alquilada que ocuparon "todos nuestros miembros de la República Democrática Alemana". En lo que resultó ser una "ocasión particularmente conmovedora", describió sus años de servicio y rindió homenaje a aquellos que, como Henry Burkhardt y sus consejeros, habían servido fielmente por tanto tiempo. En determinado momento, los niños de la Primaria pasaron al frente para integrar el coro y entonar las canciones de la Primaria "Llamados a servir" y "Soy un hijo de Dios". El presidente Monson observó que algunos de los siempre presentes oficiales del gobierno "tenían lágrimas en los ojos al ver esa evidencia de amor"[4].

Además de los centros de reuniones de Leipzig, Freiberg y Annaberg, el Comité de Apropiaciones de la Iglesia aprobó en febrero de 1987 la construcción de una nueva capilla para Berlín

Este y en abril aprobaron una para Dresde. Con el consentimiento sin precedentes del gobierno que habían negociado pocos años antes para edificar diez capillas en la República Democrática Alemana, el presidente Monson sintió que debía asegurarse de que se construyeran los edificios, confiando en que los miembros pondrían "todo esfuerzo en la obra misional" para que la base de miembros "se reponga con conversos así como con recién nacidos"[5].

Durante casi veinte años, el élder Monson había estado visitando a los santos detrás de la Cortina de Hierro. En cada visita, oficiales del gobierno inspeccionaban sus labores y llegaron a familiarizarse con los Santos de los Últimos Días. Habían permitido la construcción de capillas y de un templo. En octubre de 1988, el élder Monson encaraba el segundo y gran obstáculo: pedir que misioneros de otros países fueran admitidos y que a los Santos de los Últimos Días de la República Democrática Alemana se les permitiera también servir en otros países.

El 24 de octubre de 1988, el Ministro de Asuntos Religiosos, Kurt Löffler, invitó a un almuerzo en Berlín al presidente Monson, al élder Russell M. Nelson y a su esposa, y a otras personas, entre ellas Günter Behncke, ayudante de Herr Löffler, y Herr Zeitl, del Ministerio de Intercambio Extranjero. Un miembro de la Iglesia, el hermano Wilfred Möller, sirvió una vez más como intérprete del presidente Monson. El presidente Monson notó que las únicas bebidas en la mesa eran jugo de naranja y agua, obviamente una señal de respeto hacia los líderes de la Iglesia. En determinado momento, Kurt Löffler llevó al presidente Monson a la ventana y extendiendo el brazo de izquierda a derecha, dijo: "Después de la Segunda Guerra Mundial, en toda esta zona había sólo siete edificios". Se mostraba complacido por la reedificación que había tenido lugar en la ciudad[6].

Al día siguiente, un número de dignatarios del gobierno, entre ellos Herr Löffler, viajaron en autobús hasta Dresde para visitar el centro de la estaca y asistir a una reunión especial. Llevaron hermosos ramilletes de flores, y a medida que cada uno de los líderes de la Iglesia terminaba su discurso, ellos le entregaban uno de los ramilletes como señal de cooperación y aprecio por las creencias mutuas.

Los servicios dedicatorios se llevaron a cabo por la tarde en el centro de la estaca de Dresde, y al día siguiente en la capilla de Zwickau, donde nuevamente estuvieron presentes empleados y líderes del gobierno. Uno de los oradores fue el miembro de mayor edad de la Iglesia en ese lugar, bautizado en 1924. Más de 6.000 personas visitaron el edificio antes de la dedicación de la capilla de Zwickau. En Dresde, 29.740 personas asistieron a la recepción para el público[7].

Al finalizar los servicios dedicatorios en Zwickau, un hermano se acercó al presidente Monson y le pidió que le diera saludos al presidente Ezra Taft Benson y dijo: "Él me salvó la vida. Después de la guerra, me dio alimentos y ropa; me dio esperanzas. ¡Dios lo bendiga!"[8]. Esos pensamientos le fueron extendidos al presidente Benson.

Al día siguiente, en Postdam, el grupo, por invitación de Herr Wünsche, el consejero legal de la Iglesia en Alemania, visitó la ciudad y sus parajes importantes donde las fuerzas aliadas habían dividido Alemania al final de la guerra. Herr Wünsche los invitó a almorzar en el hermoso Hotel Cecilienhof. Mirando por la ventana del comedor, el presidente Monson notó "que obreros vestidos en ropa de trabajo—con largos y amplios delantales—cargaban hojas en un carretón tirado por un hermoso caballo". Esa escena de tan antigua costumbre simbolizó para él "esas tradiciones de las que a los europeos no les gusta separarse"[9].

Esa noche él tuvo una experiencia durante una espléndida cena en el mejor hotel de Berlín Oriental con Herr Behncke, el ayudante de Herr Löffler, quien le confesó:

"Lo conozco y confío en usted. Usted y yo podemos hablar como amigos". Entonces agregó: "Creo en algunos de los mismos principios en que usted cree", y habló acerca de su esposa y de sus felices años de matrimonio. Concluyó diciendo: "Si me fuera a afiliar a una iglesia, sería a la suya"[10]. Qué admisión la de un hombre que, como otros oficiales del gobierno, había autorizado "vigilar" al élder Monson cuando entraba y salía del país durante muchos años.

Esos líderes del gobierno no estaban acostumbrados a que las religiones respetaran sus reglas. Esa singularidad fue, como el élder Russell M. Nelson tiempo después la llamaría, "conciliatoria"[11].

El viernes 28 de octubre de 1988 fue un día muy significativo en la historia de la Iglesia en Alemania Oriental. Al presidente Monson, al élder Nelson y a otros líderes de la Iglesia se les invitó oficialmente a visitar las salas de gobierno de la República Democrática Alemana. Fue una reunión para la cual los representantes de la Iglesia estaban bien preparados.

Se sentaron ante una enorme mesa redonda con uno de los líderes más temidos del mundo comunista, Erich Honecker, secretario general de toda la República Democrática Alemana, administrador del estado desde 1960[12]. Además del presidente Monson y del élder Nelson, la delegación de la Iglesia incluía al élder Hans B. Ringger, al presidente Henry Burkhardt, al presidente de estaca Frank Apel, a Manfred Schütze, y al intérprete Wilfred Möller. Herr Honecker tenía a sus diputados consigo, incluyendo a Kurt Löffler. Nuevamente demostraron su respeto a los miembros de la Iglesia al servirles sólo jugo de naranja y agua para beber.

El presidente Monson entregó a Herr Honecker una estatua titulada "Primeros Pasos", que representa a una madre que se inclina y ayuda a su hijo que camina hacia su padre. Herr Honeker pareció particularmente complacido con ese regalo y recalcó que su gente también defendía la fortaleza de la familia. Al darles la bienvenida, Herr Honecker explicó que durante muchos años había observado al élder Monson y las actividades de la Iglesia, y que había visto que la Iglesia enseñaba a sus miembros a obedecer y sostener la ley de la nación, que destacaba a la familia, y que los miembros de la Iglesia eran ciudadanos ideales. Después cedió el tiempo al élder Monson para que presentara los temas previamente sometidos. (La previa sumisión de toda solicitud a los líderes del gobierno era habitual para que no les cayeran de sorpresa.)

En una declaración durante esa asamblea, el presidente Monson dijo: "Los miembros en muchos países están observando esta reunión con gran gozo y esperanza, en particular todos los que son de ascendencia alemana". Entonces continuó: "Vivimos en un período en el que es imperativo que hombres y mujeres vivan juntos en paz y procuren proteger sus entornos. Nuestra Iglesia ha aprendido que aquí, en el país de ustedes, tenemos en común puntos de vista en muchos objetivos básicos, lo cual ha resultado en una cooperación edificante. Ésta es otra razón por la que este acontecimiento se está observando con gran interés en el mundo". Agradeciendo a Herr Honecker la cooperación y la confianza entre la Iglesia en ese país y los oficiales cívicos en cada nivel, continuó diciendo: "Por experiencia, sabemos que esto no se debe tomar a la ligera, sino que más bien es el resultado de una calibrada norma legal religiosa, así como también los esfuerzos del liderazgo de la Iglesia, que hace todo lo posible por destacar los puntos en común y edificar sobre ellos.

"Como iglesia, no somos políticamente activos, y nos abstenemos de cualquier intento de influencia política. No obstante, alentamos a nuestros miembros a que hagan todo lo posible por ayudar en el desarrollo del gobierno bajo el cual viven y que fomenten una existencia unificada y mutuamente benéfica con sus asociados, tanto hombres como mujeres"[13].

En respuesta, Kurt Löffler describió la emotiva reunión como una "de total acuerdo en la ideología básica de la vida":

"Nosotros y su iglesia dependemos de importantes ideales humanos. Éstos incluyen la protección de la vida . . . la certeza de la paz . . . obras buenas y honestas . . . el fortalecimiento de la patria . . . la libertad de la familia . . . la crianza de los hijos. Todo esto será importante para la sociedad en el futuro".

Evidentemente, los líderes del gobierno sabían que los santos habían vivido honradamente, y estaban agradecidos por ello.

El presidente Monson explicó que la Iglesia se había establecido en la República Democrática Alemana muchos años antes de la Segunda Guerra Mundial. Afirmó que Alemania había sido una de las "áreas más productivas" para la obra misional en todo el mundo, pero que ahora esa base apenas se mantenía constante. Con gratitud reconoció que el gobierno autorizara la construcción del Templo de Freiberg y de capillas, y entonces describió los programas de casa abierta que se efectuaban en tales edificios, indicando que grupos numerosos de personas habían permanecido en fila durante largo tiempo para ver los edificios y preguntar acerca de la Iglesia. (Tiempo después, el presidente Monson se enteró de que si el gobierno hubiera esperado tan entusiasta acogida por parte del público, nunca habría permitido que la Iglesia continuara su programa de construcción.)

Él entonces pidió permiso para reiniciar la obra de misioneros proselitistas de tiempo completo en la República Democrática Alemana. Explicó también que esos misioneros provendrían de otras naciones. La experiencia había demostrado que cuando regresaban a sus hogares, solían favorecer los ideales de las personas con quienes habían trabajado durante dos años. Para ilustrar su punto de vista, relató el caso del embajador argentino que, mientras visitaba la Universidad Brigham Young, se reunió con 200 misioneros que habían servido en Argentina y que él reconoció que sentían un gran amor por su país y sus habitantes.

Con determinación, el presidente Monson pidió permiso para que hombres y mujeres jóvenes de la República Democrática Alemana recibieran llamamientos para servir en otros lugares del mundo, explicando que eso sería un beneficio positivo, tanto para la gente con quienes trabajaban como para los mismos misioneros[15]. El permiso se le pedía a un gobierno que aún restringía el desplazamiento de sus ciudadanos a países no comunistas.

El asunto de los misioneros se resolvió con rapidez, y Herr Honecker concedió el permiso, tanto para que misioneros de otras naciones entraran en la República Democrática Alemana, como para que misioneros de la República Democrática Alemana sirvieran fuera del país.

Durante los treinta minutos subsiguientes, Herr Honecker describió los breves cuarenta años de historia de la República Democrática Alemana y el extraordinario progreso en la reconstrucción después de la devastación de la Segunda Guerra Mundial. Accedió a la petición de que los jóvenes de la Iglesia se reunieran en conferencias empleando, si fuera necesario, edificios del gobierno, indicando que confiaba en ellos y los admiraba.

El élder Monson se refirió a la reunión con Erich Honecker como "uno de los días históricos de su ministerio hacia los santos detrás de la Cortina de Hierro, y uno que recordaría siempre". Atesora el comentario del Sr. Honecker cuando se sentaron en la sesión: "Lo conocemos por sus numerosas visitas, y confiamos en usted"[16].

El 30 de marzo de 1989, ocho élderes con experiencia de las cinco misiones de habla alemana que había en Europa, cruzaron la frontera y entraron en Alemania Oriental; eran los primeros misioneros de tiempo completo que, en los últimos 50 años, provenían del extranjero. En una carta, un misionero describió el cruce en la frontera a su familia: "El corazón nos latía de emoción cuando los guardias sellaron nuestros pasaportes. El Señor estuvo con nosotros; el corazón de los guardias se ablandó y no nos abrieron ni inspeccionaron una sola maleta"[17].

Wolfgang Paul, el presidente de la nueva Misión Alemania Dresde, asignó a los nuevos misioneros a Berlín Oriental, Dresde, Leipzig y Zwickau[18]. Con el tiempo, se agregaron más misioneros y el éxito que obtuvieron fue inmediato. En los dieciocho meses subsiguientes, se bautizaron más de 1.100 conversos a La Iglesia de Jesucristo de los Santos de los Últimos Días. Uno de los misioneros escribió a sus padres: "Este lugar es un edén proselitista. Cuatro de cada cinco personas nos invitan a entrar y quieren concertar una cita"[19].

El élder William Powley, uno de los primeros misioneros en ese país, escribió a su familia: "Lo que Thomas S. Monson profetizó en este país en 1975, en verdad se está cumpliendo"[20].

Sólo dos meses más tarde, el 28 de marzo de 1989, diez misioneros de la República Democrática Alemana llegaron al Centro de Capacitación Misional en Provo, Utah, siendo los primeros de su país que sirvieron en el extranjero. Entre ellos estaba Tobias Burkhardt, hijo de Henry. Tobias era el joven diácono que había cuidado la tumba del misionero Joseph A. Ott[21]. Su llamamiento fue a la Misión Salt Lake City. La Primera Presidencia, integrada por los presidentes Ezra Taft Benson, Gordon B. Hinckley y Thomas S. Monson, se reunió personalmente con los diez misioneros de Alemania Oriental, les declararon sus testimonios e invocaron "las bendiciones del Padre Celestial sobre ellos en sus asignaciones misionales"[22]. El gobierno no había estipulado dónde podían servir los misioneros y le indicaron al presidente Monson que podían enviarlos a dondequiera que desearan. Los asignaron a Inglaterra, Estados Unidos, Canadá, Argentina y Chile[23].

Cuando los diez misioneros salieron de su país, Löffler, el Secretario de Estado para Asuntos Religiosos, auspició un almuerzo en su honor. Esos jóvenes encajaban en la definición de la palabra pionero que solía citar el presidente Monson: "Uno que va adelante, mostrando a los demás la manera de seguir".

Ese verano de 1989, el gobierno permitió por primera vez que los jóvenes Santos de los Últimos Días de Alemania Oriental asistieran a una conferencia de jóvenes en Alemania Occidental. Desde el 27 de julio hasta el 4 de agosto, se reunieron los jóvenes de ambas Alemanias; a nadie más se le había permitido llevar grupos de jóvenes y cruzar la frontera para reunirse con sus hermanos y hermanas de la zona libre del Oeste.

A principios de noviembre de ese año, 1989, surgían disturbios por toda Europa Oriental. Hungría abrió sus fronteras, lo que incitó a que saliera una avalancha de alemanes. Muchos tomaron trenes o automóviles, o caminaron desde Alemania Oriental hasta Hungría. No tenían intención de regresar. Desde Hungría se dirigieron hacia el Oeste y la libertad. Otros tomaron una ruta a través de Austria, sin que protestaran los gobiernos que les dieron la bienvenida. Las marchas en Polonia y Hungría aparecieron por televisión en todo el mundo en tanto que la gente de muchas de las naciones de la Europa Oriental promovía la libertad[24].

El cambio sucedió tan rápidamente que era casi inexplicable. Herr Honecker se vio obligado a renunciar a su cargo y muchos miembros de su gabinete abdicaron con él. El presidente Monson contempló el drama con gran interés. Él conocía a la gente, los lugares y el corazón de aquellos que anhelaban la oportunidad de vivir donde desearan sin soportar la pesada mano del comunismo. Sus anotaciones en su diario personal son elocuentes:

Jueves, 9 de noviembre de 1989. "Se exige que el Muro de Berlín, que separa el Este del Oeste, sea derribado . . . Curiosamente, se nos había notificado en privado, por medio de Herr Löffler y Herr Behncke, del Ministerio de Religión, que Honecker dimitiría esta semana".

Domingo, 12 de noviembre de 1989. "El Muro de Berlín realmente está cayendo . . . El pronóstico es que la frontera se abrirá y que el muro represivo será cada vez menos un factor de separación. ¿Cómo afectará esto a la Iglesia? Yo creo que por ahora nadie lo sabe. Una cosa sí es segura: El firme control del comunismo en esos países de Europa Oriental está decayendo a medida que la gente anhela libertad e independencia"[25].

El muro se derrumbó, tanto física como figurativamente. Los ciudadanos de la República Democrática Alemana, de Polonia, de Hungría y de Rumanía ya no se encontraban aislados de las demás naciones del mundo. Unos meses más tarde, el 16 de marzo de 1990, la emisora de la Universidad Brigham Young entrevistó al presidente Monson en cuanto a los impresionantes cambios en los países del Bloque Oriental. "El vacío que ahora existe facilitará líderes buenos o déspotas", dijo, y concluyó: "Esperemos que, paso a paso, la democracia llegue a estas naciones y que en ellas emerjan buenos líderes"[26].

Algunos historiadores han dado mérito a las iglesias de Alemania Oriental por haber ayudado a derribar al gobierno. Grupos de ciudadanos descontentos se reunían en iglesias de diferentes denominaciones donde expresaban sus frustraciones, temores y esperanzas para el futuro. Muchos de los fieles irrumpían en los edificios del gobierno y exigían que los oficiales dieran cuenta de sus hechos[27]. Un observador comentó: "La iglesia demostró ser capaz de servir como portavoz para los que no podían hablar"[28].

Por invitación de la Iglesia, Günter Behncke, quien aún servía como vice ministro de asuntos religiosos para Alemania Oriental, asistió a la conferencia general en Salt Lake City a principios de abril de 1990. Mucho antes de la caída del gobierno de la República Democrática Alemana, la Iglesia también había invitado a Herr Kurt Löffler y a su esposa para que visitaran Salt Lake. En tal ocasión no pudieron hacerlo, pero la oferta siguió vigente. Herr Behncke había intervenido en el programa de construcción de la Iglesia, particularmente con el templo, y ayudado a los líderes de la Iglesia a propiciar que el país y sus jóvenes tuvieran oportunidades para servir como misioneros de tiempo completo.

El presidente Monson le hizo recordar que él había mencionado: "Si me fuera a afiliar a una iglesia, sería a la suya". Herr Behncke se sorprendió de que el presidente Monson recordara ese comentario. Es obvio que no conocía bien al presidente Monson.

Herr Behncke se reunió con la Primera Presidencia y escuchó con atención cuando el presidente Benson habló acerca de su servicio en la Europa asolada por la guerra, proporcionando enormes cantidades de productos de bienestar. Herr Behncke también habló ante un grupo en el hogar de los Monson. En otras reuniones, se refirió a la necesidad que tenía su país de salir del comunismo y mirar hacia el Oeste. Bajo un nuevo régimen, aunque pudiese tener asegurada la libertad y el acceso al Oeste, le preocupaba que muchos sufrieran y se les privara de satisfacer las necesidades básicas de la vida. El presidente Monson comentó: "Herr Behncke nos dejó sin ninguna ilusión de que el sendero de los alemanes orientales sería fácil"[29].

El presidente Monson tenía interés en saber sobre los cambios en el país que bien conocía.

El 31 de mayo de 1990, él y Frances viajaron a Berlín para "ver lo que quedaba del Muro de Berlín". Les sorprendió ver que en casi todas partes de la ciudad otrora dividida, el muro ya no existía. En el famoso Portal de Brandenburgo, cerca de donde tantas veces había formado filas a fin de pasar, "no vimos siquiera un rastro del muro"[30]. Mientras iban en automóvil junto a un río, notó un bote patrulla de Alemania Oriental que efectuaba sus últimas rondas. Era el final de una era, con las dos Alemanias en camino a la reconciliación. El 3 de octubre de 1990, se unieron en uno ambos gobiernos.

Cuando cayó el muro en noviembre de 1989, la Iglesia tenía una base firme en Europa Oriental. Procedía ahora sin demora para establecer su presencia en los países que antes habían estado cerrados a toda actividad religiosa, y aprobaba planes para una nueva casa de misión en Hungría y otra en Berlín Oriental.

El 21 de octubre de 1990, el presidente Monson regresó a Berlín para ayudar a reorganizar las unidades de la Iglesia. Aunque había viajado a ese lugar muchas veces en los previos 22 años, esa vez le esperaba la culminación de todas esas visitas. Un grupo de líderes del sacerdocio de las estacas de Berlín, Leipzig y Dresde marcó la pauta para los dos días de las reuniones. El presidente Monson comentó: "El espíritu fue absolutamente de la más alta calidad inspirativa". Los hermanos de la región Oriental no se habían reunido con sus amigos o familias del Oeste por 30 años y se sentían muy emocionados. El presidente Monson se fijó en que los de Berlín Occidental "estaban mejor vestidos y tenían mejores automóviles" que los de la zona Oriental; pero los miembros de "Leipzig y Dresde, en realidad, ejercían mayor fe"[31].

En la sesión del sábado por la noche hablaron las hermanas Dantzel Nelson y Frances Monson, así como también los representantes regionales Dieter Berndt y Johann Wondra. Después de la reunión, una hermana de Alemania Oriental dio al presidente Monson una nota de gratitud. Le contó que su esposo había sido bautizado, gracias a los misioneros, y que su hijo había sido llamado a servir en una misión en California, explicándole que el llamamiento fue en cumplimiento de la profecía del élder Monson.

"Mi hijo tenía nueve años de edad cuando usted lo conoció en Dresde", escribió ella. "Él y yo nos encontrábamos sentados, agradecidos y felices por tener buenos asientos. Su buen mensaje, querido hermano Monson, nos hizo sentir muy bien. Usted miraba a mi hijo Thomas, le sonrió y dijo: 'Aquí, frente a mí, se halla un joven de cabello rubio y ojos castaños que se llama Tom. Un día, él servirá en una misión'. Muchas veces se sentía desalentado y triste porque era corto de estatura, pero sabíamos lo que el Padre Celestial tenía reservado para él. Ahora es digno de servir en una misión, el cumplimiento de su más anhelado deseo"[32].

En la reunión del domingo por la mañana, 2.438 miembros colmaron el Centro del Congreso Internacional de Berlín. Al estilo alemán, un "espléndido coro" cantó los himnos de Sión "con todo el corazón". No fue extraño que Herr Behncke, ex vice ministro de asuntos religiosos, se hallara sentado con su esposa en la primera fila y que cantaran con la congregación.

El élder Hans B. Ringger, a quien el presidente Monson describe como "una de las grandes fuerzas impulsoras en la expansión de la obra en Europa", presentó la realineación de estacas, consolidando Berlín Oriental y Occidental en una, la de Berlín, y ajustando los límites de las de Dresde y Leipzig.

Rememorando una conferencia anterior en Alemania Oriental, un coro de niños reunidos al frente cantaron "Soy un Hijo de Dios". Los de las unidades militares de Estados Unidos cantaron una estrofa en inglés, los niños alemanes cantaron otra en su idioma natal, y todos entonaron la última en alemán. El presidente Monson apreció esa simple expresión de esos niños que marcaron la pauta para toda la reunión.

Los oradores incluían a cada uno de los presidentes de estaca, hombres instruidos bajo la dirección del presidente Monson: los presidentes Schütze, de Leipzig; Apel, de Dresde, quien más tarde serviría como presidente del Templo de Freiberg; y Grunewald, de Berlín. También habló el hermano Burkhardt, quien era presidente del Templo de Freiberg. El élder Russell M. Nelson y el presidente Monson concluyeron la sesión.

Ésos fueron dulces momentos para el presidente Monson, quien recordó a la congregación su visita a Görlitz, en 1968, la privación de la gente y su firme convicción. "El Evangelio floreció mediante su fe y confianza en el Señor y en sí mismos", dijo el presidente Monson. "Casi sin darse cuenta y, poco a poco", se recibieron las bendiciones prometidas[33]. Percy K. Fetzer dio las primeras bendiciones patriarcales, seguido por Hans B. Ringger y Walter Krause.

El presidente Monson les habló de la bendición que había pronunciado sobre la región y de la guía del Señor a través de los años. Fue un momento dulce y emocionante en el ministerio de ese Apóstol cuyo servicio se había extendido por el mundo, pero cuyo corazón se había quedado con un grupo de creyentes tras un muro de opresión política. No pudo describir el gozo que había sentido "durante los últimos veintidós años al formar parte de los planes del Señor para Sus santos". Atribuyó "a Él todo honor y gloria" por guiar los esfuerzos de tantas personas[34].

La conferencia marcó el fin de la obra oficial del presidente Monson en esa área. Él reconoció que al haber mantenido por tanto tiempo estrecho contacto con la obra en Alemania—algo fuera de lo común en la norma de asignaciones en el Quórum de los Doce—"le fue posible establecer la continuidad que fomentó la confianza entre los oficiales del gobierno y que resultó en que se nos permitiera realizar la obra misional en el país". Lo consideró como "el gran momento decisivo"[35]. A ello le siguieron otras bendiciones.

En las reuniones se sentía el espíritu del Señor. Al finalizar el coro el himno que se canta en muchos países "Para siempre Dios esté con vos", el presidente Monson observaba a la congregación con lágrimas en los ojos. Había comenzado su servicio en Alemania cuando era el miembro más joven del Quórum de los Doce Apóstoles. Ahora, como miembro de la Primera Presidencia, consideraba esa conferencia como "uno de los fines de semana más espiritualmente satisfactorios de mi vida"[36].

Con respecto a su ministerio personal en esa parte del mundo, afirmó: "Me siento feliz por haber participado en tan significativa saga en la historia de la Iglesia en Alemania"[37].

El presidente Monson expresó en su diario personal: "Por experiencia propia he aprendido que la necesidad del hombre es la oportunidad de Dios. Soy testigo viviente de cómo la mano del Señor se ha manifestado al velar por los miembros de la Iglesia en países que una vez estuvieron bajo gobiernos comunistas"[38].

En 1994, el presidente Monson visitó Leipzig de nuevo, aterrizando en una zona a la que anteriormente sólo se tenía acceso por automóvil. Esta vez no había tropas del gobierno, nadie que vigilara ni grupos de soldados con armas. Él habló en la conferencia de la estaca de Leipzig, en un edificio construido y dedicado por la Iglesia, y pidió que la congregación cantara el himno de su primera visita a la antigua República Democrática Alemana, "Si la vía es penosa, no te canses". Pidió que levantaran la mano todos los que habían estado presentes cuando habló por primera vez. Se sorprendió al ver cuántos se habían unido a la Iglesia o habían nacido en los años subsiguientes. Quienes habían perseverado aquellos primeros años aún estaban presentes.

En Leipzig, a las 945 personas que estaban presentes en el centro de estaca que él había dedicado destacó que ellos habían recibido la mano guiadora del Señor y que al poner su confianza en su Padre Celestial y cumplir Sus llamamientos habían sido bendecidos de acuerdo con la oración que acababa de ofrecer en favor de ellos. En verdad, paso a paso, ellos habían recibido toda bendición disponible a cualquier miembro de la Iglesia en todas partes. Él dijo: "En general, el Señor literalmente abrió Su cesta y les confirió, más allá de sus mejores y caras expectativas, Sus abundantes bendiciones"[39].

El presidente Monson habló con los misioneros de Dresde y de Leipzig. En Leipzig vio a un joven fornido sentado en un banco del frente. Había pedido a los misioneros que se presentaran, y a ese joven en particular le dijo: "Usted es muy fornido; yo no quisiera tener que marcarlo en un partido de básquetbol". Se fijó en que el misionero llevaba puesto un traje de muy buena calidad que le sentaba muy bien. Más tarde se enteró de que era un traje que él le había dado al hermano Adler, quien a su vez se lo dio a ese misionero que no tenía ropa adecuada para su misión.

En reuniones subsiguientes, el presidente Monson se encontró con otras personas a quienes había dado su ropa, una barra de goma de mascar u otras cosas. Tras una visita a la tumba de Joseph Ott, pidió a los miembros que siguieran cuidando ese lugar. Recordó la noche, años antes, cuando, llevando una linterna en la mano mientras llovía copiosamente, le habían mostrado por primera vez la tumba y se enteró de que Tobias, el hijo de Henry e Inge Burkhardt, era quien había cuidado el pequeño lote de tierra, manteniéndolo presentable y digno de un siervo de Dios. Pensó que fue apropiado que Tobias se encontrara entre el primer grupo de misioneros que salió de la República Democrática Alemana para servir en otros países.

También tomó un tiempo a solas para visitar la saliente sobre el Río Elba donde años antes había dedicado el país. En ese lugar santo, meditó y dio gracias a Dios por haber cuidado al pueblo alemán. "Se podía percibir la presencia del Señor. Reinaba la calma; el entorno era hermoso, y nada molestaba o perturbaba. Miré hacia el cielo al expresar mi agradecimiento en voz alta en simple oración, y recibí una confirmación espiritual de que la oración había sido escuchada y mi gratitud había sido aceptada"[40].

Al reflexionar sobre la República Democrática Alemana, el presidente Monson acude a las palabras de Rudyard Kipling:

Vano poder los reinos son;
huecos los gritos y el clamor.
Constante sólo es tu amor;
al compungido da perdón.
No nos retires tu amor;
haznos pensar en ti, Señor[41].

El presidente Monson agregó su libro *Faith Rewarded* (Fe recompensada), el cual trata sobre las promesas proféticas hechas a los santos de Alemania Oriental, a otros artefactos que se colocaron en la cápsula de tiempo de la piedra angular de la recién construida Biblioteca de la Historia de la Iglesia en Salt Lake City, el 25 de marzo de 2009. Podía haber escogido cualquier otro de sus libros, pero más apreciado para él era este resumen de los años que cruzó el Atlántico para servir a los miembros detrás de la Cortina de Hierro.

Las páginas más significativas de la historia de la República Democrática Alemana no se escribieron cuando cayó el Muro de Berlín. Se escribieron años antes, en los humildes hogares y corazones de un pueblo creyente, en un desmantelado depósito en Görlitz, en una zona despejada sobre el Río Elba, en el sereno pueblito de Freiberg que recibió a 90.000 personas en una recepción para el público antes de la dedicación del Templo de Freiberg. Una vez dedicado, la influencia benéfica que el templo ha tenido en toda una nación cuyos líderes intentaban desechar a Dios, a Su gente y Sus obras, fue sin igual. El estado totalitario estaba condenado; los días de su desaparición estaban contados.

22

LA OBRA AVANZA

Es un hombre sin vanidad. La mayoría de las personas de renombre saben dónde están los fotógrafos, pero él entra en un lugar lleno de cámaras y no les presta atención. La mayoría de las personalidades se ven a sí mismas como gente de influencia; él se considera un hombre común y corriente. Es una persona sencillamente genuina.

PRESIDENTE HENRY B. EYRING
Primer Consejero de la Primera Presidencia

EL ÉLDER MONSON ESTABA ARRODILLADO en oración con una presidencia de estaca en Hyrum, al norte de Utah, antes de comenzar su conferencia, el domingo 18 de enero de 1970, cuando el consejero pidió al Señor que consolara a la hermana McKay tras el fallecimiento de su esposo, el presidente David O. McKay. El élder Monson se enteraba del hecho en ese preciso momento. Una hora después, Joseph Anderson, secretario de la Primera Presidencia, lo localizó y confirmó que el presidente McKay había fallecido a las seis de esa mañana.

"Yo fui el último apóstol llamado al Consejo por el presidente McKay", recordó el élder Monson, "y por siempre recordaré y atesoraré mi relación con él"[1]. El presidente McKay dejó un notable legado de liderazgo con aquellos a quienes llamó al Quórum de los Doce: Marion G. Romney, LeGrand Richards, Adam S. Bennion, Richard L. Evans, George Q. Morris, Hugh B. Brown, Howard W. Hunter, Gordon B. Hinckley, Nathan Eldon Tanner y Thomas S. Monson. Tres de ellos fueron más tarde llamados por

Dios como presidentes de la Iglesia; otros tres sirvieron como consejeros de la Primera Presidencia. El presidente Monson admiraba a quienes él describía como catorce "hombres excepcionales" de más antigüedad que él en los Doce y en la Primera Presidencia. Él los vería partir de esta vida uno por uno.

El presidente McKay pasó enfermo los últimos años de su vida. Con el tiempo, asistía a las reuniones semanales en el templo en forma irregular, y llegó a un punto en que veía las sesiones de la conferencia por televisión desde su apartamento en el Hotel Utah, contiguo al Edificio de Administración de la Iglesia. Sólo seis meses antes del fallecimiento del presidente McKay, el élder Monson escribió: "Todos tenemos la vista puesta en la puerta los jueves a las 10:00 de la mañana para ver si, por casualidad, el presidente McKay asiste a la reunión. Lo echamos mucho de menos. No se ha reunido con nosotros en el templo desde el otoño, aunque nos reunimos con él en su apartamento poco antes de la Navidad"[2].

El presidente McKay, quien tenía noventa y seis años de edad cuando falleció, "era amado por miembros y no miembros de la Iglesia en todo el mundo"[3]. "Cuando uno está en la presencia del presidente McKay, se siente elevado y sale de allí mejor de lo que era cuando llegó", dijo el élder Monson de su mentor y amigo[4]. Cuando Thomas Monson nació en 1927, el presidente McKay ya tenía veintiún años de ser apóstol. Bajo su liderazgo, la Iglesia había crecido de aproximadamente un millón de miembros a tres millones. Cuando David O. McKay fue sostenido como Presidente de la Iglesia, había 180 estacas; el día mismo de su muerte se organizó la estaca número 500 en Reno, Nevada.

El cuerpo del presidente McKay se veló durante tres días en la recepción del Edificio de Administración de la Iglesia, donde los dolientes pasaron junto al féretro para rendirle su silencioso respeto. El élder Monson llevó a sus hijos Tom, Clark y Ann para ver por última vez a ese profeta que ciertamente había cambiado la vida de la familia Monson para siempre.

En el funeral, el jueves 22 de enero de 1970, el presidente Joseph Fielding Smith, sobre cuyos hombros descansaría el manto de autoridad en pocos días, habló de la función de un profeta:

El Quórum de los Doce Apóstoles en 1963. De izquierda a derecha, sentados:
Ezra Taft Benson, Mark E. Petersen, presidente Joseph Fielding Smith, LeGrand Richards;
de pie: Gordon B. Hinckley, Delbert L. Stapley, Thomas S. Monson, Spencer W. Kimball,
Harold B. Lee, Marion G. Romney, Richard L. Evans, Howard W. Hunter.

El Quórum de los Doce Apóstoles en 1982. De izquierda a derecha, sentados:
Presidente Ezra Taft Benson, Mark E. Petersen, LeGrand Richards, Howard W. Hunter;
de pie: Thomas S. Monson, Boyd K. Packer, Marvin J. Ashton, Bruce R. McConkie,
L. Tom Perry, David B. Haight, James E. Faust, Neal A. Maxwell.

Con el élder Boyd K. Packer en una conferencia general.
Los dos se sentaron uno junto al otro en el Quórum de los Doce desde 1970 hasta
1985, cuando el élder Monson fue llamado a la Primera Presidencia.

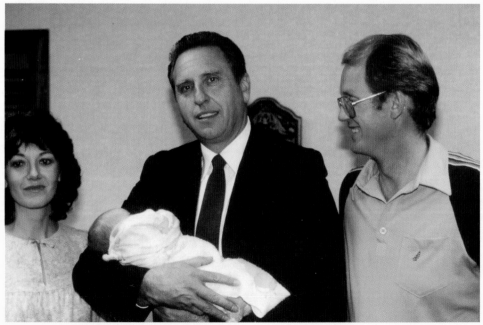

Celebrando con Lynne y Bill Cannegieter el 2 de octubre de 1981, a la llegada
de Jennifer Lynne, la primera hija del matrimonio. Lynne ha sido la secretaria personal
del presidente Monson durante más de cuarenta y cinco años.

En el Monumento Conmemorativo a Jefferson en Washington, D.C., 17 de septiembre de 1987, en el bicentenario de la firma de la Constitución de los Estados Unidos.

La Primera Presidencia en abril de 1986. El presidente Monson y el presidente Hinckley
sirvieron como consejeros del presidente Ezra Taft Benson durante nueve años.

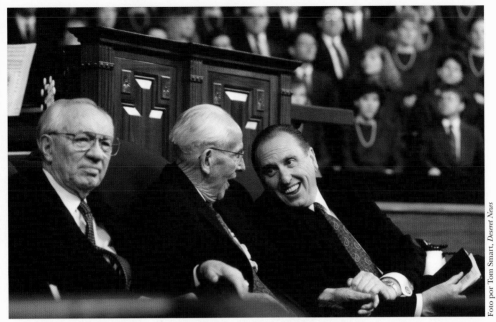

Foto por Tom Smart, *Deseret News*

El presidente Monson sentía que el presidente Benson lo trataba como a un hijo.

Con el Presidente de los Estados Unidos, Ronald Reagan, y el presidente Hinckley en la planta de enlatados de Ogden en una gira especial por la instalación de bienestar.

Recibiendo el reconocimiento más alto de la Organización Scout Mundial,
en una reunión general de sacerdocio en el Tabernáculo el 2 de octubre de 1993. Presentado
por los oficiales de la Organización Scout Eugene F. "Bud" Reid y Jere B. Ratcliffe.

En el evento anual "Desayuno de campeones", el 13 de abril de 2002, auspiciado por el
Consejo del Gran Lago Salado de la Organización Scout de los Estados Unidos de América.

En un Campamento Scout Mundial llevado a cabo
en Martin's Cove, Wyoming, el 14 de junio de 1997.

Acompañando a unos 3.600 scouts el 3 de agosto de 1997, en Fort A. P. Hill, Virginia.

Foto por Tom Smart, *Deseret News*

Llamado como segundo consejero del presidente Howard W. Hunter en el verano
de 1994. El presidente Gordon B. Hinckley era el primer consejero.

Con su amigo y empresario artístico Eugene Jelesnik, quien recibió
la Medalla Presidencial de la Universidad Brigham Young durante
la ceremonia de fin de cursos, el jueves 22 de abril de 1993.

Durante una velada especial, el 28 de septiembre de 1988, para honrar
al ex profesor Royal Garff al establecer la cátedra presidencial Royal L. Garff
en la Facultad de Negocios David Eccles de la Universidad de Utah.

Saludando a miembros del Quórum de los Doce en una conferencia
general de 1994. De izquierda a derecha: los élderes James E. Faust,
Neal A. Maxwell, Russell M. Nelson y Dallin H. Oaks.

Conversando con Janice y Agnes Woodbury en una reunión para
miembros del Barrio Sexto-Séptimo, el 25 de febrero de 1994.

Saludando a jóvenes solteros después de una charla fogonera del Sistema Educativo
de la Iglesia en la Universidad Brigham Young, el 5 de febrero de 1995.

En la dedicación del Edificio Deseret News en Salt Lake City.
De izquierda a derecha: el presidente Thomas S. Monson, el presidente
Gordon B. Hinckley y el presidente James E. Faust.

Ayudando a una niña a dar vuelta la tierra durante la ceremonia de la palada
inicial del Templo de Palmyra, Nueva York, el 25 de mayo de 1999.

En un viaje de pesca con su buen amigo el élder Jon Huntsman,
Setenta de Área, cerca de Driggs, Idaho, el 4 de junio de 2001.

Armando una carnada con artículos de su caja de aparejos en
el aeropuerto de Juneau, Alaska, el 17 de julio de 1996.

Con el élder Jeffrey R. Holland en un pequeño pueblo de Alaska,
durante una expedición de pesca, el 14 de julio de 1996.

Exhibiendo una trucha de la represa Flaming Gorge, Utah.

Saludando al Presidente de los Estados Unidos, George Bush, en el Edificio de Administración de la Iglesia, el 17 de julio de 1992.

La Primera Presidencia honrando a la ex Primera Ministra de Inglaterra, Margaret Thatcher, durante un almuerzo el 8 de marzo de 1996.

En el salón de reuniones de la Primera Presidencia junto al presidente Henry B. Eyring, saludando al Presidente de los Estados Unidos, George W. Bush, el 29 de mayo de 2008.

Acompañado por Frances con el rey y la reina de Suecia en los jardines del Templo de Estocolmo, el 23 de agosto de 1995.

"Ningún hombre puede, por sí mismo, dirigir esta iglesia. Es la Iglesia del Señor Jesucristo; Él está a la cabeza. La Iglesia lleva Su nombre, tiene Su sacerdocio, administra Su Evangelio, predica Su doctrina y cumple con Su obra"[5].

Al día siguiente, viernes, los apóstoles se reunieron en el templo y ocuparon sus asientos por orden de antigüedad. El presidente Smith, quien presidía como Presidente del Quórum de los Doce, dio comienzo a la reunión y pidió al miembro de menor antigüedad en los Doce, el élder Monson, que expresara sus sentimientos tocantes a la reorganización de la Primera Presidencia. Él no esperaba esa invitación a hablar y ésa era la primera vez que veía cómo se seleccionaba al nuevo Presidente bajo la guía del Señor.

El élder Monson viviría esa misma experiencia cinco veces más antes de que el manto profético descansara sobre sus propios hombros. "Con el fallecimiento de cada presidente", enseñó el élder Harold B. Lee, quien en sus treinta años como apóstol había sido testigo de la muerte del presidente Heber J. Grant, del presidente George Albert Smith y ahora del presidente David O. McKay, "el registro de sus vidas y sus obras, sus palabras y sus ministerios son, afortunadamente, libros de lecciones, documentadas en la historia escrita de la Iglesia y en el recuerdo de quienes les siguieron"[6].

El élder Monson había trabajado con el presidente Joseph Fielding Smith en los manuscritos de varios libros que se habrían de publicar. El presidente Smith había llamado a quien en aquel entonces era el obispo Monson para servir en una presidencia de estaca. Al mirar a ese venerable líder, el élder Monson recordó el preciso momento en el que el presidente Smith, actuando bajo la dirección del presidente McKay, lo había ordenado apóstol.

A los noventa y tres años de edad, el presidente Smith era el hombre de más edad en ser llamado como Presidente de la Iglesia en los 140 años desde su organización en Fayette, Nueva York. El sistema de antigüedad establecido por Dios, y que se había seguido desde los tiempos del profeta José Smith, no se cuestionaba. El plan del Señor es que los hombres llamados como apóstoles envejecerán en el oficio, tal como el presidente McKay. Desde que

Brigham Young fue sostenido en 1847, el presidente de la Iglesia ha sido—por designio divino—el apóstol de más antigüedad, instruido en las vías del Señor a través de años de experiencia en la administración de la Iglesia, singularmente calificado para estar en comunión con el Señor a favor de Sus hijos. El vigor, la capacidad y el liderazgo del Quórum de los Doce, su sabiduría y experiencia colectivas, proporcionarían cualquier respaldo necesario al Presidente.

Después de que cada miembro del Quórum de los Doce hubo tomado la palabra, él élder Harold B. Lee propuso el nombre de Joseph Fielding Smith como profeta, vidente y revelador, Presidente de la Iglesia y su administrador. El élder Spencer W. Kimball secundó la propuesta, la cual fue unánimemente aprobada.

El presidente Smith seleccionó como consejeros al élder Harold B. Lee, quien, por antigüedad, sería el presidente del Quórum de los Doce Apóstoles, y al élder Nathan Eldon Tanner, quien había servido como segundo consejero del presidente McKay. El élder Hugh B. Brown, ex miembro de la Primera Presidencia bajo el presidente McKay, regresó a su posición como miembro del Quórum de los Doce. "Así es como deben ser las cosas", dijo el élder Brown. "Me siento feliz con la decisión". La reorganización tal vez no le haya resultado fácil, pero el élder Monson destacó que el élder Brown, con gran dignidad, "mostró su nobleza de carácter y verdadero valor"[7]. El élder Spencer W. Kimball fue nombrado Presidente en Funciones del Quórum de los Doce. Los élderes Alvin R. Dyer y Thorpe B. Isaacson, quienes además servían como consejeros del presidente McKay, regresaron a sus posiciones como Ayudantes de los Doce.

Para el élder Monson, "fue una experiencia muy conmovedora" el poner las manos junto con los demás sobre la cabeza del nuevo Presidente de la Iglesia al ser éste apartado por el presidente Lee. El élder Monson reconoció la humildad del nuevo Presidente: "De verdad puedo decir que, a mi juicio, el presidente Smith nunca ambicionó la posición de Presidente de la Iglesia, sino que se sentía satisfecho de honrar y sostener al presidente David O. McKay en su cargo. Su humildad ha sido una lección para todos nosotros"[8]. Con el presidente Lee y el presidente Tanner como consejeros del presidente Smith, el élder Monson esperaba que "la obra avanzara a un ritmo acelerado"[9].

En la Asamblea Solemne efectuada en el Tabernáculo el 6 de abril de 1970, los miembros de la Iglesia sostuvieron al presidente Joseph Fielding Smith. Cuando el presidente Lee pidió que los patriarcas se pusieran de pie para sostener a Joseph Fielding Smith como profeta, vidente y revelador y Presidente de la Iglesia, el élder Monson contempló a esos justos líderes con el brazo levantado en forma de escuadra y vio un muñón con un garfio en alto. Él sabía que se trataba de James Womack, y conocía los detalles de su extraordinaria vida. Como resultado de haber recibido heridas graves en la Segunda Guerra Mundial, había perdido ambas manos y una parte de un brazo. Pese a ello, ese buen hermano había terminado su carrera de derecho y era respetado en su profesión así como en su barrio y estaca. Pero cuando el presidente Spencer W. Kimball sintió que debía llamarlo como patriarca, el hombre preguntó: "¿Cómo puedo poner las manos sobre la cabeza de una persona para darle una bendición si no tengo manos?". El presidente Kimball se sentó en una silla frente al hermano Womack y le pidió que le pusiera los "muñones" sobre la cabeza. "Puedo hacerlo", dijo el hombre lleno de emoción. "Puedo hacerlo". A la mañana siguiente, cuando se presentó el nombre del hermano Womack para ser sostenido como patriarca, todos lo sostuvieron. Ese nuevo patriarca, aunque limitado a la vista de los hombres, no lo era a la vista de Dios[10].

En esa conferencia de abril de 1970, el élder Kimball, Presidente en Funciones del Quórum de los Doce, dijo del presidente Smith lo que años más tarde podría decirse del presidente Monson: "Cuando era muy joven, el Señor lo llamó, por medio del profeta viviente de aquel entonces, para ser apóstol—miembro del Quórum—y se le confirieron las valiosas y vitales llaves para mantener en suspenso hasta el día en que tal vez llegara a ser el apóstol de más antigüedad y Presidente"[11].

El élder Boyd K. Packer, Ayudante del Quórum de los Doce, fue llamado como el nuevo apóstol. El élder Monson había sido el miembro de los Doce de menor antigüedad durante más de siete años, el segundo período de mayor duración en la historia; sólo el élder John A. Widtsoe había ocupado ese último lugar por más tiempo. El élder Packer no era un rostro desconocido en la administración de la Iglesia; había servido como Ayudante de los Doce desde 1961, y durante los siguientes quince años, hasta que el élder Monson fue llamado a la Primera Presidencia, los dos se sentaron uno junto al otro. El presidente Packer describe al élder Monson como "extraordinario de una manera muy especial, una manera espiritual"[12].

Ambos apóstoles fueron moldeados por la Gran Depresión: el élder Monson en la zona oeste de Salt Lake City y el élder Packer en Brigham City, en el norte del estado de Utah. Los dos criaron palomas; el presidente Monson aún lo hace. "De vez en cuando les obsequia un par de palomas a mis nietos", dice sonriendo el presidente Packer. Los dos fueron llamados a servir en la Iglesia de jóvenes. "Trabajamos juntos todos esos años", indica el presidente Packer. "Podría decirse que crecimos y envejecimos juntos"[13]. Recuerda una conferencia general, casi al final de la sesión del sábado por la mañana, cuando el élder Monson lo codeó y le dijo con un toque de nostalgia: "En diez minutos empieza la temporada de cacería de patos"[14].

El élder Monson siguió supervisando el Comité de Capacitación del Sacerdocio, el cual indicaba un alto número de miembros menos activos, la mayoría de ellos varones que no poseían el sacerdocio, miembros mayores del Sacerdocio Aarónico y élderes menos activos. El problema lo agobiaría por años, y en toda oportunidad recalcaría la importancia de traer al redil a quienes se habían perdido.

Él no sólo enseñó, sino que hizo algo al respecto. Uno de tales ejemplos fue un hombre que en su momento fue propietario de una estación de servicio cerca de la casa del presidente Monson. "Cada vez que compraba gasolina, le recordaba a Ray su responsabilidad de ir al templo del Señor", dice el presidente Monson. El hermano de Ray, quien era obispo, le dijo al presidente Monson: "Por favor, no deje de comprarle gasolina a Ray, ya que el consejo que le da cada vez que lo ve lo está acercando al templo"[15]. Ray no sólo entró al templo, sino que llegó a ser un obrero en él.

Otra de las asignaciones del élder Monson fue presidir el Comité de Correlación para Adultos, el cual dirigía su atención a las varias publicaciones que la Iglesia producía. Las organizaciones auxiliares tenían sus propias publicaciones para satisfacer sus necesidades particulares y reflejar sus puntos de enfoque. En una conferencia general de 1970, el élder Monson anunció en la sesión general del sacerdocio la creación de una nueva revista para los miembros adultos, la *Ensign*, la cual remplazaría tres conocidas publicaciones: la *Improvement Era*, la *Revista de la Sociedad de Socorro*, y el *Instructor*. La *Ensign* sería para los adultos de la Iglesia, a fin de que "estuvieran más adecuadamente preparados para ser ejemplos para sus hijos y para el mundo". El élder Monson instó: "Suscríbanse a ella; lean su contenido y apliquen sus lecciones, a fin de ser un estandarte, la misma luz del mundo, una ciudad de rectitud edificada sobre una colina, la cual no se puede esconder". Indicó que su "tiraje inicial" fue de más de 350.000 ejemplares[16].

En ese mismo mensaje, el élder Monson también introdujo el nuevo Programa para el Desarrollo del Maestro, el cual tenía como objetivo "mejorar la calidad de la enseñanza en toda la Iglesia". Bajo la dirección del Presidente de la Iglesia, él, junto a otros, había creado el nuevo programa que no estaba "limitado a la Escuela Dominical", sino que se extendía a la Primaria, a la AMM, a la Sociedad de Socorro y a los quórums del sacerdocio. El papel de la enseñanza estaba siempre presente en la mente de la Primera Presidencia. El presidente Smith había indicado que "enseñar a los miembros de la Iglesia a guardar los mandamientos de Dios" era su "más grande desafío". El élder Monson dejó bien en claro el propósito del nuevo énfasis en toda la Iglesia auspiciado por el sacerdocio: "El objetivo es inspirar a la persona a pensar, a sentir y después a hacer algo en cuanto a vivir los principios del Evangelio".

Todo miembro "por cierto tendrá la oportunidad de ser maestro", dijo. "No hay privilegio más noble ni tarea más gratificante". Habló del meridiano de los tiempos, cuando "en Galilea enseñaba un Maestro de maestros, el mismo Señor Jesucristo. Él dejó Sus huellas en la orilla del mar, pero inculcó sus principios en el corazón y en la vida de todos a quienes enseñó"[17].

Una ocupada agenda aguardaba al Quórum de los Doce y a la Primera Presidencia el 13 de enero de 1971, y el élder Monson tenía responsabilidad para con doce de los veintiséis temas a tratar. El presidente Lee anunció un cambio en la asignación del élder Monson de presidente del Comité de Correlación para Adultos a presidente del Comité de Correlación para Jóvenes y Jóvenes Mayores. El élder Monson había forjado una estrecha relación con los miembros del Comité de Correlación para Adultos. En una carta que expresaba la gratitud de ellos hacia el destacado liderazgo de él, los miembros del comité[18] escribieron:

"Entre las muchas cualidades que lo caracterizan, quisiéramos mencionar tres: 1) Su devoción hacia el Señor. Vemos que la pintura que tiene de Él en su oficina es un símbolo de esa devoción. 2) Su absoluto deseo de sentir la influencia del Espíritu Santo en su vida. Estamos profundamente admirados de su sensibilidad espiritual. 3) Su interés hacia cada hijo de nuestro Padre Celestial. Hemos advertido muchas manifestaciones de ese interés. Queremos decir que aunque no siempre sintamos el toque de su mano, sentiremos eternamente el toque de su alma"[19].

Al cambiar la asignación del élder Monson, el presidente Lee expresó confianza en su capacidad de hacer exactamente lo que había hecho para encaminar el Comité de Correlación para Adultos. Ahora tenía responsabilidad sobre todos los cursos de estudio de los jóvenes, incluyendo seminarios e institutos, la Asociación de estudiantes SUD y los programas de Hombres M y Espigadoras.

"Antes de esa reunión, dudaba que fuera posible estar más ocupado de lo que ya estaba", comentó el élder Monson, "pero ahora supongo que con esta responsabilidad adicional aprenderé que sí es posible asumir mayores deberes y acomodarlos al programa de trabajo"[20].

Casi todos los fines de semana, el élder Monson viajaba a reorganizar alguna estaca o a una conferencia trimestral. Si veía un rostro familiar en la congregación—Charlie Renshaw, un compañero de la infancia que ahora vivía en la Estaca Concord, de California, fue uno de ellos—era posible que llamara a esa persona a dar su testimonio. Dividió estacas desde Tacoma, estado de

Washington, hasta Leicester, Inglaterra, donde, en una ocasión, se hospedó en la casa del presidente de estaca y comió su primera cena casera en más de cuarenta días. Durante todo ese tiempo había estado viajando. Como parte de la reorganización de una estaca, podía llevar a cabo hasta treinta ordenanzas o apartamientos después de las reuniones, y eso tras haber entrevistado hasta cincuenta personas con motivo de la reorganización.

Cuando dividió la Estaca Chesapeake, en el Este de los Estados Unidos, regresó a su casa agotado. "No recuerdo haber tenido un día más atareado con ordenaciones, apartamientos y con las tareas típicas de organizar una nueva unidad de la Iglesia", escribió[21]. Los líderes de esa estaca comentaron que la reorganización había sido mucho más apacible que cualquier otra en la que habían participado. Una pareja escribió una nota al presidente Kimball "para alabar al apóstol Monson. Él estuvo aquí este pasado fin de semana para dividir nuestra estaca y lo hizo con gran eficiencia e inspiración". El presidente Kimball le pasó la nota al élder Monson, añadiendo en su inconfundible letra: "¡Excelente, Tom! SWK"[22].

En conferencias de estaca, particularmente en reorganizaciones, el élder Monson rendía tributo a quienes habían servido fielmente en los años anteriores. Un buen ejemplo fue Francis Winters, de la Estaca Star Valley, en Afton, estado de Wyoming. Se habían llamado y sostenido nuevos oficiales ese día de abril de 1970, cuando el élder Monson le pidió al presidente Winters, quien había servido como presidente de estaca durante veintitrés años, que pasara hasta el púlpito y se parara junto a él. Entonces pidió que se pusieran de pie todos aquellos a quienes el presidente Winters hubiese llamado, confirmado, entrevistado o bendecido alguna vez. "Pareció como si toda la congregación se pusiera de pie. No recuerdo haberme sentido tan favorablemente impresionado con el dulce espíritu de humildad y servicio de una persona como con el del presidente Winters en aquella ocasión. La inspiración indicó que se le ordenara patriarca. Su nombre se presentó a la congregación y fue sostenido con entusiasmo"[23].

Cuando el élder Monson reorganizó la Estaca Chicago Sur en septiembre de 1970, vio por primera vez a Dallin H. Oaks, quien había sido consejero en la presidencia de estaca durante siete años. El hermano Oaks tenía treinta y ocho años de edad. "Quedé muy impresionado con la inteligencia, el vigor, la perspicacia y la firmeza del élder Monson", recuerda el élder Oaks al describir la entrevista que tuvo con el apóstol. "Le ruego que entienda", le dijo al élder Monson al pensar en su joven familia, en la hora de viaje hasta las oficinas de la estaca y en estar separado de su barrio, "que no tengo ninguna aspiración a seguir en esta presidencia de estaca en ningún cargo. Me encantaría servir en un obispado en algún momento". El élder Monson lo miró detenidamente y le dijo: "No se haga ilusiones". El hermano Oaks fue llamado como primer consejero en la nueva presidencia de la estaca[24].

El siguiente mes de mayo, cuando el élder Monson participó en la selección de un nuevo rector para la Universidad Brigham Young, se refirió en términos muy favorables al líder académico Dallin H. Oaks, profesor de Derecho de la Universidad de Chicago. Tras la ceremonia inaugural del presidente Oaks como octavo rector de la universidad, el 12 de noviembre de 1971, el élder Monson escribió: "Me siento muy impresionado con este espléndido joven y sé que su nombramiento se hizo bajo la inspiración del Santo Espíritu"[25].

Para el élder Monson, una de las responsabilidades que le "conmovía el alma" era seleccionar nuevos patriarcas. Su diario personal está repleto de relatos sobre la inspiración que le sobrevenía al buscar un patriarca. Los susurros del Espíritu a menudo indicaban un hombre que pronunciaría las palabras de Dios a aquellos que procuraban una bendición patriarcal. "En ningún otro caso siente uno mayor inspiración que al llamar a un patriarca", ha dicho en repetidas ocasiones[26].

Algunas veces sabía que a un hombre se le debía llamar como patriarca al conocerlo en un pasillo o al pasar a su lado en la capilla. Otras veces miraba a la congregación y, al hacerlo, se le "mostraba" quién debía ser llamado como patriarca, o, al echar una mirada, él sabía que cierto hombre era aquél a quien el Señor había preparado. En una ocasión se sorprendió al ver sentado entre la congregación de una estaca de San Diego, California, a un hombre que él sabía que había trabajado en el Departamento de Construcción de la Iglesia en Australia. "Al caminar por el pasillo después de la sesión del sábado por la noche y darle la mano, tuve la segura impresión de que él debía ser el patriarca", escribió más tarde[27].

En la división de una estaca en Hyrum, en el norte de Utah, recibió de los líderes el nombre de dos hombres que ellos pensaban que, indistintamente, podían servir como patriarca de la estaca recién creada. El élder Monson sintió que debía elegir al más joven de los dos, Woodrow Rasmussen, de setenta y tres años de edad y le extendió el llamamiento. Mientras estaba sentado en el estrado al día siguiente, observó al otro candidato, Samuel Bryson Cook, de ochenta años de edad, quien tenía problemas para caminar. "Tras oírlo dar la primera oración", dijo más tarde el élder Monson, "supe que él también debía ser patriarca. Me paré ante el púlpito y leí la información relacionada con la división, se sostuvo a los nuevos oficiales y después dije a la congregación: 'Hoy vamos a sostener a dos patriarcas. Uno de los dos hombres ya está enterado de su llamamiento, pero para el otro, ésta será su primera notificación'". La congregación sostuvo con entusiasmo a ambos y, al regresar a su asiento, el élder Monson vio a Samuel Cook derramar lágrimas de gratitud. "Tengo la firme sensación", dijo el élder Monson, "que él había sido preordenado para tener ese oficio"[28].

A medida que la Iglesia fue creciendo, el llamamiento de patriarcas por parte de apóstoles también incrementaba. En febrero de 1981 se aprobó un nuevo procedimiento que autorizaba a presidentes de estaca a recomendar nombres de candidatos a patriarcas para la consideración del Quórum de los Doce Apóstoles. Una vez aprobados, los presidentes de estaca ordenaban a esos patriarcas.

En una reunión especial de capacitación, al referirse al nuevo procedimiento para llamar patriarcas, el presidente Monson sintió que debía compartir experiencias personales de su vida. Había llegado a la reunión con laringitis, pero, al hacer uso de la palabra, la voz se le aclaró. Después de la reunión, el élder M. Russell Ballard le envió una nota que decía: "Tuvimos una profunda bendición esta mañana, y todos los presentes hemos sido grandemente edificados. Usted, élder Monson, siempre ha sido un verdadero gigante para mí, y esta mañana vi en usted a un futuro presidente como David O.McKay". El élder Monson comentó: "Las lágrimas brotaron fácilmente de los ojos de mis hermanos y comprendí que habíamos sido los beneficiarios de la guía del Santo Espíritu"[29].

Esa guía lo llevó hasta el lecho de un joven, Robert Williams, quien "posteriormente, padeció una muerte agonizante a causa de cáncer del pulmón". Un sumo sacerdote del barrio había rescatado a Robert de una vida de inactividad y lo había ayudado a ir al templo con su esposa y sus hijos pequeños. El élder Monson lo visitó poco antes de fallecer. Robert le preguntó: "Hermano Monson, ¿a dónde va mi espíritu cuando mi cuerpo muera?".

El élder Monson empezó a buscar "una respuesta y entonces llegó la inspiración del Señor". Tomó el Libro de Mormón, el cual literalmente se abrió solo en el capítulo 40 de Alma donde leyó en voz alta que "los espíritus de todos los hombres, en cuanto se separan de este cuerpo mortal . . . son llevados de regreso a ese Dios que les dio la vida. Y sucederá que los espíritus de los que son justos serán recibidos en un estado de felicidad que se llama paraíso: un estado de descanso, un estado de paz, donde descansarán de todas sus aflicciones, y de todo cuidado y pena"[30]. Robert cerró sus fatigados ojos y dijo: "Gracias, hermano Monson. Ésa es la información que había estado esperando"[31].

El élder Monson se sintió igualmente inspirado cuando en 1971 despidió a su hijo mayor, Tom, cuando partió para el entrenamiento básico como miembro de la Reserva del Ejército. "Antes de salir de casa, le di una bendición de padre y sentí el Espíritu del Señor al hacerlo"[32]. El entrenamiento básico era agotador; el joven Tom contrajo pulmonía y se le internó en el hospital del Fuerte Knox. Un miembro del barrio local le dio una bendición y su salud mejoró, pero siguió internado. El élder Monson no pudo menos que pensar en su propia experiencia cuando bendijo a su amigo durante el entrenamiento en la marina. Entonces hizo arreglos para viajar al Fuerte Knox para ver a Tom y darle otra bendición.

Para el siguiente Día del Padre, Tom envió una postal que su padre conservaría.

"En entrenamiento en el Fuerte Knox. Acabo de cumplir 20 años. Desde ayer ya no soy un adolescente. El punto más destacable de mi estancia aquí, papá, ha sido tu visita. Recibir una bendición de las manos del padre de uno es una oportunidad que ningún otro paciente tuvo en el hospital. He oído a algunos de los jóvenes aquí hablar de sus familias. Parece haber muy poco amor en sus hogares. Algunos van a casa al tomar licencia y se quedan con amigos para evitar ver a sus padres. Últimamente he estado pensando bastante en lo bendecido que he sido al nacer en nuestra familia y al tenerte a ti como padre para dirigirme en los asuntos más importantes de la vida y darme un ejemplo tan grande de dedicación. Te amo y te admiro. Espero que en los próximos y determinantes años de mi vida pueda aflorar en mí toda virtud que haya heredado de ti"[33].

El joven Tom dio buen uso a esas virtudes cuando recibió su llamamiento misional para Italia. Su hermano, Clark, serviría más tarde en Nueva Zelanda. De ese modo, el espíritu misional siguió presente en la familia Monson, no sólo con esos llamamientos, sino con el servicio que el élder Monson prestó durante más de diez años en el Comité Ejecutivo Misional.

Año tras año, al hablar en seminarios para nuevos presidentes de misión, el presidente Monson ha recalcado: "Nuestras manos están asidas del arado y no podemos mirar hacia atrás. Cuando el Señor apareció a Sus apóstoles, pudo haberles pedido que hicieran cualquier cosa, pero Él no dijo: 'Os voy a dejar por un tiempo, ved que hagáis la orientación familiar'. No les dijo: 'Vuestros porcentajes no son lo suficientemente altos'; ni tampoco: 'Aseguraos de pagar el diezmo'. ¿Qué les dijo? Esta cita la encontramos en Mateo: 'Por tanto, id y haced discípulos a todas las naciones, bautizándolos en el nombre del Padre, y del Hijo, y del Espíritu Santo; enseñándoles que guarden todas las cosas que os he mandado; y he aquí, yo estoy con vosotros todos los días, hasta el fin del mundo'. Es una maravillosa instrucción del Señor a Sus apóstoles, y es una instrucción apropiada de Sus apóstoles a cada uno de ustedes"[34].

En una ocasión, el presidente Monson invitó a una amiga de muchos años, la hermana Pearl Sudbury, a pararse junto a él ante el púlpito en un seminario para presidentes de misión, para contar la historia de su hijo, cuya fe y oraciones, mientras servía una misión en Australia, habían motivado a su padre, un no creyente, a ser bautizado. El presidente Monson ha visto bendiciones similares muchas veces, las cuales ilustran un pasaje de las Escrituras que él emplea para asegurar, no solamente a misioneros, sino a presidentes de misión y sus respectivas esposas: " . . . vuestras familias están bien; están en mis manos y haré con ellas como me parezca bien, porque en mí se halla todo poder"[35].

En otro seminario para presidentes de misión presentó un plan de siete pasos para efectuar un proselitismo productivo:

1. Informes que Indican
2. Manuales que Moldean
3. Reuniones que Revitalizan
4. Calendarios que Consolidan
5. Procedimientos que Producen
6. Amor que Anima
7. Entrevistas que Elevan[36]

El élder Quentin L. Cook, quien sirvió como director ejecutivo del Departamento Misional durante cinco años, considera al presidente Monson un hombre "único e inigualable en lo que tiene que ver con ser un gran misionero. No creo que haya ningún aspecto de la obra misional en la que él no haya tenido alguna influencia. A lo largo de su vida ha desempeñado todas las funciones del Departamento Misional"[37].

En una ocasión, en un vuelo desde San Francisco a Los Ángeles, observó a una azafata que tenía el día libre, leer *Una obra maravillosa y un prodigio,* y le preguntó: "¿Es usted miembro de La Iglesia de Jesucristo de los Santos de los Últimos Días?".

Ella respondió: "No; ¿por qué me lo pregunta?". Le explicó que él había sido el impresor del libro que estaba leyendo y que integraba el mismo quórum que el autor.

La mujer le dijo: "Encuentro este libro muy interesante. Me lo regaló una amiga".

El élder Monson escribió más adelante: "Ella me hizo muchas preguntas muy inteligentes sobre la Iglesia y me dijo que se llamaba Yvonne Ramírez. Recuerdo que una de esas preguntas fue sobre la financiación del funcionamiento de la Iglesia; otra fue sobre el matrimonio eterno y otros aspectos significativos del Evangelio. Conversamos sobre esos temas durante todo el vuelo. Cuando me despedí de ella, le dije que no había sido simple casualidad el que nos hubieran asignado asientos contiguos en el avión, sino que era la voluntad del Señor que ella supiera más sobre Su reino y que por cierto Él estaba tratando de guiarla. Aceptó que los misioneros se pusieran en contacto con ella"[38]. La hermana Ramírez se unió más tarde a la Iglesia.

Cuando Joseph Fielding Smith sirvió como Presidente de la Iglesia, instituyó las primeras conferencias de área, grandes reuniones de santos que abarcaban un gran número de estacas o distritos de misión. El élder Monson formaba parte del comité de planeamiento y participó en la primera de tales conferencias, efectuada en Manchester, Inglaterra, del 27 al 29 de agosto de 1971. El élder Monson había llegado a ese histórico evento—la primera vez que el Presidente de la Iglesia se dirigía a una congregación de santos como ésa fuera de la conferencia general—procedente de un campamento scout en Tokio, con escalas en Hong Kong, India y Suiza. Fue el último del grupo oficial en llegar pero, teniendo en cuenta el agitado vuelo, se sintió afortunado de haber tan siquiera llegado. El élder Packer, quien había colaborado en la planificación de la conferencia, comentó: "Te ves como si te hubiera azotado una tormenta". El élder Monson le aseguró que así era en efecto.

Se habían hecho los arreglos para que el estrado del Centro Bellevue, un recinto donde se efectuaban espectáculos deportivos y culturales en Manchester, se viera como el del Tabernáculo de Salt Lake, con alfombrado y el tapizado de las sillas de las Autoridades Generales en color rojo. Cada uno de los doce mil asientos del lugar estaban ocupados y tuvieron que agregar más. Los miembros llegaron de nueve estacas y siete misiones para asistir a la sesión general, así como una reunión para los hermanos del sacerdocio, una para las hermanas de la Sociedad de Socorro, otra para todos los adultos y otra para los jóvenes, la cual dirigió el élder Monson. A la conferencia del Área Británica le siguieron otras similares en años posteriores en México, Alemania, Suecia, Sudamérica y Asia Oriental.

El mensaje del élder Monson a los santos británicos fue un mensaje de amor, un tema recurrente en sus discursos, en su vida y en la vida del Salvador. El élder Monson testificó de Jesucristo: "Su Evangelio era uno de amor, no de odio; de ánimo, no de crítica. No obstante, más que tan sólo enseñar la ley del amor, Jesús vivió esa ley"[39].

Basándose en una de sus obras predilectas, *The Mansion* (La mansión), de Henry Van Dyke, el élder Monson describió los efectos de "una vida de despiadado egoísmo". La historia habla de un hombre adinerado, John Weightman, quien dio sólo "aquellas monedas que serían vistas por los hombres y por las cuales se le rendiría tributo". Entonces, una noche soñó que visitaba la Ciudad Celestial, donde se le daba una pequeña y desvencijada choza en la que vivir. Sintiendo que era injusto, ya que, a su modo de ver, había vivido una vida de éxito, Weightman preguntó al guardián: "¿Qué es lo que cuenta aquí?". "Sólo aquello que se da de corazón", respondió el hombre. "Sólo el bien que se hace por amor al bien; sólo los planes en los que el bienestar ajeno es lo único que se contempla; sólo las obras en las que el sacrificio es mayor que la recompensa; sólo aquellas dádivas en las que el dador no piensa en sí mismo"[40].

Ese ejemplo evoca imágenes del élder Monson caminando por los tenuemente iluminados corredores de hospitales, visitando a los pobres, a las viudas, a los necesitados y a los enfermos. Lo que él ha aprendido en sus muchos actos de misericordia y amor resulta claro: "Tal vez cuando comparezcamos ante nuestro Hacedor no se nos preguntará cuántos cargos hemos tenido, sino a cuántas personas hemos ayudado. Uno no puede amar al Señor hasta que lo sirva mediante el servicio a los Suyos"[41].

En una de tales ocasiones, el élder Monson fue a visitar a su madre en el hospital. Al salir del ascensor, se encontró con dos mujeres quienes, al reconocerlo, le preguntaron si podría darle una bendición a su padre. "El encontrarse conmigo", escribió el élder Monson más adelante, "fue una respuesta a sus oraciones". Tras dar la bendición solicitada al hombre, Abraham Godfrey, se enteró de que él conocía a la madre de Frances "desde hacía muchos años", cuando había sido empleado del Banco de la Reserva Federal, donde ella estaba encargada del comedor. El hermano Godfrey también conocía al padre del élder Monson. "Fue una experiencia muy agradable", comentó el élder Monson, "haber dado una bendición a alguien que conocía a personas en ambos lados de mi familia". Al ir saliendo de la sala oyó que alguien le llamaba por su nombre. En una cama frente al hermano Godfrey había un ex miembro del Barrio Sexto-Séptimo, Lee E. Nielsen, quien había sufrido un ataque de corazón. El élder Monson "tuvo el gusto de darle también una bendición a él".

Cuando se aprestaba a salir, una enfermera se le acercó llorando y le preguntó si acaso tenía planes de ir al Hospital de Niños. "Le dije que no, pero que si ella conocía a alguien allí que ella deseaba que viera, con gusto iría". La enfermera le explicó que su primo había sufrido de polio en su infancia y que ahora, a los dieciocho años, estaba teniendo más dificultades. El élder Monson fue hasta el Hospital de Niños y le dio una bendición al muchacho. Cuando estaba por salir, otro joven le preguntó si tendría tiempo para dar una bendición a una niña de diez años que sufría de lo que parecía ser un caso incurable de leucemia. Una vez más, supo que su visita a ese hospital, en ese momento, había sido una respuesta a la oración de alguna persona. Y así fue que bendijo a la niña.

"Salí de esos dos hospitales", dijo, "comprendiendo que nuestro Padre Celestial está muy pendiente de quienes sufren en esta vida mortal y que desean una bendición de manos del sacerdocio"[42].

Una de tales personas que sufría era el élder Richard L. Evans, miembro del Quórum de los Doce, quien en 1971 regresó muy enfermo tras cumplir con sus asignaciones en el extranjero. Las Autoridades Generales planearon un ayuno especial en el que pedirían en oración por su recuperación. El día designado para ello, el élder Monson y su hijo Clark estaban de cacería de patos en el norte de Utah. Al llegar el mediodía, el élder Monson dijo: "Arrodillémonos aquí para hacer una oración. Todos los miembros del Quórum de los Doce nos hemos puesto de acuerdo para orar a esta hora dondequiera que nos encontremos en el mundo. Estamos pidiendo al Señor por la salud de nuestro amado hermano Richard L. Evans". Él no se habría de recuperar, pero el arrodillarse con su padre en el pastizal tuvo un efecto perdurable en Clark, quien la recuerda como una de sus más atesoradas experiencias[43].

El Señor llamó al élder Evans de nuevo a Su lado una semana después, el 1º de noviembre de 1971. El élder Monson se encontraba en Guatemala en un seminario de presidentes de misión cuando recibió la noticia. Dejó la asignación "en las capaces manos de los élderes Haight y Dyer"[44] y emprendió regreso a Salt Lake City. En el aeropuerto de Los Ángeles se encontró con el élder Marion G. Romney, quien estaba regresando del Oriente; con el presidente N. Eldon Tanner, quien regresaba de la Tierra Santa; y con el élder Gordon B. Hinckley, procedente de Alemania. El presidente Joseph Fielding Smith nombró a Marvin J. Ashton para ocupar la vacante en el Quórum de los Doce. El élder Monson y el élder Ashton habían trabajado juntos por años en diferentes comités.

La familia Monson estaba pasando unos días en su cabaña de Vivian Park cuando, a la 1:00 de la madrugada del 2 de julio de 1972, el padre del élder Monson y su hermano Scott llegaron inesperadamente de Salt Lake City. Debido a que no había servicio telefónico en la cabaña, habían ido en automóvil para ponerle en conocimiento de que Joseph Fielding Smith, décimo Presidente de la Iglesia, había fallecido.

En menos de una hora, el élder Monson estaba en camino de regreso a Salt Lake, sabiendo que tendría que estar en la oficina temprano para reunirse con las Autoridades Generales.

23

PREPARADO PARA CRECER

Considero que cuando él estaba en el Quórum de los Doce, era uno de los miembros más influyentes debido a sus contribuciones. Siempre estuvo preparado para hacer aportes en los comités en los que sirvió, asignándosele siempre los más difíciles, aun cuando era el miembro de menor antigüedad del Quórum.

ÉLDER L. TOM PERRY
Quórum de los Doce Apóstoles

ERA UNA NOCHE DE PRIMAVERA cuando un empleado de una gasolinera de Holladay, un suburbio de Salt Lake City, miró por la ventana y vio lo que él recuerda era un Chevrolet Impala verde junto a un surtidor. Lo primero que pensó fue: "Ese auto necesita nuevos amortiguadores".

El conductor llenó el tanque y entró a la estación para pagar. Mientras el empleado contaba el dinero, el hombre empezó a hacerle preguntas. El joven le dijo que estaba en el último año de la preparatoria y que jugaba al básquetbol en el equipo de su barrio (de la Iglesia). No le dijo que apenas calificaba para jugar, ya que el requisito era asistir al menos a una reunión sacramental y a otra del sacerdocio por mes.

Entonces el hombre le preguntó qué pensaba hacer después de graduarse y más adelante con su vida. "No recuerdo qué fue lo que respondí, hasta que me preguntó si era Santo de los Últimos Días, a lo cual contesté que sí. Entonces me preguntó si pensaba ir a una misión, y le dije que no sabía". El joven no hizo mención a su problema con la Palabra de Sabiduría o a las dudas de su corazón. El hombre hizo una pausa y después dijo: "Le aconsejo que vaya, ya que sería lo mejor que podría hacer en esta etapa de su vida". Entonces estrechó la mano del joven y se marchó.

El empleado pasó el resto de la noche pensando en lo que aquel extraño le había dicho. Veinte años más tarde, describió su experiencia de esta manera:

"Lo que siempre tenía presente era su sonrisa amigable y la mirada de sus ojos. Fue aquella noche que decidí deshacerme de los cigarrillos. Dos meses después recibí la bendición patriarcal, la cual confirmaba que sería llamado a servir en una misión y que yo aceptaría. Pero no fue sino hasta el siguiente octubre, mientras miraba la conferencia general, que quedé perplejo y obtuve un testimonio de que Dios sabía quién era yo. No recuerdo quién estaba dirigiendo esa sesión en particular, pero anunció que el siguiente orador sería Thomas S. Monson. Al acercarse al púlpito, lo reconocí como el hombre que muchos meses antes había llegado hasta la gasolinera"[1]. Posteriormente, el joven sirvió en una misión.

Cuántas historias hay como ésa, nadie realmente lo sabe, pero lo que sí se sabe es que Thomas S. Monson ha rescatado muchas almas con su interés personal y la imagen de Cristo reflejada en su rostro. La vida del presidente Monson está repleta de tales actos de servicio personal, los cuales no deben haber resultado fáciles, dadas sus muchas responsabilidades.

Tras el fallecimiento del presidente Joseph Fielding Smith, el Quórum de los Doce se reunió para reorganizar la Primera Presidencia. Era una mañana soleada, la cual revelaba la luz que en breve descansaría sobre los apóstoles del Señor Jesucristo.

Para el élder Monson, "fue un día de regocijo espiritual". Particularmente valoró "la forma tan ordenada que el Señor ha proporcionado para tales casos de transición de autoridad dentro de Su Iglesia, como testimonio para todos cuantos participan en esos asuntos tan trascendentales"[2].

La Iglesia se había despedido del presidente Smith en su funeral que se acababa de llevar a cabo en el Tabernáculo el día antes, el 6 de julio de 1972. El élder Monson se había sentado en consejo con el presidente Smith, había recibido de él guía y había escuchado sus oraciones. "Siempre lo recordaré como alguien que pronunciaba bellas oraciones para pedir que él perseverara hasta el fin y que cada uno de nosotros observara los convenios que había hecho en el santo templo", dijo el élder Monson al rendir homenaje a su amigo y líder fallecido[3].

Tres meses más tarde, en la conferencia de octubre, el presidente Harold B. Lee anunció que Bruce R. McConkie, uno de los Ayudantes de los Doce, ocuparía la vacante en el Quórum de los Doce. El élder McConkie, yerno del recién fallecido presidente Smith, había servido como Autoridad General desde su llamamiento al Primer Consejo de los Setenta en 1946. El 12 de octubre de 1972, el Quórum de los Doce y la Primera Presidencia acompañaron en el círculo al presidente Lee, quien ordenó a Bruce R. McConkie como Apóstol del Señor Jesucristo. "Fue un placer para mí unirme a los demás para ponerle las manos sobre la cabeza y ordenarlo", escribió el élder Monson. "Del mismo modo enfática fue la instrucción que el presidente Lee dio al élder McConkie. Fue como si nos estuviera hablando a todos nosotros, y tal vez lo estaba"[4]. En esa conferencia también se llamó a James E. Faust para servir como Ayudante de los Doce. El élder Monson, quien había sido amigo del élder Faust durante años, fue asignado poco después del llamamiento "para orientarlo en sus responsabilidades relacionadas con el templo y otros aspectos de la obra"[5].

El élder Monson consideraba al presidente Lee un hábil administrador en el gobierno de la Iglesia, además de un líder profundamente espiritual. Los miembros de la Iglesia esperaban que, a los setenta y tres años de edad—el hombre más joven en ser sostenido como Presidente de la Iglesia en más de cuarenta años—el presidente Lee guiara la Iglesia por muchos años.

El nuevo presidente describió su propia introspección al referirse a un mensaje de 1853 del élder Orson Hyde, miembro del Quórum de los Doce: "No cabe la más mínima duda de que cuando un hombre es ordenado y nombrado para guiar a la gente, habrá pasado por tribulaciones y pruebas y habrá probado ante Dios y los hombres que es digno de afrontar la situación en la que se encuentra. Por el contrario, una persona que no haya sido puesta a prueba, que no se haya probado a sí misma ante Dios y Su pueblo y ante los concilios del Altísimo, de ser digna, no va a atreverse a guiar la Iglesia y el pueblo de Dios. Desde el comienzo, alguien que entiende el Espíritu y el consejo del Todopoderoso, que conoce la Iglesia y es conocido por ella, posee lo que se requiere para guiarla"[6]. Ésa fue una apta descripción que caracterizó a presidentes de la Iglesia en el pasado y a aquellos que serían llamados en el futuro.

La relación del élder Monson con el presidente Lee era mucho más que la de simples "colegas" o aun de "mentor y pupilo"; él y el presidente Lee eran viejos amigos. Eran muy parecidos en su manera de pensar; ambos muy organizados y disciplinados. El presidente Lee había sido una influencia positiva en casi toda decisión significativa de la vida del élder Monson, quien ahora se regocijaba en la oportunidad de dar testimonio del presidente Lee como profeta: "Declaro que somos guiados por un profeta de Dios, el presidente Harold B. Lee", dijo a estudiantes de la Universidad Brigham Young, "un hombre de quien podemos aprender lecciones de gran valor, un hombre que nos enseña a todos la hermosa lección de la humildad"[7].

A lo largo del servicio que prestaron juntos en el Quórum de los Doce, su relación se extendía más allá de las paredes del Edificio de Administración de la Iglesia, hasta el hogar de la familia Monson. El presidente Lee también tuvo una gran influencia positiva en cada uno de los hijos de los Monson[8]. Al mirar hacia atrás, el élder Monson recordó: "El presidente Lee trataba a todos como si él fuera el padre y ellos sus amados hijos"[9].

Cuando era adolescente, a Tom, el hijo del élder Monson, le descubrieron un bulto en la pierna que preocupó al médico de cabecera, Maurice J. Taylor. A menudo esos casos resultaban en cáncer; el sobrino del Dr. Taylor había perdido una pierna a causa de la enfermedad. Dos especialistas, el Dr. Thomas Smart y el Dr. Merrill Wilson, recomendaron cirugía. Antes de la operación, el élder Monson le preguntó al presidente Lee si lo acompañaría al hospital a darle una bendición a Tom. A las 5:00 de la tarde se encontraron en la entrada del hospital, donde el presidente Lee habló palabras de consuelo al preocupado padre: "Élder Monson, no hay ningún otro lugar en el mundo en el que preferiría estar, ni nada que preferiría hacer que dar una bendición a su hijo".

Frances entró con ellos a la sala del hospital y el presidente Lee le explicó al joven el propósito de una unción y el sellamiento de la misma, y después le dio a Tom una "hermosa bendición". La operación fue un éxito y el tumor resultó ser benigno[10].

El presidente Lee volvió a hablar con Tom cuando el joven servía en una misión en Italia. "Su muchacho se ve magníficamente", le informó después al élder Monson. "Estaba sentado en la primera fila encargándose de grabar la reunión. Se presentó como el élder Thomas Lee Monson". El élder Monson recibió el informe con agradecimiento. "Los padres anhelan oír tales comentarios"[11].

En otra ocasión, el élder Monson presentó a su hija Ann al presidente Lee, quien le dijo que "podía percibir que ella era tan hermosa en su interior como lo era en su apariencia física"[12].

Cuando el élder Monson y su hijo Clark—quien pronto sería diácono—se encontraron un día con el presidente Lee a la entrada del Edificio de Administración de la Iglesia, el presidente Lee miró a Clark en los ojos y le preguntó: "¿Qué sucede cuando cumples doce años?". Al élder Monson le preocupó que Clark pudiera responder que sería un boy scout, pero su padre se sintió orgulloso cuando el niño declaró: "Seré ordenado diácono". El presidente Lee sonrió y sencillamente dijo: "Dios te bendiga, muchacho"[13].

El presidente Lee veía en el élder Monson a un consumado orador y maestro de doctrina, y lo instó a publicar algunos de sus sermones en un libro, para el cual hasta se ofreció a escribir el prólogo. *Pathways to Perfection* (Las sendas hacia la perfección) comienza con el reconocimiento del presidente Lee al élder Monson: "Al escucharlo, uno se siente inspirado; al trabajar a su lado, uno se siente edificado; y al sentir su devoción, la fuerza de su convicción y el poder de su testimonio, uno sabe que, sin duda, su llamamiento como testigo especial y apóstol del Señor Jesucristo es bien merecido"[14].

El presidente Lee reconoció que el élder Monson se encontraba "tan sólo en la etapa intermedia de su vida y su servicio". Seguiría progresando como resultado de las experiencias que estaba teniendo con amistades que forjaba en sus viajes alrededor del mundo. Dicha reseña le proporcionaría una valiosa perspectiva como "maestro, líder e inspirador"[15].

Durante su administración, el presidente Lee hizo frente a una época de disturbios raciales en los Estados Unidos. La Iglesia fue blanco de muchas críticas debido a su postura de no permitir que los varones de raza negra poseyeran el sacerdocio o entraran al templo. Revistas y periódicos de publicación nacional pedían cambios y los militantes demandaban: "Eliminaremos la segregación en la iglesia mormona o la destruiremos"[16].

La Iglesia no estaba preparada para encarar amenazas ni protestas de mayor magnitud. Por primera vez en cincuenta años se apostaba un guardia de seguridad frente a las oficinas de la sede de la Iglesia, y rápidamente se reemplazó un modesto grupo de vigilantes nocturnos por un equipo de profesionales de seguridad altamente entrenados. El presidente Lee mismo tenía un escolta policial cuando iba a cortarse el cabello.

En una serie de reuniones, el presidente Lee consideró el daño que se le estaba causando a la imagen de la Iglesia, a dignatarios nacionales miembros de la Iglesia y a miembros del Quórum de los Doce. "Sigue asombrándome la capacidad del presidente Lee", dijo el élder Monson después de una de las reuniones, "y sé con certeza que nuestro Padre Celestial le está dando salud y fortaleza, así como la guía de Su Santo Espíritu"[17].

Durante esos días, lo que comenzó como un estudio de comunicaciones públicas se convirtió en una masiva reestructuración de todas las comunicaciones de la Iglesia. Surgieron dos nuevos departamentos: el de Comunicaciones Internas y el Departamento de Comunicaciones Públicas, conocido actualmente como Asuntos Públicos.

Teniendo en cuenta las presiones públicas de aquel momento, es de sorprender que el Departamento de Comunicaciones Internas se organizara primero. Éste estaba encargado de la revisión y distribución de materiales de instrucción, publicaciones y traducciones para la Iglesia en todo el mundo. Se nombró al élder Hinckley como encargado, con los élderes Monson y Packer como asesores[18]. Seis meses después, el élder Hinckley fue asignado al recién creado Departamento de Comunicaciones Públicas, y el élder Monson pasó a ser el presidente del Comité de Comunicaciones Internas (CCI), con los élderes Packer, Ashton y McConkie como miembros. Los asesores del Comité de Correlación asesoraban ahora al CCI. Bajo la atenta mirada de esos hermanos pasarían todos los asuntos de correlación, enseñanza, materiales de instrucción, publicaciones, servicios de traducción y muchos otros proyectos, recordándole al élder Monson el Comité de Correlación para Adultos. Expresó preocupación de que esa amplia organización se transformara en una gran burocracia, a menos que se tomaran precauciones. El presidente Lee se respaldó en él para asegurarse de que eso no sucediera.

La Iglesia estaba ahora en posición de manejar sus necesidades de comunicación en medio de su constante crecimiento en el mundo, tanto interna como externamente. En los años siguientes, se produjeron cambios para ajustar la estructura, el personal, las líneas de autoridad y hasta la nomenclatura de la organización dispuesta en medio de tan cargada atmósfera, pero el sistema favorecería a la Iglesia, y su supervisión por parte del Quórum de los Doce y de la Primera Presidencia seguiría adelante.

En junio de 1971, el presidente Lee pidió la ayuda de los élderes Monson, Hinckley y Packer para determinar qué podía hacer la Iglesia "para mantener un espíritu de unidad entre los miembros de raza negra". Entre otras cosas, se recomendó la creación de una unidad social o rama en Salt Lake City para los miembros de la Iglesia de raza negra. El presidente Lee aconsejó a los tres apóstoles que proporcionaran "las mayores oportunidades posibles a nuestros hermanos negros, salvo el sacerdocio, y después buscaran la inspiración de nuestro Padre Celestial para recibir mayor luz y conocimiento"[19].

Tras una serie de reuniones con representantes de la comunidad negra—Ruffin Bridgeforth, Darius Gray y Eugene Orr—surgió el Grupo Génesis.

El élder Monson había conocido brevemente al hermano Bridgeforth, pero habían forjado una buena relación. Mientras servía como presidente de misión en el Este de Canadá, el presidente Monson y sus misioneros se habían enfrentado a repetidas críticas a las normas de la Iglesia sobre el sacerdocio y los negros. El presidente Monson escribió a uno de sus amigos negros en Salt Lake City, para preguntarle si podía preparar algo que contribuyera a calmar los ánimos. Su amigo señaló que Ruffin Bridgeforth era la persona indicada para referirse al asunto. El hermano Bridgeforth, quien hacía dieciocho años que era miembro de la Iglesia, grabó su testimonio para que los misioneros lo utilizaran cuando se enfrentaran al argumento de que "ningún miembro negro tiene un testimonio de la Iglesia".

Los tres apóstoles pusieron las manos sobre la cabeza de cada uno de los tres miembros de raza negra, apartando al hermano Bridgeforth como presidente de grupo, al hermano Gray como primer consejero y al hermano Orr como segundo consejero. El Grupo Génesis, una unidad auxiliar anexa a la Estaca Liberty Utah, llevaría a cabo una reunión mensual con oradores y testimonios. También efectuarían sesiones semanales para la Sociedad de Socorro, la Primaria y los jóvenes. Los miembros del grupo asistirían a las reuniones sacramentales de sus propios barrios. En la primera reunión del Grupo Génesis, la capilla estaba repleta, viéndose entre la congregación a muchas personas de raza blanca.

Unos meses más tarde, tras haber observado a los tres líderes formar y administrar el Grupo Génesis, el élder Monson escribió: "Estoy muy impresionado con estos tres hermanos negros que forman la presidencia de este grupo. Ciertamente se han visto sujetos a muchas injusticias y espero ansioso la llegada del día cuando puedan poseer el sacerdocio". Entonces declaró: "Puedo decir con toda honradez que no tengo el más mínimo prejuicio racial hacia tales personas, y me uno a ellas con el deseo de que el Señor conceda un día su súplica"[20].

En esa época también surgían otros asuntos de importancia en la Iglesia. El sistema de correlación había dirigido la atención a la necesidad de fortalecer el testimonio de los miembros y su comprensión de los principios del Evangelio por medio de un estudio estandarizado de las Escrituras, aunque éste seguía siendo un tremendo desafío. Muchas personas no leían las Escrituras o no sabían cómo hallar respuestas en su estudio.

Para remediar la situación, el presidente Lee nombró al élder Monson para encabezar el Comité de Ayudas de Estudio de la Biblia, lo que llegaría a ser uno de los esfuerzos más significativos de la Iglesia en el siglo veinte. El que el élder Monson fuera llamado no sorprendió a nadie, ya que había demostrado enormes destrezas organizativas y administrativas en otras importantes asignaciones. Contaba con la confianza total de los miembros de más antigüedad de los Doce, una vitalidad inigualable, aptitudes profesionales en impresión y un buen ojo para los detalles, todo lo cual resultaría muy útil en el proceso.

A Thomas Monson se le conocía—y se le conoce aún—como una persona que mira un libro y ve mucho más que texto en una página. Ve el tipo de caracteres, ve los márgenes, los superiores, los inferiores y los de los costados. Distingue las diferentes texturas del papel; parece tener un sentido extra que le permite ver un error en el medio del texto. Tal destreza lo ha llevado a ganarse la designación de "ojo de águila". Llegó a rechazar propuestas no por su contenido, sino por errores de ortografía o gramaticales. Cuando trabajaba en el Deseret News revisaba los textos de publicidad. Una vez le presentó a un prominente agente de bienes raíces un aviso para que lo revisara. El hombre dijo que estaba todo en orden, hasta que Tom señaló un error en el texto, donde en vez de decir en inglés *uniformed* (refiriéndose al personal "uniformado"), decía *uninformed* ("mal informado"). El agradecido hombre de negocios le compró a Tom una malteada.

También se llamó a integrar el Comité de Ayudas de Estudio de la Biblia al élder Packer y al élder Ashton. Los tres, ya asesores del CCI, debido a sus responsabilidades de supervisión general, estaban al tanto de las inquietudes relacionadas con el estudio de las Escrituras. Más adelante, el élder McConkie fue llamado a integrar el grupo cuando al élder Ashton se le dio una nueva asignación.

Antes de la década de 1970, cada año se introducían en la Iglesia nuevos manuales para los cursos de estudio de adultos, tanto para las clases de Doctrina del Evangelio como para los quórums del Sacerdocio de Melquisedec y la Sociedad de Socorro. También se publicaban nuevos manuales todos los años para los diáconos, los maestros y los presbíteros. Lo mismo empezó a hacerse con el programa de las Mujeres Jóvenes. Con la correlación de todas las clases de adultos que empleaban las Escrituras como su "manual", surgió un dilema: La Biblia no estaba correlacionada con los otros libros canónicos, lo cual limitaba el estudio completo de las doctrinas del reino. Además, en la Iglesia se usaban múltiples versiones de la Biblia en inglés; la Primaria usaba una, seminarios otra y los misioneros una diferente. Eso quería decir que un niño de la Primaria tal vez aprendería de una edición de la Biblia, pasaría a otra al ir a seminario y a una tercera edición como misionero.

Lo que llegó a quedar sumamente claro fue la necesidad de extender las referencias en las Escrituras más allá de la Biblia, incluyendo el Libro de Mormón, Doctrina y Convenios y la Perla de Gran Precio. La Primera Presidencia y el Quórum de los Doce aprobaron la idea sin reservas. El Comité de Ayudas de Estudio de la Biblia pasó a ser el Comité de Publicación de Escrituras, y el proyecto de crear una edición de las Escrituras debidamente correlacionada se extendería hacia la década de 1980 en su versión en inglés, añadiéndose después en otros idiomas.

El trabajo con las Escrituras bien pudo haber consumido todo el tiempo del élder Monson, pero su horario de viajes durante ese período también incrementó al recibir algunas de las más extenuantes asignaciones. Él conocía bien Canadá; era su segundo hogar y un creciente bastión de la Iglesia. Había supervisado y viajado extensamente por las islas del Pacífico, Europa y México y había viajado a Sudamérica, la Tierra Santa y el Lejano Oriente.

Colaboró en la planificación de la conferencia de área de Gran Bretaña y después en las conferencias de México, Estocolmo y Munich, encargándose de los trabajos preliminares para asegurarse de que los recintos fueran apropiados para servicios religiosos.

En el verano de 1973, un joven misionero oriundo de California, el élder David A. Bednar, quien en aquel entonces servía como líder en su misión en Alemania, asistió a una reunión para repasar los detalles finales con vistas a la conferencia de área de Munich. "Tuvimos una reunión en las oficinas de la misión, a la cual asistió el élder Monson para darnos directivas", recuerda. "Nunca había visto una reunión tan bien organizada y dirigida. No fue autoritario ni dominante, pero uno sabía quién estaba al mando. El élder Monson delineó en detalle lo que se debía hacer y todo se hizo tal cual él lo indicó. Dio las gracias, se ofreció una oración y nos marchamos. Recuerdo que como misionero de sólo veinte años de edad aprendí cómo se suponía que debían ser las cosas, no sólo en teoría, sino en la práctica. Fue verdaderamente increíble"[21].

De camino a la conferencia de Munich, el élder Monson se encontró con su hijo Tom, quien acababa de terminar su misión en Italia. "Fue un día que nunca olvidaríamos", dice, indicando que aún puede ver en su recuerdo a Tom salir del avión con su equipaje de mano. "Fue bueno verlo otra vez". Los dos tomaron un taxi hacia la estación de trenes, donde el joven Tom, con el debido permiso, tomó un tren hacia Birmingham, Inglaterra, lugar de origen de las famosas palomas rodadoras. El élder Monson viajó a Zurich, donde lo esperaba Frances para asistir a una conferencia de misioneros en la Misión Suiza.

El día en que cumplió cuarenta y seis años, el 21 de agosto de 1973, el élder Monson y su esposa volvieron a tener otro "glorioso encuentro" con Tom y viajaron a Munich para la conferencia de área. El viernes 24 de agosto, los miembros presentaron un evento cultural en el cual participó cada país del área. "La sorpresa de la velada" fue cuando el presidente Lee invitó al élder Monson a hacer uso de la palabra, y lo hizo sin preparación, confiando únicamente en el Espíritu.

Más de 15.000 personas asistieron a la conferencia de área de Munich, la cual contó con la presencia del Coro del Tabernáculo Mormón. "Fue un evento espectacular", escribió el élder Monson en su diario personal. El Coro presentó para un auditorio mundial su afamado programa *Música y palabras de inspiración*[22].

Las anotaciones del élder Monson en su diario, referentes a la conferencia de área de Munich, revelan su naturaleza. Para él, las personas son importantes, especialmente aquellas que pasan desapercibidas. Resaltó "el canto de los alemanes" como lo más destacado de la conferencia. Describió la "sobresaliente coordinación" de quienes habían trabajado entre bastidores atendiendo detalles—J. Thomas Fyans, F. Enzio Busche y Jacob de Jager—y rindió tributo a su servicio. Escribió acerca de la "dicha" que sintió al observar "la expresión en el rostro de Walter Krause, el recién ordenado patriarca de la Misión Dresde, al escuchar atentamente la conferencia y particularmente la música del Coro del Tabernáculo". Para el presidente Monson, lo más importante siempre es la gente, sus esfuerzos, su testimonio, su felicidad, su disposición a reconocer la mano del Señor. Lo mismo sucede en su vida familiar. Escribió en su diario al final de su asignación: "Estamos endeudados con la tía Blanche por cuidar a los niños"[23].

Ese verano, en 1973, la única hija de los Monson, Ann, anunció su compromiso con Roger A. Dibb, un estudiante de contabilidad de la Universidad Brigham Young. "Resultó interesante pasar por la traumatizante experiencia de ver a Roger pedir la mano de mi hija", recuerda el élder Monson. Roger prometió que "la cuidaría y la amaría con todo su corazón". Ann sería la primera de los hijos en casarse y la echarían de menos, particularmente Frances[24].

"Mi padre siempre esperó que yo honrara a mi madre", dice Ann, "lo cual nunca resultó difícil". Ambas tenían una relación muy estrecha, las dos muchachas de la casa rodeadas por tres hombres obstinados. Ann siempre ha visto a su madre como "una mujer dulce y bondadosa, dedicada por completo a su familia". Mientras otros adolescentes querían liberarse y alejarse de sus padres, Ann se quedaba levantada hasta tarde en la noche hablando con su madre sobre sus amigos y de las actividades del día. "Mamá siempre ha sido una mujer callada", dice Ann. "Pero eso no quiere decir que no expresara su opinión y, cuando lo hacía, mi padre escuchaba"[25]. Frances se mantenía al margen de actividades que atrajeran la atención hacia ella, cuidándose siempre de no complicar la vida de su esposo con algún comentario o actitud personal que lo afectara a él.

Hasta el día de hoy, cuando Ann entra al hogar paterno donde se crió, siente que está "en casa". "Papá dice: 'Miren quién está aquí; y cuánto nos alegra. ¿No es hermosa?'. Mis padres siempre tienen algún halago para mí, no importa mi apariencia ni lo que haya estado haciendo". Mediante el ejemplo que se dio en su hogar, Ann aprendió las verdades del Evangelio que se describen en "La Familia: Una Proclamación para el Mundo": "Los padres tienen el deber sagrado de criar a sus hijos con amor y rectitud, de proveer para sus necesidades físicas y espirituales, y de enseñarles a amarse y a servirse el uno al otro"[26]. "Yo creo que cuando uno enseña el plan de salvación, enseña lo que significa volver al hogar", explica Ann. "Cuando voy a visitar a mis padres, me siento amada, reconocida y bienvenida; siento que estoy en mi hogar, y así es como será en las eternidades"[27].

El élder Monson efectuó el sellamiento de Ann y Roger en el Templo de Salt Lake el 5 de marzo de 1974. Pocos días antes del casamiento, la familia Monson asistió al templo con Ann y Roger. El día de la boda, "Ann se veía muy hermosa arrodillada ante el sagrado altar en la casa del Señor", escribió el élder Monson. "No recuerdo haber sentido antes un espíritu tan dulce durante una ceremonia como el que reinaba allí en esa ocasión. Estamos agradecidos a nuestro Padre Celestial por el encantador espíritu que es nuestra hija"[28].

Tan sólo ocho semanas después, el 26 de abril de 1974, la familia estaba nuevamente en el templo cuando el élder Monson tuvo "la preciada experiencia" de sellar a su hijo mayor Tom y a su esposa, Carma Rhodehouse. Él siempre ha reconocido "la firmeza de carácter de los jóvenes que tienen el valor de escoger la debida forma de casamiento"[29].

Pasarían otros ocho años antes de que su hijo menor, Clark, se casara. El élder Monson consideró una "oportunidad privilegiada" el sellar a cada uno de sus tres hijos a sus cónyuges y darles una bendición de padre. Clark se casó con Patricia Shaffer en el Templo de Salt Lake el 28 de abril de 1982.

Entre asignaciones durante el verano de 1973 en Zurich, Nairobi y Atenas, el élder Monson hizo arreglos para llevar a Frances a la Tierra Santa, donde hicieron una gira por los lugares considerados "sagrados para los Santos de los Últimos Días". Cuando llegaron a la Tumba del Jardín, se sintieron desilusionados de que ese día el lugar estuviera cerrado. Llamaron, pero nadie atendió. Tras visitar la colina del templo, el Jardín de Getsemaní, la Vía Dolorosa—por donde el Señor cargó la cruz—y otros lugares en Jerusalén, regresaron por segunda y hasta por tercera vez. Por fin, alguien llegó hasta la entrada, donde el élder Monson explicó que habían viajado desde los Estados Unidos para visitar el sepulcro. "¿Podríamos pasar aunque fuera sólo diez minutos?", preguntó. Los invitaron a entrar y la puerta se cerró detrás de ellos. "Tomen todo el tiempo que deseen", dijo el guardia. Los Monson se sintieron sobrecogidos con lo que experimentaron. Para ellos, el sepulcro se transformó "en el lugar más hermoso e inspirador de toda la Tierra Santa. Uno no puede visitarlo sin sentirse cerca del Salvador y de Su divina misión"[30].

Los Monson apreciaron personalmente, de continente a continente, los indicios del gran crecimiento de la Iglesia. El élder Monson pasó una semana en Europa, pagando por una habitación 50 dólares por noche (cantidad que él consideraba exorbitante), y de allí fue a Nairobi, Kenia, en el continente africano. La semana siguiente viajó a Japón, a Hong Kong y a Sydney, Australia, haciendo una escala de un día en casa. Mientras tanto, tenía asignaciones en diferentes partes de Estados Unidos los fines de semana. Reajustar la hora después de cada viaje le resultaba difícil; la noche era día y viceversa por más o menos una semana y no disponía del tiempo para recuperar sus energías.

Tanto al élder Monson como al presidente Spencer W. Kimball les gustaba trabajar y ambos encaraban sus tareas con gran empeño. Durante varios veranos, el presidente Kimball había trabajado en un libro titulado *El milagro del perdón*. "Cuando uno lee el libro", observó el élder Monson más tarde, "particularmente la primera parte, se pregunta si acaso alguien se hará merecedor del reino celestial". Pero después indicó que la parte final ofrece la seguridad de que "con esfuerzo, todos podremos lograrlo"[31].

Un día, el presidente Kimball, en aquel entonces Presidente del Quórum de los Doce, entró en la oficina del élder Monson y le dijo: "No sé si debí haber publicado el libro; hay personas que vienen a verme para confesar errores que cometieron hace muchos años. ¿Podría ayudarme y hablar con algunas de ellas?".

El élder Monson aceptó ayudar, a lo cual el presidente Kimball respondió: "Le voy a mandar a unas cuantas personas".

Cuando el élder Monson le preguntó qué quería que les dijera, el presidente Kimball sencillamente le contestó: "Perdónelas, hermano; perdónelas"[32].

El élder Monson intentaba, tan a menudo como le fuera posible, brindar consejo a quienes acudían a él por ayuda. Un joven, hijo de un criador de palomas, quien estaba tratando de poner su vida en orden a fin de enviar los papeles para la misión, escribió lo siguiente después de una entrevista que tuvo con el élder Monson en su oficina: "Fue un gran honor que me recibiera, me aconsejara y me bendijera. Desde esa ocasión, he sentido nuevas fuerzas, las cadenas han caído y la esperanza ha vuelto. Nunca pensé recobrar el vigor para arrepentirme. Gracias".

El joven concluyó su carta diciendo: "Para mí, ésta es la bendición más grande relacionada con tener un padre que cría palomas"[33].

¡Ah, las palomas! Con todo lo que tenía que hacer, el élder Monson aún se tomaba el tiempo para ir a la Feria del Estado todos los años para ver la exhibición de las palomas y la de las gallinas. Tenía que ir dos veces, ya que las dos presentaciones empleaban el mismo edificio, una de ellas al principio de la feria y la otra al final. Aún tenía en su casa un palomar lleno, aunque ya no exhibía sus aves.

En medio de todas las presiones, los viajes, las horas dedicadas a reuniones de comités y otras asignaciones, el élder Monson aguardaba ansioso la llegada del verano para cortar el césped. Mientras que a algunos les gusta jugar al golf o arreglar cosas en la casa, al élder Monson le gustaba cortar el césped. Para él había, y sigue habiendo, algo terapéutico en las ordenadas hileras de pasto recién cortado. Dependiendo de la necesidad, también le gustaba pintar el cerco, el gallinero y el palomar.

Cuando estaban en Londres o Nueva York, él y Frances iban algunas veces a ver una obra musical. Una de sus predilectas es *The Student Prince* (*Mentiras y coartadas*). Otra es *The Music Man* (*Vivir de ilusión*), obra de la cual le encanta la declaración de su personaje central, Harold Hill, a su amada Marian, la bibliotecaria: "Acumula suficientes mañanas y verás que habrás juntado muchos ayeres vacíos". También le gustan *Camelot, Fiddler on the Roof (El violinista en el tejado), Showboat, Man of La Mancha (El hombre de La Mancha), Phantom of the Opera (El fantasma de la ópera), Annie* y muchas otras.

El élder Monson entraba ahora en una era en la que sus seres queridos empezaron a irse. En 1973, la madre de Frances, Hildur Augusta Booth Johnson, murió de cáncer. El padre de Frances había fallecido años antes. El élder Monson se sintió honrado de hablar en los servicios de su suegra, a la que describió como "una mujer realmente maravillosa a quien echaremos mucho de menos"[34]. Mormor, como la llamaban cariñosamente, se había quedado a menudo con los niños cuando los Monson viajaban en asignaciones. Era una excelente cocinera a quien se le contrataba para servir cenas para grupos numerosos debido a su reputación de preparar verdaderos manjares. Aun cuando Frances, a quien se le dio su nombre en honor a su padre, Franz, tiene todas las recetas de su madre, dice que no le sirven de mucho, ya que están escritas en sueco y Fraces no ha hablado ni leído ese idioma desde que era muy pequeña.

Más tarde en ese año, el élder Monson se encontraba en Hong Kong en un seminario de presidentes de misión cuando, al regresar al hotel, recibió un mensaje de Frances para informarle que la madre de él había fallecido. Gladys Monson no había estado bien los últimos años y la habían tenido que hospitalizar. Cuando la familia celebró el cumpleaños de su esposo en mayo de 1973, a Gladys se le veía débil y carente de su espíritu jovial. Pese a todo, siempre afecta "enterarse de la muerte de la madre", expresó el élder Monson. Había estado sufriendo de un tumor en la pleura pulmonar, pero no se esperaba que "falleciera tan repentinamente", en la tarde del jueves 13 de septiembre de 1973.

El élder Monson pudo haber regresado a casa de inmediato tras recibir las noticias del fallecimiento de su madre, pero sintió "la necesidad de continuar el viaje", aunque hizo ajustes en su itinerario a fin de poder estar de regreso a tiempo para el funeral. Cuando tuvo un poco de tiempo entre reuniones en las Filipinas, visitó el cementerio de ex combatientes estadounidenses, "un lugar apacible donde reina un gran espíritu de reverencia". La enorme expansión de verde césped hermosamente cuidado está marcada solamente con cruces blancas dispuestas en perfecta simetría, con la única variación de alguna que otra estrella de David que señala el sepulcro de alguien de la fe judía. "Allí, en hermosas columnatas, se cuenta gráficamente la historia de la Guerra del Pacífico. Los mapas en baldosas de cerámica describen cada batalla". Por ser un apasionado de la historia, particularmente de la Primera y de la Segunda Guerras Mundiales, y por encontrarse impactado por la muerte de su madre, el élder Monson se sintió sobrecogido por algunas de las inscripciones en las lápidas, las cuales anotó en su diario, como ésta: "Oh Señor, sostennos todo el día hasta que las sombras se extiendan y nuestra labor termine. Entonces, en Tu misericordia, concédenos un seguro y santo reposo por fin en paz".

El élder Monson concluyó así su anotación de ese día: "Salí del cementerio renovado espiritualmente y con la sensación de que mi amada madre estaba bien"[35].

Ese fin de semana habló a los miembros de la Estaca de Manila y sintió que ellos habían asimilado cada una de sus palabras. Podría haber partido de regreso a casa después de la sesión del sábado, pero, "recordando las palabras del Señor de mantener la vista puesta en el reino de Dios y la mano en el arado, decidí quedarme"[36]. Después de su discurso a los santos de Manila, confesó: "El espíritu del Señor dirigió mis palabras, ya que nunca me había sentido tan libre al hablar a una congregación ni había percibido que mi mensaje les llegara tan profundamente como en esa ocasión"[37].

Viajó de regreso a casa vía Tokio, llegando el lunes 17 de septiembre, justo antes del velatorio de su madre. Más de 500 personas "pasaron a presentar sus respetos por mamá y papá". Muchas Autoridades Generales también asistieron, así como miembros del Barrio Sexto-Séptimo, y hasta Joe Marabelle, el sastre del élder Monson y amigo de muchos años[38].

El funeral de Gladys, llevado a cabo el 18 de septiembre en el Barrio Rosecrest Segundo, de la Estaca Canyon Rim, en Salt Lake City, fue bien concurrido. Muchas Autoridades Generales apoyaron al élder Monson y a su familia. Entre los oradores estuvieron John Burt—vecino, amigo, ex obispo del Barrio Sexto-Séptimo y miembro por mucho tiempo de la presidencia de la Estaca Temple View—y Merlin Lybbert, ex obispo de Gladys. Richard Condie, primo de Gladys y director del Coro del Tabernáculo Mormón, cantó un solo. El presidente Harold B. Lee fue el último orador, rindiendo tributo a la "naturaleza jovial" de Gladys, su "radiante y juvenil brío" y su "magnífica familia". Dirigiéndose a ellos, el presidente Lee dijo: "Cuando haya agitación alrededor de ustedes, sigan el ejemplo de Gladys y de Spence. Estén alerta", les aconsejó; "sientan la influencia de los cielos y tengan presente el apellido Monson y cuán importante es"[39].

El élder Monson después dedicó el sepulcro, y se sintió sumamente agradecido por la bondad del presidente Lee, anotando en su diario: "Nos emocionamos mucho como familia al ver que el profeta de Dios no sólo asistió al servicio y habló en él, sino que, junto con sus consejeros, fuera al cementerio para acompañarnos en el momento de la sepultura. Esperamos ser siempre dignos de amistades tan maravillosas"[40].

Una indicación de los estrechos lazos forjados tras años de sentarse juntos en consejo, su querido amigo, el élder Gordon B. Hinckley, en camino a una asignación fuera del país, le escribió una nota de condolencia: "Nuestros corazones se conduelen por usted y sus seres queridos en estos momentos de pesar. El perder a la madre es una experiencia devastadora . . . Nuestras oraciones lo acompañarán y sabemos que el Espíritu consolador del Señor le dará paz y la seguridad de que ella sólo se ha adelantado para preparar felices reencuentros"[41].

Dos semanas después, el élder Monson, junto con sus hijos Tom y Clark, asistirían a la reunión general del sacerdocio, "la primera vez en un considerable período de tiempo que los dos muchachos y yo hemos estado juntos en tal sesión"[42].

No fue de sorprender que el discurso que el élder Monson dio en la conferencia de octubre se titulara "He aquí, tu madre". Se refirió tiernamente a sus recuerdos de la Escuela Dominical en el Día de la Madre, cuando él era niño. "Le dábamos una pequeña planta como obsequio a cada madre y nos sentábamos en reverente silencio mientras Melvin Watson, un miembro ciego, se paraba junto al piano y cantaba 'Mi maravillosa mamá'. Ésa fue la primera vez que vi a un ciego llorar. Hasta el día de hoy recuerdo ver las lágrimas brotar de esos ojos sin vida para deslizarse después por las mejillas y caer luego en la solapa del traje que él nunca había visto. En mi perplejidad de niño me preguntaba por qué todos los hombres estaban en silencio y por qué tantos sacaban el pañuelo del bolsillo. Ahora lo sé; porque recordaban a su mamá. Todo niño, toda niña, todo padre y esposo parecía hacer una promesa en silencio: 'Siempre recordaré a mi maravillosa mamá'"[43].

El presidente Harold B. Lee fue el último discursante y habló sin un texto preparado, lo cual el élder Monson consideraba "palabras del corazón dirigidas a la gente"[44]. Fue un momento muy particular en el que un profeta capacitaba a otro profeta sin saber ninguno de los dos la intención del Señor, mas actuando con total devoción en sus responsabilidades.

El 26 de diciembre de 1973, el día después de la Navidad, los Monson invitaron a cenar a los padres de Roger Dibb, el entonces prometido de Ann. Mientras conversaban, sonó el teléfono; era el presidente de la Misión Pensilvania, Hugh W. Pinnock, para informarle que dos misioneros habían sido víctimas de un ataque y que a uno de ellos lo estaban operando. El élder Monson les explicó a los invitados que los miembros del Comité Ejecutivo Misional recibían llamadas a toda hora de la noche y del día con informes de situaciones peligrosas y emergencias.

Apenas acababa de colgar el teléfono cuando volvió a sonar. Los Dibb observaron cómo el rostro del élder Monson empalideció. Rex C. Reeve, quien era Representante Regional, indicó que acababa de oír en las noticias del repentino fallecimiento del presidente Harold B. Lee. El teléfono volvió a sonar; era su amigo John Burt, que confirmaba la información. Después lo llamó el presidente Marion G. Romney para decirle que estaba en el hospital y que por cierto el presidente Lee había fallecido.

Los Monson quedaron perplejos, al igual que sus invitados. Esa noche, el élder Monson escribió: "Ciertamente nosotros hemos perdido a un querido amigo, y la Iglesia ha perdido a un líder verdaderamente dinámico e inspirado"[45]. El élder Monson había confiado en un prolongado servicio bajo la mano magistral del presidente Lee, quien había dirigido la Iglesia tan sólo un año y medio; pero ahora se había ido y el élder Monson sentiría su ausencia en los años venideros.

Al día siguiente, los apóstoles se reunieron en medio de una profunda congoja para hacer los preparativos para el funeral de su amado líder. Vieron cómo el presidente Kimball asumía sus responsabilidades como oficial presidente "de un modo inteligente y al mismo tiempo humilde y eficiente"[46].

El 29 de diciembre, un día frío y nublado, miembros de la Iglesia se congregaron en el Tabernáculo de la Manzana del Templo para rendir tributo al presidente Harold B. Lee. Mientras que algunas personas habían esperado que brillara el sol, "Frances comentó que parecía apropiado que el cielo estuviera nublado cuando se le daba sepultura al Presidente de la Iglesia"[47]. La familia Monson no sólo había perdido a un profeta, sino a un amado y valorado amigo personal.

El fallecimiento llegó sin aviso, aunque, al mirar hacia atrás, el élder Monson había notado que al presidente Lee "se le veía particularmente cansado" en una de las reuniones anteriores en el templo, tras haber hablado ante cuarenta y dos congregaciones en los primeros veintitrés días de diciembre[48].

Así partía un hombre a quien el élder Monson había "amado, honrado y seguido" desde su juventud. "Profético en sus declaraciones, vigoroso en su liderazgo, devoto en su servicio, el presidente Lee inspiraba en todos nosotros el deseo de alcanzar la perfección", dijo el élder Monson del profeta líder cuyo consejo a los santos era claro y sencillo: "Guarden los mandamientos de Dios. Sigan el sendero del Señor"[49].

Pero no era el fin de una era, ya que las décadas subsiguientes de enorme progreso de la Iglesia en el mundo se basarían en los cimientos que el presidente Lee colocó de manera concienzuda y que ejecutarían quienes le siguieron.

El domingo 30 de diciembre tras "detenida reflexión y meditación", el Quórum de los Doce nuevamente se reunió en el cuarto superior del Templo de Salt Lake. Sensible a la nueva experiencia que le esperaba al élder Bruce R. McConkie como el miembro de menor antigüedad del Quórum, el élder Monson lo preparó para el proceso que se seguiría en la reunión.

La Primera Presidencia fue disuelta con la muerte del presidente Lee, y los élderes Tanner y Romney pasaron a ocupar sus respectivos lugares de acuerdo con su antigüedad en el Quórum de los Doce.

Los siervos escogidos del Señor se unieron en oración, tras lo cual el presidente Spencer W. Kimball pidió a cada uno de los Doce que compartiera su testimonio y se expresara con total franqueza. Pidió al élder Ezra Taft Benson, el segundo en antigüedad entre los apóstoles, que hablara primero. Después de que todos hablaron, se hicieron las debidas nominaciones y el presidente Spencer W. Kimball fue nombrado al más sagrado de los llamamientos como profeta, vidente y revelador y Presidente de La Iglesia de Jesucristo de los Santos de los Últimos Días, el duodécimo en esta dispensación. Él escogió a N. Eldon Tanner y a Marion G. Romney como consejeros, y Ezra Taft Benson fue nombrado Presidente del Quórum de los Doce.

El élder Monson indicó que reinaba allí "un dulce espíritu de armonía y apoyo . . . Fue motivo de dicha el participar en el apartamiento de cada uno de esos hombres tan magníficos. Hugh B. Brown estaba sentado en una butaca de piano a fin de poner las manos sobre la cabeza de la persona a quien se apartaba y los demás lo acompañaban en el círculo"[50].

El presidente Kimball, "incansable en sus labores, humilde en su estilo e inspirador en su testimonio", invitó a los que se encontraban reunidos en esa ocasión tan sagrada a "continuar con las tareas que trazó el presidente Lee"[51]. Al élder Monson aquello le resultaba familiar.

En ese entonces la Iglesia contaba con 15 templos en funcionamiento, 630 estacas, 108 misiones y un total de miembros que sobrepasaba los 3,3 millones.

El presidente Benson se reunió con cada miembro de los Doce "para expresarles su amor" y para evaluar "el volumen de trabajo y las asignaciones" que cada uno tenía. Las responsabilidades del élder Monson eran pesadas. Integraba el Comité Ejecutivo

Misional, el Comité de Publicación de Escrituras, el Comité del Sacerdocio de Melquisedec, la Mesa de Educación de la Iglesia, era asesor del Comité de Comunicaciones Internas, etc. La nueva administración pretendía que los programas que ya existían funcionaran sin necesidad de que se alteraran continuamente. "En pocas palabras", dijo el élder Monson ante un Consejo de Coordinación de la Iglesia, "ahora que disponemos de una casa de correlación, vivamos en ella, en vez de estar remodelándola constantemente"[52].

El año 1973 había sido uno lleno de incidentes para el élder y la hermana Monson, entre otros, el fallecimiento de ambas madres. Pero el Señor había sido bueno con ellos. El élder Monson reconoció en su diario "las muchas bendiciones de nuestro Padre Celestial para con nuestra familia y para mí en mi llamamiento"[53] y renovó su compromiso, diciendo: "Yo y mi casa serviremos a Jehová"[54].

24

SE ABREN PUERTAS

Como Apóstol del Señor, el élder Monson está lleno del amor puro de Cristo, el cual irradia a otras personas. La gente lo ama porque él ama a la gente. Su testimonio al mundo es un testimonio de amor y comprensión.

PRESIDENTE SPENCER W. KIMBALL
Presidente de La Iglesia de Jesucristo
de los Santos de los Últimos Días, 1973–1985

EL ÉLDER THOMAS S. MONSON y el presidente Spencer W. Kimball amaban a los menos privilegiados. Ellos se conocieron a principios de la década de 1950, cuando el élder Monson era un joven obispo. Una mañana, él contestó el teléfono de su casa y oyó: "Habla el élder Spencer W. Kimball; tengo un favor que pedirle. Escondida detrás de un amplio edificio en la calle Quinta Sur hay una casa rodante", explicó el élder Kimball. "En ella vive Margaret Bird, una india navajo viuda. Se siente desamparada, despreciada y perdida. ¿Podría usted y la presidencia de la Sociedad de Socorro ir a verla, extenderle una mano de amistad y darle una bienvenida especial?".

El élder Kimball había llamado al hombre indicado para efectuar un rescate.

Margaret Bird floreció al ser acogida en los amorosos brazos de los miembros del Barrio Sexto-Séptimo. El élder Monson escribió: "La desesperación desapareció; se había visitado a la viuda en su aflicción; se había encontrado la oveja perdida. Todos cuanto tomaron parte en el sencillo drama humano emergieron siendo mejores personas"[1].

El presidente Monson ha enseñado esa lección muchas veces. Los nombres, los rostros y los lugares cambian, pero el mensaje es el mismo: "Escuchemos el sonido de los pies calzados en sandalias; tratemos de tocar la mano del Carpintero, y entonces llegaremos a conocerlo. Tal vez llegue a nosotros como un desconocido, sin nombre, tal como, a la orilla del mar, llegó hasta aquellos hombres que no lo conocían. Nos hace la misma invitación de seguirle y nos encomienda las tareas que tiene para nosotros. Él manda, y a quienes le obedecen, sean ellos de mucha o escasa ciencia, Él se manifestará en las pruebas, los conflictos y los sufrimientos que ellos experimentarán en Su servicio, y . . . por experiencia propia sabrán quién es Él"[2].

A lo largo de los años, el presidente Kimball había estado en armonía con la voz del Maestro. Tras el voto de sostenimiento en la Asamblea Solemne del 6 de abril de 1974, prometió en su mensaje a los santos: "Nosotros les serviremos a ustedes, nuestra gente, los amaremos y haremos cuanto podamos por guiarlos hacia su justo y glorioso destino, con corazones rebosantes de amor y gratitud hacia cada uno"[3]. Ese profeta, pequeño en estatura, pero con el espíritu de un gigante, fue ejemplo del principio que él tan frecuentemente enseñó: "Alarguen el paso". La frase llegaría a ser un distintivo de su administración, y el élder Monson le seguía de cerca. Él describió al nuevo presidente como alguien que "se mueve decididamente y lleva el manto de este solemne llamamiento"[4].

El presidente Kimball nombró Apóstol a L. Tom Perry para llenar la vacante en el Quórum de los Doce. El élder Perry había estado sirviendo como Ayudante de los Doce durante dos años. Más adelante, tras el fallecimiento de Hugh B. Brown, el presidente Kimball llamó a David B. Haight al apostolado, quien también había estado sirviendo como Ayudante de los Doce. Cuando el élder Delbert L. Stapley falleció en agosto de 1978, el presidente Kimball llamó a James E. Faust, del Primer Quórum de los Setenta, como Apóstol. El élder Monson ya llevaba años trabajando con esos hermanos y se sintió complacido de sostenerlos.

Por mucho tiempo, el presidente Kimball se había enfrentado

a serios problemas de salud que habrían podido dejar lisiado o doblegar a cualquier hombre común y corriente. Muchos años antes lo habían operado de cáncer de la garganta, volviendo su melódica voz de tenor en un susurro áspero aunque reconocible. En 1972 fue sometido a una operación de corazón abierto. Los apóstoles estaban en el tempo ese día, ayunando y esperando noticias "llenos de esperanzada ansiedad". Cuando sonó el teléfono, el presidente Harold B. Lee salió del cuarto para contestar. "El presidente Lee era un maestro en esconder sus sentimientos; volvió a donde estábamos y, en un tono sombrío, dijo: 'Era el hermano Nelson [refiriéndose al cardiocirujano del presidente Kimball, el Dr. Russell M. Nelson], ¡Spencer ya está fuera del taller!'". Al fin de ese día el élder Monson escribió tiernamente en su diario: "Todos sonreímos y ofrecimos una oración de gratitud"[5].

La administración del presidente Kimball fue un período marcado por una serie de ajustes en las normas y los programas de la Iglesia y en las líneas de autoridad: Se organizó el Primer Quórum de los Setenta; las conferencias generales pasaron a durar solamente dos días, sábado y domingo; se inauguró el primer centro de capacitación misional; se redujo el número de conferencias de estaca de cuatro a dos por año; la asignación de Autoridades Generales a conferencias de estaca se limitó a una vez por año y se eliminaron las reuniones sacramentales los domingos de conferencias de estaca.

En una conferencia de estaca en Modesto, California, en 1975, donde tenía la asignación de dividir la estaca, el élder Monson se percató de que más de diez años antes había asistido a una conferencia de estaca en esa misma zona. Tras mucho intentarlo, finalmente recordó el nombre del aquel entonces presidente de la estaca: Clifton Rooker.

Antes de empezar la reunión, le preguntó al presidente de la estaca de ese momento si ésa era la misma unidad que había presidido Clifton Rooker.

El presidente le respondió que sí, que él había sido el presidente anterior.

El élder Monson se acercó al púlpito y preguntó: "¿Se encuentra Clifton Rooker en la congregación?". Y allí estaba, en el fondo del salón cultural, apenas distinguiéndosele desde el púlpito. El élder Monson se sintió inspirado a extenderle la invitación: "Hermano Rooker, tenemos un lugar para usted en el estrado, ¿sería tan amable de pasar al frente?". Con toda la congregación mirándolo, Clifton Rooker hizo el largo recorrido desde el fondo hasta el frente del edificio y se sentó junto al élder Monson.

Más adelante en la reunión, el élder Monson llamó al hermano Rooker para que diera su testimonio "y tuviera el privilegio de expresarle a esa gente a quien amaba, que él había sido el verdadero beneficiario del servicio que había prestado a su Padre Celestial y a los miembros de la estaca".

Al terminar la reunión, le pidió al hermano Rooker que lo ayudara a apartar a los miembros de las dos nuevas presidencias de estaca. El hermano Rooker respondió: "Eso sería uno de los puntos culminantes de mi vida". Los dos procedieron a poner las manos sobre la cabeza de cada uno de esos hombres y a abrazarlos al terminar.

A la mañana siguiente, el élder Monson recibió una llamada telefónica del hijo del hermano Rooker, quien le dijo: "Hermano Monson, lo llamo para hacerle saber que mi padre falleció esta mañana; pero momentos antes nos dijo que ayer fue el día más feliz de toda su vida". El élder Monson escribió en su diario: "Agradecí a Dios la inspiración que recibí en ese instante de invitar a ese buen hombre a pasar al frente y recibir el respeto de los miembros de su estaca, a quienes había servido, mientras gozaba aún de vida y podía percibirlo"[6].

De entre todas las bendiciones que el élder Monson atesora en su vida, ha dicho que una de las más grandes es "ese sentimiento que el Señor brinda cuando sabemos que Él ha respondido a la súplica de otra persona por medio de uno"[7].

Durante el período del presidente Kimball se cristalizaron dos eventos de significativa importancia en la historia de la Iglesia: la publicación de las nuevas ediciones SUD de las Escrituras y la revelación de que a todos los varones dignos se les invitara a recibir el sacerdocio en su plenitud. El élder Monson tomó parte activa en ambos hechos.

Durante diez años, el élder Monson presidió el proyecto

masivo de publicar las ediciones de las Escrituras que contenían las referencias correlacionadas y las ayudas de estudio. Su asignación empezó con el Comité de Ayudas de Estudio de la Biblia, el cual se amplió y llegó a ser el Comité de Publicación de Escrituras. La asignación se ajustaba no sólo a su experiencia en impresión y publicaciones, sino a sus destrezas como administrador y como alguien que amaba las Escrituras. Consideró la asignación una de las más significativas de su servicio apostólico.

"En nuestra dispensación", ha explicado, "determinábamos los acontecimientos importantes de la Iglesia con relación directa a las Escrituras. Fue mediante la lectura de la Biblia que José Smith fue a la arboleda convertida en un lugar sagrado y recibió la Primera Visión. Las visitas del ángel Moroni enseñaron al joven profeta José en cuanto a las planchas de oro de las cuales se tradujo el Libro de Mormón. Teníamos presente los esfuerzos por compilar las revelaciones que recibió José Smith en un libro de mandamientos que representaba las doctrinas y los convenios de la Iglesia, y reflejábamos en los milagrosos acontecimientos mediante los cuales antiguos papiros llegaron a manos del Profeta, quien valoró su mensaje traducido como una perla de gran precio"[8].

El amor del élder Monson por las Escrituras comenzó en su juventud cuando se sentaba en la reunión sacramental y escuchaba al presidente Charles S. Hyde, de la presidencia de estaca, explicar versículos de las Escritura. Una reunión en particular permanecerá siempre en su recuerdo. El presidente Hyde leyó y explicó la sección setenta y seis de Doctrina y Convenios. Frances cuenta que "Tom quedó tan impresionado que sintió el deseo de leer y estudiar las Escrituras por sí mismo". Hasta el día de hoy tiene un gran apego por la sección setenta y seis. Él veía las ayudas de las Escrituras—referencias, mapas, el diccionario bíblico, la guía de estudio—como elementos de vital utilidad para todos.

Frances recuerda que cuando su esposo fue llamado a servir como obispo, "tuvo la fuerte impresión de que si iba a guiar a los miembros de su barrio, tendría que desarrollar un mejor conocimiento de las Escrituras". Se fijó la meta de que para el fin de ese año leería todos los libros canónicos de la Iglesia. Era el mes de mayo de 1950, y para el 31 de diciembre había leído cada palabra, incluyendo todas las notas de pie de página y referencias. "Siempre tiene un lápiz rojo a mano cuando lee", ha dicho Frances, "marcando los pasajes que considera importantes para él"[9].

Además, sus años de trabajo con las Autoridades Generales mientras estaba en la Imprenta Deseret, antes de ser llamado Apóstol, cuando colaboró en la compilación, edición y publicación de sus libros, lo habían educado aún más en cuanto a las Escrituras. En particular, su trabajo con el presidente J. Reuben Clark, hijo, y su obra monumental *Our Lord of the Gospels* (Nuestro Señor de los Evangelios), amplió su comprensión de un modo íntimo, académico y espiritual. De su estudio personal escribió: "Últimamente he estado estudiando las enseñanzas de los primeros apóstoles: sus llamamientos, sus ministerios y sus vidas. Es una experiencia fascinante que lo acerca a uno al Señor Jesucristo"[10].

Como presidente del Comité de Publicación de Escrituras, el élder Monson supervisó los aspectos técnicos, entre ellos el nuevo estilo de notas al pie de página, que comenzaba con nuevas letras indicadoras en cada versículo. "Fue muy interesante ver cómo su pericia y su capacitación contribuyeron tanto", ha explicado el presidente Boyd K. Packer, quien trabajó en las revisiones gramaticales y de impresión y en materiales históricos. El élder Bruce R. McConkie preparó los nuevos encabezamientos y las introducciones de capítulos. Los tres se reunían con frecuencia, algunas veces a diario, para adelantar el trabajo, y lo hacían con el comité entero, sin excepción, todos los meses. "Los tres trabajábamos con determinación para completar el proyecto", recuerda el élder Packer"[11].

Uno de los desafíos era incorporar todas las "ayudas" en la Biblia sin que resultara demasiado voluminosa y difícil de usar. El presidente Packer da mérito al élder Monson por haber logrado compaginar todo en un solo volumen. "Él era un experto en papel y les dijo: 'Si usamos este tipo de papel podremos poner el doble de información en un libro del mismo grosor que si usáramos este otro tipo de papel'"[12].

"La publicación [en inglés] de la edición Santo de los Últimos Días de la versión del Rey Santiago de la Biblia, correlacionada con referencias de los otros libros canónicos y el magnífico agregado de la Guía temática, realmente representa un adelanto en la publicación de las Escrituras, sin paralelo en nuestra época", escribió en su diario el élder Monson. "La llegada de la computadora fue absolutamente necesaria antes de que se hubiera podido preparar la Guía temática"[13].

Trabajó de cerca con eruditos y profesionales que habían servido previamente en varias asignaciones de correlación y contaban con una vasta experiencia en el estudio y la enseñanza de los libros canónicos: Daniel H. Ludlow, director de correlación; James Mortimer, gerente general de Deseret Book; y Ellis G. Rasmussen, Robert J. Matthews y Robert Patch, todos profesores de la Universidad Brigham Young, con largas carreras dedicadas al estudio de las Escrituras. También contribuyeron otras personas del Sistema Educativo de la Iglesia[14].

"Desde la primera reunión", observó el hermano Mortimer, "reinó siempre un espíritu de amor y hermandad al trabajar juntos bajo la cuidadosa supervisión y dirección del élder Monson y de su comité"[15]. El hermano Matthews comentó en cuanto a al hecho de trabajar durante casi una década junto a los élderes Monson, Packer y McConkie en la preparación de las nuevas ediciones de los libros canónicos: "Los vimos servir con inspiración divina en las actividades diarias de ese comité y a menudo nos maravillamos de su visión clara y percepción rápida para determinar el debido curso de acción. Cada uno de ellos tenía su respectiva área de responsabilidad, cada una de las cuales era importante para el éxito de la empresa"[16].

Todo cambio, hasta la colocación de una coma, era aprobado al más alto nivel. El élder McConkie dijo sobre el esfuerzo de una década: "No cabe duda de que las decisiones de mayor importancia se tomaron mediante el espíritu de inspiración, y de que las conclusiones a las que se llegó coincidían con la disposición y la voluntad del Señor"[17].

El estilo de liderazgo del élder Monson se ajustaba exactamente a lo que se debía hacer. Él se rodea de personas capaces, fieles y dedicadas que expresan su parecer y que dan todo de sí. El élder Monson cree firmemente en los esfuerzos de los comités. Nunca ha sido—ni lo es—el tipo de persona que quiere tener las manos en todo. En esos diez años de reuniones él escuchó, discurrió, dio directivas y dejó que el Espíritu guiara.

En el verano de 1979, el élder Monson visitó la planta de impresión de la Universidad de Cambridge, en Gran Bretaña, mientras se imprimían las páginas de la nueva edición de la Biblia SUD en doce prensas que funcionaban simultáneamente. Allí él se sentía como en casa.

En determinado momento sintió que debía pedir a uno de los operadores que le mostrara una página de la prensa. El hombre así lo hizo, el élder Monson echó una mirada rápida y dijo: "Detengan las prensas. Aquí hay un error".

El operador dijo un tanto incrédulo: "Es imposible; revisamos el manuscrito doce veces".

"Bien, lo pasaron por alto doce veces", respondió el élder Monson.

Seguramente él procuraba "cumplir con exactitud", como dice en el capítulo 57 de Alma. El élder Monson se encontraba en la Universidad de Cambridge, en Inglaterra, donde se habían impreso ediciones de la Biblia desde 1611, señalando la ausencia de una línea vertical al pie de la página. Nadie más lo había advertido; el error no era mayúsculo; no afectaba el mensaje ni el estudio de las Escrituras, pero para el élder Monson, impresor y revisor de "ojo de águila", aquello era inaceptable. Un error es un error. Así que se corrigió rápidamente, y las prensas reiniciaron su trabajo[18], mientras él hacía una pausa para agradecer al Padre Celestial Su mano en todas las cosas.

El 29 de agosto de 1979, el Comité de Publicación de Escrituras se reunió con la Primera Presidencia y el Quórum de los Doce, donde el élder Monson tuvo "la oportunidad de presentar la nueva edición de la Biblia". Él explicó: "Hemos producido lo que quizá sea el adelanto más destacable de erudición de la Iglesia en un siglo. La Biblia [en inglés], por supuesto, es la versión del Rey Santiago, pero incluye un sistema revolucionario de concordancias al pie de cada página con los otros libros canónicos, y también incluye la Guía temática, convirtiéndola en una Biblia con referencias sin igual". Después comentó: "Las

Autoridades Generales parecieron quedar muy complacidas con el resultado"[19].

La edición SUD de la Biblia incluía nuevos resúmenes de encabezamientos para cada capítulo del Antiguo y Nuevo Testamentos que representaban con mayor claridad la perspectiva de la Iglesia; notas al pie de página con referencias de los cuatro libros canónicos, 300 pasajes seleccionados de la Traducción de José Smith que varían considerablemente de la versión del Rey Santiago; una guía temática y concordancia con más de 2.300 temas; un diccionario bíblico de 195 páginas ampliado con conocimiento adquirido después de la Restauración; y una sección de 24 páginas con mapas a todo color con un índice geográfico. El comité no alteró para nada el texto de la versión del Rey Santiago.

Después, en 1981, vino la publicación de la Combinación Triple. Ésta incluía un índice considerablemente ampliado y combinado para el Libro de Mormón, Doctrina y Convenios, y la Perla de Gran Precio; nuevas introducciones para cada una de las tres obras; encabezamientos revisados que resumían cada capítulo o sección; cuatro mapas de la historia de la Iglesia; y al menos 265 correcciones de errores en las impresiones previas del Libro de Mormón y de Doctrina y Convenios. También se añadió al título una importante frase: "El Libro de Mormón: Otro Testamento de Jesucristo".

Doctrina y Convenios contenía dos nuevas secciones, la 137 y la 138, las cuales habían aceptado los miembros de la Iglesia y se habían publicado en la edición de 1979 de la Perla de Gran Precio. También se había agregado material suplementario del presidente Wilford Woodruff con relación al Manifiesto, en la Declaración Oficial—1, y la revelación que el presidente Kimball recibió en 1978 en cuanto al sacerdocio, que llegó a ser la Declaración Oficial—2.

El director de publicación de la Biblia y de otros materiales religiosos en la Imprenta de la Universidad de Cambridge, Roger Coleman, dijo de la edición SUD: "Nada es perfecto en este mundo . . . pero *esta* Biblia es lo más perfecto que seres humanos puedan llegar a crear"[20].

El élder Monson se sintió complacido con el reconocimiento

y el "gran logro" de la Iglesia cuando la edición SUD de la Biblia recibió premios nacionales e internacionales, pero regresó al propósito real del proyecto con esta perspectiva: "¿Qué valor tienen los premios cuando se les compara con ayudar a otras personas a recibir un testimonio de la verdad?"[21].

Cuando él insta a los Santos de los Últimos Días, particularmente a los jóvenes, a "familiarizarse con las lecciones que enseñan las Escrituras", está diciendo mucho más que: "lleven las Escrituras a la Iglesia". Lo que quiere decir es: "Familiarícense con las lecciones que enseñan". El presidente Monson sigue su propio consejo; él está siempre enseñando de la vida y las lecciones del Salvador[22].

Él quería que sus propios hijos sintieran el poder de las Escrituras en su vida. Recordó cómo influyó en él cuando era muchacho la visita que hizo a la tumba de Martin Harris en el cementerio de Clarkston, en el norte de Utah, y más tarde, en los jóvenes de su barrio cuando él era obispo. El 21 de abril de 1973, él y Frances llevaron a Ann y a Clark a ver la tumba de Martin Harris, uno de los Tres Testigos del Libro de Mormón. "Al encontrarnos alrededor de la tumba, le leí a mi familia el relato personal de Martin Harris como se cita en el libro *The Three Witnesses* (Los Tres Testigos), de Preston Nibley. También leímos de las primeras páginas del Libro de Mormón, las cuales contienen la declaración de los Tres Testigos"[23].

Con el fin de instar a los miembros a usar las nuevas Escrituras, la Primera Presidencia realizó una transmisión mundial vía satélite, el domingo 10 de marzo de 1985, en torno al tema: "Cómo usar las Escrituras", seguida por una sucesión de artículos de las revistas de la Iglesia escritos por el presidente Hinckley, el élder Monson, el élder Packer y el élder McConkie.

En la transmisión, el élder Monson declaró a los miembros: "Las Santas Escrituras son para los niños, para que ellos llenen su mente con la verdad sagrada; son para los jóvenes, para prepararlos para los desafíos de nuestro mundo agitado; son para las hermanas . . . para que sean entendidas en las Escrituras; . . . son para los hermanos del sacerdocio, para que cada uno se haga acreedor de la descripción que aparece en el Libro de Mormón en cuanto a los hijos de Mosíah, de que 'eran hombres de sano entendimiento, y habían escudriñado diligentemente las Escrituras para conocer la palabra de Dios'. Yo sé que estos sagrados libros de Escritura son la palabra de Dios. Con toda mi alma, en calidad de testigo especial, testifico que son verdaderos. Al escudriñarlos, al entenderlos y al vivirlos, ruego que un día tengamos el privilegio de comparecer ante quien nos llama, diciendo: 'Venid . . . aprended de mí' y moremos en Su presencia para siempre"[24].

A algunos miembros les resultó difícil y costoso hacer la transición a los nuevos volúmenes. El élder Monson entendió y humorísticamente observó: "Resulta difícil pensar que hayamos hecho que las Escrituras sean obsoletas"[25]. No obstante, él, el comité y otras Autoridades Generales comprendieron que al darles uso, las nuevas Escrituras producirían generaciones consecutivas de miembros fieles que conocerían al Señor Jesucristo y se comprometerían a guardar los mandamientos.

No es de asombrarse que cuando más adelante la Iglesia empezó a imprimir las Escrituras "en forma doméstica", el élder Monson llevara a sus hijos y nietos en una gira por la planta de impresión de la Iglesia. Recuerda en cuanto a aquel día: "Allí, todos vimos la edición misional del Libro de Mormón salir de la línea de producción: impresa, recortada, encuadernada y pronta para su lectura. Le dije a uno de mis jóvenes nietos: 'El operador dice que puedes tomar uno de los ejemplares del Libro de Mormón y guardarlo para ti. Elige el que quieras'. Tomando uno de los libros terminados, lo apretó contra su pecho y dijo con sinceridad: 'Amo el Libro de Mormón; éste es *mi* libro'"[26]. La aceptación y el uso superficiales de las Escrituras, que habían sido tan característicos en la Iglesia, serían cosa del pasado.

Veinticinco años después, en una reunión de aquellos que habían trabajado en la "prodigiosa" tarea, el presidente Monson dijo: "Ustedes han causado un gran impacto en el mundo y en la juventud; todo misionero que ha salido está mejor preparado gracias al trabajo que ustedes hicieron"[27].

La traducción de las Escrituras a otros idiomas se extendería por décadas. No fue sino hasta el año 2009, cuando el presidente Monson llevaba más de un año como Presidente de la Iglesia, que se publicó la edición Santo de los Últimos Días de la Biblia en español, con 800.000 ejemplares en la primera tirada.

La publicación de las nuevas ediciones de las Escrituras se produjo poco después de que el presidente Kimball recibiera la revelación tocante al sacerdocio. En la conferencia general de octubre de 1978, el presidente N. Eldon Tanner leyó dicha revelación a los santos congregados alrededor del mundo. Publicada como la Declaración Oficial—2 en Doctrina y Convenios, ésta declara: "que ha llegado el día prometido por tan largo tiempo en el que todo varón que sea fiel y digno miembro de la Iglesia puede recibir el santo sacerdocio, con el poder de ejercer su autoridad divina, y disfrutar con sus seres queridos de toda bendición que de él procede, incluso las bendiciones del templo"[28]. El presidente Tanner pidió un voto de sostenimiento para incluir la revelación en las Escrituras, lo cual se aprobó unánimemente.

El élder Monson considera la revelación de 1978 que otorgaba a todos los varones dignos el derecho de recibir el sacerdocio, sin importar su raza, un punto culminante en la administración del presidente Kimball. Antes de ese momento, ni hombres ni mujeres de raza negra podían participar en la realización de convenios del templo, aunque en los albores de la Iglesia algunos varones de esa raza habían sido ordenados al sacerdocio. Durante años, la Primera Presidencia y el Quórum de los Doce habían batallado con ese asunto, sobre el cual llevaron a cabo frecuentes análisis a varios niveles de la Iglesia, importunando en forma constante al Señor. El presidente Kimball siempre había asumido la postura tocante al asunto: "Permaneceremos firmes cual lo hizo Pedro, 'aunque el mundo entero esté en nuestra contra'. Cuando el Señor esté pronto para disminuir la restricción, nos lo hará saber, ya sea que haya presión o no"[29]. En 1974, en medio de gran controversia, la Primera Presidencia reiteró que los miembros varones de raza negra podían asistir a las reuniones de quórum de élderes de la misma forma que otros candidatos a ese oficio. Pero no llegaba aún el momento de un cambio.

El anuncio del presidente Kimball en 1975 sobre la construcción de un templo en São Paulo, Brasil, avivó nuevas presiones.

Teniendo en cuenta las características raciales de Brasil, ¿quién estaría en condiciones de entrar en la casa del Señor?

Lo que aconteció después fue el modelo establecido en las Escrituras concerniente a la revelación: estudiar en la mente y pedir en oración a fin de saber si está bien[30]. El presidente Kimball suplicó al Señor repetidamente en visitas al templo a solas e invitó a cada miembro del Quórum de los Doce a expresar su opinión personal en cuanto al asunto. El élder Monson fue uno de los pocos que dio a conocer sus sentimientos por escrito, basándose en lo que siempre ha sostenido "que, cuando se le pide que lo haga, uno debe manifestar su honesta opinión, sin importar si su punto de vista concuerda o no con el de los oficiales que presiden"[31]. Él se inclinó por volver a rogarle al Señor que se pudiera extender el sacerdocio a todos los varones considerados dignos.

El jueves 1° de junio de 1978, el presidente Kimball pidió a los apóstoles que permanecieran en el Templo de Salt Lake tras terminar la reunión de ese día con todas las Autoridades Generales. Todos habían llegado a la reunión ayunando y él les pidió que extendieran su ayuno y consideraran en oración el conferir el sacerdocio a los negros.

El élder Monson escribió: "El presidente Kimball pidió a cada miembro de los Doce que hiciera un comentario específico sobre ese tema. Al terminar la reunión de la Primera Presidencia y del Quórum de los Doce, efectuamos una oración especial ante el altar, la cual pronunció el presidente Kimball. Imploró al Señor luz y conocimiento tocante a ese asunto de tan transcendentales consecuencias. Fue una gran fuente de consuelo para todos nosotros escuchar sus humildes súplicas al buscar guía en su sublime llamamiento"[32]. Al concluir la oración, el Espíritu descansó sobre ellos con gran intensidad. La revelación era clara. El profeta de Dios había recibido la respuesta del Señor, la cual habían corroborado aquellos miembros de los Doce que, junto a él, recibieron la misma revelación al mismo tiempo.

Más tarde, la Primera Presidencia expresó agradecimiento, diciendo que "el espíritu de paz y unidad que prevaleció en esa reunión . . . fue el más magnífico que jamás se había sentido, lo cual fue evidencia de que el Señor estaba complacido con nuestras deliberaciones"[33]. Dos de los apóstoles estuvieron ausentes: el élder Delbert L. Stapley estaba en el hospital, y el élder Mark E. Petersen se encontraba cumpliendo una asignación en Sudamérica. A ambos se les consultó y añadieron su incondicional apoyo a la revelación recibida.

La reunión en el templo el siguiente jueves 8 de junio de 1978 fue histórica. El presidente Kimball anunció al Quórum de los Doce que el Señor le había revelado que debían proceder sin demora en otorgar las bendiciones del sacerdocio a todos los varones miembros de la Iglesia que fueran dignos, independientemente de su raza o color. Para el élder Monson y todos los demás presentes, "fue un momento de júbilo, pues habíamos oído al profeta declarar la revelación del Señor para esta época"[34]. Nuevamente, se pidió a cada apóstol presente que respondiera y expresara su opinión.

El presidente Kimball guió al grupo en oración para recibir la confirmación del Señor. Rodearon el altar en oración y el presidente Kimball "dijo por fin al Señor que si el extender el sacerdocio no era lo correcto, que si el Señor no quería que se efectuara ese cambio en la Iglesia, él haría frente a la oposición del mundo"[35]. El élder Monson más tarde acotó que si la revelación no hubiera llegado, el presidente Kimball "habría defendido la norma anterior hasta su último aliento de vida"[36].

Más tarde ese día, el élder Monson se reunió con Bill Smart, editor del periódico *Deseret News*, y en tono confidencial le dijo: "Reserve un espacio para un importante anuncio mañana".

Smart inquirió en cuanto al asunto.

"No puedo decir más por ahora; es confidencial".

"¿Podría decirme si debemos ponerlo en primera plana o en la primera página de la sección de las noticias locales?"

El élder Monson respondió: "Cuando lo vea, sabrá dónde ponerlo"[37].

A las 7:00 de la mañana siguiente, 9 de junio, la Primera Presidencia, el Quórum de los Doce y todas las demás Autoridades Generales se volvieron a reunir en una sesión especial. "Durante la reunión, el presidente Kimball repasó con los presentes la decisión tocante a la revelación de que todos los miembros varones dignos pudieran recibir el sacerdocio. Cada una de las personas allí reunidas expresó individual y voluntariamente estar a favor y apoyó lo presentado por el presidente Kimball como una revelación del Señor"[38].

El anuncio se publicó no sólo en la primera plana del *Deseret News*, sino en la de los más prestigiosos periódicos de los Estados Unidos, entre ellos el *New York Times* y el *Washington Post*. Tanto las revistas *Time* como *Newsweek* detuvieron las prensas para insertar la noticia en sus semanarios. La mayoría de los comentarios tenían un tono favorable a lo que llamaban "una decisión repentina" de la Iglesia mormona.

El élder Monson llamó por teléfono a dos de sus amigos del Grupo Génesis, Ruffin Bridgeforth y Monroe Flaming, para felicitarlos por la oportunidad que ahora tenían de recibir el sacerdocio. "Ambos estaban eufóricos", comentó[39].

El 21 de junio, el élder Monson, como presidente del Comité Ejecutivo Misional, asignó al primer misionero de raza negra, Jacques Jonassaint, miembro de Montreal, a servir en la Misión Florida Fort Lauderdale, que abarcaba Puerto Rico y Haití, "donde tendría la oportunidad de predicar el Evangelio a muchos de su misma raza"[40]. Dos días después, efectuó el primer sellamiento de una familia negra. En el Templo de Salt Lake, el hermano Joseph Freeman, hijo, su esposa, Toe Isapela Leituala Freeman, y sus dos hijos, Zachariah y Alexander, fueron sellados como familia por toda la eternidad.

En la noche del 25 de junio, el élder y la hermana Monson asistieron a una reunión del Grupo Génesis, "donde, por primera vez, se sirvió la Santa Cena, administrada y repartida por miembros de raza negra que ahora poseían el sacerdocio"[41]. Cinco hombres compartieron testimonios inspiradores de la gran bendición que Dios les concedía. Un joven explicó: "Cuando oí la noticia, me sentí como en las nubes, pero pronto bajé de ellas cuando comprendí que ahora que poseería el sacerdocio tendría la responsabilidad de hacer la orientación familiar, la obra genealógica y de salir en una misión. ¡Me siento feliz!"[42].

La dirección del Señor de que el santo sacerdocio llegara

ahora a todos cuantos fueran dignos, sin excepción de nacionalidad o raza, abrió las puertas de par en par para que la plenitud del Evangelio llegara a toda nación, tribu, lengua y pueblo.

25

LOS VECINOS SE AYUDAN ENTRE SÍ

Cualquier organización religiosa del estado diría que Thomas Monson es su amigo.

ÉLDER M. RUSSELL BALLARD
Quórum de los Doce Apóstoles

A PRINCIPIOS DE MAYO DE 1977, el presidente Nathan Eldon Tanner, Primer Consejero de la Primera Presidencia, sorprendió al élder Thomas S. Monson con el pedido de que fuera el presidente del directorio de la Compañía Editorial Deseret News. En ese momento servía en el directorio de Deseret News y en el de la Corporación Internacional Bonneville, la entidad de radiodifusión y televisión de la Iglesia. Él había recorrido un largo camino desde los días en que vendía avisos clasificados.

El presidente Tanner manifestó "plena confianza" en la habilidad del élder Monson para "trazar el destino de Deseret News"[1]. Habiendo servido como vicepresidente del consejo que el élder Gordon B. Hinckley encabezaba en aquel entonces, el élder Monson era una figura familiar para quienes trabajaban para Deseret News y la imprenta.

El presidente Tanner reconoció cuán pesada era la carga que el élder Monson sobrellevaba y preguntó si había alguna responsabilidad de la que pudiera librarse, a fin de tener más tiempo libre para sus funciones con el periódico. El élder Monson sugirió que lo relevaran de su cargo en el Consejo Rector de la Universidad Estatal de Utah, aunque era un puesto que había disfrutado plenamente durante los siete años previos. Él había hablado en ceremonias de graduación, participado en comités de selección de rectores de la universidad, y tomado parte en ceremonias de palada inicial con miras a la construcción de instalaciones en el campus. Cuando el Departamento de Tecnología de la universidad quiso comenzar un curso de imprenta, recurrió a todos los impresores de la ciudad y consiguió que donaran equipos para comenzar el programa. Les dijo a sus ex colegas que no quería sus máquinas viejas, sino las que utilizarían los estudiantes cuando fueran a trabajar en firmas de imprenta.

Oficialmente, pasó a ser el presidente del directorio de la Compañía Editorial Deseret News el 16 de mayo de 1977. El élder Hinckley pasó a ser el presidente del directorio de la Corporación Internacional Bonneville. El élder Monson eligió nuevos miembros para la mesa directiva de Deseret News, quienes, en su mayoría, ya habían trabajado con él en otras labores, incluyendo a James E. Faust, quien llegó a ser vicepresidente del directorio[2].

El élder Monson hizo precisamente lo que el presidente Tanner tenía en mente, que dirigiera con vitalidad, discernimiento e inspiración, y empleara el consejo colectivo de quienes integraban el directorio. Uno de tales miembros, Emma Lou Thayne, renombrada poetisa, le escribió una nota varios años después de que él asumiera el cargo: "Es evidente que usted siempre obra con una generosidad de espíritu que es tanto inspiradora como poco común"[3].

El cargo administrativo de editor había estado vacante por mucho tiempo. El élder Monson recomendó que Wendell J. Ashton, ex editor general de Deseret News, fuera nombrado editor y vicepresidente ejecutivo, pasando a ser el principal oficial de operaciones de la corporación. "Si ustedes fueran a cruzar las llanuras", dijo él a los empleados de Deseret News que se habían reunido para conocer a su nuevo líder, "querrían que Wendell Ashton los guiara"[4].

En 1985 le pidieron que organizara un comité asesor de

impresiones, con el propósito de retirar de la Compañía Editorial Deseret News la operación de la imprenta y fusionarla con los ya existentes Servicios de Imprenta de la Iglesia. Por años, él había intentado persuadir a la Primera Presidencia, al élder Hinckley, y a otros que tenían algo que ver con la administración de la Compañía Editorial Deseret News, a que efectuaran tal cambio. Él afirmó que no era una buena idea que la entidad intentara funcionar como una simple imprenta en un mundo de impresores cada vez más especializado. Él abogó por que la Imprenta Deseret Press se retirara del campo comercial y por que la Iglesia canalizara todas sus impresiones por medio de sus servicios de imprenta para sacar el mayor provecho del costoso equipo.

Los Servicios de Imprenta de la Iglesia funcionarían como una división del Departamento de Administración de Materiales. El élder Monson describió la fusión como la culminación de un sueño por largo tiempo esperado, ya que consideraba que tenía sentido dar el máximo uso al equipo del que disponían[5]. En su primer año, la división de imprenta de la Iglesia generó ganancias, y el Deseret News pudo encauzar para otras secciones los fondos que antes se empleaban para reemplazar equipo.

El 4 de diciembre de 1988, el presidente Monson dedicó el nuevo Centro de Imprenta de la Iglesia, un edificio de 17,200 metros cuadrados, con una enorme prensa rotativa que le permite ahora a la Iglesia imprimir sus propias Escrituras. "A mí me encantan las labores de imprenta de la Iglesia, porque producen materiales que dan testimonio de Jesucristo, el Hijo de Dios", dijo el presidente Monson a quienes se hallaban presentes en la inauguración. "De la obra producida aquí, emergen páginas que son parte del proceso de conversión que lleva a la gente a conocer el evangelio de Jesucristo"[6].

Había otros asuntos que atender en Deseret News. A principios de 1980, como presidente del directorio, el élder Monson comenzó a negociar una renovación del contrato de la Corporación de la Agencia de Periódicos (CAP). Durante treinta años, el matutino *Salt Lake Tribune* y el vespertino *Deseret News* habían compartido sus instalaciones de impresión, coordinaban la circulación y compartían el personal de publicidad. El élder Monson ocupaba ahora el lugar que su mentor, el élder Mark E. Petersen, había ocupado varias décadas antes al colaborar en la redacción del primer contrato. En aquel momento, Tom apenas se había integrado al personal de Deseret News. Aunque ambas entidades dividían los costos a partes iguales, el *Tribune* de los domingos había aumentado su tiraje, mientras que los medios de información electrónicos redujeron el interés en los periódicos vespertinos. Aún así, el contrato que vencería el 30 de septiembre de 1982, había sido una bendición para ambos periódicos.

El élder Monson describió así el desafío que se avecinaba: "La circulación se expandió y el grado de aceptación de los publicistas son tales que nuestra competencia, el *Salt Lake Tribune*, tiene una posición más fuerte que el *Deseret News* en las negociaciones. Nosotros tendremos que superarnos al máximo para lograr un acuerdo satisfactorio. Además, necesitaremos la ayuda del Señor"[7].

Para iniciar las negociaciones, invitó a John (Jack) Gallivan, por mucho tiempo editor del *Tribune*, para que se reuniera con él, con el élder James E. Faust, y con Wendell Ashton, el editor del *Deseret News*, en la oficina del presidente N. Eldon Tanner. Ellos eran competidores, pero amigos. Por años, el élder Monson había trabajado incansablemente en programas de la comunidad, a menudo junto con Jack. El élder Monson salió de la reunión reconociendo que Jack "había tratado de ser un firme negociador para que las ganancias favorecieran al *Tribune*"[8].

Los esfuerzos iniciales para negociar un interés del 50 por ciento en la edición del domingo no produjeron resultados. El élder Monson y sus colegas trataron entonces de comprar el *Tribune* dominical, pero esa oferta fue rechazada. El élder Monson llevó a un abogado local, Wilford W. Kirton, como principal negociador, con Wendell J. Ashton como asistente. Eso le permitió al élder Monson mantenerse al margen del rigor de las negociaciones.

La intervención de Wilford Kirton provocó confrontaciones entre los dos editores, quienes, a pesar de ser buenos amigos, también eran, naturalmente, rígidos adversarios. Donald Holbrook, abogado del *Salt Lake Tribune*, se unió al Sr. Gallivan en las deliberaciones. Un año y medio después, el 1º de junio de 1982, las dos partes firmaron oficialmente un contrato en la oficina del presidente N. Eldon Tanner, renovando el acuerdo entre la Editorial Deseret News y la Corporación Kearns-Tribune. Como recuerdo del acontecimiento, el presidente Monson ha guardado la lapicera que él empleó para firmar el convenio en nombre de la Compañía Editorial Deseret News. Jack Gallivan firmó por el Salt Lake Tribune. El evento fue realmente histórico para ambos periódicos, y ocurrió el mismo día del cumpleaños de Brigham Young, quien había fundado el *Deseret News*. Ambas partes habían puesto sus mejores esfuerzos para lograr sus objetivos.

Al final, el Tribune obtuvo gran parte de lo que quería, y al Deseret News se le hicieron concesiones para publicar su propia edición dominical y otra el sábado por la mañana. Los dos compartirían los servicios de noticias nacionales que habían sido exclusivos del Tribune; la Corporación de Agencia de Periódicos aumentaría sus esfuerzos de promoción del *Deseret News* de la tarde, y la distribución de las ganancias resultaría en un 58 por ciento para el Salt Lake Tribune y un 42 por ciento para el Deseret News, con la opción unilateral de parte del Deseret News de extender el convenio de treinta años al finalizar en 2012. Además, el Deseret News tenía el derecho de dirigir su propio programa de promoción e invertir sus propios fondos, en correlación con la CAP. El Sr. Gallivan serviría como presidente de la Corporación de la Agencia de Periódicos, con el élder Monson como vicepresidente, Wendell Ashton como secretario y Arthur Deck, editor gerente del Tribune, como miembro del directorio.

El élder Monson estaba "muy satisfecho", y confesó: "No recuerdo ninguna asignación que haya desempeñado que haya requerido más tiempo o más energía que ésta en particular"[9]. Consideró la exitosa negociación del contrato con la Corporación de la Agencia de Periódicos una de sus más sobresalientes contribuciones como oficial de la Compañía de Publicación del Deseret News. En 1983, ese arreglo proporcionó un dividendo de accionista a la Iglesia, el primer dividendo en efectivo del contrato operativo mancomunado[10].

No cabía la menor duda de que Thomas S. Monson se desenvolvía muy bien en círculos fuera del medio de la Iglesia. Conocía la comunidad y se había relacionado con muchas personas diferentes como miembro de la industria de periódicos e imprenta, como así también en grupos cívicos. Todos lo conocían como un líder muy capaz, sociable y respetado. Era razonable y vanguardista. Podía captar lo que se necesitaba y sabía quién podía lograrlo. En las ceremonias universitarias de graduación, eventos especiales del estado y dedicación de edificios, generalmente era él quien ofrecía la primera o la última oración, y el obispo católico pronunciaba la otra.

El élder Monson siempre se sintió privilegiado "de estar en compañía de hombres y mujeres prominentes en nuestro estado, muchos de los cuales no son miembros de nuestra fe, pero sí poseedores de un gran espíritu comunitario e inclinación cívica"[11]. Disfrutaba el desafío de relacionarse con gente del mundo de los negocios y siempre reconocía el riesgo de que a líderes de la Iglesia se les pusiera en un pedestal.

"Él no era el tipo de persona a quien le gustaba hablar en todo momento o que insistía en promover sus propios intereses", observó Duane Cardall, reportero de la estación de radio y televisión KSL. Pero tampoco era retraído a la hora de defender "lo que consideraba justo"[12].

Los dos años de negociaciones entre el Tribune y el Deseret News no interfirieron en la sincera amistad que el élder Monson tuvo con Jack Gallivan y Don Holbrook. Él y Jack mancomunaron esfuerzos en un buen número de otras causas comunitarias. Solían almorzar en el Alta Club y hacían planes para atender alguna necesidad en la comunidad, desde mejorar las condiciones del sector del Pioneer Park—el antiguo vecindario del élder Monson—hasta revitalizar la zona céntrica de la ciudad. Jack solía invitar al élder Monson a servicios, celebraciones y funciones en la Catedral de la Madeleine, donde Jack desempeñaba un papel prominente, y los Monson asistían. Tras asistir a la misa fúnebre en honor a Grace Ivers Gallivan, la esposa de Jack, los Monson recibieron una emotiva nota de Jack que decía: "Atesoro su amistad". El élder Monson se refería a Jack como "el paladín ecuménico de Utah"[13], "un hombre de integridad y honor. También es un hombre de profundo juicio e intelecto"[14].

Cuando a Jack se le otorgó la distinción de "Gigante en nuestra ciudad", el presidente Monson le hizo entrega del galardón. En el año 2001, el presidente Monson asistió a la ceremonia de fin de cursos de la Universidad Brigham Young, donde Jack Gallivan recibió un doctorado honorario. El presidente Monson había sido la fuerza impulsora para que Jack recibiera dichos honores. Jack se mostró efusivo y agradecido por tal reconocimiento. Si Jack u otro miembro de su familia se encontraba enfermo de cuidado, a él o a ella se le recordaba en las oraciones del élder Monson.

En febrero de 1993, el presidente Monson se reunió con Jack Gallivan; con el Obispo William Weigand, de la Diócesis Católica de Salt Lake; con el Cardenal Roger Mahony, Arzobispo de Los Ángeles; y con Agostino Cacciavillan, Pro-Nuncio Apostólico a los Estados Unidos, para los servicios dedicatorios de la recién remodelada Catedral de la Madeleine. El presidente Monson recibió el excepcional honor de tomar la palabra durante el almuerzo realizado como parte de los servicios dedicatorios, siendo él el único clérigo en el programa que no era católico. La Iglesia había extendido una mano de fraternidad a la comunidad católica al donar una cantidad considerable de dinero para colaborar en la extensa remodelación del edificio, el cual originalmente se había dedicado en 1909. La presencia del mismo sobre la calle South Temple se remontaba a los prósperos días de la minería de plata en las circundantes montañas Wasatch. Jack, al igual que otros, se sentía complacido con la presencia de su amigo en la misa. Pat Shea, un destacado abogado que había ayudado a la Iglesia con cierto trabajo legal y que era católico, citó un poema de Robert Frost para expresarles agradecimiento al presidente Monson y a la Iglesia por su participación:

> *Todos trabajamos juntos, le dije sinceramente,*
> *ya sea aquí mismo o en sitios diferentes*[15].

Para el presidente Monson, un negocio nunca es sólo un negocio. A quienes conoce—aun competidores—los transforma en amigos. Él y Donald Holbrook, el abogado del *Tribune,* quien presidía el Consejo Rector de Educación del Estado, el cual el élder Monson integraba, cultivaron una íntima amistad.

El presidente Monson habló en la parroquia católica de St. Ambrose en los funerales de los dos hijos de Don, cuyos fallecimientos inesperados, con varios años de diferencia entre sí, destrozaron a sus padres. El presidente Monson fue uno de los primeros en visitar el hogar de los Holbrook cuando se enteró de los hechos. Su objetivo fue sencillamente "ayudarlos"[16].

En otra ocasión, cuando a uno de los socios de Don lo iban a apartar como presidente de misión, el presidente Monson le hizo una seña a su amigo y le dijo: "Don, usted es un élder, ¿no es cierto?". Don, quien se había criado como mormón pero se había casado con una católica y, por consiguiente, no había sido activo en la Iglesia, respondió: "Sí, señor".

Haciéndole una seña, el presidente Monson le dijo: "Venga, ayúdenos a apartar a su socio".

Don, complacido con la invitación, se acercó. Más tarde, el presidente Monson reconoció: "Ésa fue quizás la primera vez que participó en una bendición. Para mí fue una experiencia agradable verlo formar parte del círculo"[17].

En el año 2005, por tercera vez, el presidente Monson honró a otro miembro de la familia Holbrook en los servicios realizados en la parroquia St. Ambrose. Don había fallecido víctima de cáncer.

La atención que el presidente Monson brindó a Don Holbrook y a Jack Gallivan no es nada fuera de lo común. Hay un sinnúmero de personas que han recurrido a él, que se han visto beneficiadas por su bondad, acciones y palabras, y que han sido rescatadas por su mano constante. Quienes han observado a Thomas S. Monson durante los años pueden ver en él un modelo de ceñirse al Espíritu sin demorar. Él no se detiene para mirar el reloj o verificar sus compromisos; él sólo responde y sigue la inspiración a dondequiera que ésta lo lleve.

"Ése ha sido el ministerio de Thomas S. Monson durante más de cincuenta años", dice el élder Jeffrey R. Holland. "El Evangelio es llegar a la persona necesitada; podría ser una necesidad espiritual, una necesidad temporal; podría ser la viuda acerca de quien él habla con frecuencia; podría ser la jovencita rescatada, o un joven del Sacerdocio Aarónico"[18].

El presidente Monson ha hablado acerca de los isleños del Pacífico Sur, a cuyos esfuerzos de pescadores los ha impulsado un sencillo principio: "Oramos y vamos". Al servir a otras personas, él sigue la misma norma. El élder Ballard, cuando servía como presidente de misión en Canadá, llamó al presidente Monson y le preguntó "si podía pasar por el hospital a visitar a su padre, si tenía tiempo". El élder Monson siempre tenía tiempo para ayudar a alguien que necesitara ayuda. Entonces fue esa misma tarde. El 27 de diciembre de 1982, habló en el funeral del padre del élder Ballard[19].

No fue diferente con Helen Ivory, una de las viudas que el presidente Monson conocía del Barrio Sexto-Séptimo. El élder y la hermana Monson fueron a visitarla en un hogar de ancianos. Allí, una empleada les indicó dónde estaba el comedor, y les dijo que Helen se sentaba ahí, que no hablaba con nadie, y que apretaba una tarjeta y un sobre con las manos y se los llevaba a la boca y los besaba regularmente. Ellos arrimaron unas sillas junto a Helen y le dijeron tiernamente: "Aquí estamos". Le hablaron de los días en el Barrio Sexto-Séptimo, pero ella no respondió. Finalmente, Frances persuadió a Helen que les dejara ver el sobre que apretaba en sus manos. Al tomarlo, reconoció enseguida que era una tarjeta de Navidad que ella misma le había mandado a la hermana Ivory[20].

Cuando el élder Monson fue al Hospital de los Veteranos de Guerra para darle una bendición a su querido amigo Hyrum Adams, estuvo con él una hora. Fue una conversación muy conmovedora. Al partir, el élder Monson sintió que había "hecho más bien en esa visita que en toda una semana de reuniones en las oficinas de la Iglesia"[21].

"Con frecuencia vivimos físicamente juntos", ha enseñado el presidente Monson, "pero afectivamente distantes. Hay personas dentro de la esfera de nuestra propia influencia que, con las manos extendidas, claman: '¿No hay bálsamo en Galaad?'"[22].

Aunque él quizás hubiera preferido bendecir a los enfermos y a los débiles, era también adepto a atender las numerosas tareas que usualmente se acumulaban sobre su escritorio. En 1978 sirvió en el Comité de Estudios Eclesiásticos, encargado de reestructurar el volumen de trabajo de la Primera Presidencia y del Quórum de los Doce. El comité lo presidía el élder Hinckley, sirviendo los élderes Monson, Perry y Haight como miembros. Los cuatro hombres "analizaron los deberes de los Doce, de los Setenta, de la Presidencia de los Setenta, de los representantes regionales, y de todo lo concerniente a la supervisión de la obra en todo el mundo". El élder Monson reconoció que ése era un "comité muy importante" que tendría un gran impacto en la obra[23].

Al cabo de varios meses de reuniones, el comité presentó un plan para transferir una considerable porción de los deberes que en esa época atendían los Doce a los Presidentes del Primer Quórum de los Setenta, lo que permitiría a los Apóstoles "dedicarse más a sus llamamientos y a la administración general de la Iglesia, y colocar a la Presidencia del Primer Quórum en una verdadera posición de presidencia sobre los miembros de su quórum y ciertamente sobre la obra"[24].

En 1984, bajo la presidencia del élder Monson, el comité reestructurado, llamado en aquel entonces Comité de Estudios Organizativos, estudió el progreso de la Iglesia y las necesidades correspondientes que atañían al liderazgo. El élder Monson fue magistral en su función, ofreciendo equilibrio y memoria institucional a medida que el comité consideraba muchas opciones. En una reunión realizada en junio de 1984, el comité propuso lo que el élder Monson veía como uno de los cambios más significativos que se habían presentado durante sus veinte años como miembro del Quórum de los Doce: la creación de presidencias de área para regular los asuntos de la Iglesia en trece áreas geográficas, siete en los Estados Unidos y seis en otras partes del mundo. De ese modo, reemplazaron a los administradores ejecutivos en varias naciones. En los años subsiguientes, el número de áreas aumentaría a medida que la Iglesia progresaba. Tiempo después, se descontinuaron las presidencias de área en Estados Unidos y en Canadá, donde existe un liderazgo más experimentado, pero han seguido funcionando en todas las demás áreas.

Después de esa reunión de junio, habiendo la Primera

Presidencia y los Doce aceptado efusivamente la recomendación, el élder Bruce R. McConkie expresó un "encomio especial" de parte del comité y de otros miembros de los Doce "por el eficiente y apto liderazgo proporcionado por el élder Thomas S. Monson en recientes deliberaciones que culminaron con el anuncio de la Primera Presidencia de cambios administrativos a efectuarse en el futuro cercano"[25].

El élder Monson se sintió "humilde y honrado" por el gesto del élder McConkie, y más tarde escribió en su diario personal: "Según lo que yo sé, ésa es la primera vez que formalmente se ha realizado, secundado y ejecutado una propuesta al encomiar a cualquier miembro de los Doce"[26].

La Primera Presidencia había creado un Departamento de Servicios de Bienestar en abril de 1973, combinando servicios de salud, servicios sociales y servicios de bienestar en un solo cuerpo correlacionado. Al Comité General de Servicios de Bienestar se le había encargado que atendiera los asuntos principales de cada uno de los servicios. Cinco años más tarde, se anunció un Comité Ejecutivo de Bienestar con el presidente Marion G. Romney, otro experimentado "hombre de bienestar", como presidente; el élder Monson, otro "hombre de bienestar", como primer vicepresidente, y el Obispo Presidente Victor L. Brown como segundo vicepresidente, para liderar los esfuerzos para intensificar la visibilidad de los principios y los programas de bienestar en la Iglesia.

El programa de bienestar había sido por mucho tiempo un punto de enfoque para el élder Monson, quien de joven obispo había sido instruido acerca de las bendiciones del programa de bienestar de la Iglesia. En el segundo semestre de 1979, los oficiales de la Iglesia capacitaron a líderes durante conferencias de estaca en cuanto a principios de bienestar, mostrándoles una nueva película titulada: "Los Servicios de Bienestar: Otra perspectiva". En un discurso de conferencia general, el élder Monson pidió que los miembros realizaran "esfuerzos de preparación personal y familiar, incluyendo el almacenamiento de alimentos". Recalcó la "constante necesidad de que los cabeza de familia tengan un empleo. Además, es siempre prudente tratar de mejorar las condiciones de empleo".

En su mensaje, también recomendó que debemos incrementar nuestra participación en proyectos de bienestar, dando como ejemplo su experiencia cortando remolacha. "Estoy agradecido por haber aprendido a trabajar en las plantaciones de remolacha de la granja de nuestra estaca", dijo. "También agradezco que hoy ya no tenemos que trabajar de la misma manera. Aquella granja no estaba situada en una zona fértil, sino en el sector industrial de Salt Lake City. Sin embargo, testifico que cuando la dedicamos a tan sagrado servicio, la tierra fue santificada, la cosecha bendecida y la fe recompensada"[27].

El presidente Monson puede ver la mano de Dios en un campo de remolacha, tal como lo hace en un hogar donde la rectitud supera las dificultades cotidianas mediante la genuina fe en Jesucristo. Como un ejemplo de tal hogar, él ha empleado la experiencia personal de Randy Spaulding, del norte de Utah, quien, cuando era un jovencito, le escribió una carta al presidente Monson en la que describía el comienzo gradual de una enfermedad que llevó a su padre de ser un hombre saludable y fuerte, a "una persona debilitada e incapacitada". Su padre fue confinado a una silla de ruedas prácticamente desvalido, pero nunca preguntó él ni su esposa, "¿Por qué nos sucedió esto a nosotros?". Randy escribió: "¡Oh, cuánto quisiera poder volver atrás en el tiempo y llevarlo al estanque de Betesda y pedirle a nuestro Maestro que nos tuviera misericordia, a fin de que también mi padre pudiera levantarse y caminar"[28].

En la oficina del presidente Monson se reciben muchas cartas como ésa. "Recordemos", aconseja él, "que no fueron las aguas del estanque de Betesda lo que sanó al hombre enfermo. Más bien, su bendición se manifestó mediante el toque de la mano de Maestro"[29].

Para el presidente Monson, *bienestar* es esa ternura que se brinda a quien la necesita. También se traduce en granjas y almacenes, órdenes de obispos, centros de empleo, y capacitación laboral. Las granjas y otras propiedades de la Iglesia en las que antes trabajaban los miembros son ahora parte de un próspero negocio agrícola que suministra productos para el sistema de bienestar. El élder Monson dijo: "Los cambios son inspirados y muy acertados". Sin embargo, él sostiene: "El mejor almacén es el de cada familia"[30].

En 1981, Ronald Reagan, en aquel tiempo Presidente de los Estados Unidos, asignó al élder Monson a integrar la "comisión de iniciativas del sector privado". Durante más de un año, el élder Monson hizo repetidos viajes a Washington, D.C., para reunirse con otros 34 líderes de negocios, religiosos, de minorías, de entidades sin fines de lucro y de gobierno para presentar la idea de "vecinos que ayudan a vecinos".

En su primera reunión, el presidente Reagan describió su deseo de dar participación al sector privado de una manera más vigorosa para resolver las necesidades de la comunidad. Entonces señaló al élder Monson y dijo: "Aquí sentado a la mesa está el élder Monson, quien representa a La Iglesia de Jesucristo de los Santos de los Últimos Días, una organización que verdaderamente sabe cómo velar por los suyos"[31]. Entonces explicó cómo la Iglesia había establecido su propio programa de bienestar durante la gran Depresión. El élder Monson se quedó sorprendido por la distinción, pero se sintió satisfecho "por el cordial reconocimiento" brindado a la Iglesia[32].

El presidente Reagan, quien cuando era gobernador de California había visitado algunas plantas de conservas de la Iglesia y había quedado muy impresionado "con el espíritu independiente de los mormones", pidió consejo al élder Monson y a otras personas para resolver un problema particularmente irritante que, dijo él: "me ha venido preocupando mucho". Él esperaba que "resurgiera el característico espíritu de generosidad estadounidense", en un torrente sin precedentes de buenas obras, y esperaba que la comisión pudiera concretar su visión[33].

Como parte de su asignación, se invitó al élder Monson a reunirse con todos los principales líderes religiosos del país, para explicarles el programa de bienestar de la Iglesia. También participaron otros tres líderes religiosos: uno de la iglesia católica, uno de la iglesia evangélica, y uno de la fe judía. La reunión fue "una verdadera manifestación de amor fraternal y bondad". El élder Monson empleó el desastre de la represa Teton como ejemplo, preparó un folleto para dar una breve explicación del plan de bienestar y mostró la película sobre ese tema. Entonces explicó que el derrumbe de la represa Teton en el sudeste del estado de Idaho, ocurrido el 5 de junio de 1976, había devastado varias comunidades a lo largo del valle del río Snake. Una muralla de agua de un volumen de más de 300 mil millones de litros con una altura de entre 4 y 6 metros, por poco arrasa con las comunidades de Teton y Newdale, pero azotó con toda sus fuerzas Sugar City, Salem y Hibbard, destruyendo más del 50 por ciento de las casas y dañando todas las estructuras en esos pueblos rurales. St. Anthony, Roberts y otras comunidades también quedaron inundadas. Cuarenta mil personas, más del noventa por ciento de ellas miembros de la Iglesia, tuvieron que abandonar sus hogares. Por muchos meses, llegaron al rescate más de 35.000 miembros de la Iglesia de estados vecinos y camiones llenos de provisiones de los almacenes de la Iglesia, disponibles para responder de inmediato al desastre[34].

William Verity, el titular de la comisión del presidente Reagan y oficial ejecutivo principal de una de las compañías de acero más grandes de la nación, le escribió al élder Monson para decirle cuán impresionado había quedado con "las buenas obras y el espíritu de la Iglesia mormona". Describió la película como "formidable" y terminó su nota diciendo: "Si todos nosotros pudiéramos hacer un aporte tan bueno como el de la iglesia mormona, nuestros problemas se acabarían"[35].

En diciembre de 1982, la comisión del presidente Reagan finalizaba su labor. El élder Monson se sentía honrado por haber servido a su país en tal función y por haber hecho una contribución a la debida preservación de los principios de bienestar.

La ayuda humanitaria, que llegaría a convertirse en un sello distintivo del sistema de bienestar de la Iglesia en los años siguientes y un punto de enfoque predilecto del presidente Monson, tuvo sus comienzos en 1985, cuando a los miembros de la Iglesia de los Estados Unidos y de Canadá se les pidió que observaran un día especial de ayuno y que fueran generosos al donar sus ofrendas de ayuno, las cuales se utilizarían para ayudar a la gente hambrienta de Etiopía. El élder Monson dijo: "Me hace feliz ver ese programa humanitario donde aquellos que lo necesitan pueden recibir la ayuda sin importar que sean o no miembros de la Iglesia. Creo que debemos realizar más este tipo de esfuerzo"[36]. La Iglesia recaudó $6.800.000 dólares en donaciones. Así nacía una nueva era de bienestar.

26

LAS COINCIDENCIAS NO EXISTEN

Algunos de los momentos más espléndidos que recuerdo del presidente Monson han sido en seminarios para presidentes de misión al referirse a misiones y a experiencias misionales y al expresar sus tiernos sentimientos hacia los misioneros. No creo que muchas personas hayan correlacionado esas dos cosas: el amor por los misioneros y el presidente Monson. Él tiene un profundo apego, respeto e interés por todo cuanto sucede a quienes sirven en el campo misional.

OBISPO H. DAVID BURTON
Obispo Presidente

EL SEÑOR DECIDE A DÓNDE VAN USTEDES en su misión", ha declarado el élder Monson por años a los misioneros. Ha testificado que "la inspiración divina interviene en esas sagradas asignaciones" y "entran en juego la fe, la esperanza y los sueños de muchas personas"[1].

Mientras asistía a una conferencia de estaca en París, Francia, el élder Monson indicó, como suele hacerlo, que le gustaría escuchar algunas palabras de uno de los misioneros. Al mirar hacia el fondo del recinto, vio a un joven élder, de alta estatura, a quien reconoció como el hijo de unos amigos de la familia, y lo llamó a pasar al frente. Mientras el misionero hablaba, el élder Monson pareció ver en su mente una imagen de Heber J. Grant en un jardín japonés, la misma pintura que se empleó para la tapa de un folleto sobre ese afamado Presidente de la Iglesia. No compartió la experiencia con nadie y hasta se preguntó qué significado tendría, dando por sentado que tal vez la había provocado el hecho de que ese élder era bisnieto del presidente Grant. Cuando el élder Monson regresó a Salt Lake City, se comunicó con los padres del misionero para comentarles acerca de su hijo, y se enteró de que otro de los hijos acababa de enviar los papeles para la misión. Cuando el élder Monson revisó más tarde esa solicitud, supo por qué había tenido aquella fuerte impresión con respecto al presidente Grant. Entonces cambió la asignación del misionero a Tokio, la ciudad y la tierra en la que su bisabuelo había dado comienzo a la obra misional. Ese misionero no sólo sirvió en esa tierra de tanto apego para su familia, sino que estuvo presente para la dedicación del Templo de Tokio, algo que el élder Monson sabía que habría complacido mucho a su bisabuelo[2].

En otra ocasión, el élder Monson hizo la asignación misional de un joven, aunque volvió a considerarla reiteradamente. Por no sentirse del todo seguro, pidió al élder Carlos Asay, miembro de los Setenta, quien lo estaba ayudando en esa reunión de asignaciones, que le leyera el archivo completo. En la primera revisión, inadvertidamente habían pasado por alto la información de que el joven había aprendido español "a los pies de su madre". El élder Monson lo asignó a una misión de habla hispana y el Espíritu corroboró la acción.

"Nunca deja de asombrarme cómo el Señor puede motivar y dirigir todo aspecto de Su reino", ha dicho el élder Monson, "y aún disponer del tiempo para proporcionar inspiración en el llamamiento de cada misionero"[3].

El élder Monson llegó a ser presidente del Comité Ejecutivo Misional en 1976, tras haber servido durante más de una década como miembro del mismo. Como presidente, trabajó junto a los élderes David B. Haight y Bruce R. McConkie, y tomó parte en el proceso de seleccionar presidentes de misión, asignar misioneros, recomendar la creación de nuevas misiones, aprobar la compra de casas de misión, recomendar programas de capacitación, atender las necesidades de misioneros asignados a países extranjeros de habla inglesa y supervisar la actividad de centros de visitantes y de capacitación de idiomas.

Por sus manos pasaron decenas de miles de solicitudes misionales. El élder Monson ha dicho: "Testifico que muchas son las experiencias espirituales que han ocurrido en el proceso de asignar misioneros. Casi nunca transcurre un día de asignaciones sin que tengamos alguna evidencia de que nuestro Padre Celestial, de un modo poco común, nos ha inspirado a asignar misioneros en particular a servir en ciertos lugares para después llegar a descubrir que con ello se cumplen sus oraciones y, en muchos casos, los deseos y las esperanzas de sus familias"[4].

Cuando Clark, el hijo de los Monson, recibió su llamamiento misional, vaciló en abrirlo. Frances le preguntó: "¿No estás ansioso de saber a dónde irás?". Clark se encogió de hombros, y dijo: "Yo ya sé a dónde iré. Papá quiere que vaya a Canadá, así que sin duda iré allí". El élder Monson le dijo: "Clark, es mejor que abras ese sobre porque no fui yo quien hizo tu asignación. No creo que un padre deba asignar a su propio hijo a una misión". Clark abrió el sobre y se sintió muy dichoso y algo sorprendido de que su llamamiento fuera para Nueva Zelanda[5].

El presidente Monson considera que es muy importante empezar a preparar a los futuros misioneros cuando son aún jóvenes. Su consejo a la juventud ha sido claro: "La preparación para la misión no es algo que se hace a último momento, sino que ha comenzado hace bastante tiempo. Cada clase de Primaria, de Escuela Dominical y de seminario; cada asignación del sacerdocio, tuvo un significado mucho mayor del que creen. De una forma silenciosa y casi imperceptible se fue modelando una vida, comenzando una carrera, forjándose un hombre. Ustedes que poseen el Sacerdocio Aarónico y lo honran, han sido preservados para este período especial de la historia. La cosecha es en verdad magnífica, y por cierto tienen una gran oportunidad. Las bendiciones de la eternidad les aguardan"[6].

Un joven que servía en la Misión de Dakota del Sur Rapid City le escribió al élder Monson, describiendo el momento cuando el apóstol lo había hecho pensar en servir en una misión:

"Usted habló en una conferencia de la Estaca San Diego Sur (California). Allí enseñó el principio del diezmo por medio de una demostración. Llamó a dos niñas y a un niño a pasar al estrado: yo era ese niño. Le dio a una de las niñas una moneda de un centavo, a la otra una de diez y a mí un dólar. Recuerdo lo que dijo al llamarme a pasar: 'Tú, el del medio con el cabello alborotado'. Sabía que se estaba refiriendo a mí. Entonces enseñó la ley del diezmo de un modo sencillo. Después le dio la moneda de un centavo a la niña y la mandó sentarse con su familia e hizo lo mismo con la otra niña y su moneda de diez centavos. Entonces me pasó el brazo sobre mis hombros y me dijo que podía quedarme con el dólar para empezar a ahorrar para mi misión. Ahora tengo 20 años en vez de 11 y estoy sirviendo en una misión"[7].

La responsabilidad que tienen los misioneros de ser fieles representantes del Señor es algo en lo que el élder Monson siempre pensaba, y les recordaba en cuanto a esa responsabilidad en toda oportunidad que se le presentaba, explicando: "Ustedes están plantando los cimientos sobre los cuales centenas de personas por cierto seguirán edificando. Recuerden sus sagrados llamamientos y sean buenos ejemplos para todos los miembros y la gente en general"[8].

Debido a sus responsabilidades en el Comité Misional, el élder Monson tenía que estar disponible día y noche para responder preguntas y atender asuntos relacionados con la obra misional. Atendía casos de secuestros, desaparición de misioneros, enfermedades, muertes, desastres naturales y hasta golpes de estado.

Él y otros miembros del comité también se encargaban de cualquier actividad inapropiada en el campo misional. Una vez asistió a una conferencia misional en un área que daba cuenta de un número sospechosamente alto de bautismos, advirtiéndose cierta evidencia de que las personas eran bautizadas sin habérseles enseñado debidamente las doctrinas de la Iglesia. La Primera Presidencia lo había asignado para visitar esa misión y volver a poner las cosas en orden dentro del programa misional "aprobado". Lo que no sabía era que también había ido al rescate de un misionero que estaba teniendo dificultades.

Entre los líderes de zona reconoció a un élder de St. Thomas, Ontario, Canadá. El élder Monson había asistido a una conferencia de distrito en London, Ontario, cuando ese misionero tenía seis meses de edad. En ese entonces, sus padres se habían visto envueltos en un terrible accidente automovilístico que había dejado a su madre con graves lesiones que más tarde le causaron la muerte. "Le conté al joven cómo había estado junto a su madre sosteniéndole la mano cuando ella sabía que estaba a punto de morir. Le expliqué que la mayor preocupación de ella era su hijo, y confiaba en que nuestro Padre Celestial lo bendeciría y guiaría a lo largo de su vida mortal".

Brotaron lágrimas de los ojos del joven misionero al saber de los sentimientos de una madre a quien él nunca había conocido. El élder Monson se enteró más tarde de que el joven canadiense había tenido problemas para ajustarse a la misión. "Resultó providencial que yo fuera la Autoridad General asignada a esa misión en particular, a fin de poder, siendo el único entre las Autoridades Generales que conocía a sus padres, darle a conocer lo que su madre anhelaba para él"[9].

Él siempre dice: "Las coincidencias no existen".

El élder Monson ha llevado a cabo seminarios de presidentes de misión en todas las áreas del mundo. El 20 de octubre de 1982, en uno de tales seminarios en Gran Bretaña, se produjo un incendio en la cocina del Hotel Caledonia en Edimburgo, donde se hospedaban los presidentes de misión y sus respectivas esposas. Él recuerda muy bien aquella noche en que todos los huéspedes fueron evacuados. Cuando la esposa del presidente de la Misión Inglaterra Manchester lo vio, se llevó las manos a la cabeza y exclamó: "¡Míreme con estos rulos!", a lo que él respondió: "No se preocupe; yo estoy sin corbata"[10].

En un seminario de presidentes de misión en la zona central de Estados Unidos en 1978, durante un encuentro social una noche, el élder Monson miró a la hermana Jan Callister, embarazada de ocho meses, esposa del presidente de la Misión Minnesota Minneapolis, y preguntó a todos los presentes: "¿Piensan que la hermana Callister va a dar a luz a un niño o a una niña?". Puesto que la hermana Callister previamente había comentado que el médico pensaba que iba a ser un varón debido al latido del corazón, todos dijeron que iba a ser niño, excepto el élder Monson, quien dijo que estaban todos equivocados y que iba a ser niña. Y así fue.

Veinte años más tarde, el élder Callister, que en aquel tiempo era representante regional, asistía a una conferencia regional en Palm Springs, California, presidida por el presidente Monson. "Entró", describió el élder Callister, "sin dar el más mínimo indicio de reconocerme. Cuando se paró para hablar, dijo: "He estado pensando en el élder Callister, sentado detrás de mí en la segunda fila del estrado. Hace veinte años lo conocí en Chicago; su esposa estaba por dar a luz. Todos pensaban que ella iba a tener un niño pero yo les dije que no, que iba a ser una niña. Entonces se dio vuelta y le dijo a mi esposa que estaba sentada a mi lado: 'Hermana Callister, fue una niña, ¿no es cierto?', a lo que ella respondió afirmativamente. 'Ya me lo imaginaba', dijo él". Los Callister quedaron azorados de la memoria del élder Monson después de no haberlo visto ni hablado con él por veinte años.

El élder Callister dijo: "Él hace que todo aquel a quien conoce se sienta especial, y siempre recuerda algún incidente o anécdota con respecto a esa persona. Ésa es una de las características que hacen que la gente lo ame"[11].

El élder Monson tomó el pedido que el presidente Spencer W. Kimball hizo a los miembros de la Iglesia de "alargar el paso" como un desafío personal de buscar más oportunidades de compartir el Evangelio. Mientras asistía a la investidura del nuevo rector de una universidad local, el hombre que lo ayudó a ponerse y quitarse la toga era un viejo amigo. Cuando partía, los dos "intercambiaron cumplidos" y el élder Monson salió apurado. "Pero sentí la necesidad de regresar y darle mi testimonio", explica. El hombre no era miembro de la Iglesia, aunque su esposa e hija sí lo eran.

Recuerda que le dijo: "Gene, siento que debo mencionarle una o dos cosas. Primero, quisiera decirle que no es mi deseo ni está en mi naturaleza imponer mis creencias religiosas en otra persona que no esté interesada en recibirlas. Sin embargo, lo conozco desde hace mucho tiempo. Tiene una esposa y una hija encantadoras que son miembros de la Iglesia, quienes, más que ninguna otra cosa, querrían que usted también fuera miembro para poder ir al templo para sellarse como familia por la eternidad". Después el élder Monson le dio su testimonio de que el evangelio de Jesucristo era verdadero y de valor inestimable, acotando más tarde: "Me agradeció y se le notaba bastante emocionado".

Pocas semanas después, el élder Monson se enteró de que inesperadamente Gene había decidido bautizarse. Cuando la hija de Gene se casó años más tarde, su padre fue uno de los testigos en el templo, siendo el élder Monson quien ofició en la ceremonia[12].

Conjuntamente con su consejo de "alargar el paso" el presidente Kimball instó a los Santos de los Últimos Días a pedir al Señor que se abrieran las puertas en países que las tenían cerradas al mensaje del Evangelio. Como resultado de las oraciones de los miembros, él dijo: "Podremos conseguir todos los misioneros necesarios para cubrir el mundo, y cuando estemos preparados, el Señor abrirá las puertas"[13]. El presidente Monson renovaría ese llamado como una prioridad en su primer discurso de conferencia general como Presidente de la Iglesia en abril de 2008.

Portugal fue uno de esos países en abrir sus puertas. El élder y la hermana Monson llegaron allí en una visita en 1975, en momentos en que la gente llenaba las calles con motivo de las elecciones nacionales pidiendo cambios. El gobierno comunista tenía una clara ventaja. La Iglesia había aprendido mucho al trabajar con gobiernos comunistas detrás de la Cortina de Hierro y no quería que la obra misional se viera limitada en esa misión recién abierta en Portugal.

Mientras iban desde el aeropuerto hasta la casa de la misión, vieron leyendas inscritas en hermosas estatuas y en las paredes: "Vote comunista". El élder Monson se dio cuenta de que la situación política bien podría marcar el fin del reciente comienzo de la obra misional en Portugal. A la mañana siguiente, los Monson, un grupo de misioneros y unos pocos miembros fueron hasta la cima de una colina, donde el élder Monson dedicó la tierra de Portugal para la predicación del Evangelio. Grant Bangerter, presidente de la misión, le susurró al oído al élder Monson antes de que empezara a orar: "Pida a nuestro Padre Celestial que intervenga en las elecciones".

En su oración, el élder Monson pidió guía divina en esos momentos en que la Iglesia luchaba por establecerse. "Reconocemos que de esta tierra partieron navegantes y marineros en días de antaño, quienes en su espíritu aventurero confiaron en Ti al ir en pos de horizontes desconocidos. Haz que este pueblo vuelva a confiar en Ti al buscar ahora aquellas verdades que los llevarán a la vida eterna". Para terminar la oración, pidió que las elecciones arrojaran resultados que no afectaran de forma negativa la obra misional[14].

Dos días más tarde, cuando él y Frances se aprestaban a partir, la edición europea del periódico *Herald Tribune* anunció: "Triunfo rotundo de los conservadores en elecciones en Portugal—comunistas en modesto tercer lugar". El élder Monson agradeció a nuestro Padre Celestial "Su intervención" en las elecciones[15]. Las coincidencias no existen.

Quince años después, cuando el presidente Monson fue nuevamente asignado a viajar a Portugal, un misionero que servía allí le entregó una carta en la que le decía: "Cuando cursaba el primer año de la preparatoria, mi vida era muy difícil. Tenía problemas en los estudios, con las amistades, con una estima personal muy pobre, e incluso a veces con mi familia. Pero algo de lo que siempre disfruté fue escuchar los discursos de conferencia general que daba Thomas S. Monson. Me hacían olvidar mis problemas. En una ocasión en que mi madre me regañó duramente por algo, me pregunté: '¿Por qué no puede el Señor enviarme alguien que lleve mi carga?'".

El élder, en aquel tiempo un joven adolescente, le había escrito una carta al élder Monson en la que describía su difícil situación. Como resultado, recibió a vuelta de correo un paquete con el nombre "Thomas S. Monson" en el remitente, el cual contenía una carta y un libro escrito por el élder Monson, titulado *Be Your Best Self* (Sé lo mejor que puedas). En la carta le decía: "¿Te preguntas por qué el Señor no puede enviar a alguien que te ayude a llevar esa carga? Tal vez ya lo haya hecho, ya que yo deseo ayudarte uniendo mis oraciones a las tuyas". El élder Monson también había escrito: "Entiendo cómo te sientes, pues recuerdo cuando yo era un jovencito y nadie parecía darme demasiado valor".

El joven misionero terminó su carta diciendo: "No sé si un gran hombre como usted jamás llegará a comprender cuánto me ayudaron aquellas palabras. Al mirar atrás, puedo decir que esa experiencia me salvó espiritualmente"[16].

Al continuar la obra en distintas naciones, el élder Monson tuvo el privilegio de dedicar otros lugares. Se había ofrecido una oración dedicatoria a favor de todas las naciones escandinavas en los primeros días de la Iglesia, antes de que se crearan misiones individuales en los distintos países, pero nunca se había hecho una oración específicamente por Suecia. El 7 de julio de 1977, en la capilla del Barrio Tercero de Estocolmo, el élder Monson imploró al Señor: "Ponemos esta tierra y a todos cuantos viven en ella bajo Tu atento cuidado. Te suplicamos que des a la gente el deseo de conocer la verdad, te rogamos que les concedas la capacidad de reconocer la verdad cuando la oigan y cuando la vean, y te pedimos que hagas que sus corazones se regocijen a fin de que acojan el Evangelio con todas sus fuerzas y se conviertan a la verdad"[17].

Bo Wennerlund, representante regional, interpretó para el élder Monson, quien lo llamaba "hermano Bo". Él recuerda: "Estaba junto al élder Monson orando que el mismo espíritu que lo guiaba a él, me guiara a mí. Yo era el instrumento para poner sus palabras en sueco. Las palabras fluían de él y de mí. Para mí siempre era una experiencia espiritual interpretar para él"[18].

El élder Monson volvería a Suecia el 17 de marzo de 1984 para la ceremonia de la palada inicial del templo. La tierra estaba congelada. Haciendo frente a una temperatura de ocho grados centígrados bajo cero y ante unas 400 personas congregadas en el lugar, el élder Monson dijo: "El templo es la cima de la felicidad. Hoy pediremos a nuestro Padre Celestial que santifique nuestros sacrificios a fin de que ésta sea una de Sus moradas"[19]. Se refirió con ternura a su legado sueco y mencionó cuán complacidos debían estar su abuelo Monson y los hermanos y las hermanas de éste, "al ver que uno de sus descendientes jugaba un papel histórico en la bella ciudad de Estocolmo al dedicar un terreno para construir un templo de Dios"[20]. La hermana Monson también se dirigió a los allí reunidos.

Muchos miembros de la familia del élder Monson—madre, tías y tíos—habían fallecido. La salud de su padre había estado deteriorándose por muchos meses hasta que el domingo 13 de mayo de 1979, a las 9:30 de la noche, también él falleció. El élder Monson había soñado la noche anterior que su padre había muerto. "Resulta interesante", dijo él, "que Marilyn, Bob y Barbara [sus hermanas y hermano] habían tenido sueños similares"[21]. El élder Monson pensó en cuanto al pasaje de las Escrituras que mejor reflejaba la vida de su padre: "Porque donde esté vuestro tesoro, allí estará también vuestro corazón"[22]. El tesoro de su padre había sido su familia. El élder Monson habló en el funeral, al igual que el presidente Kimball.

En marzo de 1982 el élder Monson fue relevado del Comité Misional y recibió una nueva asignación como presidente del Consejo Ejecutivo del Sacerdocio. Había servido en funciones misionales por más de dieciséis años, desde la época en que el presidente McKay era el profeta. El Consejo Ejecutivo del Sacerdocio abarcaba "casi todo en la Iglesia, con excepción de la historia familiar y el servicio misional", los otros dos consejos más grandes. Después de una de las primeras reuniones, dijo: "Ya me doy cuenta de que este consejo se encargará del 90 por ciento de la obra de la Iglesia". Indicó que presidía el comité más magnífico de todos, integrado por el élder David B. Haight, el élder Neal A. Maxwell, el obispo Victor L. Brown, el élder M. Russell Ballard y el élder Dean L. Larsen[23].

Aun cuando los miembros de la Iglesia lo habían visto detrás del púlpito y amaban sus mensajes y su espíritu, no habían visto la forma como influía en la estructura, los programas y la administración de la Iglesia. El élder Monson trabajaba largas horas y a menudo era el último en salir el Edificio de Administración de la Iglesia. Iba a su oficina los sábados y los lunes cuando no estaba viajando. Mantenía a su secretaria ocupada con suficientes tareas para tres personas. Su memoria prodigiosa lo hacía valioso al buscar precedentes en el pasado, y su visión del futuro siempre resultaba acertada. Regresaba de sus viajes con astutas observaciones y las empleaba eficazmente para implantar los cambios necesarios. Supervisó revisiones del Manual General de Instrucciones hasta su misma impresión. En todo ese proceso adquirió enorme conocimiento sobre las normas y los procedimientos de la Iglesia, el cual, conjuntamente con su privilegiada memoria, lo transformaron en un elemento vital en el trabajo de los comités. Quienes sirvieron con él en esos años concuerdan con que si querían dar curso a algo en el sistema, lo dejaban en manos de Tom Monson.

El élder Monson supervisó la realización del himnario de 1985, la primera nueva edición en 37 años, tras el fallecimiento del élder Mark E. Petersen. El élder Monson había servido en ese comité durante sus doce años, dejando su toque personal en ese volumen de música: Se reemplazaron varios himnos antiguos por otros nuevos, incluyendo "La luz de la verdad", uno de los predilectos del presidente Monson. El himnario era más grande que la edición anterior, al igual que el tamaño de los caracteres. El élder Monson dio mérito a Michael Moody, quien durante esos doce años había servido como director general del Comité de Música de la Iglesia, por ser el nervio motor merecedor de "altos elogios por sus persistentes y capaces esfuerzos"[24]. Para el élder Monson, su participación en esa tarea fue una experiencia invalorable.

El élder Monson concibió la idea de las conferencias multiestaca para reemplazar las de área; la nueva práctica se adoptó en 1984. Meditó en cuanto a lo que el Señor querría que él dijera en tales asignaciones. "Propónganse dar lugar a Jesucristo en sus vidas. Tenemos tiempo para salir a correr, tiempo para trabajar y tiempo para las distracciones; ahora dediquemos tiempo para Cristo", declaró en una de esas reuniones[25]. En otra ocasión, al comienzo de un nuevo año, dijo: "Piensen en los próximos doce meses. Ante todo, debemos decidir ser buenos escuchas. ¿A quién debemos escuchar? A los profetas de Dios, a los susurros de nuestra conciencia, a los susurros de la voz apacible y delicada"[26].

La obra en los templos se aceleró con la dedicación de varios de ellos. Para la dedicación del Templo de Jordan River [en la zona sur del valle del Lago Salado] se empleó el Tabernáculo de la Manzana del Templo de Salt Lake para quienes no cupieran en el templo. El élder Monson admitió: "Si bien al principio tenía dudas de que ése fuera un lugar apropiado debido a estar tan alejado del templo, esas dudas se disiparon cuando vi el Tabernáculo colmado de gente. El ver durante la exclamación de hosana entre 8.000 y 9.000 pañuelos agitarse simultáneamente, fue una experiencia inolvidable"[27].

Fue una era de "llevar los templos a la gente". El élder Monson habló en la rededicación de los templos de Logan y Manti [en Utah]. En la dedicación del Templo de Atlanta el 1° de junio de

1983, por primera vez en su ministerio apostólico, dirigió la exclamación de hosana. Volvió a hablar en la dedicación del Templo de Dallas el 19 de octubre de 1984. La dedicación de templos nunca sería un acontecimiento informal para él aun cuando estaría presente y hablaría en docenas de ellas en los años siguientes. Eran una clara indicación de que la Iglesia estaba encaminada "en una causa tan grande"[28], y se sintió privilegiado de ser parte de esa santa obra.

En abril de 1981, la Universidad Brigham Young honró al élder Monson con un doctorado en Derecho, el primero presentado por el nuevo rector, Jeffrey R. Holland. El tributo describía su lealtad, una cualidad "admirada universalmente". "Quien llega a ser amigo de Thomas Monson, tiene un amigo para siempre, en las buenas y en las malas, y a través de años de separación", declaraba. "Lo que es más, él defiende a sus colegas, causas cívicas, credos políticos y, por encima de todo, los principios del evangelio de Jesucristo, con una convicción y lealtad por cierto consideradas fuera de lo común en un mundo donde los valores son cada vez más relativos y los ideales cada vez menos notorios"[29]. Recibiría similares honores del Colegio Comunitario de Salt Lake (1996), de la Universidad de Utah (2007), de la Universidad del Valle de Utah (2009) y de la Universidad Estatal Weber (2010).

Ann, su hija, siempre orgullosa de su padre, le escribió en 1983: "En éste, el vigésimo aniversario de tu llamamiento a los Doce, quiero que sepas cuán orgullosa me siento de ti y de ser tu hija. Puesto que sólo tenía nueve años de edad cuando recibiste ese llamamiento, lo único que entendí fue que era importante. Ahora comprendo cuán sagrada es la responsabilidad que se te confió hace veinte años. Con el transcurso del tiempo he visto tus constantes esfuerzos por magnificar tu llamamiento. También sé, gracias a las experiencias que has compartido, cómo el Señor ha obrado milagros por medio de ti a fin de llevar a cabo Sus deseos y bendecir a Sus hijos. Estoy segura de que aunque te enfrentes a momentos de desaliento, el saber que has ayudado al Señor a lograr Sus propósitos debe ser una gran fuente de consuelo y seguridad de que Él está complacido con tus esfuerzos . . . Te amo, te admiro y estaré eternamente agradecida por haber nacido en el convenio y en el hogar tuyo y de mamá"[30].

El ritmo de la obra comenzó a afectar a los líderes ancianos, incluyendo al presidente Kimball. El élder Monson escribió en su diario personal después de que el presidente se recuperara de una larga serie de enfermedades: "Qué placer escuchar al presidente Kimball. Su espíritu inspira una gran dedicación al deber en cada uno de nosotros"[31]. La salud del presidente Tanner y del presidente Romney también decaía. En un momento, a principios de 1982, el oficial presidente de cada quórum de la Iglesia estaba hospitalizado: El presidente Spencer W. Kimball, de la Primera Presidencia; el presidente Ezra Taft Benson, del Quórum de los Doce; el élder Franklin D. Richards, del Primer Quórum de los Setenta; y Victor L. Brown, Obispo Presidente[32].

El élder Monson tenía una estrecha relación con los tres miembros de la Primera Presidencia, pero su vínculo con el presidente N. Eldon Tanner se remontaba a sus años de presidente de misión en Canadá. "Es muy triste ver un gigantesco roble comenzar a encorvarse", escribió el élder Monson. "En mi opinión, el presidente Tanner pasará a la historia de la Iglesia como uno de los consejeros más sobresalientes que haya servido a un Presidente de la Iglesia. Considero que su contribución iguala a la del presidente J. Reuben Clark"[33].

Con el fallecimiento del presidente Tanner el 28 de noviembre de 1982, el élder Monson perdía a un verdadero amigo, y la Iglesia perdía a un administrador excepcional. El presidente Marion G. Romney fue nombrado Primer Consejero de la Primera Presidencia y el presidente Gordon B. Hinckley como Segundo Consejero. (El presidente Hinckley había estado sirviendo como tercer consejero del presidente Kimball desde julio de 1981).

Semanas más tarde, el 11 de enero de 1983, falleció el élder LeGrand Richards, tres días antes de cumplir noventa y siete años. Después, el 16 de enero de 1984, el élder Monson habló en el funeral de uno de sus mentores, el élder Mark. E. Petersen. Poco más tarde, le rindió tributo en un artículo publicado en las revistas de la Iglesia; decía:

"A pocos hombres se les da la oportunidad de ejercer influencia en la Iglesia del modo que el élder Mark E. Petersen la ejerció durante casi cuarenta años como uno de los testigos especiales del Señor. Enorme fue su aporte de poder espiritual, combinando una mente perspicaz con un corazón lleno de fe para obrar maravillas con su singular estilo de expresión"[34].

Fueron llamados a llenar las dos vacantes en el Quórum de los Doce Russell M. Nelson, cardiocirujano y ex presidente general de la Escuela Dominical, y Dallin H. Oaks, juez del Tribunal Supremo del Estado de Utah y ex rector de la Universidad Brigham Young.

Con la muerte del élder Bruce R. McConkie el 19 de abril de 1985, se iba otro querido amigo. El élder Monson lo había visitado el lunes anterior y le había dado una bendición. "Pese a estar muy enfermo se pudo comunicar conmigo. Él expresó su amistad por mí y yo por él", recuerda el élder Monson. "Su filosofía siempre fue que debemos hacer lo mejor que podamos en las asignaciones que se nos den. Es una buena filosofía"[35].

El élder Monson fue asignado al comité encargado de programar el funeral del élder McConkie, "una tarea compleja con muchos aspectos que atender, como la seguridad, las flores, los oradores, las procesiones, etc."[36]. Una de las personas que asistió a una reunión de planeamiento fue Ronald D. John, nuevo gerente de la Manzana del Templo. Al terminar la reunión, el élder Monson pidió a uno de los hermanos encargados de seguridad que ofreciera la oración y preguntó si alguien había oído el pronóstico del tiempo para el martes, el día del funeral. Tras todos coincidir en que haría mal tiempo, el élder Monson le dijo a quien daría la oración: "No puede ser que llueva en el funeral de Bruce; resuelva ese asunto en su oración, ¿de acuerdo?".

El hermano John describió más tarde sus sentimientos en una carta: "Élder Monson, he sido primer consejero de dos obispos; he sido obispo dos veces; he servido en dos sumos consejos y actualmente sirvo como primer consejero en una presidencia de estaca. He tenido experiencias especiales, pero nunca había sentido lo que sentí en nuestra reunión. No había entendido hasta ese momento lo que es tener fe como la de un niño. Recibí el absoluto conocimiento de que los elementos obedecerían". Apenas llegó a su casa, el hermano John llamó a su mejor amigo, Mark Eubank, destacado meteorólogo de una estación local de televisión, y le preguntó: "¿Qué tiempo se pronostica para el martes?", a lo que Mark respondió que las condiciones del tiempo serían malas durante cuatro o cinco días más. "Entonces le compartí la experiencia que habíamos tenido en su oficina . . . El lunes por la noche, sólo Mark pronosticó cielos despejados y temperatura cálida hasta, por lo menos, las 3:00 de la tarde del martes. Usted y el élder Packer fueron los últimos en partir del cementerio. Minutos después, el cielo empezó a opacarse con nubes negras y el toldo que habíamos puesto para la familia casi se vuela. Élder Monson, no fue la señal lo que me enseñó la lección, sino su ejemplo de fe absoluta, el cual nunca olvidaré"[37].

M. Russell Ballard, miembro de la Presidencia de los Setenta y ex presidente de la Misión Canadá Toronto, fue llamado a ocupar la vacante en los Doce.

El liderazgo de la Iglesia entraba en un período singular. Tanto el presidente Kimball como el presidente Romney estaban enfermos. "El presidente Hinckley se enfrentó a una situación sumamente desafiante, ya que el presidente Kimball seguía siendo el profeta", dice el élder Monson al mirar atrás. "Aun cuando un hombre pueda verse incapacitado físicamente, tal vez no lo esté mental o espiritualmente. El presidente Hinckley tenía la nada envidiable tarea de no ir demasiado lejos, demasiado rápido, pero de ir lo suficientemente lejos . . . Muchas veces era el único miembro de la Primera Presidencia que asistía a nuestras reuniones de la presidencia y los Doce. Nos asegurábamos de estar en total acuerdo en cada asunto antes de proseguir. Habíamos trabajado por muchos años con el presidente Kimball y sabíamos como se sentía en cuanto a muchos temas y cuál sería su más probable decisión . . . Sin llegar a asumir ese manto profético, el presidente Hinckley actuaba hasta donde podía"[38].

El 5 de noviembre de 1985, el presidente Hinckley reunió a los miembros del Quórum de los Doce para informarles que el estado de salud del presidente Kimball era precario y todo parecía indicar un desenlace inminente. El élder Monson miró alrededor del cuarto y se dio cuenta de que todos los miembros del Quórum estaban presentes. Tan sólo veinticuatro horas antes, un tercio de ellos se encontraba en diferentes y hasta distantes partes del mundo.

El presidente Spencer W. Kimball falleció esa noche a las 11:00 a la edad de noventa años. Durante doce años había servido como Presidente de la Iglesia.

27

ORDENADO EN LOS CIELOS

Él tiene una energía y una vivacidad muy particulares. Camina por los pasillos cual un torbellino y hay veces que hasta se tienen que enderezar los cuadros después de que él pasa.

ÉLDER JEFFREY R. HOLLAND
Quórum de los Doce Apóstoles

EL DOMINGO 10 DE NOVIEMBRE de 1985, el élder Monson realizaba una de sus frecuentes visitas a un centro de atención médica cerca de su casa para participar en los servicios dominicales con los ancianos residentes. Cuando entró, fue recibido con sonrisas. Éstas eran personas que lo conocían y lo amaban. Estar en compañía de corazones tan puros lo preparaba para el resto del día.

A las 3:00 de la tarde, ese día, él y trece de los apóstoles vivientes se congregaron en una de las reuniones más sagradas jamás llevadas a cabo en la tierra[1], en la que se escogería a un nuevo Presidente de La Iglesia de Jesucristo de los Santos de los Últimos Días. Dirigió la sesión el presidente Ezra Taft Benson en su condición de Presidente del Quórum de los Doce. Siete de los Doce nunca habían participado en la reorganización de la Primera Presidencia. El élder Ballard llevaba sólo un mes como apóstol.

Después de que cada uno de los presentes expresó su testimonio, el élder Howard W. Hunter nominó a Ezra Taft Benson como decimotercer Presidente de la Iglesia. El élder Gordon B. Hinckley secundó la moción y ésta se aceptó unánimemente. Las palabras de José Smith resultaron convincentes: "Todo hombre que recibe el llamamiento de ejercer su ministerio a favor de los habitantes del mundo, fue ordenado precisamente para ese propósito en el gran concilio celestial antes que este mundo fuese"[2]. Al igual que sus predecesores, el presidente Benson no había sido escogido "mediante comités y convenciones con todas sus polémicas, críticas y escrutinios de los hombres", sino que fue "llamado de Dios y después sostenido por la gente". El modelo divino "no da lugar a errores, conflictos, ambiciones ni motivos ulteriores. El Señor se ha reservado para Sí el llamamiento de Sus líderes en esta Iglesia"[3].

El presidente Benson respondió al llamado con humildad e indicó que tras bastante oración y ayuno había considerado a quienes llamar como consejeros. Dijo haber estado en el templo temprano ese día para pedir guía divina y después anunció que su primer consejero sería Gordon B. Hinckley y su segundo consejero sería Thomas S. Monson. Nuevamente, los apóstoles aprobaron los nombres en unanimidad.

El élder Monson se sintió completamente sorprendido, aunque era capaz y digno y estaba dispuesto a servir. Tenía en ese momento cincuenta y ocho años de edad, el consejero más joven llamado en más de 100 años. El presidente Benson tenía ochenta y seis y el presidente Hinckley setenta y cinco.

Acompañado por un círculo de apóstoles, el presidente Benson puso las manos sobre la cabeza del élder Monson y lo apartó "bajo la autoridad del santo sacerdocio de Dios y mediante el poder del santo apostolado". El Profeta bendijo a su nuevo consejero con "la fuerza para seguir adelante", tal como lo había hecho en el pasado y agradeció al Señor "la gloriosa memoria del élder Monson, casi inigualable entre los hombres"[4].

En una conferencia de prensa llevada a cabo al día siguiente, el presidente Benson dijo: "Mediante el presidente Kimball, el Señor se ha enfocado claramente en la misión tripartita de la Iglesia: de predicar el Evangelio, de perfeccionar a los santos y de redimir a los muertos. Continuaremos con todos los esfuerzos que sean necesarios para cumplir esa misión"[5].

Lo que distinguiría la administración del presidente Benson sería el renovado énfasis en el Libro de Mormón. "Cuando el presidente Ezra Taft Benson nos amonestó por haber descuidado el estudio del Libro de Mormón e instó a cada miembro a leer y estudiar ese sagrado volumen, se necesitaron nuevas prensas para imprimir más y más ejemplares del libro"[6], comentó el presidente Monson.

El élder Monson encaró el llamamiento a la Primera Presidencia con "profunda humildad". Le resultaba reconfortante que la Primera Presidencia fuera "sostenida por la confianza, la fe y las oraciones de la Iglesia"[7]. El saber que Jesucristo está a la cabeza de Su Iglesia y la dirige por medio de Sus siervos escogidos, inmediatamente aligeró la carga que él sentía sobre sus hombros.

Entendía la naturaleza jerárquica de la Iglesia y el hecho de que, como se describe en las Escrituras, "tres Sumos Sacerdotes Presidentes . . . forman un quórum de la Presidencia de la Iglesia"[8], el cuerpo gobernante más alto. Él estaba agradecido por cada una de las experiencias que había tenido en la administración de la Iglesia y por sus mentores, J. Reuben Clark, hijo, Harold B. Lee, Mark E. Petersen, N. Eldon Tanner, y otros.

Tal vez no llegaba a comprender plenamente el efecto que él mismo estaba teniendo en la vida de otras personas. Como Rex E. Lee, el entonces rector de la Universidad Brigham Young, le expresó por escrito: "Realmente no conozco a nadie que posea su combinación de talentoso liderazgo, sensibilidad y capacidad para llegar a lo más profundo de cada uno de nosotros. Es usted un gran hombre, presidente Monson, y siempre me siento elevado cuando estoy en su presencia"[9].

Sus años de servicio en el Quórum de los Doce habían sido un magnífico período de capacitación para el presidente Monson. "Al ir uno ocupando diferentes puestos de antigüedad en el Quórum de los Doce, recibe asignaciones que le permiten aprender cómo funciona la Iglesia: Departamento Misional, Departamento del Sacerdocio, Correlación, Templos, y los aspectos comerciales o las corporaciones, como el Deseret News", explica el élder Russell M.

Nelson[10]. El presidente Monson había trabajado en todos ellos, además de haber supervisado la obra en el Pacífico Sur, México, en el noroeste de Estados Unidos y Europa, con responsabilidad exclusiva por Alemania Oriental durante casi veinte años.

El presidente Monson ofrecía ahora su amor, su lealtad y su estabilidad al presidente Benson. Cambió su oficina a la esquina sudoeste de la planta baja del Edificio de Administración de la Iglesia, y su secretaria, Lynne Cannegieter, fue con él. La oficina del élder Gordon B. Hinckley estaba directamente enfrente de la suya.

Las funciones y el volumen de trabajo en la oficina cambiaron dramáticamente. Después de algunos meses en el quórum superior, el presidente Spencer W. Kimball había comentado a sus colaboradores: "Nunca había imaginado cuántos detalles tiene que atender la Primera Presidencia. Ha sido un cambio como de la noche al día"[11]. Al igual que el presidente Kimball, al presidente Monson le gustaban los detalles, tenía una prodigiosa ética de trabajo y también sabía cómo trabajar con la gente.

El presidente Monson no tardó en aprender que el trabajo no sólo era diferente al de sus asignaciones en el Quórum, sino en el aspecto global. En 1985, el número de miembros inscritos de la Iglesia ascendía a 5.920.000, 12.939 barrios y ramas, y 1.582 estacas. Treinta y siete templos bendecían a los miembros alrededor del mundo, y 29.265 misioneros servían en 188 misiones[12].

La Primera Presidencia se reunía todos los martes, miércoles, jueves y viernes a las 8:00 de la mañana, además de asistir juntos a otras reuniones durante el día. En poco tiempo, el presidente Monson descubrió que sus citas, consultas y presentaciones tomaban diferente forma, ya que la Primera Presidencia auspiciaba menos programas pero daba su voto de aprobación a todo aquello que era de mayor relevancia. "La función de los Doce es algo distinta a la de la Presidencia", reconoció rápidamente. "A la Presidencia le resulta muy difícil ausentarse de la oficina siquiera por una semana, ya que la avalancha de correspondencia nunca cesa, y para los problemas que surgen por todas partes no hay días festivos"[13].

Por revelación, la Primera Presidencia dirige las operaciones diarias de la Iglesia, así como la obra en los templos, los asuntos eclesiásticos que supervisa el Quórum de los Doce y los aspectos temporales a cargo del Obispo Presidente.

Uno de los aspectos que no cambió con su llamamiento a la Primera Presidencia fue la necesidad de unidad entre ésta y el Quórum de los Doce. "Ese mandato establecido en las Escrituras requiere que todos prestemos atención a los demás", dice el élder D. Todd Christofferson, miembro del Quórum de los Doce, quien fue llamado por el presidente Monson. "A todos se les debe escuchar, todos deben contribuir, todos tienen que estar de acuerdo antes de determinar un curso de acción. A nadie se le puede dejar de lado"[14]. La atención prestada a los puntos de vista de los demás forma parte de un diseño divino: "Y toda decisión que tome cualquiera de estos quórums debe obedecer a la voz unánime de ambos; o sea, que todo miembro de cada quórum debe estar de acuerdo con lo decidido"[15].

El proceso deliberativo se ajusta al estilo del presidente Monson. "Llega un momento, generalmente tras arduos esfuerzos, tras mucho pensar, hacer esquemas, leer minutas, analizar opciones, pedir muchas opiniones, tras mucho orar, en que plantea una posición", dice su primer consejero, el presidente Henry B. Eyring. "Nunca se le oirá decir: 'Recibí una impresión del Señor'. Más bien, dirá, después de mucho orar: 'Creo que esto es lo que debemos hacer'. Él aguarda hasta recibir revelación y después actúa"[16].

La Primera Presidencia y el Quórum de los Doce se reunían en ocasiones sin una agenda formal, generalmente en domingos, para tratar asuntos apremiantes para la Iglesia. El presidente Monson dijo de una de tales reuniones llevada a cabo el 13 de diciembre de 1992: "Sentí que tras deliberar alcanzamos un compromiso común"[17].

El élder Francis M. Gibbons, ex secretario de la Primera Presidencia antes de ser llamado al Quórum de los Setenta, escribió lo siguiente al presidente Monson: "El manto de la Primera Presidencia le cae muy bien. Su franqueza, su entusiasmo y su espiritualidad son fuentes de inspiración para todos nosotros"[18].

Nuevamente comenzaron a surgir sucesos sin precedentes en

la vida del presidente Monson. Un día de noviembre de 1985 se sentaba por primera vez bajo las manos de un profeta para ser apartado para servir en el Quórum de la Primera Presidencia y como Segundo Consejero; por primera vez, en la siguiente reunión del templo, se sentaba junto al presidente Benson y, aun estando a tres metros del Quórum de los Doce, comprendía cuán distinta era su asignación[19]. Era la primera vez que se sentaba en consejo con la Primera Presidencia y hacía asignaciones al Quórum de los Doce. "Esos hombres hicieron mucho en un breve período de tiempo", recuerda el élder Russell M. Nelson. "Empezaron desde los hermanos de mayor antigüedad hasta los más nuevos y les dieron sus asignaciones. A mí me dijeron: 'Élder Nelson, usted es responsable por los asuntos de la Iglesia en África y Europa, con la asignación específica de abrir las puertas de naciones europeas que se encuentran bajo el yugo del comunismo'". El élder Nelson admite haber pensado: "¿Esperan que yo haga eso?"[20]. Sin dudarlo, el presidente Monson sabía que estaba confiando sus amados países de Europa Oriental a manos aptas y se mantuvo cerca de los acontecimientos, acompañando al élder Nelson y a otras personas a varias reuniones trascendentales en Alemania del Este y Polonia, en particular.

Richard Sager, el obispo del Barrio Noveno de la Estaca Valley View, donde asistía el presidente Monson, lo invitó a hablar el 17 de noviembre, en su primer discurso público como miembro de la Primera Presidencia. Además, extendió sus primeros llamamientos a nuevos presidentes de misión; asistió a su primera reunión del Comité de Normas de Inversión, y el día de Año Nuevo escribió en su diario: "Hoy empezó mi primer nuevo año como miembro de la Primera Presidencia de La Iglesia de Jesucristo de los Santos de los Últimos Días. Mis nuevas asignaciones llenan mi alma de humildad, junto con el deseo de dar lo mejor de mí"[21]. Su primera reunión para considerar restauraciones de bendiciones del templo lo hizo reflexionar: "Es una asignación particularmente ardua debido a la magnitud de las decisiones que se deben tomar. Algunos de nuestros miembros ciertamente se enfrentan a una variedad de problemas"[22].

Por primera vez preparó una oración dedicatoria para el

Templo de Buenos Aires, Argentina, llegando apenas a tiempo para leerla el 5 de enero. Un atraso en la llegada del vuelo le dio tiempo suficiente para darse una ducha fría, ponerse su traje blanco y salir de apuro a la ceremonia de la colocación de la piedra angular donde, con paraguas en mano para protegerse de la lluvia torrencial, colocó el mortero alrededor de la piedra. La oración dedicatoria llegó al corazón de las 10.000 personas que asistieron a las once sesiones. En parte, la oración declaraba:

"Bendice con salud y sabiduría a Tu siervo, el presidente Ezra Taft Benson, a quien has llamado para dirigir Tu Iglesia en estos días. Revélale Tu voluntad concerniente al crecimiento y al avance de Tu obra entre los hijos de los hombres . . .

"Al dedicar este templo, dedicamos nuestras vidas mismas, con el anhelo de hacer a un lado todo cuanto sea insignificante y sórdido, y llegar a Ti a diario en oración, para que nuestros pensamientos sean puros, nuestro corazón y manos limpios y nuestra vida esté en conformidad con Tus enseñanzas . . .

"Que todos cuantos entren a ésta, Tu casa, tengan el privilegio de decir, como el salmista de antaño: 'Juntos nos comunicábamos en dulce consejo, y en la casa de Dios andábamos en amistad' (Salmos 55:14)"[23].

Su trabajo en los países comunistas no había terminado. El 31 de mayo de 1986, el presidente Monson y el élder Nelson se reunieron con el ministro de religión de Polonia, Adam Wopatka, y su subdirector de relaciones con iglesias no católicas. Las Autoridades Generales habían orado fervientemente para que los recibieran en el debido espíritu y a fin de que sus dos objetivos se cumplieran: que se le permitiera a la Iglesia tener más de una pareja de misioneros en Polonia y que se pudiera dar cabida a los miembros en centros de reuniones apropiados. El presidente Monson dio el siguiente informe: "Cuando hice la pregunta sobre una pareja adicional de misioneros, el ministro sugirió que se nos autorizaran tres o cuatro parejas más. Cuando mencioné los edificios, indicó que tendríamos su plena aprobación para remodelar uno de ellos o para adquirir propiedades y construir capillas designadas para nuestros fines específicos. No podría haber pedido una recepción más positiva"[24]. Al día siguiente, el 1°

de junio, el presidente Monson ofreció una oración, "agregando una nueva dimensión a la oración dedicatoria anterior". En ella, indicó: "Pronto habrá grandes cambios, y esta tierra, junto con aquellos que has preparado para recibir el Evangelio, prosperará y crecerá y ocupará su lugar entre las naciones donde Tu Espíritu está impulsando el progreso de la obra"[25].

El 17 de octubre de 1989 dedicó un centro de reuniones en Budapest, Hungría, evento al que asistieron 128 santos. Él dijo más tarde que al pasar frente al Edificio del Congreso, "nadie imaginaba que dentro de él el parlamento estaba tratando ese mismo día el proceso para derrocar el comunismo en Hungría y la declaración del país como una república libre. Ése fue, tal vez, uno de los días más trascendentales en la historia de Hungría"[26].

El primer relevo que extendió de un oficial de organización auxiliar fue el de Patricia Holland, esposa del entonces rector de la Universidad Brigham Young, Jeffrey R. Holland. La hermana Holland había estado sirviendo hasta ese momento como consejera de la presidencia general de las Mujeres Jóvenes. Más tarde, el rector Holland expresó su gratitud en una carta, diciendo: "Sentí que estaba en la presencia de ángeles, así como en la de alguien que sabe cómo obran los ángeles. Le dije al partir que tal vez un día alguien me preguntará cómo se extiende un relevo a alguien que sirvió fielmente en un llamamiento y entonces yo recordaré la forma como usted lo hizo"[27].

La primera experiencia del presidente Monson en ordenar a un apóstol y apartarlo como miembro del Quórum de los Doce ocurrió el 9 de octubre de 1986, cuando el élder Joseph B. Wirthlin fue llamado a ocupar la vacante. El presidente Benson no había llamado a un apóstol en la conferencia anterior de abril, aunque sí había añadido tres nuevos miembros al Quórum de los Setenta. Un mes antes, en septiembre, el presidente Monson había apartado al élder Wirthlin como uno de los Presidentes de los Setenta. Los dos habían trabajado en forma estrecha en Europa y compartían un gran afecto por Alemania.

En 1988, el presidente Benson le pediría nuevamente al presidente Monson que ordenara al nuevo apóstol, Richard G. Scott, quien fue llamado al momento de morir el élder Marion G.

Romney. El élder Scott y su esposa habían conocido a los Monson en un seminario de presidentes de misión en Argentina. El élder Scott recuerda aquella reunión: "El élder Monson parecía un José Smith de la actualidad; potente, articulado, amoroso e inspirador. Así que pueden imaginar lo que significaba para mí que el presidente Benson pidiera que él fuera quien me apartara a los Doce"[28].

El élder Scott siempre recordará el gran abrazo que le dio el presidente Monson al darle la bienvenida a ese círculo tan selecto. Por años, el élder Scott lo ha observado interactuar con diferentes personas en comités, en conferencias, en entrevistas y al cruzarse con ellas en los pasillos: "No importa cómo se origine el intercambio, uno termina sabiendo que él verdaderamente lo ama. No se trata de una simple sonrisa y una palmada en la espalda, sino de una demostración cabal de su amor por uno"[29].

Lo que el presidente Monson no había contemplado con su nuevo llamamiento era el aumento en el número de asignaciones para hablar en reuniones y para dirigir. En la conferencia general de abril de 1986 tuvo que dar tres discursos en vez de sólo uno, lo cual requirió que empleara el teleprompter en vez de darlos de memoria. Su hija, Ann, recuerda que en aquellos años él iba al sótano de la casa a memorizar los discursos, para lo cual tenía mucha habilidad. Después de un discurso particularmente conmovedor, Ann le envió esta nota: "Te felicito por tu magnífico discurso. De por sí es muy difícil memorizarlos, pero el milagro está en que tú los memorizas, asistes a innumerables reuniones, respondes docenas de llamadas y cortas el césped todo en un mismo día"[30]. Por mucho tiempo había evitado tener que leer sus discursos de la pantalla, pero ahora no tenía otra opción. Debía dar muchos discursos y no disponía del tiempo para memorizarlos como lo había hecho por tantos años.

Pese a que muchas cosas habían cambiado para el presidente Monson, otras permanecían iguales, como lo demuestra lo que escribió en su diario personal el 23 de diciembre de 1986: "Pasé bastante tiempo repartiendo pollo asado y un ejemplar de mi nuevo libro a cada una de las viudas que tradicionalmente visito por estas fechas. Disfruté cada visita y espero que ellas también las hallan disfrutado".

"Tiene una capacidad increíble para transmitir amor", dice el élder Scott. "Ya sea que se trate de un niño pequeño a la puerta de su casa o de una persona mayor enferma de gravedad, él le trata como si fuera un amigo personal. Puede ser muy jovial, puede ser muy serio o puede ser profundamente espiritual, dependiendo de la ocasión. Es una persona sencillamente increíble"[31].

Ese invierno, visitó muchas veces a su amigo Stan Cockrell, quien estaba confinado a una silla de ruedas. En una ocasión, el presidente Monson lo había encontrado muy deprimido, sentado en su silla al borde de una piscina, tratando de decidir si debía poner fin a su vida. El presidente Monson lo aconsejó y lo convenció de que valía la pena vivir. Ahora Stan se encontraba nuevamente en el hospital, aunque esta vez ya no volvería a su casa. El presidente Monson le dio una bendición a él y al obispo de Stan, ambos víctimas de cáncer. Meses después, el presidente Monson habló en el funeral de su amigo con tan "enorme fluidez de sentimiento y expresión" que, con gratitud, reconoció la presencia del Señor junto a él ese día[32].

Si uno ha de actuar como el presidente Monson, "irá siempre al rescate de alguien", dice el élder Holland. "Si uno está nadando en el gimnasio, como aconteció con él una vez, y siente que debe salir de la piscina e ir al hospital, uno sale, se viste y va al hospital a salvar la vida de una persona"[33].

El presidente Monson disfrutó enormemente de servir con el presidente Benson. "Aun cuando él nos delega la mayoría de los detalles administrativos al presidente Hinckley y a mí", escribió, "le encanta asistir a conferencias regionales y otras actividades para estar con la gente y rodearse de grandes cantidades de miembros de la Iglesia"[34].

Todos los años, el presidente Monson llamó a nuevos presidentes de misión, dividiéndose con el presidente Hinckley las más de 100 entrevistas que se realizaban. En 1988, Neil L. Andersen estaba ocupado en su negocio en Florida cuando su secretaria le informó: "Thomas Monson lo llama desde Salt Lake City". El élder Andersen recuerda que por respeto se puso de pie junto a su escritorio y tomó la llamada. El presidente Monson conversó por unos momentos con el asustado hermano Andersen y después le extendió el llamamiento para servir como presidente de misión con su esposa, Kathy. Más tarde recibirían la asignación de ir a Bordeaux, Francia, precisamente el lugar donde el hermano Andersen había servido como joven misionero.

El hermano Andersen tenía treinta y siete años de edad. "Usted es joven", le dijo el presidente Monson, y después lo aconsejó: "Nunca use su juventud como excusa. José Smith era joven y también lo era el Salvador".

Cuando el presidente Monson dijo eso, el élder Andersen recuerda haber pensado: "y también lo era Thomas Monson"[35].

El presidente Monson también comenzó a extender llamamientos para servir en los Quórumes de los Setenta. El élder Monte J. Brough le comentó al presidente Monson la bonita experiencia que él y su esposa habían tenido al reunirse con él cuando le extendió el llamamiento al Primer Quórum de los Setenta:

"Cuando vendí mi negocio de computadoras hace unos años, una de las condiciones que puso el comprador fue que firmara un contrato de trabajo por cinco años. Los nuevos propietarios querían asegurarse de que contarían con mis servicios hasta completar la adquisición de nuestra tecnología. El acuerdo requirió varias páginas en las que se plasmaba el esmerado trabajo de los abogados. Me resulta interesante, tras mi experiencia mundana, que usted y yo hayamos entrado en un acuerdo de por vida sin firmar un contrato, sin extensas negociaciones y sin siquiera hablar de los beneficios que ambas partes esperarían de la nueva relación. Sólo en la Iglesia se puede encontrar tan alto grado de compromiso personal y organizativo entre dos partes"[36].

El élder Russell M. Nelson ha sido testigo del estilo personal y atento del presidente Monson y dice: "He aprendido de él que hay cosas más importantes que el reloj. He intentado ser más como él cuando me reúno con otras personas, inclusive con mi familia. Uno no tiene que estar tan preocupado con la hora, sino asegurarse de que sea una bendición para las personas cuando esté con ellas, que al partir se sientan mejor de lo que se habrían sentido de no haber estado en nuestra presencia"[37].

Foto por Jeffrey D. Allred, *Deseret News*

Felicitando a una amiga de toda la vida, Thelma Fetzer, al
celebrar sus cien años de vida, el 8 de abril de 2010.

Con el élder L. Tom Perry, en el cementerio,
despidiéndose del presidente Gordon B. Hinckley.

Foto por Keith Johnson, *Deseret News*

"Se propone que sostengamos a Thomas Spencer Monson como profeta, vidente y revelador y Presidente de La Iglesia de Jesucristo de los Santos de los Últimos Días".

Foto por Scott G. Winterton, *Deseret News*

"Disfrutemos la vida", aconsejó el presidente Monson a los Santos en la conferencia, "y hallemos gozo en el trayecto".

Entrando en el Centro de Conferencias a una de las sesiones de conferencia general con su típico paso ágil.

La Primera Presidencia. De izquierda a derecha: presidente Henry B. Eyring, presidente Thomas S. Monson, y presidente Dieter F. Uchtdorf. El lema de la administración del presidente Monson es unidad, cooperación y amor.

Departiendo con (de derecha a izquierda) los élderes Jeffrey R. Holland, Robert D. Hales y Richard G. Scott, junto al presidente Henry B. Eyring, en abril de 2010.

Abrazando al élder Joseph B. Wirthlin tras la asamblea solemne del 5 de abril de 2008.

Una sonrisa y un apretón de manos para (de izquierda a derecha)
los élderes D. Todd Christofferson, Quentin L. Cook y David A. Bednar,
del Quórum de los Doce, en abril de 2009.

Junto al élder Glen L. Rudd en la Manzana de Bienestar al celebrar éste sus noventa años de
edad. Ambos habían sido obispos en barrios vecinos más de cincuenta años antes.

Foto por August Miller, *Deseret News*

Rindiendo tributo al destacado hombre de negocios Larry H. Miller, el 29 de febrero de 2009, por las pequeñas cosas que hacía a diario que no se publicaban en los periódicos.

Foto por Jason Olson, *Deseret News*

Participando en el tradicional desfile anual del Día de los Pioneros.

Tirando de la "cola del diablo" de una réplica de la prensa de imprenta de Gutenberg en el Museo Histórico Crandall en Provo, Utah, el 21 de abril de 2009.

Recibiendo el balón del partido como "distinguido aficionado de la Universidad de Utah en el estadio de la universidad el 24 de octubre de 2009. De izquierda a derecha: el director deportivo Chris Hill, el rector Michael Young y el editor del Deseret News Jim Wall.

Conversando con el obispo George H. Niederauer de la diócesis católica de
Salt Lake City después de una ceremonia en la Catedral de la Madeleine.

Con el rabino Benny Zippel durante la ceremonia de toma de mando
del gobernador John Huntsman, hijo, el 5 de enero de 2009.

Hablando en la Catedral de la Madeleine en la celebración del centenario de "Un servicio cívico de acción de gracias", el domingo 9 de agosto de 2009.

Foto por Jeffrey D. Allred, *Deseret News*

Cubiertos con ponchos mexicanos para permanecer abrigados,
el presidente Thomas S. Monson y el presidente Henry B. Eyring saludan a la
multitud de 87.000 espectadores reunidos en el Estadio Azteca de la Ciudad de México
durante la celebración cultural previa a la rededicación del Templo de la Ciudad
de México. La hija del presidente Monson, Ann Monson Dibb, está sentada a su lado.

Foto por Scott G. Winterton, *Deseret News*

Ayudando a una niña a poner mortero alrededor de la piedra angular
del Templo de Twin Falls, Idaho, el 24 de agosto de 2008.

Foto por Gerry Avant, *LDS Church News*

Con los hermanos Jacob Jonathan y Nicholas James Lowry
en la dedicación del Templo de la Ciudad de Cebú, Filipinas.

Saludando a un miembro de la congregación en la conferencia general de octubre de 2008.

Disfrutando de un momento agradable durante la celebración cultural
previa a la dedicación del Templo de Twin Falls, Idaho.

La familia Monson en 2008.

El presidente y la hermana Monson en el Templo Oquirrh Mountain,
Utah, después de la primera sesión dedicatoria el 21 de agosto de 2008, coincidiendo
con el cumpleaños ochenta y dos del presidente Monson.

El 22 de junio de 1986, el presidente Monson creó la estaca número 1.600 de la Iglesia en Kitchener, Ontario, Canadá. Lo acompañaban el élder M. Russell Ballard y el representante regional, Alexander B. Morrison. Como si no fuera suficiente estar en su segundo hogar, Canadá, el presidente Monson anunció a los miembros que se había aprobado la construcción de un nuevo templo para el área de Toronto, en la municipalidad de Brampton. El año siguiente, el 10 de octubre de 1987, regresó para la ceremonia de la palada inicial. Unos 3.000 miembros se encontraban congregados bajo las amenazantes nubes que durante tres días habían vertido lluvias torrenciales. Al comenzar los servicios, las nubes se disiparon y las primeras paladas dieron vuelta la tierra bajo cielos despejados. A último momento, el presidente Monson le pidió a Frances que hablara. Con ojos llenos de lágrimas, ella dijo: "Estoy muy agradecida por haber tenido nuestra experiencia misional en Canadá, una de las mejores de mi vida"[38].

El templo serviría a miembros de las provincias canadienses de Ontario, Nueva Escocia y Quebec, así como de parte de los estados de Ohio, Michigan, Nueva York y Vermont. Pero su construcción sufrió demoras. En cierto momento, el presidente Hinckley le comentó al presidente Monson: "No sé si podemos justificar algunos de los elementos adicionales que se proponen para el templo de Toronto", y le preguntó: "¿Puede usted garantizar que tendremos 35.000 miembros en Ontario?". El presidente Monson respondió sin vacilar: "Hermano Hinckley, tendremos 35.000 miembros en la ciudad de Toronto, sin considerar la totalidad de Ontario".

"¿Usted lo garantiza?", preguntó el presidente Hinckley.

"Lo garantizo", dijo con firmeza al presidente Monson, "y el élder Ballard coincidirá conmigo"[39]. Se dio inicio a la construcción del templo.

Uno de los aspectos más destacables de la dedicación del Templo de Toronto para el presidente Monson ese 25 de agosto de 1990, fue dirigir la ceremonia de colocación de la piedra angular. Con paleta en mano, él y las demás Autoridades Generales presentes pusieron un poco de mortero alrededor de la piedra, y después el presidente Monson advirtió a un niño pelirrojo, a quien le pidió que se adelantara y tuviera la oportunidad de participar. "Aquello marcó un hermoso ejemplo de un niño pequeño tomando parte en una ceremonia de perfiles eternos", dijo[40].

El presidente Monson presidió la última sesión dedicatoria y después se quedó en los jardines mirando al ángel Moroni y reflexionando en las palabras de uno de sus ex consejeros en la misión, Everett Pallin: "En un día claro, si uno mira desde donde está el ángel Moroni, tal vez pueda ver hasta Cumorah". El presidente Monson observó que era algo muy conmovedor pensar que la estatua del ángel miraba hacia un lugar "muy querido para el mismo Moroni"[41].

La Primera Presidencia se enfocó en buscar lugares donde construir templos, dar inicio a los trabajos, seguir de cerca el progreso y participar en las dedicaciones. El presidente Monson evaluó terrenos en muchos lugares, entre ellos Misuri, la República Dominicana e Inglaterra. En noviembre de 1991, el presidente Monson y el élder Jeffrey R. Holland caminaron por la propiedad donde hoy está el Templo de Preston, Inglaterra. El presidente Monson se sintió bien en cuanto a recomendar su compra, pero su recuerdo más significativo del sitio fueron las diez hectáreas de jacintos silvestres que cubrían el lugar. "Era un día hermoso", recuerda el élder Holland. "Caminamos a lo largo de toda la propiedad. Él estaba muy impresionado y, con los ojos de la imaginación, podía ver mucho de lo que hoy está allí: un centro de estaca, un CCM, un hostal y un hermoso templo"[42].

El presidente Monson celebró su sesenta y dos cumpleaños en el Templo de Portland, Oregón, dirigiendo cuatro sesiones dedicatorias. Durante su último discurso, advirtió a una hermosa niñita de unos once años de edad que estaba sentada a uno de los costados del púlpito en el salón celestial. A ambos extremos del estrado había dos ramos de rosas blancas.

"Tuve el impulso de tomar una de las rosas blancas y dársela a la pequeña, a quien había invitado a pararse a mi lado ante el púlpito. Le dije que esas rosas no podrían haber brotado con un propósito más glorioso que el de adornar el estrado del salón celestial durante la dedicación de un santo templo, y que esa rosa blanca simbolizaba pureza; que ella, como dulce jovencita, era un símbolo de la pureza. La entregué la rosa como recordatorio de que ella debía planear regresar un día al templo de Dios para casarse allí por el tiempo de esta vida y por toda la eternidad"[43].

La edificación de templos está llena de desafíos. Pocos son los vecinos, las comisiones de urbanización y otras entidades, que realmente entienden el entorno de serenidad que se propone o la paz espiritual que reinará en el vecindario una vez que el templo esté dedicado.

En 1989, cuando se supo que lo que costaría el Templo de San Diego superaba todas las proyecciones, el presidente Monson, el presidente Hinckley, el élder Packer y el élder Gene R. Cook viajaron a California para reunirse con los presidentes de estaca en el distrito del propuesto templo. Determinaron tres opciones: seguir adelante y pagar más de lo esperado, reducir la magnitud de las especificaciones, o modificar el diseño para construir un templo parecido al de Toronto. Todos estuvieron de acuerdo con que recortar las especificaciones era la mejor opción. El templo, dedicado el 25 de abril de 1993, recibió honores del Club de Prensa de San Diego como el mejor edificio construido ese año.

Cuando el presidente Monson, el presidente Hinckley y el obispo H. David Burton visitaron Vernal en el este de Utah para estudiar la posibilidad de convertir el tabernáculo pionero de esa ciudad en un templo, encontraron el edificio en tan malas condiciones que lo que costaría restaurarlo iba a ser un gasto astronómico. Pero, reconoció el presidente Monson, no se podía imaginar uno cómo podrían derrumbar esa histórica estructura. Cuando el presidente Benson dio el visto bueno a la recomendación de que el tabernáculo se renovara como un pequeño templo, los planes prosiguieron y los presidentes de estaca de la zona "quedaron maravillados". Cuando el presidente Monson presentó los planes para preservar la estructura, describió la gran fe y el enorme valor de la gente de esos valles donde los duros inviernos de privaciones extremas, incluyendo problemas con los indígenas, hicieron que la colonización resultara tan difícil. "Toqué un nervio muy sensible", dijo, "ya que muchos de los presidentes de estaca descendían de aquellas primeras familias pioneras". Vio lágrimas en sus ojos cuando comprendieron que la obra de sus antepasados se preservaría en la remodelación del tabernáculo convertido en una casa del Señor[44].

La Primera Presidencia no sabía en ese momento que un previo Presidente de la Iglesia, Joseph F. Smith, había dicho a los que estaban reunidos en el servicio de dedicación del tabernáculo de Vernal en agosto de 1907, que no le sorprendería si algún día ellos llegaran a tener un templo en ese lugar. Ese día fue el 2 de noviembre de 1997, cuando se dedicó el Templo de Vernal, Utah, el número cincuenta y uno de la Iglesia[45].

Durante esos años como consejero de la Primera Presidencia, el presidente Monson participaría en otras dedicaciones y rededicaciones, como las de los templos de Cardston, Alberta, Canadá; Londres, Inglaterra; y Berna, Suiza. El hermano Wilfred Möller, su traductor por veinte años en Alemania Oriental, interpretó para él en el Templo de Suiza. Al concluir la última sesión, el presidente Monson reunió "a las Autoridades Generales y a sus respectivas esposas para ofrecer una oración de rodillas para expresar agradecimiento a nuestro Padre Celestial"[46]. La gratitud hacia un amoroso Padre Celestial es un tema constante en su vida.

La Primera Presidencia en pleno asistió a la ceremonia de la palada inicial del futuro templo de Bountiful (Abundancia). El presidente Hinckley pidió a un par de jovencitos que lo ayudaran a dar vuelta la tierra; el presidente Monson sintió "que debía llamar a tres niñas para que ayudaran". Les dijo a los allí congregados: "Considero que es muy apropiado que el presidente Benson, que ama el Libro de Mormón tanto como cualquier otro Santo de los Últimos Días que jamás haya vivido, esté hoy aquí. Estoy seguro de que él estará pensando en el significado del nombre de este lugar y el encanto de la tierra"[47].

Puesto que como miembro de la Primera Presidencia ya no tenía asignaciones en conferencias de estaca, el presidente Monson rara vez asistía a una, excepto en ocasiones especiales cuando se sentía inspirado a hacerlo. El estar en la presencia de una Autoridad General o de un miembro de la Primera Presidencia es siempre una bendición para la gente. Un hombre, Grant Johnson, describió haber esperado con anticipación que el presidente Monson entrara en la capilla y comenzara la reunión.

"Habían pasado dos minutos de la hora de empezar y usted y nuestro presidente de estaca aún no llegaban. De pronto sentí una gran influencia del Espíritu Santo. Miré a mi alrededor pero no vi nada fuera de lo común. El Espíritu parecía llenar el recinto, y a los pocos segundos usted entró por las puertas del frente. Eso fue un testimonio para mí de que los santos ángeles preceden su llegada, pues sentí la presencia de esos seres santos a pesar de no poder verlos. Para mí fue una confirmación de que usted era uno de los profetas de Dios"[48].

El formato de conferencias regionales se instituyó para hacer posible que miembros de la Primera Presidencia y de los Doce hablaran a más líderes del sacerdocio, así como a miembros en general de un área entera. "El gran número de estacas y la oportunidad limitada de los miembros de la presidencia de visitarlas no nos permite estar presentes en esos lugares a no ser por las reuniones regionales", comentó el presidente Monson[49]. Con el crecimiento de la Iglesia, las reuniones regionales se transmitían simultáneamente a varios centros de estaca, y pese a que éstas carecían del contacto personal, las reuniones televisadas permitían que los miembros recibieran dirección específica para su área de parte de las Autoridades Generales, incluyendo miembros de la Primera Presidencia.

El presidente Monson presidió conferencias regionales en muchos países, influyendo positivamente no sólo en quienes estaban en la congregación, sino en aquellos que lo acompañaban en el estrado. El élder Alexander B. Morrison, presidente de área en Europa en 1988, le escribió al presidente Monson después de haber estado con él en las reuniones: "Su comentario en Escocia de que estaba orgulloso de mí, me llenó de emoción. No hay ningún otro hombre en el mundo cuya aprobación signifique tanto para mí como la suya: Ruego que nunca haga yo nada que traicione esa confianza"[50].

Durante la conferencia regional en la Ciudad de México el 28 de abril de 1990, el presidente Monson se maravilló del milagro que acababa de ocurrir. Cuando él fue llamado como miembro del Quórum de los Doce, había sólo una estaca en las colonias mormonas de México y poco después se creó una en la Ciudad de México. "El pensar que me reuniría con cincuenta y nueve presidentes de estaca", dijo al observar a ese grupo de hombres, "y que Richard Scott se reunió con otros cuarenta y cinco en un evento similar la semana anterior, nos da una idea del explosivo crecimiento que ha tenido lugar". Partió de la conferencia regional "sintiendo que el Señor ama a esos hijos del padre Lehi y que ha llevado a cabo una obra maravillosa y un prodigio en sus vidas"[51].

Dedicó el centro de estaca de Kirtland en lo que llamó "la sombra del Templo de Kirtland", propiedad de la Iglesia de la Comunidad de Cristo. Sus pensamientos iban más allá de los ladrillos y del mortero al indicar que la Iglesia cuenta con edificios hermosos debido a la fe de los miembros que pagan el diezmo. A todos, desde la viuda hasta el obrero, les cabe parte en toda capilla construida en cualquier lugar del mundo.

Las congregaciones siempre han acogido bien al presidente Monson debido a sus mensajes colmados de relatos verídicos de su propia vida y de la de otras personas. Algunos de quienes se sienten conmovidos le escriben para comentarle experiencias que tuvieron al escuchar sus palabras.

Una mujer de Edmonton, Alberta, Canadá, escribió sobre su experiencia años antes cuando era soltera y se había graduado del programa de música de la Universidad Queensland. "Mis amigos empezaron a llevarme a diferentes iglesias. Uno de ellos hasta me ofreció empleo como organista", dijo. Pero no se sintió bien en ninguna de las congregaciones y decidió que ya había estado en suficientes iglesias. El domingo siguiente se quedó en su casa. "Prendí el televisor y encontré un programa donde cantaba un magnífico coro, así que seguí mirando. Después un orador empezó a hablar sobre la familia y sobre lo que uno puede hacer para obtener una familia eterna. Aquellas palabras me llegaron tanto que empecé a llorar. El Espíritu era tan fuerte que no me podía contener". Dijo que después que el orador terminó su discurso, se le identificó como "el élder Monson".

El mensaje del élder Monson en aquella ocasión se refería al amor de Dios. "El amor es una guía hacia la felicidad en la vida mortal y un requisito para la vida eterna", dijo. "De tal manera amó Dios al mundo que dio a Su Hijo. El Redentor amó de tal modo a la humanidad que dio Su vida por ella. A ustedes y a mí Él nos declaró: 'Un mandamiento nuevo os doy: Que os améis unos a otros; como yo os he amado . . . En esto conocerán todos que sois mis discípulos'. Con todo mi corazón ruego que seamos obedientes a tal visión celestial, pues testifico que provino del Hijo de Dios, nuestro Redentor, nuestro mediador con el Padre, el mismo Jesucristo, el Señor"[52].

La mujer dijo que al dar él ese potente testimonio y después de que el coro cantó "Oh mi Padre", ella quedó completamente convertida. Todos los domingos siguientes encendía el televisor esperando ver el programa. Tras varios domingos de desilusión, buscó el número telefónico de la Iglesia, llamó y le contestaron de un instituto de religión. Pocos días más tarde, dos misioneros llamaron a su puerta y le entregaron un Libro de Mormón. Más adelante se bautizó y desde entonces nunca "ha dejado de ver una transmisión de conferencia general". La mujer le aseguró que él seguía siendo su "orador favorito"[53].

Ya fuera en asignaciones para hablar en conferencias o asistir a compromisos comerciales, el presidente Monson siempre ha buscado maneras de bendecir la vida de las personas. Cuando se iba a reemplazar el edificio de instituto del Colegio Universitario Snow y la institución confiaba en poder comprarlo para contar con más salones de clase, el presidente Monson convenció al Comité de Apropiaciones de la Iglesia de que se lo dieran sin costo como un gesto de buena voluntad, "considerando la declinante población de la zona"[54].

Él encabezó la donación del centro de reuniones del Barrio Veinticinco al Ejército de Salvación y después vio que se arreglara el techo, que pintaran su interior y que se les proporcionara un órgano, un piano y bancas. Incluso lo abasteció con artículos del recién cerrado Hotel Utah, incluyendo platería, loza, mesas y sillas. Bill R. Lane, un Mayor en el Ejército de Salvación, respondió: "A pesar de la gran responsabilidad que usted desempeña en el liderazgo de su iglesia, siempre abre su corazón para satisfacer las necesidades y los pedidos del Ejército de Salvación. Por cierto que usted y sus colaboradores nos han conmovido con su espíritu cálido y gentil"[55].

También auspició la donación de una propiedad contigua de tres cuartos de hectárea tasada en 100.000 dólares, a United Way, una reconocida entidad de ayuda social.

Para el sesquicentenario de la Sociedad de Socorro, instó a las hermanas a renovar el espíritu de sus comienzos en la obra. "Vemos en ustedes destellos de fortaleza", dijo al rendir tributo a las mujeres, cuyo lema, "La caridad nunca deja de ser", le era muy querido. Como era característico en él, renovó ese lema con una estrofa de poesía:

Ve a alegrar al solitario angustiado;
ve a consolar a quien llora apenado.
Ve a compartir tu bondad y amor
Y haz de éste un mundo mejor[56].

Él ha sido ejemplo de su propio consejo. En la ceremonia de fin de cursos de la Universidad Brigham Young en abril de 1992, observó al rector Rex Lee pedir un aplauso para quienes se graduaban y después otro para los padres. El presidente Monson se puso entonces de pie y dijo: "Todos cuantos deseen acompañarme en un aplauso para nuestro rector, sírvanse hacerlo". Sin vacilar, todos los presentes en el Centro Marriott se pusieron de pie y ofrecieron un prolongado y sincero aplauso a Rex Lee, un dedicado educador que hizo frente a sobrecogedores problemas de salud. El presidente Monson escribió en su diario: "Me informaron que la cámara enfocó a Rex a quien le temblaba el mentón durante esos momentos de emotiva expresión de agradecimiento"[57].

"Lo cierto es que cuando él parte de una reunión, de una conferencia o de otra ocasión similar, todos se sienten edificados, amados y apreciados", observa el élder Spencer J. Condie, de los Setenta. "No se sienten como siervos inútiles del Señor, sino que creen que el presidente Monson siente que ellos son buena gente, y que tal vez nuestro Padre Celestial piense lo mismo. Ellos saben que tienen que actuar mucho mejor, pero así lo harán por haberles él demostrado su proverbial amor y respeto"[58].

El presidente Monson no es de presumir, a menos que sea para demostrar cuán importante es la gente para él. Nunca se aleja de las multitudes; siempre busca la oportunidad de elevar a los demás. Al terminar una reciente ceremonia de colocación de la piedra angular en un templo, mientras los líderes se aprestaban a volver a entrar al templo, el presidente Monson se detuvo y miró a su alrededor. Vio a una niña de unos siete años, de pie en la fila del frente de la congregación, con la cabeza gacha, obviamente triste de que no se le hubiera invitado a participar. Él se dirigió directamente a ella y la acercó a la piedra angular, tomó la paleta y le guió la mano para que colocara mortero. Ése es el presidente Monson.

28

"LEAL, SERVICIAL, AMIGABLE . . ."

Para mí, el presidente Monson es como sería el Salvador si estuviera aquí. Su ministerio, su sensibilidad hacia cada persona es increíble, y también lo son sus percepciones. Yo sé que él sabe lo que pienso y lo que siento cuando estoy en su presencia. Es enternecedor apreciar su naturaleza de "vidente".

ELAINE S. DALTON
Presidenta General de las Mujeres Jóvenes

EL PRESIDENTE EZRA TAFT BENSON fue sostenido como Presidente de la Iglesia en el ocaso de su vida, a los ochenta y seis años. Otros también han llevado el manto a una edad avanzada, y los miembros de la Iglesia los han sostenido y apoyado con devoción. Cuando el presidente Benson sufrió una serie de leves derrames cerebrales y se le sometió a una cirugía, sus consejeros comprendieron que su función era llevar la obra adelante por él.

En la conferencia general, el presidente Monson y el presidente Hinckley leían los discursos del presidente Benson en su lugar y hablaban por él, relatando incidentes de la vida del presidente que enseñaban verdades del Evangelio, empleando algunos de sus pasajes predilectos de las Escrituras. El presidente Monson lo vio como "una buena solución para una situación en la que la Iglesia se está dando plena cuenta de que el presidente Benson simplemente no está en condiciones físicas de hablar o dar un mensaje debido a su edad avanzada"[1].

Cuando el presidente Benson asistía a la conferencia, "parecía estar complacido" con lo que se decía. "Su espíritu es vigoroso", comentó el presidente Monson. "Descansaba su mano sobre la mía y sonreía con afecto. Cuando le decía que había muchos niños en la congregación que realmente lo amaban, se le llenaban los ojos de lágrimas"[2].

Cuando el presidente Benson no estaba presente, su silla parecía "más que vacía". Una de las anotaciones del presidente Monson en su diario sobre el anciano presidente resultó conmovedora: "No se le ve tan bien como hace un año"[3].

Se presentaron muchos momentos angustiosos al tener que llevar al presidente Benson al hospital para después, al recuperarse, ser llevado de vuelta a casa. La familia Benson se reunió en el hospital el 15 de octubre de 1990, temiendo que su padre, a quien recién habían operado, no se recuperara. El presidente Hinckley y el presidente Monson fueron a dar una bendición del sacerdocio a su profeta líder. El presidente Hinckley le pidió al presidente Monson que sellara la unción. Al hacerlo, se sintió "inspirado a prometerle al presidente Benson que no dejaría esta vida mortal ni un día antes de lo que el Señor quisiera y que se le daría el don de sanidad para que disfrutara la vida hasta que llegara el momento de su partida. En la sala se sintió un dulce espíritu de paz"[4].

Estaba programado que el presidente Monson asistiera a una conferencia de área en Alemania, la primera de tales reuniones que congregaría a los santos del este y del oeste ahora que los dos gobiernos habían vuelto a unirse. Él quería estar presente, pero no se sentía cómodo con la idea de dejar al presidente Benson en su condición de salud tan precaria. Frances escuchó mientras él sopesaba las opciones y lo apoyó al decidir que no iría.

No obstante, tras la bendición que recibió en el hospital, el presidente Benson comenzó a mejorar, salió de la unidad de cuidados intensivos y regresó a casa. Entonces el presidente Monson tomó el primer vuelo que pudo encontrar con destino a Alemania, llegando a tiempo para participar en la que sería una de las más "significativas reuniones en la historia de la Iglesia en Alemania". A la sesión del sábado 20 de octubre de 1990, asistieron líderes del sacerdocio de las estacas de Berlín, Leipzig y

Dresde. El presidente Monson escribió con enorme gratitud: "El Espíritu era de la más alta calidad inspiradora. El sólo pensar que a hermanos del Este que no habían tenido la oportunidad de reunirse con sus amigos y familiares del Oeste ahora se les permitía hacerlo después de treinta años, da la pauta de la magnitud de lo alcanzado"[5].

El presidente Benson trataba a su segundo consejero como a un hijo. Parte de esa conexión provenía del amor que compartían por el escultismo. Cuando el presidente Benson se había retirado de la Mesa Ejecutiva Nacional de la Organización Scout de los Estados Unidos en 1969, la Primera Presidencia le había pedido al presidente Monson que ocupara su lugar. El presidente Benson había reemplazado al presidente George Albert Smith en dicho cuerpo. Los tres compartían un gran afecto hacia la organización y un total compromiso para con su lugar en el programa de los jóvenes de la Iglesia. Durante más de cuarenta años, el presidente Monson ha asistido a las reuniones regulares de la mesa, a eventos nacionales e internacionales, convenciones anuales y cortes de honor y ha sido consejero de especialidades. Su entusiasmo hacia el programa scout nunca ha tenido que ver con atar nudos, sino con cambiar vidas. Para él, se trata de "edificar muchachos"[6], lo cual ha promovido como deber en muchas naciones.

El martes 8 de junio de 1982, el élder y la hermana Monson hicieron una gira por la famosa Abadía de Westminster, de Londres, Inglaterra, visitando los monumentos y las tumbas de grandes y destacados personajes, deteniéndose por último ante el indicador que habían ido a ver:

ROBERT BADEN POWELL, 1857–1941
FUNDADOR DE LOS BOY SCOUTS
AMIGO DE TODO EL MUNDO

El presidente Monson reconoció en Baden Powell un alma gemela. "A diferencia de otras figuras inmortalizadas dentro de las paredes de la Abadía de Westminster, Baden Powell no había navegado los tempestuosos mares de la gloria, conquistado ejércitos enemigos ni fundado imperios de riquezas mundanas. Más bien, él era un forjador de muchachos, a quienes les enseñó a correr y a ganar la carrera de la vida"[7]. La descripción exige la pregunta: ¿Las vidas de cuántos muchachos se han bendecido—y hasta salvado—debido al movimiento scout fundado por Baden Powell? Por cierto que Thomas Monson incluiría la suya.

La Iglesia adoptó el programa scout en Estados Unidos en 1913, acogiendo los conceptos de "hacer una buena acción diaria" y estar "siempre listo". Sin duda que ambos describen a Tommy Monson en su juventud y al presidente Monson como adulto. A menudo cita: "El mayor obsequio que un hombre puede darle a un muchacho es estar dispuesto a compartir una parte de su vida con él"[8]. Así lo cree, así lo enseña, y así lo practica.

Al mirar atrás en su vida, puede ver a personas como John Burt y Paul Childs y hasta al corpulento maestro scout que llevó a la Tropa 60 al cañón Brighton, al este de Salt Lake City, a un campamento de verano. Tras llegar al lugar le preguntó a Tommy—el más responsable del grupo—si había llevado la caña de pescar, y le encomendó que pescara truchas para el desayuno para cada uno de los muchachos para los dos días que iban a estar allí. Entonces, después de decirle que los recogería el sábado para llevarlos a casa, se marchó en su auto. Tommy cumplió con su "deber scout" y nadie pasó hambre[9].

El presidente Monson ha trabajado estrechamente con líderes de la organización general de los Hombres Jóvenes como Jack Goaslind, Marion D. Hanks, Robert L. Backman, Vaughn J. Featherstone, Robert K. Dellenbach, F. Melvin Hammond, Charles Dahlquist y David L. Beck, cada uno de los cuales también ha trabajado incansablemente en el programa scout, tanto en la Iglesia como a nivel nacional. Esos han sido y son hombres que veían lo que el presidente Monson veía "en esa gran causa". Él ha servido con algunos de los hombres de más alto calibre de la nación, quienes han llegado a conocerlo a él y a La Iglesia de Jesucristo de los Santos de los Últimos Días a la cual representa.

"Nadie puede alejarlo de los Boy Scouts", declara el élder L. Tom Perry, quien ha participado en un buen número de eventos scout. "Él *es* el escultismo. Asiste a todo campamento que puede. Si uno quiere verlo bien animado, lo único que tiene que hacer tras asistir a una de esas actividades scout es dar un informe en el templo"[10].

El presidente Monson ha participado en eventos scout alrededor del mundo. Cuando tiene la oportunidad, da una bendición apostólica a los scouts, tal como la que pronunció en Las Vegas en 2006: "a fin de que tengan gozo en esta vida y que haya paz en sus hogares"[11].

Él ha sido un verdadero paladín de la preservación de las tradiciones del escultismo. A lo largo de los años, han surgido desafíos en el programa que cambiarían la naturaleza misma de la dinámica de los jóvenes. Él ha adoptado una postura firme cuando se han hecho esfuerzos por desechar componentes básicos como la promesa scout y el premio "Mi Deber a Dios", cuando se intentó la incorporación de jovencitas en las tropas, cuando homosexuales exigieron la oportunidad de ser líderes de scouts. No se dejó intimidar por las confrontaciones ni dio marcha atrás cuando la polémica llegó a la prensa y a la opinión pública. Su firmeza ha mantenido el tema enfocado en los principios y el propósito del escultismo. Siempre que ha visto la más mínima vacilación de parte de los administradores, ha respondido de inmediato, declarando contundentemente su posición personal y la de la Iglesia. El presidente Monson reconoce que el escultismo es "más caro que otros programas" pero que "bien vale lo que cuesta"[12].

En 1971, el presidente Monson recibió el Premio Búfalo de Plata, el más alto honor ofrecido por la organización nacional scout de los Estados Unidos, y estuvo en buena compañía. Ese año, Jimmy Carter, el trigésimo noveno Presidente de los Estados Unidos, recibió ese mismo premio. El presidente Monson se siente honrado de integrar tan selecto grupo, el cual incluye al aviador Charles A. Lindbergh, al artista Norman Rockwell, al cinematógrafo Walt Disney, y al famoso jugador de béisbol Hank Aaron.

En 1993, en una reunión general de sacerdocio, el presidente Monson recibió el Lobo de Bronce, el reconocimiento más alto otorgado por la organización mundial. "El presidente Monson es uno de los amigos más distinguidos de la Asociación Nacional de Boy Scouts", declaró durante la presentación Jere B. Ratcliffe, Jefe Ejecutivo Scout. "Prácticamente ha dedicado su vida a defender y vivir las enseñanzas de la Iglesia y la misión de la organización scout, una misión de enseñar valores que lleguen a durar toda la vida"[13].

Recostado en una de las esquinas de su despacho se ve un bastón de madera de más de un metro de largo en el cual está esmeradamente tallado el emblema de cada una de las especialidades de los scouts. El programa le ha proporcionado un denominador común al reunirse con líderes en todo el mundo. En presencia del rey de Suecia en los jardines del Templo de Estocolmo, los dos hablaron de sus experiencias en el escultismo, habiendo recibido ambos el premio Lobo de Bronce.

Por décadas, el presidente Monson ha ocupado fielmente su lugar en encuentros scout llevados a cabo en Nueva Orleans, Chicago, Washington, Nueva York, Dallas y hasta en Teherán. Como principal orador en las reuniones nacionales de la organización en 1992, se refirió con preocupación a la difícil situación de la sociedad: "A lo largo y ancho de nuestra nación hemos estado reclamando cada vez con más ímpetu las cosas que no podremos llevar con nosotros, y prestando cada vez menos atención a la verdadera fuente de la felicidad. Hemos estado midiendo a nuestro prójimo más por sus caudales que por sus normas morales. Nos concentramos tanto en nuestra capacidad de generar fortunas que hemos sido negligentes en la manera de forjar nuestro carácter. Tal vez ésta sea una característica de la época en que vivimos: días de valores y principios comprometidos, días en que se ve el pecado como un simple error, en que lo moral es relativo y el materialismo recalca el oportunismo y menoscaba la responsabilidad personal. Bien podría un muchacho confundido clamar usando las palabras de Felipe en el Nuevo Testamento: '¿Cómo podré [hallar el camino] si alguno no me enseña?'"[14].

Cuando era un joven scout, la primera vez que Tommy estuvo fuera de su casa fue cuando su tropa fue a uno de los campamentos en un cañón cerca de Salt Lake City. Era invierno y hacía mucho frío. Al recordar la experiencia, dice que fue "el peor momento para realizar esa actividad"[15]. El parador contaba con una destartalada estufa para calentar el helado ambiente. Los muchachos tiritaban y estaban empapados tras haber pasado la primera media hora después de su llegada lanzándose bolas de nieve. Aunque no lo admitirían, ellos también echaban de menos su casa. Al día siguiente, la madre y el padre de Tommy llegaron al lugar con una sorpresa para la tropa, una nevera llena de helado. "Estábamos congelándonos", recuerda; "mejor tendrían que habernos llevado un guiso caliente. Pero sus intenciones eran buenas"[16].

Cuando los scouts fueron a acostarse esa noche, Tommy y los demás observaron cómo el líder scout de su barrio, Carl, se quitaba su pierna ortopédica y la colocaba junto a su saco de dormir. Durante la noche, uno de los muchachos se escurrió desde su bolsa de dormir, "tomó la pierna postiza de Carl y la escondió debajo de su propia litera".

Cuando Carl despertó y descubrió que su pierna no estaba allí, ni siquiera preguntó quién la había tomado. Tras anunciar que debía salir de la cabaña por un momento, fue brincando en una pierna. "Todos nos sentimos avergonzados", recuerda el presidente Monson. Cuando Carl volvió a entrar, su pierna estaba en el mismo lugar donde la había dejado la noche anterior. "No sé cómo fue que no la vi", dijo, "pero me alegro que esté aquí". Su calma reacción a la broma de los muchachos les enseñó mucho más que si los hubiera acusado y regañado[17].

En una ocasión, una destreza que aprendió con los scouts salvó una vida en la propia familia del presidente Monson. Recuerda: "El hijo de mi sobrino, Craig Dearden, de once años, completó con éxito los requisitos para la especialidad de natación. Su padre se veía radiante de orgullo, mientras que su madre le dio un tierno beso en la mejilla. Los presentes en aquella corte de honor no llegaban a imaginar siquiera las consecuencias que tendría ese reconocimiento. Más tarde ese mismo día, Craig divisó un objeto oscuro en el fondo de la parte honda de la piscina. Sin ningún temor, el muchacho se lanzó al agua para ver de qué se trataba y sacó a la superficie a su propio hermanito, ya con el cuerpecito morado e inánime. Recordando lo que había aprendido y practicado, Craig y otros hicieron lo que todo buen scout haría. De pronto se oyó un leve llanto, seguido de respiración, movimiento, vida. ¿Tiene validez el ser un scout? Pregúntenle a una madre, a un padre, a una familia que saben que una destreza scout salvó la vida de un hijo y hermano"[18].

"De vital importancia para nuestro éxito", ha recalcado el presidente Monson a los líderes del programa scout, "es aprender a ganar la confianza y el respeto de esos muchachos a quienes queremos formar. Para ello, se requiere amor. Ustedes que aman y guían a nuestra preciada juventud, tal vez nunca conquisten heroicamente una ciudad o nación, pero sí llegarán a conquistar el corazón de un muchacho"[19].

El presidente Monson ve en el escultismo "un programa espiritual que forja hombres". Él ha declarado: "Si hubo alguna vez un momento en el que se necesitaran en extremo los principios del escultismo, ese momento es ahora. Si hubiera alguna vez una generación que se beneficiaría por permanecer físicamente fuerte, mentalmente alerta y moralmente limpia, esa generación es la actual"[20].

Entre el escultismo y todas las demás tareas que requerían su atención, al presidente Monson casi le pasó desapercibido, a fines de noviembre de 1993, un intenso dolor en un dedo del pie. Aunque es diabético, generalmente ha gozado de buena salud, así que pensó que el problema se debía a sus zapatos, y empezó a usar otro par. Trataba de mantener el pie elevado durante sus reuniones y caminar lo menos posible, lo cual, dado su agitado programa de trabajo, era muy difícil. El dolor continuó, pero él siguió adelante. Viajó a Vernal para visitar el tabernáculo que pensaban en convertir en un templo; fue a la Catedral de la Madeleine a dar un mensaje en el día de acción de gracias; fue a una parroquia local a rendir tributo a un cura católico; viajó a una conferencia en San Bernardino, California; asistió a reuniones en el templo, a funerales y al hospital a visitar a personas enfermas.

Al prepararse el 3 de diciembre de 1993 para salir de viaje en una asignación, Frances le vio el pie e insistió en que fuera a ver al médico. Más tarde esa mañana, pudo consultar al médico, quien de inmediato lo internó en el hospital para que le trataran una "severa infección" en el pie izquierdo, el cual los médicos no estaban seguros de poder salvar.

Era la primera vez que se ponía una bata de hospital desde

que tenía cuatro años y lo operaron de las amígdalas. Esa vez su estadía no fue ambulatoria.

Dos días después, el domingo, se le excusó de asistir al Devocional de Navidad de la Primera Presidencia, aunque por un momento pensó en ponerse el traje e ir al Tabernáculo a cumplir con su deber. Su frustración resultaba obvia: "Ésta es la primera vez que recuerdo haber estado ausente en una reunión en la que se me había asignado hablar"[21].

El 20 de diciembre de 1993 escribió en su diario: "Sigo en el hospital. No pude asistir a la reunión del Consejo de Disposición de Diezmos, a la asignación para hablarles a los obreros del Templo de Manti, al almuerzo del personal de la oficina de la Primera Presidencia, a la fiesta de Navidad de la compañía de seguros Beneficial Life ni a la recepción del Key Bank de Utah"[22]. Afortunadamente, las fiestas interrumpieron gran parte del trabajo que él por lo general habría realizado.

Quienes sufren de diabetes corren grandes riesgos de contraer infecciones en los pies y daño en los nervios debido a la deficiente circulación de sangre. La infección del presidente Monson fue grave, pero cuando salió del hospital tres semanas después, su condición había mejorado enormemente.

Los médicos le dieron el alta el 22 de diciembre con la orden de regresar cada dos días para recibir tratamientos en una pila de hidromasaje y para que le cambiaran el vendaje. Frances era su enfermera y, por cierto, muy eficaz.

El día de vísperas de Navidad reconoció con gratitud "el amor y las oraciones que muchos conocidos habían ofrecido en su favor"[23]. Dos de sus médicos le habían dado una bendición cuando fue internado en el hospital y el presidente Hinckley le había dado otra cuando lo visitó pocos días después. El presidente Hinckley y el élder Wirthlin le dieron en otra ocasión una tercera bendición. El presidente Monson tenía una fe incuestionable de que sanaría.

"Nos alegra enterarnos de que se está curando", le escribió el élder Hugh W. Pinnock. "Es reconfortante saber que miles de personas han estado orando por usted debido a la innumerable cantidad de veces que usted ha enfocado sus propias oraciones en los demás"[24].

Regresó a su oficina el 5 de enero de 1994, desplazándose en una silla de ruedas y con el pie elevado. Extendió llamamientos a presidentes de misión (ese año efectuó cincuenta y dos), y, aunque el pasar por puertas y maniobrar en corredores, ascensores y salones le resultaba un poco complicado, asistió a reuniones, entre ellas la del templo.

El 23 de enero, seis semanas después de que se le hospitalizara, participó en una transmisión general de la Primaria vía satélite, "Mirad a vuestros pequeñitos". Hasta la semana antes de la transmisión, no estaba seguro de que fuera a poder mantenerse de pie durante veinte minutos para dar su mensaje. Había practicado una vez, poniendo todo su peso sobre el pie derecho y usando el izquierdo sólo para conservar el equilibrio. Con la ayuda de un calzado deportivo que le proporcionó el departamento de fisioterapia del hospital, le fue posible presentar su mensaje, el primero desde que le habían tratado la enfermedad el 3 de diciembre.

Al cabo de seis meses, los médicos informaron que todo se iba desenvolviendo favorablemente y que su recuperación había sido milagrosa. Le dijeron que solamente uno de cada cincuenta pacientes con una infección tan avanzada lograba evitar que le amputaran un dedo o el pie entero. "Creo que usted nunca dudó de que le sanara el pie y de que no tendría que sometérsele a una amputación", le dijo uno de los médicos cuando su dura prueba ya casi había quedado atrás. "Usted es un hombre de enorme fe". El presidente Monson respondió: "Estoy agradecido a nuestro Padre Celestial y a diestros cirujanos"[25].

El Dr. Gary Hunter y el Dr. Greg Anderson llegaron a ser sus amigos queridos. Las consultas regulares que el presidente Monson tiene con ellos "son tanto reuniones sociales como un examen" de los pies. No obstante, ambos son "muy meticulosos" y se aseguran de que todo esté en orden[26].

Durante una de sus estadías en el hospital, uno de los médicos preguntó al presidente Monson: "Si logro salvarle el pie, ¿estaría usted dispuesto a entregarle a mi hijo su premio de Scout

Águila?". Cuando el presidente Monson mencionó el "trato" en la ocasión de hacer entrega del premio, dijo con una sonrisa: "Los dos salimos ganando".

Con el pie enyesado, pasó el día de Año Nuevo en casa, viendo fútbol americano por televisión. "Puedo empezar a ver un juego siendo totalmente imparcial", explica, "pero a los pocos minutos, elijo cuál de los dos equipos quiero que gane y me vuelvo partidario de ese equipo"[27].

Si está jugando el equipo de la Universidad de Michigan, no hay duda de quién quiere que gane, ya que ha sido un fanático de Michigan por mucho tiempo. Todo se remonta a la época en la que un renombrado entrenador dirigió a Michigan desde 1969 a 1989 e hizo comentarios muy favorables en cuanto a la Iglesia. Cuando ve a Michigan jugar, el presidente Monson asume el papel de un verdadero fanático. En su diario tiene anotados los resultados de los partidos que se jugaron en los días de Año Nuevo, especialmente si se trata de Michigan.

En tales casos, la tradición es invitar a sus nietos a ver el juego con él. En una ceremonia especial le obsequia a cada uno de ellos una gorra con los colores de Michigan—azul y amarillo—mientras escuchan la marcha de la universidad. Si en el primer tiempo el equipo está jugando mal, como cábala se cambia su gorra amarilla con vivos azules por una azul con vivos amarillos. Por años, cuando su equipo iba ganando, llamaba a su amigo John Burt y le hacía oír la marcha por el teléfono—John no era partidario de Michigan—y si ganaba el partido, lo volvía a llamar para celebrar el triunfo.

Pero la legendaria lealtad del presidente Monson no la extiende tanto a equipos, sino a personas. La lista de funerales en los que ha hablado tiene la apariencia de un directorio telefónico: Lucy Gertsch Thompson, a quien calificó como "la mejor maestra" que jamás conoció; Donald Dean Balmforth, amigo de toda la vida y consejero en el obispado del Barrio Sexto-Séptimo; Isabel Moon, una viuda cuyo funeral tuvo lugar un día jueves, pero "milagrosamente" la reunión en el templo terminó temprano y el presidente Monson llegó a los servicios a tiempo para hacer uso de la palabra; el élder Franklin D. Richards, "uno de los grandes misioneros de nuestra época"; su primo Alton "Alce" Carman; un tío, Myron Bangerter; el élder Jeffrey Brent Ball, un misionero a quien mataron en La Paz, Bolivia; Marian Clark Sharp, hija del presidente J. Reuben Clark; Phillip Jacobsen, capataz de encuadernación en la Imprenta Deseret; el élder Theodore M. Burton; Arthur J. Kirk, quien le compraba lombrices al industrioso Tommy en Vivian Park, en la década de 1930; O. Preston Robinson, mentor en la Universidad de Utah y en la Editorial Deseret News; el élder Joseph Anderson, Autoridad General emérita; D. Arthur Haycock, secretario de cinco presidentes de la Iglesia; John Fife, criador de palomas; Huston Johnson, un minusválido que vivía en el Barrio Sexto-Séptimo y que trabajó toda su vida como lavaplatos en un café del centro de Salt Lake. El presidente Monson representó a la Iglesia en el funeral del ex Presidente de los Estados Unidos Richard M. Nixon; habló en el funeral católico del líder cívico Frank Granato, con una vela a cada lado del púlpito. Esos son unos pocos de los cientos de funerales a los que asistió, y en la mayoría de los cuales también habló[28].

Su participación en el ámbito nacional incluyó estar presente junto al presidente Ezra Taft Benson en la ceremonia de toma de mando del presidente de los Estados Unidos George H. W. Bush el 20 de enero de 1989. Para el presidente Benson era como volver a casa, ya que había servido como ministro de agricultura en el gabinete del presidente Eisenhower. El Coro del Tabernáculo Mormón desfiló en la última carroza y cantó "Himno de batalla de la República" al pasar frente al palco oficial. El presidente Monson recibió el agradecimiento del presidente Bush por asistir, precediendo la firma de la nota: "Con respeto".

Durante un desayuno de oración de la Asociación Nacional de Boy Scouts en la Casa Blanca el 4 de mayo de 1989, se sentó a la mesa junto al presidente Bush y los dos descubrieron rápidamente que compartían un interés común por valores familiares y un gran cariño por los perros spaniel ingleses. Después de la reunión, el presidente Bush invitó al presidente Monson a ir a ver la nueva camada de su perrita Millie. "¿Cuál elegiría usted si fuera a quedarse sólo con una de las crías?", preguntó el presidente Bush. Los dos se refirieron a los méritos de la raza, tras lo cual el presidente Monson señaló a un cachorrito de patas fuertes, cuerpo proporcionado y cabeza firme con suficiente lugar para un cerebro activo. Le dijo: "Si tiene buenas manchas, además de esos atributos, sería el mejor". El presidente Bush le puso de nombre Ranger y cuando viajó a Salt Lake City y visitó a los dos consejeros de la Primera Presidencia el 17 de julio de 1992, le dijo al presidente Monson: "le traigo un informe de 'nuestro' perro[29].

La Primera Presidencia y otros líderes de la Iglesia se enfrentaron a una multitud de problemas en las décadas de 1980 y 1990 que reflejaban el creciente estilo "auto absorto" de la sociedad. Emitieron una declaración sobre el cada vez más serio problema del SIDA: "Nos unimos a la esperanza colectiva de que los descubrimientos científicos hagan posible tanto la prevención como la cura de tan terrible aflicción. Pero más allá de esos descubrimientos, la observancia de una regla clara y divina lograría más en la lucha contra esa epidemia: la castidad antes del matrimonio y la total fidelidad en él"[30].

La postura de la Iglesia en el sentido de que la institución matrimonial se reserva para un hombre y una mujer estaba siendo bombardeada. Muchos atacaron a la Iglesia, exigiendo que se redefiniera el matrimonio para que incluyera la relación entre personas del mismo sexo. El tema se hizo cada vez más polémico.

El 30 de mayo de 1994, el presidente Ezra Taft Benson fallecía a la edad de noventa y cuatro años. El 3 de junio, unas 20.000 personas desfilaron junto a su ataúd. "La mayoría lo hizo en silencio", observó el presidente Monson, "pero se veían muchas lágrimas y prevalecía una dulce y reverente gratitud"[31]. En el funeral, el presidente Monson describió al presidente Benson como "un gigante entre los hombres". Los servicios se transmitieron por tres estaciones de televisión[32].

Al irse los apóstoles del estrado, formaron una guardia de honor a ambos lados del féretro mientras lo retiraban del Tabernáculo. Los Monson integraron la procesión fúnebre hasta Whitney, Idaho, donde el presidente Benson sería sepultado junto a su esposa, Flora, quien había fallecido dos años antes. El presidente Benson le había dicho a su consejero tiempo antes:

"No importa lo que otros opinen, hermano Monson, quiero ser sepultado en Whitney, Idaho"[33].

El 4 de junio de 1994, Howard W. Hunter, el apóstol de más antigüedad de La Iglesia de Jesucristo de los Santos de los Últimos Días, fue unánimemente aprobado por los miembros del Quórum de los Doce para ser Presidente de la Iglesia.

29

UN ESPÍRITU INQUEBRANTABLE

A veces, ante el púlpito, la gente parece tener diferentes personalidades. Con el presidente Monson, lo que que vemos ante el púlpito es lo mismo que veremos en persona.

Élder Dallin H. Oaks
Quórum de los Doce Apóstoles

A LAS CUATRO DE LA TARDE del 16 de mayo de 1989, el presidente Monson, Segundo Consejero de la Primera Presidencia y subdirector del consejo de administración de la Universidad Brigham Young, dio la bienvenida a cincuenta invitados a los servicios dedicatorios del Centro de BYU en Jerusalén para Estudios del Cercano Oriente, ubicado en el Monte Scopus, frente al Monte de los Olivos. El edificio de varios millones de dólares alojaría las ramas de la Iglesia en Jerusalén y serviría de hogar a los estudiantes de la universidad durante cursos semestrales en el extranjero. Entre los discursantes en la dedicación se encontraban el presidente Howard W. Hunter, el élder Boyd K. Packer, el élder Jeffrey R. Holland, y otros. El presidente Monson pidió al presidente Hunter, encargado de la edificación durante diez difíciles años de aprobaciones y construcción, que pronunciara la oración dedicatoria: "Este edificio se ha construido para alojar a quienes Te aman y procuran aprender en cuanto a Ti y seguir los pasos de Tu Hijo, nuestro Salvador y Redentor. Rogamos que todos los que aquí entren para enseñar, aprender o para cualquier otro propósito, sean bendecidos por Ti y sientan Tu Espíritu"[1].

"El presidente Monson dirigía la reunión", recuerda el élder Holland. "Él tenía menos antigüedad que el presidente Hunter en el Quórum, pero ejercía más autoridad que él debido a que integraba la Primera Presidencia. Él tuvo la maravillosa y magnífica cortesía de pedir al presidente Hunter que ofreciera la oración dedicatoria, un gesto de suma fineza. Ésa es una característica típica del presidente Monson. Él respeta, él tiende una mano y lo hace repetidamente. Siempre está atento para hacer lo bueno"[2].

El presidente Monson se había sentado junto al presidente Hunter durante los años en que el presidente Hinckley había servido como consejero del presidente Kimball; había servido con el presidente Hunter en comités y ambos habían asistido juntos a tantas conferencias que perdieron la cuenta. Él había estado en la congregación en el Tabernáculo cuando Howard W. Hunter fue sostenido como nuevo miembro del Quórum de los Doce. El presidente Hunter era un hombre con el prestigio de ser propiamente como Cristo, humilde y bondadoso.

Howard W. Hunter y Thomas S. Monson habían trabajado juntos por primera vez en 1956, cuando el hermano Hunter era director regional para la dedicación del Templo de Los Ángeles, y el hermano Monson imprimió los boletos. "Su asignación era enorme", dijo Tom en esa ocasión. "Yo solamente vi lo que tenía que ver con los boletos codificados a color, y membretados y numerados de la manera más ordenada que jamás había visto"[3].

También compartieron un momento el 3 de octubre de 1963, al encontrarse en la recepción fuera de la oficina del presidente David O. McKay. El élder Hunter estaba terminando algunos asuntos y Tom se hallaba allí para una entrevista con el Presidente, sin saber por qué razón lo había citado. El élder Hunter lo sabía. "Percibí las lágrimas en sus ojos, incluso la sonrisa en sus labios y el entusiasmo en su voz", comentó después el presidente Monson. "No entendí por qué estaba tan emocionado. Fue después de que conversé con el presidente McKay, cuando me llamó a ser parte de los Doce, que llegué a entender. Howard W. Hunter se había enterado de por qué estaba yo ahí esa tarde. Él ya había estado en esa situación y había experimentado lo que yo pronto experimentaría"[4].

Un año, durante una reñida campaña electoral para gobernador del estado de Utah, el presidente Monson, quien toma muy en serio sus deberes cívicos, le preguntó a su esposa por quién había votado. Ella respondió: "No voté por ninguno; hacen demasiadas promesas que al fin no cumplen". Él la miró y dijo: "¿Qué hiciste? ¿Dejaste el espacio en blanco?". Ella respondió: "No, por supuesto que no. Escribí el nombre de Howard W. Hunter; él es tan modesto y tan humilde. Ciertamente, él es la clase de persona que nuestro Padre Celestial guiaría al éxito". Él se lo comentó al presidente Hunter, quien sonrió y dijo: "Dele las gracias de mi parte"[5].

El presidente Hunter llevaba su diario personal de forma prodigiosa, tal como Thomas Monson, y era un erudito en ruinas antiguas. Antes de que el élder Monson fuera a Perú, en 1978, para crear una estaca en Trujillo, el élder Hunter lo alentó para que "se asegurara de visitar las ruinas de Chan Chan", la ciudad precolombina más grande de Sudamérica, con una población de 30.000 personas. "No hay nada como esas ruinas en todo el mundo", dijo el élder Hunter entusiasmado al mostrar un ejemplar de tres páginas de su diario personal que detallaba su visita a ese lugar. Cuando el élder Monson fue a Chan Chan, la anotación que hizo fue mucho más breve: "Todo lo que vi fue arena. Me llevó quince minutos. El hermano Hunter vio ruinas de una cultura, un pueblo, aun una civilización desaparecidos hace mucho, pero preservados en la memoria"[6].

La reunión de los Doce después de la muerte del presidente Benson era la quinta vez que el presidente Monson participaba en el nombramiento del hombre que el Señor había escogido como Su profeta. El presidente Hunter retuvo al presidente Hinckley y al presidente Monson como sus consejeros. En una conferencia de prensa dos días después, el presidente Monson confirmó su apoyo, diciendo: "Quiero que todos sepan que usted [presidente Hunter] es un hombre de talento, un hombre de gran compasión, y un líder que socorre al hambriento y al desamparado. Y en el espíritu del Maestro, su gran deseo siempre ha consistido en levantar a los demás hacia Él. Dios lo bendiga en su ministerio"[7].

La nueva Primera Presidencia de la Iglesia se dedicó a su obra. El presidente Hunter llamó a Jeffrey R. Holland para ocupar la vacante en el Quórum de los Doce, y el 23 de junio de 1994, el nuevo Apóstol fue ordenado en la reunión regular de la Primera Presidencia y del Quórum de los Doce en el templo. Él había servido como rector de la Universidad Brigham Young de 1980 a 1989, cuando fue llamado como miembro del Primer Quórum de los Setenta. Él y el presidente Monson habían compartido una tierna asociación. "Usted me entrevistó cuando me empleó el Sistema Educativo de la Iglesia en 1965 y desde entonces me ha alentado y guiado en cada momento crucial de mi vida", escribió el élder Holland en una nota emotiva de aprecio al presidente Monson pocos días después de ser llamado a los Doce. "Creo que no tengo un mejor amigo, un mayor defensor, un intercesor más firme, ni un ejemplo más amoroso"[8].

El presidente Monson expresó sentimientos similares a su amigo y frecuente compañero de pesca. "En quinto grado, cuando tenía 11 años de edad, gané un campeonato de canicas", le explicó en una nota al élder Holland. "Me sentía muy orgulloso de una canica especial que me permitió ganar, y muchos preguntaban si se la prestaría. Únicamente se la habría prestado a mi hermano menor, pero a usted se la habría regalado"[9].

Las cartas del "Libro Especial" en la oficina del presidente Monson—nombre más bien incorrecto, siendo que tiene numerosos volúmenes—están llenas de expresiones de "unas pocas" personas a quienes ha impresionado y vidas que ha transformado. Neal A. Maxwell fue otro del Quórum de los Doce que tenía gran afecto por Tom Monson. Por muchos años, el presidente Monson ha guardado una nota de su íntimo amigo. "Te amo", dice simplemente, y está firmada, "Neal".

Después de que el presidente Hunter fue apartado, el presidente Monson escribió este comentario en su diario personal: "Ésta es la primera vez en mucho tiempo que hemos tenido al Presidente de la Iglesia sentado en su silla habitual"[10]. No le agradaba que a la Primera Presidencia "se le sometiera"—según las palabras del presidente Monson—a una sesión fotográfica en la sala de reuniones. Para alguien que trata de evitar que le tomen una fotografía, podría considerarse irónico que existan docenas de álbumes llenos de tales fotos que describen casi cincuenta años enfrente de las cámaras.

El presidente Monson dirigió la asamblea solemne el 1º de octubre de 1994, indicando en su diario personal: "Hoy es un día importante en la historia de la Iglesia. Howard W. Hunter fue sostenido como Presidente de la Iglesia y como profeta, vidente y revelador"[11].

El presidente Hunter inició su cargo con un sinnúmero de problemas de salud. El presidente Monson comentó: "Es un gozo servir como consejero del presidente Howard W. Hunter, quien posee un espíritu inquebrantable. Aunque su cuerpo es frágil, tiene el deseo de servir con todo su corazón y su alma en la sagrada función a la que el Señor lo ha llamado"[12].

Siete años antes, la diabetes le había comprometido los nervios y los músculos de la pierna derecha, y los médicos habían previsto que "pasaría el resto de su vida en una silla de ruedas". En ese momento, le pidió al presidente Monson que le diera una bendición, en la cual él expresó palabras de afirmación "de que el Señor no lo llamó al Consejo de los Doce debido a sus piernas, y que todas las partes de su cuerpo y de su mente que justificaban su llamamiento todavía funcionaban eficazmente". En esa época, el presidente Hunter servía como Presidente en Funciones del Quórum de los Doce. Un año después, el 22 de junio de 1988, con el fallecimiento del presidente Romney, el élder Hunter fue apartado como Presidente del Quórum de los Doce.

En la mañana del domingo 1º de abril de 1988, los espectadores de la conferencia observaron a Howard W. Hunter levantarse lentamente de su silla y, con la ayuda de un bastón, dirigirse al púlpito. "Al aproximarse al final de su mensaje, perdió el equilibrio y cayó hacia atrás". El élder Monson escribió en su diario: "Logré poner mi mano debajo de su hombro y amortiguar la caída. El élder Packer y yo lo ayudamos inmediatamente a ponerse de pie y, sin perder una sílaba, siguió leyendo su mensaje del teleprompter".

El presidente Monson percibió "que habíamos presenciado un milagro en el momento que Howard W. Hunter fue capaz de llegar al púlpito, e incluso un segundo milagro cuando se encontró ante el púlpito por segunda vez"[14].

Dos años después, en abril de 1990, al concluir la reunión de los jueves de la Primera Presidencia y los Doce en el templo, el presidente Hunter había preguntado si alguien tenía algo que deseara presentar que no estuviese incluido en la agenda. La sala estaba en silencio, ya que a los apóstoles se les había avisado que el Presidente tenía un asunto que deseaba mencionar. Dijo simplemente: "Quisiera hacerles saber que esta tarde voy a casarme". Entonces habló acerca de Inis Stanton, una mujer de California a quien había estado visitando por cierto tiempo, y dijo que el presidente Hinckley iba a realizar la ceremonia en el Templo de Salt Lake. "He invitado al presidente Monson para que sea uno de los testigos, y el obispo de Inis será el otro". El 9 de octubre de 1983, el presidente Monson había hablado en el funeral de Clair Hunter, la esposa del presidente Hunter[15].

Durante su presidencia, Howard W. Hunter dedicó el Templo de Orlando (Florida) y el de Bountiful (Utah), y anunció que se edificarían tres nuevos templos: en Nashville, Tennessee; Cochabamba, Bolivia; y Recife, Brasil. Creó la estaca número 2.000 de la Iglesia en la Ciudad de México, y participó en los servicios conmemorativos por el 150 aniversario del martirio del profeta José Smith.

En su discurso después de la asamblea solemne en octubre, el presidente Hunter dijo a los miembros que los había invitado "a contemplar el templo del Señor como el gran símbolo de su calidad de miembros. Es el más profundo deseo de mi corazón que cada miembro de la Iglesia sea digno de entrar al templo. Seamos personas que asisten al templo"[16]. Ese llamado hizo que se diera mayor atención a la adoración en el templo.

Cuando el presidente Hunter dedicó el templo número 46 de la Iglesia en Orlando, Florida, el 9 de octubre de 1994, habían pasado cinco años desde que un Presidente de la Iglesia había asistido a la dedicación de un templo. El presidente Hunter, con la dignidad y el manto del profeta escogido del Señor, presidió siete sesiones dedicatorias y pronunció cuatro discursos. El presidente Monson habló en una de las sesiones en cuanto al tema de la cortesía, una cualidad que aprendió en su juventud y que ha valorado al relacionarse con otras personas. "Cada vez que acude a mi mente la palabra *cortesía,* pienso en aquellos que parecen ejemplificarla en todo lo que hacen", dijo, citando el templo como "un lugar de cortesía. Habrá quienes irán al templo y no sabrán por dónde ir, y ustedes, maravillosos obreros que trabajarán con diligencia en el templo, sean siempre bondadosos y esfuércense por que cada persona sepa que es bienvenida en la casa del Señor"[17].

El 8 de enero de 1995, el presidente Hunter dedicó el Templo de Bountiful, Utah. Le pidió al presidente Monson que dirigiera la ceremonia de la piedra angular y la debida instalación de la misma esa fría y ventosa mañana de domingo. Poniéndose sus abrigos, cada miembro de la Primera Presidencia tomó la paleta y entonces se llamó a la hermana Hunter para que hiciera lo mismo en representación de las mujeres de la Iglesia.

El presidente Monson había preparado la oración dedicatoria tras pedírselo el presidente Hunter. Éste, débil pero resuelto, leyó la oración en las dos primeras sesiones, la cual incluía la gran esperanza: "Procuramos ser como Tú; tratamos de modelar nuestras vidas de acuerdo con la vida de Tu Hijo; deseamos la rectitud en nosotros mismos, en nuestros hijos, y en los hijos de nuestros hijos"[18].

El lunes, el presidente Hinckley presidió las sesiones dedicatorias del Templo de Bountiful, siendo el presidente Monson responsable de las sesiones del martes. El lunes por la noche, se dio cuenta de que no tenía un par de calcetines blancos elásticos para el día siguiente. Llamó por teléfono a la farmacia del Hospital LDS para ver si podía conseguir un par, y la joven que contestó le prometió que encontraría lo que él necesitaba. Pero la conversación no terminó allí. Con cierta vacilación, ella preguntó si sería posible que le diera una bendición a un joven, Joshua Holdaway, a quien habían encontrado después de haber estado perdido en las montañas cerca de Salt Lake City en temperaturas bajo cero, y que se encontraba muy grave en el hospital. Él le dijo que lo haría con mucho gusto.

Esa noche, fue a la habitación de Joshua y encontró a "un espléndido joven" de unos dieciocho años de edad. Tenía los pies vendados en forma parecida a su propio pie cuando había estado internado en el hospital un año antes. Asimismo, los dedos estaban vendados individualmente. La preocupación era que la severidad de la congelación requiriera que se le amputaran los dedos de las manos, los de los pies y posiblemente los mismos pies. El presidente Monson comentó: "Le hablé de los hidromasajes . . . y le pregunté si Corky, el fisioterapeuta que me trató a mí, estaba todavía allí, y dijo que sí. Intercambiamos impresiones en cuanto a la cámara hiperbárica que ambos habíamos soportado. Fue bueno que por el hecho de haber pasado yo algunas de esas cosas, me fue posible hablarle con la voz de la experiencia"[19]. Después de que conversaron, el padre de Josh se unió al presidente Monson para darle al joven una bendición del sacerdocio.

La empleada de la farmacia era prima de Josh Holdaway, y al día siguiente llegó una carta de ella a la oficina del presidente Monson. Indicó que rara vez trabajaba en la farmacia los lunes por la noche, y que en esa ocasión estaba de suplente. Rara vez contestaba el teléfono, pero sintió que era "una inspiración de lo alto" que el presidente Monson llamara esa noche, cuando tanto se le necesitaba[20].

La madre de Joshua también escribió una carta de agradecimiento, y comentó que Josh le había dicho ese día: "Mamá, quiero que me laves el cabello, porque tengo el presentimiento de que el presidente Monson va a venir a verme mientras me encuentre aquí"[21].

El martes y el jueves de esa semana, el presidente Monson presidió las sesiones dedicatorias del Templo de Bountiful, vestido en su traje blanco, y calcetines especiales. Mencionó la visita que hizo a Joshua Holdaway y pidió a los presentes que unieran su fe en favor de Josh.

El presidente Monson regresó al hospital el viernes, esa vez para ver al presidente Hunter, quien se había ido después de la sesión del martes por la mañana, diciendo: "Tom, no me siento bien. Creo que será mejor que me vaya a casa". En esa sesión había tenido dificultades para dar vuelta a las páginas de su discurso y finalmente permitió que su secretario lo ayudara. El presidente Monson escribió en su diario personal: "Le tomé la mano y la besé tiernamente. Le dije que me sentía muy complacido porque él había podido dedicar el Templo de Bountiful y también el Templo de Orlando". El presidente Hunter sonrió, asintió con la cabeza y dijo: "Gracias. Yo también"[22]. Al día siguiente, sábado, el presidente Monson presidió las últimas cuatro sesiones dedicatorias e impartió el amor del presidente Hunter a la gente que se hallaba en el templo. Durante los seis días de dedicación, asistieron 201.655 personas a sesiones en el Templo de Bountiful, el Tabernáculo de Salt Lake, el Centro Regional de Bountiful, y los tabernáculos de Ogden, de Brigham City y de Logan.

En sus tareas con proyectos humanitarios y de la comunidad, el presidente Monson había cultivado una buena relación con muchos líderes locales de otras iglesias. Dos semanas después de la dedicación del Templo de Bountiful, el presidente y la hermana Monson asistieron a un servicio de oración y bendición de la Insignia Episcopal para el obispo George H. Niederauer, a quien el Papa había nombrado sucesor del obispo William Weigand como Obispo Católico de Salt Lake City. El obispo Weigand había sido transferido a la diócesis de Sacramento, California. Fue una noche espectacular en la Catedral de la Madeleine. Al presidente Monson le habían pedido que hablara junto con el Gobernador del estado de Utah y un ministro Luterano que era responsable de la Asociación Ministerial de Salt Lake. Los Monson se sintieron acogidos cuando el obispo Niederauer los mencionó en sus palabras de apertura y "expresó el placer que tuvo al visitar el Templo de Bountiful durante la recepción al público, indicando que lo había disfrutado mucho"[23].

Al día siguiente, a los Monson y al élder y a la hermana Faust se les invitó a la catedral para el ordenamiento oficial y la instalación del obispo Neiderauer, presidido por el Cardenal Roger Mahony, de California. También asistió Agostino Cacciavillan, el nuncio apostólico de California. El ordenamiento duró tres horas y quince minutos. Uno de los sacerdotes que iba en la fila saludó a los Monson y dijo: "¿No están contentos de que no estemos honrando al Papa? Eso habría llevado mucho más tiempo"[24].

Al presidente Monson se le pidió que hiciera uso de la palabra. El élder Gene R. Cook le expresó más tarde por escrito: "Lo que usted hizo en la Catedral de la Madeleine el martes por la noche fue absolutamente magistral, al hablar sin notas, pero con el Espíritu y con una dignidad que fue evidente para todos los presentes." A su modo de ver, continuó, el presidente Monson "tuvo un impacto favorable en el mundo de los que no son miembros y especialmente en la Iglesia Católica, al declararles realmente que somos cristianos y que deseamos cooperar con ellos, y aún permanecer asidos a lo que creemos y sabemos que es verdadero"[25].

Con un almuerzo efectuado el 7 de febrero de 1995, y con el presidente Monson actuando como maestro de ceremonias, los líderes de La Iglesia de Jesucristo de los Santos de los Últimos Días honraron al nuevo obispo católico. En tal acontecimiento estuvieron presentes la Primera Presidencia y el Quórum de los Doce, con el Obispo Niederauer y sus asociados de la Diócesis Católica de Salt Lake, incluyendo el Monseñor Terrence Fitzgerald, el Reverendo Monseñor M. Francis Mannion, el Reverendo Monseñor John J. Hedderman, el Padre Joseph M. Mayo y el Diácono Silvio Mayo.

El presidente Monson ha hecho muchas amistades con las personas que ha conocido al viajar de un país a otro en sus asignaciones. Al tomar asiento en un avión durante un viaje a través de Estados Unidos, le pidió al hombre que estaba a su lado si podría cambiar de asiento con su colega y compañero de viaje de las oficinas de la Iglesia, Ron Gunnell, a lo cual accedió de buena gana. Al ponerse de pie, le mencionó al presidente Monson que un amigo de ambos de la región norte de Utah le había dado algunas gallinas del presidente Monson. El presidente, sonriendo, le dijo: "Siéntese", y los dos conversaron en cuanto a gallinas durante todo el vuelo[26].

El primer domingo de febrero, el presidente Monson habló a estudiantes en una transmisión del Sistema Educativo de la Iglesia. Fue la reunión más concurrida que había tenido lugar en el Centro Marriott de la Universidad Brigham Young, y compartió algunas de sus tiernas experiencias con el presidente Hunter. Temprano ese día, había ido a ver al Presidente y lo encontró muy cordial, sensible y sentimental. "Voy a contarles a los estudiantes algunas de las lecciones que he aprendido de usted", explicó, pero agregó que no estaba seguro de si contaría acerca de los zapatos. El presidente Hunter lo miró curiosamente.

"En nuestras reuniones del templo", explicó el presidente Monson, "me he sentado a su lado todos estos años, y los cordones de mis zapatos siempre se desataban y los de usted no. Un día tuve el valor de preguntarle: 'Howard, ¿cómo es que los cordones de mis zapatos siempre se desatan y los suyos no?'.

"Porque les hago nudo doble", había respondido el élder Hunter. "Usted está haciendo un nudo corredizo, y así es como se hace un nudo doble". Entonces se inclinó y le ató los zapatos al presidente Monson. Desde ese momento, el presidente Monson lo ha hecho de esa manera.

Cuando el presidente Monson llevó sus zapatos a un taller de reparaciones de calzado para que se los lustraran, el zapatero—una persona algo particular que siempre usaba botas de vaquero, sombreros negros y barba—lo sorprendió cuando intentó pagarle por los zapatos recién lustrados. "Le cobraré el año que entra", dijo. "¡Feliz Año Nuevo!" Fue algo simple, pero que conmovió al presidente Monson. "Creo que hay gente buena en todas partes", anotó en su diario personal, "y si uno los trata con respeto, no importa cuál sea su ocupación, posición o condición social, ellos van a responder en forma recíproca"[27].

Él siguió visitando hogares de ancianos y centros del cuidado de la salud, llegando a la conclusión de que sus visitas se alargaban porque saludaba a casi todos los pacientes, aun aquéllos a quienes no conocía, y posaba con los empleados para tomar fotografías. Una Navidad, al visitar a Louie McDonald, un amigo de la infancia, uno de los pacientes lo tomó del brazo al salir del cuarto, y preguntó si le llevaría algunos chocolates la próxima vez que fuera. "Trataré de hacerlo", respondió el presidente Monson. Una semana después, regresó con chocolates para Louie y otra bolsa para su nuevo amigo. Él recuerda que al dejar caer la bolsa, el hombre pareció sorprendido—y encantado. Para el ocupado apóstol que nunca lo estaba demasiado para los necesitados, fue motivo de dicha aquella Navidad[28].

El presidente Hunter comenzó a empeorar en febrero de 1995 y sus inspiradas palabras de la previa conferencia general de octubre acudieron a la mente de muchas personas: "Cuando un Presidente de la Iglesia está enfermo o no funciona totalmente en todos los deberes de su oficio, sus dos consejeros, quienes con él constituyen el Quórum de la Primera Presidencia, prosiguen la obra de la Presidencia. Cualquier asunto, norma, programa o doctrina de mayor relevancia, es considerado en asamblea por los consejeros de la Primera Presidencia y el Quórum de los Doce Apóstoles. Ninguna decisión surge de la Primera Presidencia y del Quórum de los Doce sin la total unanimidad entre todos sus integrantes. Siguiendo esa norma inspirada, la Iglesia continuará progresando sin interrupción"[29].

El 3 de marzo de 1995, a las 8:30 de la mañana, el presidente Hinckley y el presidente Monson se hallaban en una reunión con el Obispado Presidente cuando recibieron la noticia del fallecimiento del presidente Hunter. Inmediatamente, los dos fueron a la residencia de los Hunter en un edificio cerca de las oficinas de la Iglesia. La salud del presidente Hunter se había estado deteriorando desde el día de la dedicación del Templo de Bountiful, cuando el presidente Monson hizo la observación de que "el pronóstico no parece ser optimista"[30]. Inis Hunter compartió con las dos Autoridades las últimas palabras de su esposo. Éstas "no eran un prolongado sermón ni un detallado código para nuestra conducta, sino más bien un mensaje divino de su corazón para el nuestro. Es algo poderoso, penetrante, memorable. A quienes lo estaban atendiendo, él simplemente les dijo: 'Gracias', y entonces se fue"[31]. En su diario personal, el presidente Monson escribió: "Ha fallecido un grandioso y tierno gigante del Señor. Sirvió bien como presidente, aunque sólo por un breve período de nueve meses. Ahora comenzará una nueva era de liderazgo"[32].

El comité del funeral, que incluía al élder Thomas S. Monson; al élder Boyd K. Packer; a F. Michael Watson, secretario de la Primera Presidencia; a Elaine Jack, presidenta general de la Sociedad de Socorro; a Ray Bryant, funcionario del Tabernáculo; y a Richard Bretzing, jefe de seguridad, se reunió para hacer los planes necesarios. Se dispuso un velorio privado para familiares, Autoridades Generales y sus respectivas familias en la Funeraria Larkin, el 6 de marzo, y uno para el público el 7 de marzo. La cantidad de gente era tal que el horario se prolongó desde las 19:00 hasta las 21:00 horas. En el funeral, efectuado en el Tabernáculo de la Manzana del Templo, los dos consejeros del presidente Hunter tomaron sus asientos a ambos lados de la silla roja vacía.

En un tributo final al presidente Hunter, en nombre de los nueve millones de miembros de la Iglesia en ese entonces, el presidente Monson dijo: "Al igual que el Maestro, Howard W. Hunter creció desde humildes comienzos hasta lograr una magnífica misión en todo el mundo. Él también aumentó 'en sabiduría, y en estatura y en gracia para con Dios y los hombres'; él también fortaleció las manos caídas; él también recordó al huérfano y a las viudas en sus tribulaciones; él también dio de sí mismo para bendición de los demás"[33]. El presidente Monson sabía—por propia experiencia—a lo que se refería. También la vida de él es así.

30

UN CONSEJERO MAGISTRAL

Aunque ciertamente tenía opiniones propias y vasta experiencia, no hubo ningún momento en el que advirtiéramos que su punto de vista fuera diferente al del presidente Hinckley. El nunca hallar en todos esos años la más mínima discrepancia entre el Presidente de la Iglesia y su consejero fue algo extraordinario; era una presidencia totalmente unida.

ÉLDER QUENTIN L. COOK
Quórum de los Doce Apóstoles

ERA EL DÍA 21 DE AGOSTO de 2006. "Estamos aquí para celebrar el cumpleaños de Tom", anunció el presidente Gordon B. Hinckley a un grupo de Autoridades Generales y empleados de la Iglesia congregados en una de las salas de reuniones del Edificio de Administración. Al concluir con las felicitaciones, el presidente Hinckley le entregó al presidente Monson un plato y le indicó que pasara a servirse de la comida que habían preparado. "Tom", le dijo, "ve tú primero; eres el homenajeado".

Sin vacilar, el presidente Monson sonrió y dijo: "No, presidente, sírvase usted primero. Yo siempre lo sigo a usted".

El ejemplo es sencillo pero por demás ilustrativo. Desde 1985 a 2008, el presidente Monson sirvió como consejero de tres presidentes de la Iglesia: segundo consejero de los presidentes Benson y Hunter y primer consejero del presidente Hinckley. "Es una persona dinámica e intelectualmente vibrante", dice el élder Dallin H. Oaks, "y al mismo tiempo, dependiendo de la posición que ocupe, es sumiso y servicial"[1].

En la asamblea solemne del 1° de abril de 1995, cuando el presidente Monson propuso el nombre de Gordon Bitner Hinckley para el voto de sostenimiento de los miembros de la Iglesia, pidió a los poseedores del sacerdocio, tal como había sido el modelo en conferencias generales desde que John Taylor fue sostenido como tercer Presidente de la Iglesia, que se pusieran de pie y levantaran la mano en señal de apoyo. Después, por primera vez en la historia de la Iglesia, invitó a la Sociedad de Socorro (todas las mujeres mayores de dieciocho años) y a las Mujeres Jóvenes (de doce a dieciocho años) que participaran en el sostenimiento del profeta de Dios. Así se establecía una nueva tradición, la cual continuaría cuando él mismo fuera sostenido como Presidente de la Iglesia trece años más tarde.

"Doquiera que se encuentren", anunció el presidente Monson, "se les invita a ponerse de pie cuando se les indique y expresar, levantando la mano, si desean sostener a aquellos cuyos nombres serán presentados"[2]. Ese sostenimiento del presidente Hinckley no fue para nada una experiencia superficial para los miembros de la Iglesia. El presidente Monson recibió una conmovedora carta que describía la reacción de un hombre en esa "extraordinaria ocasión":

> Esa mañana en particular, ya que tenía que llevar el heno al granero para alimentar a mi ganado, oía la conferencia por la radio de mi camioneta. Estaba en plena labor cuando usted pidió que los hermanos del sacerdocio, doquiera que se encontraran, se prepararan para sostener al profeta. Me pregunté si eso me incluía a mí; me pregunté si el Señor se ofendería porque yo estaba sudado y cubierto de polvo. Pero seguí sus instrucciones y me bajé de la camioneta.
>
> Nunca olvidaré el estar a solas en el granero, con el sombrero en la mano, con el sudor corriéndome por la cara, con el brazo levantado en forma de escuadra para sostener al presidente Hinckley.

Las lágrimas se mezclaron con las gotas de sudor mientras meditaba en esa sagrada ocasión . . .

A veces nos encontramos en lugares particulares cuando pasan eventos de gran trascendencia. Eso me ha sucedido, pero nunca de un modo más espiritual que aquella mañana en el granero, a solas ante la presencia de las vacas y un caballo ruano.

Atentamente,

Clark Cederlof[3]

El presidente Monson leyó para el voto de sostenimiento: "Thomas Spencer Monson, como Presidente del Quórum de los Doce, y Boyd K. Packer como Presidente en Funciones del Quórum de los Doce". También presentó a los miembros del Quórum de los Doce para ser sostenidos, con el nuevo miembro, Henry B. Eyring, llamado para ocupar la vacante creada por la muerte del presidente Howard W. Hunter. Después invitó al élder Eyring a ocupar su lugar en el estrado entre los apóstoles. Cada vez que ve a un nuevo miembro unirse a los Doce, el presidente Monson recuerda, cual si hubiese sido ayer, ese largo trayecto que él tuvo que hacer décadas atrás. (Transcurrirían otros nueve años, hasta octubre de 2004, antes de que él tuviera que leer el nombre de dos nuevos apóstoles, Dieter Friedrich Uchtdorf y David Allan Bednar. Ellos llenaban las vacantes creadas por el fallecimiento de los élderes Neal A. Maxwell y David B. Haight. Después vendría Quentin L. Cook en octubre de 2007, cuando el élder Eyring fue llamado a la Primera Presidencia tras el fallecimiento del presidente James E. Faust).

Esa noche, en la sesión general del sacerdocio, el presidente Monson dio un poderoso testimonio del decimoquinto Presidente de la Iglesia, el presidente Hinckley:

"Con ojos humedecidos por las lágrimas y corazones enternecidos por la emoción nos hemos despedido de ese gigante espiritual, un profeta de Dios, el presidente Howard W. Hunter. Hoy hemos sostenido al presidente Gordon B. Hinckley como Presidente de la Iglesia y como profeta, vidente y revelador de

Dios. Sé que el presidente Hinckley ha sido llamado por nuestro Padre Celestial para ser el profeta y que él nos guiará por las sendas que el Salvador nos ha señalado. La obra seguirá su marcha y la gente será bendecida. Es un gran honor y privilegio servir junto al presidente Gordon B. Hinckley y al presidente James E. Faust en la Primera Presidencia de la Iglesia"[4].

El presidente Hinckley le había extendido el llamamiento al presidente Monson para servir como Primer Consejero de la Primera Presidencia y los dos volverían a sentarse uno al lado del otro durante los siguientes trece años.

Tras enterarse de la conformación de la nueva Primera Presidencia, un ex miembro del Barrio Sexto-Séptimo, Jack Fairclough, le escribió al presidente Monson: "Me siento honrado de tenerlo por amigo todos estos años. Su magnífica obra en la Iglesia del Señor lo dota de enorme mérito. El domingo en que se anunció su llamamiento al Quórum de los Doce, me encontraba en el Centro de Visitantes sur donde sirvo como guía, preparándome para llevar a un grupo de turistas en un recorrido por la Manzana del Templo. Sentí gran satisfacción al enterarme de que un ex obispo del Barrio Sexto-Séptimo, y diligente maestro orientador de mi madre y mi hermana, recibiera tal honor. Ese sentimiento se ve magnificado hoy con su llamamiento como Consejero de la Primera Presidencia"[5].

El presidente Monson se ajusta a la descripción de Doctrina y Convenios 81, la única revelación que se dio—originalmente—a un consejero de la Primera Presidencia. Esa revelación, que recibió Frederick G. Williams, define a la perfección los muchos años de servicio del presidente Monson a presidentes de la Iglesia, ya sea que estuviera sentado a su derecha o a su izquierda.

El pasaje de las Escrituras menciona tres deberes importantes: "[Sé] fiel en consejo . . . [proclama] el evangelio . . . socorre a los débiles, levanta las manos caídas y fortalece las rodillas debilitadas"[6]. El élder Quentin L. Cook afirma que el presidente Monson ha sido esa clase de consejero. "Debido al poder de su personalidad, no existe duda alguna de que él daría su mejor consejo. Él valora la unidad, valora la lealtad, y hace escuchar su voz cuando resulta apropiado en el ámbito de ese consejo; pero una vez que se adopta una decisión, él la respalda sin vacilaciones y de todo corazón. La unidad de la Primera Presidencia en sus importantes decisiones es un gran ejemplo para toda la Iglesia"[7].

El presidente Monson fue el consejero magistral para el presidente Hinckley, tal como lo había sido para el presidente Hunter y para el presidente Benson. El presidente Monson ha sido magníficamente capaz y al mismo tiempo deferente; audaz, pero también humilde; resuelto e innovador, aunque igualmente medido y prudente.

El élder David A. Bednar concuerda con que una de las "maravillosas lecciones de la vida del presidente Monson es el hecho de que fue el consejero perfecto. Nunca se atribuyó adoptar iniciativas o responsabilidades que estaban dentro de la jurisdicción del Presidente de la Iglesia". El élder Bednar observa que en reuniones de la mesa de educación a las que él asistió como rector de BYU–Idaho, el presidente Monson "expresaba su punto de vista de un modo muy apropiado y hasta categórico. Pero cuando se tomaba una decisión, él siempre la respaldaba plenamente"[8].

Lo que los miembros de la Iglesia no han visto es cómo, desde su silla junto al presidente Hinckley, él colaboró con el avance de la obra con la fe y la capacidad de un líder mundial. "Él es un hombre de una fe *muy, muy* grande", testifica el obispo H. David Burton. "Cuando hablo con la Primera Presidencia sobre asuntos sumamente complejos o de implicaciones serias, el presidente Monson muchas veces es el primero en decir: 'No se preocupe obispo, lo dejaremos en las manos del Señor'"[9].

El presidente Gordon B. Hinckley llegó a ser el presidente de la Iglesia que más viajó en toda su historia. En junio de 1997, al celebrar el profeta sus ochenta y siete años de edad, el presidente Monson dijo de su amigo: "Poco a poco está llegando a todas las partes del mundo, reuniéndose con miembros que rara vez, si es que ha habido alguna, han visto al Presidente de la Iglesia"[10]. Mientras el presidente Hinckley estaba ausente, el presidente Monson, como su Primer Consejero, asumía la mayor parte de la carga administrativa de la Iglesia. Ellos habían trabajado juntos por tantos años que el presidente Monson sabía casi con certeza lo que pensaba el presidente Hinckley y cuál sería su posición ante los asuntos que le presentaban. Se comunicaban por teléfono, el presidente Hinckley desde África o algún otro lugar lejano, y el presidente Monson en su oficina en Salt Lake City.

La mayor parte de los viajes del presidente Hinckley era para dedicar templos. Cada uno de los presidente recientes de la Iglesia ha contribuido a la expansión de la obra de los templos. El presidente Spencer W. Kimball profetizó: "Aguardamos la llegada del día en que las sagradas ordenanzas de la Iglesia que se llevan a cabo en los templos, estén al alcance de todos los miembros alrededor del mundo"[11]. El presidente Brigham Young había previsto ese día, proclamando en 1856: "Para efectuar esta obra, tendrá que haber no sólo un templo, sino miles de ellos, y cientos de miles de hombres y mujeres entrarán en esos templos y oficiarán por seres que han vivido en tiempos tan distantes como el Señor revele"[12].

Ese día se acercó cuando, en la conferencia general de octubre de 1997, el presidente Hinckley anunció los planes para construir templos más pequeños, edificados según las exigencias de las regiones más alejadas de la Iglesia[13]. El primero de tales templos se construyó en Monticello, Utah, en 1998.

Desde su llamamiento al santo apostolado en 1963, el presidente Monson ha participado en dedicaciones y rededicaciones de más de cincuenta templos. En la ceremonia de colocación de la piedra angular del Templo de Estocolmo, Suecia, declaró: "Cada uno de nosotros tiene una piedra angular, o dos, o tres, en su vida, o sea, puntos de referencia que nos guían". Al igual que con todos sus mensajes, él adaptó ése en particular a los presentes en la congregación: "Una de las piedras angulares de mi vida", dijo, "es mi relación con las hermanas de mi abuelo que vinieron de Suecia. De niño, me sentaba sobre sus rodillas mientras me contaban historias de esa tierra, las cuales nunca he olvidado, y me mostraban diapositivas. A cada una de ellas se referían con reverente respeto, como si representaran algo sagrado. Mis tías hacían una pausa y después exclamaban: 'Ésta es una foto de Estocolmo'. Entonces se quedaban en silencio, dando lugar a que yo demostrara la misma reverencia que ellas sentían". El presidente Monson nunca ha olvidado esa experiencia que ha llegado a ser una piedra angular para él, una piedra angular de legado, una piedra angular que le recuerda sus deberes y una piedra angular que mantiene presente en él a aquellos que lo antecedieron[14].

La dedicación del Templo de Tampico, México, en el año 2000, significó para el presidente Monson un retorno glorioso a esa parte de México donde había creado la Estaca de Tampico veintiocho años antes. La dedicación fue también parte de la historia de los templos: tres de ellos se dedicaron en dos días. El presidente Monson dedicó el Templo de Tampico el 20 de mayo en cuatro sesiones; ese mismo día, el presidente James E. Faust dedicó el Templo de Nashville, Tennessee. Al día siguiente, el presidente Monson dedicó el Templo de Villahermosa, también en México. La asistencia total en Tampico fue de 5.066 personas; en Villahermosa, al día siguiente, fue de 3.850. El presidente Monson compartió con las congregaciones su limitado idioma español, aprendido mayormente en la preparatoria, al comentar: "No lo puedo hablar nada bien, pero entiendo más que antes"[15].

En la dedicación del Templo de Veracruz, seis semanas después, habló sobre cómo el templo ayudaría a los miembros allí: "Todos tenemos ciertos talentos, y el Señor sabe cuáles son", les dijo. "Todos tenemos limitaciones y el Señor también sabe cuáles son, pero cualesquiera que sean, el Señor ha dicho: 'Sed, pues, vosotros perfectos, así como vuestro Padre que está en los cielos es perfecto' [Mateo 5:48]. Él no nos daría mandamientos que no pudiéramos cumplir. Podemos llegar a ser perfectos en nuestro amor por Dios, en nuestro amor hacia nuestro prójimo, en el pago de nuestro diezmo, en observar la Palabra de Sabiduría, en la orientación familiar. En otras palabras, todos esos grados de perfección están a nuestro alcance . . . Todos sabemos lo que debemos hacer"[16].

Él da pautas sencillas: "Procuren tener el Espíritu del Señor en sus hogares. Arrodíllense con sus hijos; aconséjenles de corazón y con bondad. No se tomen la vida demasiado en serio y recuerden que siempre habrá desilusiones y tendremos que aprender a vivir con ellas"[17].

El presidente Monson se sintió inspirado a pedirle al joven Carlos de Jesús Contreras Madrigal, quien estaba sentado en la primera fila del cuarto celestial en la dedicación del Templo de Veracruz, México, que pasara al frente y se parara junto a él, "representando a todos los jovencitos presentes en el templo ese día". El presidente Monson le preguntó qué edad tenía y él respondió que cumpliría trece años al día siguiente. Sonriendo, el presidente Monson le dijo que su experiencia en el templo sería su regalo de cumpleaños y le sugirió que escribiera algo sobre ella en su diario personal. Más tarde, el presidente Monson se enteró de que la madre del joven, Elvira Madrigal González de Contreras era una de las hermanas más fieles de una de las ramas de la Estaca Villahermosa, y de que su padre no era miembro de la Iglesia[18].

"Cuánto han bendecido los templos la vida de la gente de la Iglesia", declara el presidente Monson. Los miembros de su familia se han congregado en salas de sellamientos del Templo de Salt Lake para participar en ordenanzas a favor de antepasados fallecidos. "Reinó allí un sobrecogedor sentimiento de unión", escribió una tarde cuando la familia había efectuado sesenta y nueve sellamientos. La obra había sido por la familia de Frances, respondiendo a uno de los últimos anhelos de la madre de ella antes de que falleciera[19].

"Por cierto que ésta se reconocerá como una era de edificación de templos al avanzar bajo la dirección de nuestro inspirado presidente, Gordon B. Hinckley", escribió en su diario personal el presidente Monson después de que la Primera Presidencia repasara la propuesta de un modelo de cuarto de sellamientos para templos pequeños[20].

"Nunca he visto a un consejero que diera más apoyo a la obra del templo que el presiente Monson", dice el obispo Burton al recordar las muchas deliberaciones en las reuniones del Comité de Predios para Templos, en lo concerniente a la edificación de éstos. La oficina del Obispo Presidente supervisa la edificación de templos. El obispo Burton indica: "La primera persona que hizo una moción para dedicar recursos de la Iglesia a la obra del templo fue el hermano Monson. Aun cuando no se ha expresado mucho al respecto en forma pública, su influencia en la construcción de templos es notoria". "Cuando hablamos de templos", continúa diciendo el obispo Burton, "inmediatamente pensamos en el presidente Hinckley, lo cual es apropiado, pero no muchos pasos detrás, lo sigue nuestro actual presidente. Él tiene un gran testimonio de por qué construimos templos y de toda la obra que se lleva a cabo en ellos"[21].

Todos los jueves, al presidente Monson y al presidente Hinckley se les transportaba en un pequeño vehículo abierto por el túnel subterráneo que une el Edificio de Administración de la Iglesia con el templo. "En una ocasión, al promediar el recorrido, cuando ya estábamos debajo del templo, el hermano Hinckley se quitó el sombrero durante el resto de trayecto", observa el presidente Monson. "Nadie se dio cuenta, pero yo sí lo advertí; es un presidente muy espiritual"[22]. Cada vez que el presidente Monson ve a miembros de la Iglesia, jóvenes en particular, ir al templo o salir de él, piensa en que "han hecho algo de valor eterno por otra persona. Y de eso, precisamente, se trata la vida"[23]. Para él, la obra del templo es una obra de rescate.

El presidente Monson aún recuerda cuando era obispo y aconsejó a un matrimonio que pasaba por momentos apremiantes en su relación. Se sintió inspirado a preguntarles: "¿Cuánto hace que han estado en el templo y han presenciado un sellamiento?".

"Hace mucho tiempo", respondieron. Eran personas dignas que iban al templo a realizar ordenanzas por otras personas, pero que no habían sido testigos de un sellamiento por muchos años.

"¿Irían conmigo al templo el miércoles a las ocho de la mañana?", les preguntó.

El siguiente miércoles, los tres se encontraban en uno de los hermosos cuartos de sellamientos. El hombre y su esposa se sentaron bastante apartados el uno del otro en una pequeña banca contra la pared. A medida que la ceremonia proseguía, se fueron acercando cada vez más, y casi al finalizar, estaban juntos y tomados de la mano, habiendo hecho sus diferencias a un lado. Habían recordado los convenios que habían hecho en la casa de Dios. "Cuando recordamos nuestros convenios, los guardamos", dice el presidente Monson. "Quienes guardan convenios son personas felices"[24].

"Considero que ha tenido una influencia enorme en nuestro

progreso como Iglesia en los últimos cuarenta años", dice el obispo Burton. "Durante ese período, Thomas Monson ha sido, por cierto, un firme defensor y paladín de esta causa"[25].

Otro aspecto de la Iglesia en el que se ha manifestado grandemente la influencia del presidente Monson es en la obra misional. El élder M. Russell Ballard ve al presidente Monson como "uno de los grandes misioneros de todas las dispensaciones. Él entiende la obra misional y la importancia de incluir a los miembros en ella"[26].

Como presidente del Comité Ejecutivo Misional, el élder Ballard tomó un borrador de *Predicad Mi Evangelio*, que en aquel entonces era una propuesta de guía misional, y lo llevó un domingo por la tarde a los tres miembros de la Primera Presidencia. En la casa del presidente Monson, los dos conversaron mientras caminaban por el jardín del fondo cuando fueron a ver sus palomares. Entonces el élder Ballard le pidió que leyera el manuscrito de varios cientos de páginas. "Sé que usted leerá todo su contenido", le dijo el élder Ballard, instándolo a hacer cualquier corrección.

Entonces el élder Ballard añadió: "Lo necesito de vuelta en dos días".

"Tiene que estar bromeando", dijo el presidente Monson mientras le tomaba el peso al manuscrito. Pero pasó la mayor parte de la noche leyéndolo y a los dos días se lo devolvió al élder Ballard con sus correcciones y sugerencias.

Algo que le faltaba a ese primer borrador de *Predicad Mi Evangelio* era el toque personal de relatos de la vida real. El élder Quentin L. Cook, quien en ese momento era director ejecutivo del Departamento Misional, explica: "El presidente Monson nunca las llama historias porque en todos los casos quiere que sean relatos reales. Siempre ha reconocido que la gran mayoría de la gente puede identificarse con esos relatos, mientras que si sólo nos referimos a conceptos, tal vez no lleguen a captar el mensaje"[27].

El presidente Monson dejó en claro que tales relatos deben enseñar un principio. Él podría haber empleado la experiencia de Shelley, un miembro del Barrio Sexto-Séptimo, para ilustrar la forma eficaz de hacer obra misional. Shelley no había aceptado el Evangelio, aun cuando su esposa e hijos eran activos en la Iglesia. Cuando Tom partió para Canadá para servir como presidente de misión, casi se había dado por vencido con Shelley. "Si se me hubiera pedido que diera el nombre de alguien que casi seguro nunca llegaría a ser miembro de la Iglesia", dijo, "creo que habría pensado en Shelley".

Después de ser llamado a los Doce, el élder Monson recibió una llamada telefónica de Shelley. "Obispo, ¿podría usted sellarnos a mi esposa, a mi familia y a mí en el Templo de Salt Lake?", preguntó Shelley.

El élder Monson vaciló por un instante y le dijo: "Shelley, antes de eso tiene que bautizarse en la Iglesia".

Shelley se echó a reír. "Ah, ya atendí ese asunto mientras usted estaba en Canadá. Mi maestro orientador era el hombre que ayudaba a los niños a cruzar la calle hacia la escuela, y todos los días me encontraba con él y hablábamos del Evangelio"[28].

La vida del presidente Monson está repleta de tales ejemplos. Otro de ellos llegó a su conocimiento cuando George Watson, quien servía en una presidencia de estaca en Naperville, Illinois, en 1999, decidió escribirle para hacerle saber lo que le había sucedido.

En 1957, cuando tenía veintiún años de edad, George Watson emigró de Irlanda a Canadá, aceptó un trabajo en Niagara Falls, y alquiló una habitación "por la bagatela de seis dólares por semana". El único inconveniente era que todos los domingos tenía que llevar a la iglesia en auto a la dueña de la casa, de setenta y tres años de edad. Ella empleaba los veinticinco minutos del trayecto para animar a George a "hablar con los misioneros de su iglesia". Él se resistió por más de un año, hasta que un día la mujer lo invitó a cenar con ella y "con dos señoritas". A George le resultó muy difícil ser grosero con las misioneras.

Durante los meses siguientes pensó mucho, pero seguía descartando la idea de la Iglesia. Para entonces, once parejas de misioneros le habían enseñado el Evangelio, con cuyo mensaje se sentía muy bien, pero era demasiado lo que le exigía abandonar. La dueña del lugar que alquilaba seguía invitándolo a la iglesia y finalmente aceptó acompañarla, vestido "con una camisa desabrochada en el cuello, calzado deportivo y pantalones arrugados", con la idea de que se sintiera avergonzada y nunca más volviera a invitarlo. Como llegaron tarde, se quedó sentado en el vestíbulo, no quiso ir a la Escuela Dominical y se puso a hablar con "un muy buen hombre minusválido" que sintió que lo comprendía. Cuando George le dijo que en ocho días volvería a Irlanda, el hombre lo instó a bautizarse antes de partir. Si bien aceptó, durante toda semana George hizo caso omiso a las llamadas del hombre para confirmar su bautismo. Al llegar el domingo, no obstante, "tras no haber podido dormir en toda la noche", George lo llamó, se disculpó e hizo arreglos para que lo bautizaran de camino al aeropuerto.

"No tengo idea de dónde usted o los misioneros encontraron mi dirección en Irlanda", le escribió al presidente Monson treinta años más tarde, pero "recibí una carta suya dándome la bienvenida a la Iglesia". Ésta decía: "Nos sentimos sumamente complacidos al darle la bienvenida como miembro recién bautizado en el reino de nuestro Padre. Su Padre Celestial lo ama profundamente y desea bendecirlo abundantemente con Su espíritu". Un domingo, en Irlanda, a las 9:00 de la mañana, "un tal presidente Lynn llamó a la puerta" de George, diciendo que tenía una carta del presidente de la Misión Canadiense, Thomas S. Monson, pidiéndole que cuidara de George[29]. Un pequeño acto de parte de un amoroso líder había contribuido a mantener a un hermano a salvo en el rebaño.

Los relatos verdaderos de *Predicad Mi Evangelio* se incluyeron en gran medida como resultado de la insistencia del presidente Monson, y muchos de ellos los sugirió él mismo. El manual se terminó en escasos catorce meses bajo la guía del Señor por medio de Sus siervos, entre ellos, el presidente Monson. "Él presidió el Consejo Ejecutivo Misional durante mucho tiempo", explica el élder Ballard. "Él conoce la obra misional, y el hecho de que el manual estaba dirigido al misionero para su propia instrucción, en vez de tan sólo bosquejar lecciones, lo hacía por demás singular"[30]. *Predicad Mi Evangelio* ha probado ser un enfoque divinamente inspirado y eficaz para la obra misional.

Todos los años, entre los meses de octubre y diciembre, el

presidente Monson y el presidente Faust extendían llamamientos a hombres cuyos nombres habían sido recomendados por líderes de la Iglesia y aprobados por la Primera Presidencia y el Quórum de los Doce, para servir como presidentes de misión. Algunos años había hasta 135 de ellos y a cada consejero se le asignaba aproximadamente la mitad. El presidente Monson se preparaba antes de cada reunión, repasando los archivos personales y consultando al Departamento Misional si había alguna preocupación o pregunta. En las entrevistas, rara vez pasaba menos de una hora con cada matrimonio y personalizaba las conversaciones a fin de que cuando la pareja salía de su oficina sintieran que habían recibido su total atención.

A medida que la obra misional avanzaba y la Iglesia seguía creciendo, también aumentaba la necesidad de nuevos edificios. La conferencia general de abril de 2000 se llevó a cabo en el recién terminado Centro de Conferencias. El presidente Monson describió la transición del Tabernáculo a dicho centro como un hecho milagroso. "Cuesta creer que nos las hayamos arreglado con apenas la capacidad del Tabernáculo por todos estos años", dijo[31]. Cabían en ese lugar para cada sesión de conferencia general unas 6.500 personas, mientras que el Centro de Conferencias alojaba aproximadamente 21.000.

"Necesitábamos un edificio mucho más amplio para dar cabida a quienes asistían a las conferencias y a otros eventos en el curso del año", dijo el presidente Monson en una de las sesiones del domingo en el nuevo recinto. "Obreros de refinadas destrezas trabajaron con el corazón y las manos para ofrecer una estructura digna de la aprobación del Señor"[32].

Con la construcción del Centro de Conferencias, junto con las innovaciones tecnológicas en transmisiones vía satélite y por internet, muchas más personas que antes podrían ahora participar de la conferencia general, y a muchas de ellas les encantaba oír al presidente Monson. En una familia se requería que los hijos escucharan a dos oradores en cada sesión de la conferencia general, pudiendo dedicar el resto del tiempo a jugar. La madre escribió en una carta dirigida al presidente Monson que su hijo le había dicho a su padre: "Llámame cuando vaya a hablar el último discursante, o cuando hable el presidente Monson"[33]. Otra madre escribió que había observado a su más pequeño permanecer cautivado ante el televisor mientras el presidente Monson hablaba, y cuando estaba por terminar su discurso, el niño corrió hasta el televisor y besó el rostro del presidente en la pantalla[34].

El amor del presidente Monson por la gente se deja ver fácilmente. Le encanta estar entre los santos. El élder David B. Haight le comentó una vez después de que los dos asistieron a una conferencia en la estaca del presidente Monson: "Las 1.500 personas congregadas en el centro de estaca con gusto se hubieran quedado una hora más para escuchar sus palabras y sentir su amor"[35]. La gran capacidad del presidente Monson para captar el interés de los miembros de la Iglesia con sus experiencias personales y la cálida forma de expresarse hizo que el presidente Hinckley dijera en una ocasión que le tocó hablar después del presidente Monson: "¡Qué tal si ustedes tuvieran que hablar después de él!"[36].

El obispo H. David Burton relató: "Me encontraba en una asignación fuera de Salt Lake City y mi madre estaba internada en una casa de salud. Mi esposa, Barbara, me llamó para informarme que mamá no se encontraba bien. Después recibí una llamada del presidente Hinckley quien me dijo que consideraba que debía regresar a casa. Acababa de colgar el teléfono cuando me llamó el presidente Monson, quien había ido a visitar a mi madre un par de días antes. No sé si él y el presidente Hinckley se habían puesto de acuerdo, pero me dijo que pensaba que sería prudente que volviera, y así lo hice. Llegué una hora antes de que mi madre falleciera. El presidente Monson tiene esos tiernos sentimientos por la gente y sus circunstancias"[37].

En mayo de 1997, el presidente Monson presidió una conferencia regional en Lyon, Francia, país en donde no había estado en casi una década. Mientras el presidente y la hermana Monson y el élder Neil L. Andersen y su esposa caminaban hacia el automóvil en medio de una multitud de miembros que anhelaban verles de cerca o incluso estrecharles la mano, el élder Andersen señaló a un matrimonio que se encontraba entre la gente y le relató al presidente Monson su conmovedora historia. El hijo de ellos, el élder Richard Charrut, había perdido la vida en un trágico accidente después de haber servido como misionero con los Andersen en la Misión Francia Burdeos.

El élder Andersen había hablado en su funeral en la pequeña rama de Chambéry, a la cual asistía la familia. Esa era la primera vez que veía a los padres desde aquel servicio cinco años antes. Al concluir el élder Andersen el relato, los dos matrimonios ya habían llegado al vehículo que los transportaría. En vez de entrar en él, el presidente Monson sugirió que volvieran para hablar con el matrimonio. Nada era más importante para él en ese momento que expresar su amor a esos fieles padres cuyo buen hijo había perdido la vida al estar al servicio del Señor.

Preocupado, el élder Andersen miró su reloj y observó cómo los miembros se agolpaban alrededor de ellos. Pero al presidente Monson no habrían de disuadirlo, e "insistió en que volviéramos para hablar con los Charrut", recuerda el élder Andersen. El presidente Monson echó sus brazos por sobre los hombros de Gerard y Astrid Charrut y les dijo, por intermedio del élder Andersen, quien interpretaba: "Hermanos Charrut, les prometo que si permanecen fieles, tendrán a su hijo para siempre".

Los hermanos Charrut se echaron a llorar. "No fueron tanto sus palabras, sino su sentimiento lo que nos embargó de emoción", recuerda el élder Andersen. Doce años después, el presidente de estaca de los Charrut se puso en contacto con el élder Andersen para hacerle saber que el hermano Charrut acababa de fallecer, y agregó: "El cariño y la atención que el presidente Monson manifestó a ese matrimonio los fortaleció de un modo maravilloso, y ellos se han mantenido firmes y fieles a lo largo de estos años"[38].

Después de una conferencia regional en Hamburgo, Alemania, el presidente Monson insistió en visitar a un ex presidente de la Estaca Hamburgo, Michael Panitsch, quien se encontraba gravemente enfermo. Ese hombre había sido un fiel líder en la Iglesia en tiempos muy difíciles. Oriundo de Ucrania y hablando con fluidez los idiomas ruso y ucraniano, el hermano Panitsch había formado parte del ejército alemán en la Segunda Guerra Mundial y había servido diestra y prolongadamente como presidente de la Estaca Hamburgo, respaldado por el apoyo de su esposa.

El élder Uchtdorf, presidente del Área Europa en aquella época, intentó disuadir al presidente Monson de la idea de realizar la visita, explicándole que el hermano Panitsch vivía en el quinto piso en un edificio donde no había ascensor. El presidente Uchtdorf también estaba en conocimiento de que escasos meses antes, al presidente Monson lo habían hospitalizado debido a un serio problema en el pie izquierdo. Pero el hermano Panitsch y el presidente Monson habían sido amigos por años, así que lo visitaría de cualquier modo. Él y el presidente Uchtdorf subieron las escaleras, deteniéndose a descansar cada dos o tres peldaños. Al llegar al apartamento, encontraron al hermano Panitsch en su cama, gravemente enfermo. Vivía solo, ya que su esposa había fallecido años antes, su hija vivía en el piso de arriba y su hijo en el de abajo. Los viejos amigos conversaron e intercambiaron testimonios y después el presidente Monson prometió al hermano Panitsch que su nombre sería incluido en la lista de oración de la Primera Presidencia y del Quórum de los Doce. El hermano Panitsch comenzó a llorar, expresando repetida gratitud al presidente Monson. Aquella sería la última vez que estarían juntos"[39].

El presidente Monson no subió ni bajó aquellas escaleras pensando en sus pies, sino más bien en sus manos. Él ha enseñado por experiencia personal: "Las bendiciones más tiernas de Dios siempre se confieren por medio de manos que le sirven aquí en la tierra. Tengamos manos prestas, manos limpias y manos dispuestas, a fin de ofrecer lo que nuestro Padre Celestial desea que otros reciban de Él"[40].

Dan y Mabel Taylor también fueron bendecidos por las amorosas manos del presidente Monson. Ellos vivían en Canadá cuando el presidente Monson sirvió en ese país como presidente de misión y se conocían muy bien. Mabel, de hecho, había servido como consejera de Frances en la presidencia de la Sociedad de Socorro de la misión. Más adelante, los Taylor se mudaron a California y el entonces élder Monson los visitó cuando estuvo allí con la asignación de dividir su estaca. En esa ocasión les pidió a los Taylor que consideraran servir en una misión. Así fue que a la semana siguiente el matrimonio se apareció en la oficina del élder Monson en Salt Lake City y le dijeron: "Usted nos animó a servir en una misión, así que aquí estamos".

"¿Han hablado con su obispo o presidente de estaca?", preguntó el élder Monson.

"No", fue la respuesta de los Taylor.

Les sugirió que regresaran a California y le comunicaran a su obispo sus deseos de servir. Poco después fueron llamados a la Misión Washington, D.C., y más tarde a una segunda misión en el centro de visitantes de Laie, Hawái; con el tiempo se mudaron a Salt Lake City.

En el otoño de 2003, se le informó al presidente Monson que Dan Taylor estaba internado en un hospital local, tras haber sufrido un ataque cardíaco. Entonces fue a verlo y, cuando llegaron al hospital, le pidió a su conductor que confirmara el número de la habitación de Dan. Al entrar en ella, el presidente Monson echó "una mirada alrededor del cuarto sin reconocer a ninguna de las personas que había allí". Sorprendido, dijo: "Tengo entendido que ésta es la habitación de Dan Taylor".

El paciente respondió que él era Dan Taylor.

Pues era el Dan Taylor equivocado.

Pero antes de que el presidente Monson pudiera disculparse por el mal entendido, la esposa del paciente le dijo: "Hemos estado orando y pidiendo que alguien con la autoridad del sacerdocio viniera a darle una bendición a mi esposo. Acabábamos de orar cuando usted llegó, hermano Monson".

El presidente Monson le dio una bendición al hombre y le hizo saber cuán feliz se sentía de conocerlo. Entonces, después de explicarle que debía visitar a otro Dan Taylor, salió de la habitación, mas no sin antes recibir un sentido agradecimiento del matrimonio por la bendición que había dado.

Tras consultar en el mostrador de información, descubrió que sí había otro Dan Taylor en el hospital. Ése *sí* era su amigo, a quien el presidente Monson también dio una bendición[41].

Cuando él tiene experiencias de ese tipo, sabe que es la mano del Señor la que lo guía. Considera que la confusión entre los dos hombres con el mismo nombre y apellido no fue un error.

Muchas veces ha dado testimonio "de que el sentimiento más tierno que se puede experimentar en esta vida es tener la oportunidad de estar en el mandato del Señor y saber que Él ha guiado nuestros pasos"[42].

Pese a su buena disposición de ayudar, el presidente Monson comprendió que "el deseo de servir a los demás, de buscar a la oveja perdida, quizás no siempre dé resultados inmediatos. En ocasiones, el progreso es lento y hasta imperceptible"[43]. Fritz Hoerold, su amigo de la infancia, fue un buen ejemplo de ello. Fritz era "bajo de estatura pero enorme en valor". Se alistó en la Marina de los Estados Unidos a los diecisiete años y partió en un barco de combate hacia el frente de batalla en el Pacífico, donde la tripulación se enfrentó a una serie de sangrientos encuentros con el enemigo. La embarcación sufrió serios daños y se produjeron muchas bajas entre los marinos. Thomas Monson y Fritz Hoerold perdieron el contacto entre sí durante cincuenta años, pero un día, cuando el presidente Monson estaba leyendo en una revista un artículo sobre batallas navales en el Pacífico, pensó en su amigo. ¿Viviría aún? ¿Viviría en Salt Lake City? Tras indagar, quien años atrás fue el presidente del quórum de maestros de Fritz, lo llamó por teléfono y le envió la revista. Hacía tiempo que Fritz había dejado de ir a la iglesia. En el correr de pocos meses se encontraron dos veces y en ambos casos el presidente Monson instó a Fritz a hacerse merecedor de las bendiciones del templo. La esposa de éste, Joyce, pidió al presidente Monson: "No se dé por vencido con este marido mío".

Al enterarse del fallecimiento de Joyce, el presidente Monson dijo: "Cuánto hubiera querido tener más éxito en mis esfuerzos de llevar a Fritz al templo". Asistió al funeral de Joyce, y cuando Fritz lo vio "fue derecho hasta donde él estaba". El presidente Monson describió lo que sucedió: "Los dos derramamos algunas lágrimas y él me pidió que fuera el último orador. Cuando me puse de pie para hablar, miré a Fritz y a su familia y dije: 'Fritz, estoy aquí hoy como presidente del quórum de maestros del cual una vez tú y yo fuimos miembros'. Les hablé de cómo él y su familia podían llegar a ser una 'familia eterna' por medio de las ordenanzas del templo, en las cuales prometí que oficiaría cuando llegase el momento.

"Entonces dije: 'Ahora bien, Fritz, empleando términos navales, siendo que los dos estuvimos en la marina, nuestro barco está a punto de levar anclas, y Joyce está a bordo con destino al reino celestial de Dios, y no quisiera que tú perdieras el barco. El silbato del contramaestre ya ha sonado y es hora de partir.' No bien hube dicho eso, Fritz se puso de pie de un salto y me hizo la venia, diciendo: 'Sí, señor'. Le devolví el saludo. Fue un momento muy emotivo para todos los presentes".

Al poco tiempo, en la reunión general del sacerdocio de octubre de 2001, el presidente Monson habló de Fritz en su discurso. El siguiente lunes por la mañana, Fritz lo llamó para agradecerle y le dijo que su maestro orientador lo había llevado a la reunión del sacerdocio y se había llenado de asombro cuando el presidente Monson contó su historia. El maestro orientador se volvió hacia él y le preguntó: "¿Captó el mensaje?". El yerno de Fritz, quien también lo acompañaba, se puso de pie y presentó a Fritz ante los que los rodeaban como el hombre a quien el presidente Monson acababa de referirse. "Presidente", dijo Fritz, "no pude contener las lágrimas". El 31 de agosto de 2002, el presidente Monson efectuó en el templo el sellamiento de la esposa y los hijos de Fritz a su esposo y padre. Menos de un año después, el 4 de marzo de 2003, el presidente Monson ordenó a Fritz al oficio de sumo sacerdote, acompañándolo en el círculo el presidente de estaca, el obispo y el maestro orientador de éste[44].

Por cierto que es importante llegar a un alma, pero igualmente importante es llegar a todas ellas. Con tal fin, el 4 de enero de 2003, la Primera Presidencia grabó en video la primera de una serie de reuniones mundiales de capacitación de líderes. El programa se transmitió una semana después y ese tipo de capacitaciones se ha seguido produciendo año tras año. El presidente Monson reconoce que "en realidad nada se compara a estar en persona, donde uno puede llevar a cabo un intercambio abierto y directo"[45], pero la práctica de realizar sesiones de capacitación de líderes del sacerdocio vía satélite ofrece grandes ventajas. Se tratan diversos temas, pulidos, correlacionados y traducidos, haciendo posible que todos reciban el mismo mensaje al mismo tiempo y en su propio idioma.

La expansión mundial de la Iglesia también hizo necesaria la eliminación de algunos programas que habían estado vigentes por muchos años. Fue el presidente Spencer W. Kimball quien anunció la suspensión de las conferencias que la AMM llevaba a cabo tradicionalmente en el mes de junio (en Norteamérica) con sus festivales de danza y música, presentaciones teatrales y competencias deportivas. Él declaró que la razón de tal medida era porque la Iglesia había crecido demasiado como para reunir a los jóvenes en un lugar central para llevar a cabo esas magníficas actividades. En cambio, se propuso que dichos programas se efectuaran a nivel regional, aunque éstos no llegaron a concretarse como los líderes esperaban.

Años más tarde, reconociendo la necesidad de programar actividades para fortalecer a la juventud, el presidente Monson dio a cada miembro de la Primera Presidencia y del Quórum de los Doce una copia de la declaración del presidente Kimball concerniente a tales festivales. "Ése fue el comienzo de un proceso de estudio para concebir algún tipo de celebración que se llevara a cabo en diferentes ciudades", explicó el presidente Monson[46].

El Día de Celebración que tuvo lugar en el estadio de fútbol americano de la Universidad de Utah en Salt Lake City el 16 de julio de 2005, un gigantesco programa de jóvenes, conmemorando el bicentenario del nacimiento del profeta José Smith y el 175 aniversario de la organización de la Iglesia, fue el espectáculo más grande efectuado en décadas. El presidente Monson quedó encantado con el programa, catalogándolo de "magnífico". En él participaron unos 42.000 jóvenes del valle del Lago Salado y del estado de Wyoming, entre ellos 16.000 cantantes, 5.200 bailarines y 2.400 abanderados. Otros eventos similares, aunque de menor escala, han celebrado con gran éxito dedicaciones de templos u otros hitos de la historia de la Iglesia.

El amor del presidente Monson por la juventud ha quedado de manifiesto en sus muchos discursos ante grupos de scouts. En el verano de 1996 habló en uno de tales campamentos en Valley Forge, Pensilvania. En aquel tiempo, Chris Rasband tenía doce años de edad. A principios de ese verano, se había mudado con sus padres a Nueva York, donde su padre servía como presidente de misión. El cambio no había sido fácil y ahora allí estaba él, en medio de una multitud de 5.000 scouts, mientras el presidente Monson les dirigía la palabra.

Chris conocía al presidente Monson desde el tiempo en que él y su padre se sentaban delante del presidente Monson en partidos de básquetbol del Utah Jazz. Chris recordaba vivar al equipo y celebrar con el presidente Monson cada vez que el Jazz encestaba, así que verlo hablar en ese campamento llevaba a la mente de ese nostálgico scout una escena familiar. Mientras el presidente Monson se aprestaba a partir del campamento, empezó a dar la mano a los jóvenes que pasaron a saludarlo. Al mirar hacia la multitud vio a Chris en su uniforme scout. "¡Chris Rasband, ven aquí a saludarme!", le dijo. Los jóvenes le abrieron el paso como si fueran las aguas del Mar Rojo y Chris se adelantó mientras el presidente Monson le extendió la mano y lo ayudó a subir al estrado.

Chris necesitaba esa atención; necesitaba a su amigo, quien lo encontró. "Nunca está demasiado ocupado", dice con emoción el élder Ronald Rasband, padre de Chris, "nunca está demasiado ocupado para llegar a la gente"[47].

Él nunca está demasiado ocupado para llamar por teléfono a una amiga de la preparatoria que acaba de perder a su esposo; para sentarse junto a un amigo que está a punto de morir, ni para escribir una carta para dar ánimo a alguien inactivo en la Iglesia y decirle: "Es hora de regresar". El presidente Monson nunca está demasiado ocupado para ir al rescate.

El élder Neil L. Andersen ha observado al presidente Monson y ha aprendido: "Nunca actúa como un administrador que tiene que encargarse de todo, sino que lo hace como un pastor. Así es él, alguien cuya influencia en la gente es más importante que sus cálculos y estrategias en provecho de la Iglesia"[48].

Pese a ello, sus asignaciones y horario de viajes siempre han sido rigurosos. Él y su esposa rara vez tomaban un descanso, a menos que estuvieran en Alemania. El pintoresco sur de Alemania siempre ha sido su lugar de distracción predilecto si se encontraban en Europa. Parte del atractivo es la campiña y la otra parte es el relativo anonimato del que disfrutaban tan lejos de su hogar. En uno de sus viajes a Europa, en agosto de 1995, comenzaron en Estocolmo, Suecia, donde el presidente Monson dividió una estaca que él había creado en 1975. Fue una ocasión histórica, ya que el rey Carl XVI y la reina Silvia, visitaron el templo como parte de la reinstauración de una antigua tradición que databa del siglo trece cuando el rey viajaba por todo el país para conocer a los ciudadanos. El presidente Monson hizo entrega a la reina de la historia de su familia en dos volúmenes, y al rey le dio una estatuilla de bronce de "Primeros Pasos" (escultura que muestra a una madre y a un padre ayudando a su pequeña a dar sus primeros pasos).

Los Monson habían hecho arreglos para tomar dos días libres antes de ir a Görlitz a dedicar una nueva capilla que se había construido allí. Gerry Avant, del *Church News,* había sido asignada a viajar a último momento para cubrir los eventos, con varios pasajes de avión que, según le dijeron, la llevarían a los diferentes puntos del itinerario del presidente y de la hermana Monson, pero no se había tomado el tiempo para revisarlos.

Cuando terminaron las ceremonias en Suecia, comenzó una nueva aventura. Gerry explica: "Fui al mostrador de la aerolínea donde un sonriente agente me dijo: 'Veo que viaja a Munich', a lo que respondí que no, que iba para Dresde. El agente se fijó en todos mis pasajes y me informó que a Dresde viajaría tres días después, pero que ese día viajaría a Munich. Supuse que el presidente Monson hablaría en una reunión o en una charla fogonera de área o que se reuniría con los misioneros y yo cubriría el evento para el *Church News.*

"Cuando llegamos al hotel en Munich, pregunté: '¿A qué hora son las reuniones mañana?'.

"El presidente Monson dijo: 'No tendremos ninguna reunión en Munich'.

"Yo no sabía qué decir, así que pregunté: '¿Entonces qué estamos haciendo en Munich?'.

"El presidente Monson respondió: 'Yo no sé por qué está usted aquí, Gerry, pero Frances y yo decidimos tomar un par de días para pasear'.

"Le dije: '¡Fantástico!, eso me dará tiempo para reunirme con algunos miembros y tomar fotografías'.

"El presidente Monson dijo: 'Ha estado trabajando mucho; debería tomarse un tiempo para visitar algunos lugares de interés'.

"A la mañana siguiente fui a desayunar, esperando que me dirían que me dejarían en algún sitio mientras ellos iban a su paseo. Sin embargo, después del desayuno, el presidente Monson declaró: 'Anoche le dije a Frances que conociéndola a usted como la conozco, tan pronto como nos marcháramos llamaría a un obispo o a una presidenta de Primaria a quien entrevistar, y todos se enterarían de que estamos aquí. Así que decidimos llevarla con nosotros'.

"Y así me llevaron en las más memorables 'vacaciones' de mi vida. Visitamos el parque nacional de Berchtesgaden en los Alpes alemanes en un día de mucha niebla, y después fuimos a almorzar a Salzburgo. Al día siguiente fuimos al Lago Königsee y a pesar de que llovía, fue una experiencia deleitable. Debido al estado del tiempo, había pocos turistas en la embarcación y cuando llegamos a una capilla que hay a orillas del lago no había en ella nadie más. Nos sentamos allí por unos minutos y escuché atentamente cada palabra que pronunció el presidente Monson, y más tarde regresamos a cenar en Salzburgo"[49].

Se reunieron en Dresde con el élder Dieter F. Uchtdorf, de los Setenta, y su esposa, Harriet, y fueron juntos a visitar la tumba del élder Joseph A. Ott, y después hasta la colina al este del río Elba donde el presidente Monson había dedicado esa tierra veinte años antes. "El tiempo también estaba lluvioso y había neblina", dijo el presidente Monson, "al caminar por aquella ladera. Mientras recordábamos con los presentes los acontecimientos del período anterior, el sol se asomó con todo su esplendor igual que sucedió el día de la dedicación. El río Elba corría vigoroso por el valle como lo había hecho a lo largo de los años, tanto en las épocas buenas como en las malas"[50].

El élder Uchtdorf más adelante le escribió al presidente Monson y compartió sus observaciones de la visita a tan sagrado lugar:

"Reconocí dos nombres muy significativos de una calle y de

un edificio. La calle que conduce al lugar donde pronunció la oración dedicatoria lleva el nombre de *Sonnleit*, que quiere decir 'guiados por el sol'. El edificio más próximo al lugar se llama *Friedensburg*, que quiere decir 'fortaleza' o 'castillo de paz'. Yo sé que el cumplimiento de su bendición ha traído rayos sanadores de sol y paz a nuestro pueblo. Harriet y yo recibimos en estos dos extraordinarios días otro testimonio de que 'no hará nada Jehová el Señor sin que revele su secreto a sus siervos los profetas'. Gracias por ser un profeta del Señor Jesucristo"[51].

En cuanto a su visita a Görlitz en 1968, el presidente Monson dijo: "Bajo la inspiración del Señor, prometí a esos dignos santos que nada tenían—absolutamente nada—que si eran fieles al Señor, Él, en Su bondad y justicia, derramaría sobre ellos todas las bendiciones que pudiera recibir cualquier otro miembro de la Iglesia en un país libre"[52]. En el ínterin, se había construido el Templo de Freiberg y los miembros de Görlitz habían recibido todas las bendiciones de miembros dignos en naciones libres. Pero no tuvieron un centro de reuniones hasta el 25 de agosto de 1995 en que el presidente Monson llegó a dedicar la estructura que veintisiete años antes había prometido que se construiría.

Cuando los Monson llegaron a Görlitz, los recibieron miembros que estaban encantados con su nueva capilla y con la visita del presidente Monson, así como con la presencia del alcalde Matthias Lechner, un joven que había contribuido a planear la ocasión. Ese día marcaba un claro contraste con lo que un élder Monson más joven había encontrado veintisiete años antes cuando había "informantes en la congregación, temor en el corazón de los ciudadanos y la presencia de tropas rusas en atavíos militares y de la policía de Alemania Oriental sosteniendo ametralladoras en una mano y la correa de perros Doberman en la otra . . . Mi corazón y mi alma rebosaban de gratitud", dijo el presidente Monson, "por el privilegio de ver la mano del Señor en la bendición de esa gente escogida"[53].

Con el paso de los años, el presidente Monson ha aprovechado toda oportunidad que se le ha presentado para regresar a Alemania. En diciembre de 2003, tras terminar una conferencia regional en Inglaterra un domingo por la tarde, viajó de inmediato a Dresde para hablar en una charla fogonera a "sus amigos", invitando al élder Marlin K. Jensen, Presidente del Área, para que lo acompañara. "Al entrar en el edificio repleto, con aproximadamente 1.100 personas", recuerda el élder Jensen, "fue electrizante. Todos se pusieron de pie. El presidente Monson no se dirigió al estrado como lo habría hecho cualquier otra persona, sino que fue entre la gente por unos diez o quince minutos camino hacia el púlpito, abrazando y estrechando manos. Aunque lo había hecho por tantos años, seguía causando asombro"[54].

Cuando el presidente Monson ha tratado de fortalecer "las manos caídas", como lo hizo en Alemania por tanto tiempo, ha visto las bendiciones del Señor descansar sobre mucha gente. Pero a menudo pasan años antes de que se vean los resultados.

Por ejemplo, habían transcurrido cinco años del fallecimiento del prominente educador Rex E. Lee tras una larga batalla contra el cáncer, cuando el presidente Monson recibió una emotiva carta de su viuda, Janet, describiendo "una tierna experiencia" que había tenido en el templo. Ella explicó que ella y su hijo habían estado hablando sobre los días finales de la vida de su esposo. El hijo mencionó que una de las cosas que lamentaba era que cuando salió un día del hospital para ir a almorzar, el presidente Monson había ido a dar una bendición a su padre. Se había sentido muy desilusionado por no haber estado allí y mencionó que la experiencia seguramente no había sido tan significativa para el terapeuta a quien se le pidió que ayudara a dar la bendición. "Habría significado mucho para mi hijo", escribió la hermana Lee, "y, al hablar del asunto, se le notó muy afectado".

La hermana Lee continuó:

"Durante una sesión del templo el pasado mes de marzo, me llamó la atención una encantadora joven de unos treinta años. Intercambiábamos miradas cada vez que pasábamos de una sala a otra. Cuando la sesión terminó, se me acercó y me preguntó si podía hablar conmigo por un momento. Me dijo que ella y su esposo tenían el corazón destrozado ante la reciente muerte de su hija de siete años, pero que lo que más les había ayudado era una experiencia que su marido había tenido hacía cinco años en el hospital donde trabajaba como terapeuta respiratorio, donde le había ayudado a usted [presidente Monson] a darle una bendición a mi esposo. Ella me comentó que el día de la bendición, su marido había compartido con ella algunos detalles muy espirituales relacionados con la transición entre esta vida y la venidera que usted había mencionado en la bendición. Me dijo que muchas veces ellos hablaron del consuelo que aquellas palabras les traerían algún día si llegaran a perder a alguien cercano a ellos. ¡Ni se imaginaban que ese alguien sería su hija! Entre lágrimas, me dijo cómo esas enseñanzas los sostuvieron en momentos de tanto dolor. Cuando se lo conté a mi hijo él también lloró, al llegar a comprender por qué había sido más importante para aquel terapeuta ayudarlo a usted al dar la bendición, que lo que hubiera sido para él. No siempre entendemos por qué las cosas suceden de cierto modo, pero mi corazón se regocijó ante lo que aprendí"[55].

El 5 de enero de 2000, el presidente Monson también se enfrentó a la posibilidad de perder a un ser querido. Su hija Ann había pasado por la casa de sus padres esa tarde para dejarles un pan recién horneado. Entró a la cocina sin saber con lo que se encontraría. Su madre yacía sin conocimiento en el piso en un charco de sangre. Ann inmediatamente llamó al servicio de emergencia, después a su padre y enseguida comenzó a orar. El presidente Monson le dijo que se encontrarían en el hospital. Él llegó antes que la ambulancia y presenció cómo llevaban adentro a Frances. Tenía un corte serio en la parte de atrás de la cabeza y un bulto grande en la frente. Cuando él le dijo: "Estamos aquí", ella respondió: "Me duele mucho".

Al revisar más tarde la cocina, resultó claro que ella se había golpeado contra el filo de un cajón abierto—el cual estaba cubierto de sangre—y después había caído bocabajo en el piso.

Los médicos de inmediato decidieron transportarla en helicóptero desde ese hospital a otro que disponía de un centro de traumatología más grande. Allí la esperaban sus médicos y el Dr. Rich, quien la había tratado dieciocho años antes del momento de sufrir una seria caída. Los facultativos trabajaron durante largas horas para tratar de estabilizar su condición, insertándole un tubo para facilitar la respiración y otro para alimentarla, y la mantuvieron fuertemente sedada. El presidente Monson permaneció en el hospital toda la noche, al igual que su oficial de seguridad, Tracy Monson (no estaban emparentados).

Aunque Frances había hablado aquellas tres palabras, "Me duele mucho", al llegar al primer hospital, no pronunció ni una sola más durante las siguientes dos semanas y media. El presidente Monson permaneció a su lado, y el 7 de enero escribió en su diario: "Esperábamos que despertara pronto, pero los médicos nos advirtieron que a pacientes con lesiones en la cabeza les lleva más tiempo, particularmente si son diabéticos . . . Es angustiante ver a la compañera eterna sufrir y no poder hacer nada por ella . . .

"Gordon B. Hinckley, James E. Faust y Russell M. Nelson me ayudaron a darle una bendición. Pedí al presidente Faust que la ungiera y al presidente Hinckley que sellara la unción". Fue una bendición hermosa. Entre otras cosas, el presidente Hinckley dijo sin vacilación: "Saldrás de esta aflicción, despertarás y sanarás por la influencia del Espíritu del Señor".

La administración del hospital le dio al presidente Monson un cuarto donde podía trabajar y durante unas semanas pasó la mayor parte de cada día con Frances, ausentándose únicamente para ir a las reuniones en el templo los jueves y a uno o dos velatorios. Sus hijos y nietos se mostraban preocupados.

Su hijo Clark recuerda: "Papá demostró una fe como la que nunca había visto en ninguna otra persona. Él oraba y no daba cabida a la más mínima posibilidad de que mamá muriera. No creo que él orara muy a menudo por sí mismo, sino que estaba dispuesto a dejar que el Señor decidiera qué era lo mejor para él. En este caso, papá estaba resuelto a no perderla"[56].

El lunes, 10 de enero, el presidente Monson escribió en su diario personal: "Aún no hay indicios de que reconozca y no parece saber dónde está ni qué le ha sucedido, lo cual es sumamente desconcertante. Sus ojos permanecen cerrados, el dolor persiste, mas la fe la acompaña. Los médicos nos dicen que seamos pacientes".

Viernes, 14 de enero: "Todavía no recobra el conocimiento. Ann y Carma han estado muy pendientes, al igual que los nietos".

Jueves, 20 de enero: "Hemos estado orando para que se

produzca una mejoría en los próximos días, para que el coma en el que se encuentra deje de tenerla cautiva".

Viernes, 21 de enero: "Frances ha estado abriendo los ojos y siguiendo con claridad mi conversación y después la de Tommy. Me dio mucho gusto ver que eso sucediera. Volví a casa sintiéndome más feliz de lo que me he sentido por más de dos semanas".

Sábado, 22 de enero: "Frances estuvo muy bien hoy. Estuvo alerta, sonrió varias veces, y me siguió con la mirada y me tomó de la mano. El Dr. Fowles dice que ha salido del peligro".

Las primeras palabras que pronunció a su esposo fueron: "Olvidé mandar por correo el pago trimestral de los impuestos". Él le aseguró que se encargaría de ello.

En medio de la crisis, el presidente Monson preparó y presentó un mensaje en una transmisión misional vía satélite en la que se refirió a "Los distintivos de un hogar feliz". "Somos responsables por el hogar que edificamos", aconsejó. "Debemos edificar sabiamente, ya que la eternidad no es un trayecto corto. Habrá calma y viento, luz y sombras, dicha y pesar. Pero si en verdad nos esforzamos, nuestro hogar será un pedacito de cielo en la tierra"[57]. Él anhelaba llegar a ese pedacito de cielo; Frances estaba por volver a casa.

Felizmente, Frances pudo permanecer más tiempo en esta vida mortal para apoyar a su esposo. El 10 de enero de 2008, el presidente Hinckley asistió a la reunión del templo pero le pidió al presidente Monson que dirigiera. No estuvo presente en la reunión del Comité de Predios para Templos. No estaba bien de salud, pero en las semanas siguientes trató de superarse como siempre lo había hecho. Ofreció una oración dedicatoria en el renovado capitolio del estado (de Utah) y el domingo 20 de enero rededicó la capilla del Barrio Garden Park en Salt Lake City. El martes siguiente asistió a la reunión de la Primera Presidencia y parecía estar un poco mejor. El miércoles fue a la oficina.

El sábado, 26 de enero, el presidente Monson, el presidente Eyring y F. Michael Watson, secretario de la Primera Presidencia, fueron a visitar al amado líder quien estaba en cama. El presidente Monson escribió sobre la visita: "Los médicos indicaron que tal vez no se recupere de esta enfermedad. Lo rodeaban miembros de su familia mientras él estaba sedado. Tuve el sentimiento de que quizás nunca volvería a ver al presidente Hinckley con los ojos abiertos"[58].

Al regresar a la oficina, los tres se veían preocupados. El presidente Monson hizo planes para dar una bendición al presidente Hinckley al día siguiente—el día del Señor—el domingo 27 de enero.

Se invitó al presidente Packer a acompañarlos y al día siguiente, a las tres de la tarde, estaban nuevamente junto a su lecho. Toda la familia estaba también reunida a su lado. "Tras una breve conversación, en la cual los médicos hicieron alusión a la gravedad del estado de salud del presidente Hinckley, le dimos una bendición del sacerdocio. Invité al presidente Packer a efectuar la unción, la cual yo después sellé. Se unieron a nosotros todos los poseedores del sacerdocio mayor en la familia Hinckley, además de Don Staheli [secretario personal del presidente Hinckley], Michael Watson y otros presentes que poseían el sacerdocio".

El presidente Monson escribió: "He conocido a Gordon B. Hinckley durante muchos, muchos años, desde antes de ser Autoridades Generales. Hace mucho tiempo yo imprimía las publicaciones misionales y él estaba encargado de coordinar la impresión. Hoy lo encontré más o menos igual que ayer, aunque su respiración parecía más forzada. Lo tomé por la muñeca y tuve la impresión de que ésa sería la última vez que vería a mi amado presidente y amigo en esta vida mortal"[59].

Tres horas y media después, a las siete y veinte de la tarde, llamó Michael Watson con la noticia de que el presidente Hinckley había fallecido.

31

EN POS DEL NECESITADO

El presidente Monson es cálido y atento, tiene un magnífico sentido del humor y un amor espontáneo por la gente. Podría decir que como profeta es irresistible. Va a la cocina a agradecer a las personas que hayan preparado una comida; hace gestos de aprobación por los esfuerzos de la gente; da la mano a todos cuantos puede y con los jóvenes "choca los cinco". Cuando habla con niños, casi siempre se inclina a fin de estar a su propia altura. Si todos fuéramos como el presidente Monson, tendríamos el cielo en la tierra.

ÉLDER WILLIAM R. WALKER
Primer Quórum de los Setenta

L 2 DE FEBRERO DE 2008, el presidente Monson presidió, dirigió y habló en el funeral de su "apreciado amigo y colega", el presidente Gordon B. Hinckley. "No puedo expresar adecuadamente cuánto lo echo de menos", dijo ante el auditorio mundial, el cual abarcaba más de 16.000 personas en el Centro de Conferencias y muchísimas más que seguían los servicios vía satélite, por Internet y BYU Televisión. "Es difícil recordar una época en la que no nos conocíamos", continuó el presidente Monson. "Hemos servido juntos durante más de cuarenta y cuatro años en el Quórum de los Doce Apóstoles y en la Primera Presidencia. Compartimos muchas cosas a lo largo de los años: pesares y felicidad, lágrimas y risas . . . Doquiera que vaya en este hermoso mundo, parte de este atesorado amigo siempre irá conmigo"[1].

Ante el fallecimiento del presidente Hinckley, la Primera Presidencia se había disuelto. El presidente Monson y el presidente Eyring, quienes habían servido como consejeros, regresaron a sus puestos en el Quórum de los Doce Apóstoles y ese quórum pasó a ser la autoridad presidente de la Iglesia. El domingo 3 de febrero de 2008, en espíritu de ayuno y oración, los catorce apóstoles ordenados aún en vida, se reunieron en el cuarto superior del Templo de Salt Lake. Así describió el presidente Monson la ocasión: "Durante esa solemne y sagrada reunión, se reorganizó la presidencia de la Iglesia de acuerdo con el precedente bien establecido y siguiendo el modelo que el Señor mismo instituyó"[2].

El presidente Boyd K. Packer procedió a ordenar y a apartar a Thomas S. Monson como el decimosexto Presidente de La Iglesia de Jesucristo de los Santos de los Últimos Días. El presidente Monson tenía ochenta años de edad.

Muchas veces había compartido su testimonio de Jesucristo con ese venerable cuerpo de siervos del Señor, al igual que con miembros de la Iglesia en todas partes, y lo seguiría haciendo como Presidente de la Iglesia en los años venideros: "Con todo mi corazón y el fervor de mi alma, elevo la voz en testimonio como testigo especial y declaro que Dios por cierto vive. Jesucristo es Su Hijo, el Unigénito del Padre en la carne. Él es nuestro Redentor y nuestro Mediador ante el Padre. Él nos ama con un amor que no llegamos a comprender plenamente, y porque nos ama, Él dio Su vida por nosotros. No hallo palabras para expresar a Él mi gratitud"[3].

Los presentes en esa ocasión recuerdan que el Espíritu confirmó de inmediato el sagrado llamamiento del presidente Monson. El élder Russell M. Nelson describe ese momento como "diferente a cualquier ascensión a un alto oficio en cualquier ámbito—político, académico o gubernamental—donde siempre existe debate, competencia y favoritismos. Fue una experiencia muy especial de la cual tuvimos el privilegio de ser parte"[4].

En su calidad de miembro de los Doce con menor antigüedad, en su primera reunión en el templo para elegir—por revelación—al Presidente de la Iglesia, el élder Quentin L. Cook recuerda haber recibido "la maravillosa confirmación espiritual de que el presidente Monson habría de ser el profeta". Indicó que el presidente Monson parecía ser "un muy puro receptáculo de inspiración divina"[5].

En los días anteriores a la reunión en el templo, el presidente

Monson oró con todo su corazón por guía para escoger a sus consejeros. Estudió el asunto "muy detenidamente, considerando antigüedad, precedente y los talentos que él consideraba necesarios en ese momento y aquellos que conformarían una presidencia homogénea"[6]. Entonces, con humildad presentó los nombres al Señor en busca de confirmación.

El presidente Monson nombró al élder Henry B. Eyring, de setenta y cuatro años de edad, como Primer Consejero de la Primera Presidencia. El llamamiento no sorprendió a nadie, ya que el élder Eyring había servido como Segundo Consejero de la Primera Presidencia desde la conferencia general de octubre de 2007. Los dos habían trabajado juntos por muchos años, pues el élder Eyring había servido como Comisionado de Educación, como consejero del Obispado Presidente y como miembro del Quórum de los Setenta antes de que el presidente Hinckley lo llamara como apóstol en 1995.

El presidente Monson escogió al élder Dieter F. Uchtdorf, de sesenta y siete años de edad, para servir como Segundo Consejero de la Primera Presidencia. El élder Uchtdorf, converso a la Iglesia, había servido como presidente de estaca en Alemania, miembro del Quórum de los Setenta desde 1994 y de la Presidencia de los Setenta desde 2002 y había sido llamado al Quórum de los Doce en octubre de 2004. Él llevaba a su nueva responsabilidad experiencia internacional, tanto comercial como eclesiástica.

El presidente Monson quería llegar al mundo, declara el élder L. Tom Perry, "y la persona más indicada para contribuir a ello era el élder Uchtdorf. De ese modo, el presidente Monson también demostraba que somos una Iglesia mundial"[7].

Ninguno de los dos consejeros tenía demasiada antigüedad en el Quórum de los Doce, pero el presidente Monson sabía que él tenía la "suficiente para compensar por aquello de lo que ellos carecían". Los tres tienen experiencias notoriamente diferentes pero, él explica, hay unidad, y "en la unidad hay gran fortaleza. Estamos unidos en todos los asuntos de mayor importancia"[8].

Ese domingo por la noche, como ha sido la tradición en la familia Monson por décadas, todos se reunieron en la casa. El presidente Monson no habló de lo que había acontecido en el templo ese día y no fue sino hasta que su hija Ann le preguntó en cuanto a la hora del anuncio al público que él se refirió a la conferencia de prensa que tendría lugar la mañana siguiente.

El lunes 4 de febrero de 2008, el presidente Thomas S. Monson, decimosexto Presidente de La Iglesia de Jesucristo de los Santos de los Últimos Días, con sus consejeros a su lado y rodeados por los miembros del Quórum de los Doce, se reunieron con los medios de prensa en la planta baja del Edificio de las Oficinas Generales de la Iglesia, directamente frente al mural que representa al Salvador con Sus apóstoles.

El presidente Monson leyó una declaración que había preparado, refiriéndose ante todo al fallecimiento del presidente Gordon B. Hinckley. "Lo echaremos de menos", dijo, "mas sabemos que nos ha dejado un magnífico legado de amor y bondad". El presidente entonces prometió: "Continuaremos en los pasos de quienes nos han precedido de enseñar el Evangelio, de mancomunar esfuerzos con personas de buena voluntad alrededor del mundo y de dar testimonio de la vida y la misión de nuestro Señor y Salvador, Jesucristo".

Fiel al que llegaría a ser el tema central de su presidencia, habló de tender una mano de ayuda "en el espíritu de hermandad que proviene del Señor Jesucristo" y recalcó la importancia de rescatar al necesitado.

Un representante de los medios preguntó: "¿Qué hará usted diferente?".

Dado que él y el presidente Hinckley se habían reunido casi a diario durante los previos veintitrés años en tres presidencias diferentes para tomar decisiones y delinear objetivos, el presidente Monson respondió: "No puedo menos que pensar que todo será similar y que no habrá cambios drásticos". Recalcó la continuación de la obra de edificar templos alrededor del mundo, de brindar más apoyo al Fondo Perpetuo para la Educación y de poner más énfasis en la oración personal y en ayudar a los demás[9].

Ambos consejeros reconocieron el cometido de su nuevo líder hacia la gente. "He llegado a conocer su bondad", dijo el presidente Eyring[10]. "Sé de su corazón, de su alma y de su maravilloso amor por la gente", añadió el presidente Uchtdorf[11].

Cuando el presidente Monson dio inicio a su presidencia, había 13,1 millones de miembros de la Iglesia en 178 naciones y territorios, 2.740 estacas, 27.827 barrios y ramas, 348 misiones, 52.686 misioneros y 124 templos alrededor del mundo[12].

Cuando las Autoridades Generales se reunieron el siguiente jueves en el templo con la nueva Primera Presidencia, el presidente Monson instintivamente se dirigió a la silla que había ocupado durante trece años y se sentó, hasta que se dio cuenta de que la silla del medio estaba vacía. "No me va a resultar fácil acostumbrarme a esto", dijo ocurrentemente. Por años, él había respaldado a tres presidentes de la Iglesia como consejero.

"En casa nunca hablábamos de que tal vez papá un día llegara a ser el Presidente de la Iglesia", explica su hijo Tom[13]. "Cualquier tarea que le toque hacer, él encuentra el modo de magnificarla y de dar todo de sí"[14].

Su despacho se vio inundado de expresiones de felicitación. Elaine S. Dalton, quien llegaría a ser la presidenta general de la organización de las Mujeres Jóvenes, vio a la nueva Primera Presidencia como "una fuerza poderosa" en las manos del Señor. "Se combinan magníficamente y tienen una visión más clara que cualquier otra persona"[15].

Una nota de gran valor provino del Reverendo Monseñor Terence Moore, de la iglesia católica San Juan Bautista, de Draper (Utah): "Usted es un magnífico líder espiritual y me siento muy bendecido por la amistad que nos une y por su gentileza para conmigo". Esa no era una carta formulario, sino una comunicación entre amigos. Los dos habían trabajado juntos en varias de las mismas causas comunitarias y habían asistido a un gran número de cenas y celebraciones formales. Además de ello, el presidente Monson sería de gran consuelo para el Reverendo Monseñor Moore en su lucha personal contra el cáncer[16].

Sin duda alguna, las asignaciones del presidente Monson en comités a lo largo de los años y sus responsabilidades administrativas lo habían preparado para dirigir todos los aspectos de la organización de la Iglesia. Con el transcurso del tiempo, él ha estado estrechamente relacionado con tareas de correlación, imprenta, obra misional, templos, servicio del sacerdocio, organizaciones auxiliares, programas de los jóvenes y de bienestar; ha viajado a todo continente y se ha dirigido a innumerables congregaciones. Pero su servicio se manifiesta más que nada en su interés por el necesitado y por la forma en que responde a la guía del Espíritu.

Su primera oportunidad de dirigirse a los miembros de la Iglesia se presentó rápidamente. Grabó un mensaje para la capacitación mundial de líderes que se transmitiría vía satélite el 9 de febrero. El tema de la reunión, "Forjemos una posteridad justa", era uno de sus predilectos, y sobre el cual había predicado por años. Habló con fervor y convicción, diciendo: "El mundo está cada vez más lleno de caos y confusión. Nos rodean mensajes que contradicen todo lo que atesoramos, tentándonos a apartarnos de lo que es 'virtuoso, bello, de buena reputación, o digno de alabanza', y a adoptar las ideas que a menudo prevalecen fuera del evangelio de Jesucristo. Sin embargo, cuando nuestras familias están unidas en propósito y reina un ambiente de paz y amor en el hogar, éste llega a ser un santuario ante las cosas del mundo"[17].

El 10 de febrero de 2008 estuvo en Rexburg, Idaho, para dedicar el templo número 125 de la Iglesia, evento que describió como su primer acto oficial como Presidente de la Iglesia. Declaró a la prensa que estaba "suplantando" al presidente Hinckley, quien había tenido la intención de dedicar ese templo en esa ocasión. Las palabras de la oración dedicatoria fueron particularmente conmovedoras:

"Te damos gracias por que desde el momento de la Restauración nunca has desamparado a Tu Iglesia. Desde los días del profeta José Smith, Tú has escogido a un profeta para este pueblo, quien ha poseído y ejercido todas las llaves del sacerdocio sempiterno a favor de Tus hijos en la tierra"[18].

Muchos de los presentes en las ceremonias dijeron haber recibido un testimonio personal del presidente Monson como el profeta de Dios.

El 5 de abril de 2008, los miembros de la Iglesia se pusieron de pie para sostener al presidente Thomas S. Monson en la conferencia general anual número 178 de La Iglesia de Jesucristo de los Santos de los Últimos Días. Más tarde reconoció: "He sentido sus oraciones en mi favor y he sido sostenido y bendecido durante los dos meses desde que nuestro amado presidente Hinckley nos dejó. Una vez más, agradezco su voto de sostenimiento"[19].

En la reunión general del sacerdocio esa misma noche, instruyó a los líderes varones diciendo: "Nosotros, los que hemos sido ordenados al sacerdocio de Dios, podemos marcar la diferencia. Cuando nos hacemos acreedores a la ayuda del Señor, podemos fortalecer a los jovencitos, regenerar a los hombres y lograr milagros en Su santo servicio"[20].

Dirigiéndose a los miembros de la Iglesia en su discurso del domingo por la mañana, se refirió a los quince hombres que lo habían precedido como Presidente de la Iglesia. A muchos de ellos los había conocido personalmente; había servido en el Quórum de los Doce con seis de ellos y como consejero de tres. "Mi ferviente oración", dijo, "es que pueda seguir siendo un instrumento digno en las manos de Dios para llevar a cabo esta gran obra y cumplir las enormes responsabilidades que acompañan al oficio de Presidente"[21].

En la siguiente sesión, el domingo por la tarde, el élder Jeffrey R. Holland dijo en nombre de las Autoridades Generales y de la Iglesia en sí:

"De los muchos privilegios que hemos tenido en esta histórica conferencia, incluso la participación en una asamblea solemne en la que nos pusimos de pie para sostenerlo como profeta, vidente y revelador, no puedo evitar sentir que el privilegio más grande que todos hemos tenido ha sido el presenciar personalmente el descenso del manto sagrado y profético sobre sus hombros, casi como si hubiera sido por las manos mismas de los propios ángeles. Los que estuvieron presentes ayer por la tarde en la reunión general del sacerdocio, así como quienes lo estuvieron en la transmisión mundial de la sesión de esta mañana, han sido testigos oculares de este acontecimiento. A todos expreso nuestra gratitud por ese momento. Digo eso con amor por el presidente Monson, y en especial hacia nuestro Padre Celestial por la maravillosa oportunidad de haber 'visto con nuestro propios ojos su majestad'"[22].

El presidente Monson concluyó la última sesión de esa conferencia general diciendo: "Mis queridos hermanos y hermanas, les amo y ruego por ustedes. Por favor oren por mí, y juntos cosechemos las bendiciones que nuestro Padre Celestial tiene reservadas para cada uno de nosotros"[23].

"Yo sólo quiero servir de manera tal que el Señor esté complacido con lo que quiera que yo haga", ha dicho el presidente Monson[24]. Los mensajes que da en las conferencias generales son de alta prioridad en su vida. "Todos los días busco temas que sirvan para ayudar a alguien", dice. "Pienso en la conferencia general a diario"[25].

Seis meses después, al concluir una de las sesiones de la conferencia de octubre de 2008, al pasar frente al Quórum de los Doce y darles la mano, como es su costumbre, el presidente Monson súbitamente se dio vuelta y se encaminó hacia la congregación. No era algo que hubiera hecho él ni ningún otro Presidente de la Iglesia en tiempos recientes.

Había visto a su viejo amigo el élder Royden G. Derrick, una Autoridad General emérita, sentado cerca del frente en una silla de ruedas. Abriéndose paso por el pasillo, el presidente llegó hasta el élder Derrick, lo abrazó y empezaron a recordar experiencias vividas, entre ellas una cacería de patos en la que no dieron en el blanco ni una sola vez. Después volvió al estrado saludando a algunas personas a su paso, haciendo gestos de aprobación a misioneros, sonriendo y animando a todo el mundo. Era Thomas S. Monson haciendo lo que sabe hacer mejor: llegar a la gente. El élder David A. Bednar describe su actitud como "una bondad inherente e instintiva enfocada en una persona a la vez"[26].

Allie Derrick, sentada junto a su esposo, describió el día en que "el presidente Monson puso en acción aquello que ha enseñado: 'Nunca demos nada por sentado; siempre debemos hacerles saber que les amamos'". Poco más de un año después, el élder Derrick falleció, pero aquel encuentro y expresión de amor del presidente Monson "fue atesorado hasta el fin de sus días"[27]. El presidente Monson habló en su funeral.

"Ese cálido, afable gigante de hombre llena con su presencia cualquier lugar", dice su hermana Marilyn. "No importa cuán grande sea el lugar"[28].

El élder Dallin H. Oaks indica que "el que más se destaca en él es Thomas Monson el obispo, no Thomas Monson el gerente.

Es muy bueno en ambas funciones, pero su interés principal está en la gente. He visto suficientes presidentes de la Iglesia como para notar diferencias. Algunos son muy apegados a las normas y a los procedimientos, pero el presidente Monson principalmente muestra interés en el aspecto humano. Resulta evidente en sus discursos y comentarios en reuniones. Es sensible a las reglas, en cuyo diseño ha participado y a menudo nos recuerda que debemos observar, pero sus energías están centradas en la gente en forma individual"[29].

Las Autoridades Generales ven un esfuerzo consciente de parte del presidente Monson por ser más sensible a las necesidades de los demás, y reconocen que para él es un privilegio y un deber el satisfacerlas. "Cuando vamos al templo los jueves y cada uno de los Doce da su informe a medida que nos lo pide el presidente Monson, describimos lo que hicimos con el llamamiento y las asignaciones que se nos dieron", explica el élder Robert D. Hales. "Pero cuando le llega su turno, él habla de su amada esposa y su atención a ella. Habla con cariño de su familia, sus hijos, nietos y bisnietos. Habla de ir a hogares de ancianos, hospitales y casas a dar bendiciones. Al terminar y partir, tratamos de tener presente como apóstoles lo que él nos enseñó ese día sobre lo que debemos ser y cómo debemos vivir"[30].

El élder Holland dice: "Se aparece sin aviso previo en el funeral de un empleado. No se me ocurre nada que ejemplifique más el ministerio cristiano del presidente Monson que la atención particular que presta a cada persona. Eso es lo que enseñó el Salvador, y el presidente Monson lo refleja en sus actos más que ninguna otra persona que yo jamás haya conocido"[31].

"Algunas personas, si son realmente prominentes", explica el élder Bruce D. Porter, de los Setenta, "él las ha de tratar con mucha bondad, aunque, probablemente, no las visitará en su casa. Pero a los más humildes de la tierra, seguramente sí los visitará en su hogar". El élder Porter vio esa cualidad del presidente Monson en su atención a Paul Tingey, un residente de un centro de convalecencia. Paul y el élder Porter habían sido compañeros de misión en Alemania. Paul se había casado, había criado una familia y hasta había sido obispo. Ahora, seriamente discapacitado víctima de esclerosis múltiple, aunque mucho más joven que la mayoría de los otros residentes, estaba internado en ese centro.

El presidente Monson estaba de visita una noche y, al hablar con Paul, se enteró de que era el hijo de su buen amigo Burton Tingey, y así comenzó una amistad entre ellos. Los dos demostraban optimismo y entusiasmo naturales por la vida y, a partir de ese momento, cada vez que el presidente Monson visitaba el lugar, hablaba con Paul.

Dos o tres años después, Paul falleció. El élder Porter, quien asistió al funeral, recuerda: "Al sentarme, presentí que el presidente Monson iba a ir". Cinco minutos antes de comenzar los servicios, allí estaba él. El élder Porter sabía cuán ocupado estaba el presidente Monson, pero también sabía lo interesado que estaba en la gente. El presidente fue el último orador en el funeral, y en la sesión del sacerdocio de la siguiente conferencia general, el presidente Monson se refirió a Paul.

"Debido a que lo aquejaba ese mal, Paul Tingey luchó valientemente pero con el tiempo tuvo que ser internado en un centro de atención especial", explicó el presidente Monson. "Allí él hizo a otros sentir que es bueno vivir. Siempre que yo asistía a servicios de la Iglesia en ese lugar, Paul me elevaba el espíritu al igual que a los demás. Cuando los juegos olímpicos de invierno se celebraron en Utah en 2002, Paul fue elegido para llevar la antorcha olímpica por cierta distancia. Cuando se hizo el anuncio en el centro de atención, los pacientes reunidos estallaron en aplausos y celebraciones. Al felicitar yo a Paul, él dijo en su limitada dicción: '¡Espero que no se me caiga la antorcha!'.

"A Paul Tingey no se le cayó la antorcha olímpica; y lo que es más, llevó con valor la antorcha que se le dio en la vida hasta el mismo día de su muerte. Espiritualidad, fe, determinación y valor: Paul Tingey tenía todos esos atributos"[32].

"En nuestra reunión mensual de testimonios en el templo", explica el élder Porter, "el presidente Monson comparte muchas experiencias personales con nosotros, tales como la de su relación con Paul. Cuanto más he escuchado, más me he dado cuenta de que él nos enseña a ser más parecidos a Cristo. No nos enseña a ser mejores administradores, aunque él lo es, sino a ser más parecidos al Señor"[33].

El presidente Monson ha reiterado: "Hay pies que afirmar, manos que estrechar, mentes que animar, corazones que inspirar y almas que salvar"[34]. Él considera tales acciones como "ir al rescate". Desafió a las Autoridades Generales a llevar ese tema a los miembros de la Iglesia: "Me siento complacido de que mis hermanos, particularmente los Setenta, hayan captado ese mensaje y lo estén enseñando en todas partes donde van", indica el élder D. Todd Christofferson. "El presidente Monson lo ha compartido tantas veces que no cabe duda de lo mucho que ese principio forma parte de él"[35]. Citando las palabras del Señor de que "todo el que quiera salvar su vida, la perderá; y todo el que pierda su vida por causa de mí, éste la salvará"[36], el presidente Monson ha llegado a la conclusión de que "el Salvador nos dice que a menos que nos perdamos en el servicio de los demás, nuestra vida tendrá escaso propósito"[37].

En la conferencia general de octubre de 2009, el presidente Monson hizo referencia a un frasco grande que había recibido en el que había cientos de bolitas de felpa de todos los colores que representaban actos de servicio que un niño de Primaria había efectuado. Mencionó haberse sentado con su esposa para leer los cientos de notas y tarjetas que le fueron enviadas al celebrar sus ochenta y dos años, describiendo actos de servicio que miembros de la Iglesia, jóvenes y mayores, alrededor del mundo, llevaron a cabo. En su cumpleaños anterior, lo había entrevistado el *Church News* y se le había preguntado qué era lo que más le gustaría recibir como regalo, a lo que respondió: "Qué cada persona haga algo por alguien más"[38]. Las tarjetas, las notas, las bolitas de felpa y otras cosas, se le habían enviado en respuesta a su deseo.

Su hija, Ann, ha observado por muchos años el interés natural de su padre por los demás. "No tiene inhibiciones de dar el primer paso para iniciar una conversación, y siempre ve lo positivo en la gente. No importa cuál sea la situación de ellos, trata de elevarlos o los inspira para que ellos se eleven a sí mismos"[39].

El presidente Monson siempre ha tendido una mano a quienes están alejados de la Iglesia, diciendo: "En el santuario privado de la conciencia individual se encuentra ese espíritu, esa determinación de abandonar lo que solíamos ser y alcanzar nuestro verdadero potencial. En tal espíritu es que nuevamente les extendemos la sincera invitación a regresar. Nos acercamos a ustedes en el amor puro de Cristo y expresamos el deseo de ayudarlos y recibirlos en plena hermandad"[40].

Muchos han regresado al rebaño gracias a su calidez y tierna invitación. Una Autoridad General cuenta de un hombre mayor que, después de veinte años de estar apartado de la Iglesia, fue a ver al presidente Monson y le preguntó cómo podía "volver". Tras conversar por un buen rato, el presidente le preguntó: "¿Qué lo hizo decidir, después de todo este tiempo, volver a bautizarse?". El hombre tomó una carta de su bolsillo, la desplegó y leyó donde decía: "Ha estado alejado suficiente tiempo; ya es hora de regresar. Tom"[41].

El enfoque del presidente Monson es constante y sencillo. "Amo a la gente", explica. "Si me encuentro con alguien que sé que le hará feliz que yo me detenga a hablar con él, así lo haré. Me doy cuenta de que hay un poco de santidad en todos y yo la busco"[42]. Espera que los miembros por lo menos "acojan a los nuevos conversos, que les extiendan una mano de amistad, los rodeen de amor y les hagan sentir como en su propia casa"[43].

Nadie estaba mejor preparado que él para hacer que la Iglesia tomara parte en ese esfuerzo coordinado de allegarse a quienes se enfrentan a la soledad de las culturas auto absortas y egoístas de la época. "El presidente Monson vive a la luz del credo que enseña", dice el obispo H. David Burton. Muchas veces ha dicho que las cinco palabras más importantes son: *"Yo estoy orgulloso de ti"*; las cuatro más importantes, *"¿Cuál es tu opinión?"*; las tres más importantes, *"¿Serías tan amable?"*; las dos más importantes, *"Muchas gracias"*, mientras que la menos importante es: *"Yo"*[44].

Esa filosofía se ha recalcado en varios materiales. En 2009, con la baja que se produjo en la economía mundial, la Iglesia produjo un DVD y un folleto para volver a dar énfasis a los "Principios básicos de bienestar y autosuficiencia", en los cuales figuraban mensajes del presidente Monson, del élder Hales, del obispo Burton y de la hermana Julie B. Beck, presidenta general de la Sociedad de Socorro. "Debemos enseñar a nuestra gente la importancia de ahorrar, de ser frugal e industriosa. Debemos enseñarles a guardar para tiempos difíciles", afirma el presidente Monson[45].

A principios de 2009, el sistema de bienestar de la Iglesia contaba con 138 almacenes en el hemisferio occidental, 108 de ellos en Estados Unidos y en Canadá. Tenía en funcionamiento catorce plantas de enlatados, las cuales producían anualmente casi 13 millones de unidades de alimento. El año anterior, la panificadora Deseret produjo casi medio millón de hogazas de pan; la fábrica de pastas, 45.000 kilos de pasta; la fábrica de jabón, 1,2 millones de kilos de jabón; la planta de productos lácteos, más de cinco millones de litros de leche, 820.000 kilos de leche en polvo y 397.000 kilos de queso[46].

El nuevo Manual de Instrucciones de la Iglesia, publicado sobre fines de 2010, detalla el cuidado de los pobres y los necesitados como uno de los propósitos de la Iglesia, junto a los principios de la bien conocida misión tripartita de la Iglesia de proclamar el evangelio de Jesucristo al mundo, perfeccionar a los santos por medio de ordenanzas e instrucción en su camino a la exaltación, y redimir a los muertos al efectuar ordenanzas vicarias a favor de ellos.

"Cualquiera que conoce al presidente Monson", explica el obispo Richard C. Edgley, consejero del Obispado Presidente, "conoce sus magníficas experiencias y el maravilloso ejemplo que él nos da a todos nosotros. Por medio de ese ejemplo, nos ha enseñado la forma de llegar a los demás y de ayudar a quienes sufren"[47].

"Nuestro Padre Celestial nos ha dotado a todos de la capacidad de ayudar", ha dicho el presidente Monson. "Ningún problema es demasiado pequeño para que Él no dé atención ni tan grande que no pueda responder a la oración de fe"[48]. "Hay personas alrededor del mundo que padecen hambre y otras que están destituidas", les ha recordado a los santos. "Al trabajar juntos, podemos aliviar el sufrimiento o proveer a favor de los necesitados. Además del servicio que prestan al velar los unos por los otros, sus contribuciones a los fondos de la Iglesia nos permiten responder casi de inmediato cuando ocurren desastres en cualquier parte del mundo. Casi siempre estamos entre los primeros en llegar al escenario de los hechos para brindar toda la ayuda que podamos"[49].

Por años, él ha observado las increíbles necesidades humanitarias tras terremotos y otros desastres naturales que han paralizado comunidades y hasta países. El 29 de septiembre de 2009, las islas de Samoa y parte de Tonga sufrieron los devastadores efectos de un terremoto con una magnitud de 8,3, ocasionando cuatro maremotos. Casi doscientas personas perdieron la vida, con un número aún más elevado de heridos y desaparecidos. La agencia de noticias Associated Press informó que casi el 90 por ciento de los habitantes de las Samoa Estadounidenses perdieron sus hogares. En menos de una semana se recogieron de los almacenes de la Iglesia en Salt Lake City setenta y ocho paletas con sesenta toneladas de alimento, estuches con artículos de higiene, ropa, sillas de ruedas y contenedores de agua y se les puso en un avión de carga para realizar un vuelo de doce horas hacia las islas samoanas en el Pacífico. La Iglesia también ha aportado ayuda humanitaria destinada a las Filipinas, Vietnam, Indonesia, Turquía y otras muchas partes del mundo.

El 10 de enero de 2010, un terremoto sacudió la pequeña nación caribeña de Haití. Más de 230,000 personas, veinte de ellas Santos de los Últimos Días, murieron en el movimiento sísmico de 7,0, el cual tuvo treinta y tres réplicas. El presidente Monson estaba familiarizado con ese país y su gente, tierra que en 1983 había dedicado para la predicación del Evangelio.

Inmediatamente la Iglesia abrió las puertas de su media docena de centros de reuniones en la capital de Puerto Príncipe, edificios que seguían milagrosamente en pie, para asistir a los damnificados. Disponían de alimento, mantas, tiendas y toldos y medicamentos, así como equipos de profesionales médicos, asistentes técnicos y otros especialistas miembros de la Iglesia que habían llegado a la isla para ayudar.

Thomas S. Monson llegó a ser el Presidente de la Iglesia casi al mismo tiempo que la gran crisis económica azotó la nación y el mundo. No fue un maremoto, una inundación ni un huracán, sino una preocupación global mayúscula sobre la capacidad que la gente tendría de contar con empleo, alimento y vivienda. "No podríamos tener un profeta mejor preparado y más apto que el presidente Monson durante este período de tan urgente necesidad de bienestar y humanitaria", dijo el élder Hales, quien, como obispo presidente entre 1985 y 1994, vio con sus propios ojos la pasión del presidente Monson por ayudar a los pobres y aligerar las cargas de los necesitados. No hay duda de que el presidente Monson sabe qué decir al instar a los miembros de la Iglesia a participar en todo tipo de ayuda comunitaria y a usar los conocidos distintivos amarillos del programa Manos que Ayudan"[50].

El élder Marlin K. Jensen dice que la visión que el presidente Monson tiene de la Iglesia es que "lleguemos a ser no sólo oidores sino hacedores de la palabra. Aún sigue hablando en uno o dos funerales por semana, y haciendo visitas personales. Por ese medio y a través de sus enseñanzas, él trata de impulsarnos a ser verdaderos cristianos, con una persona a la vez, con un alma a la vez"[51].

Cuando llamó al élder D. Todd Christofferson a ser el apóstol número noventa y seis de esta dispensación tras la muerte del presidente Hinckley, no fue una reunión rápida. Quince años antes, el presidente Monson lo había llamado para servir en el Primer Quórum de los Setenta. El relato del élder Christofferson de cuando fue llamado como apóstol es conmovedor:

"El llamamiento no fue extraordinario desde el punto de vista del mundo. Considero que su poder y belleza estuvo en su sencillez. Fue como un sellamiento en el templo, sin complicación, no muy ceremonioso, sino potente y puro. Nada distraía de lo que estaba ocurriendo ni de lo que el proceso debía ser"[52].

Cuando el presidente Monson extendió el llamamiento al élder Neil L. Andersen, en ese momento Presidente Mayor de los Setenta, para llenar la vacante en el Quórum de los Doce producida por el fallecimiento del élder Joseph B. Wirthlin, los más cercanos al proceso fueron testigos de su interés genuino por otras personas.

"El presidente Monson comentó varias veces en nuestras reuniones de los jueves en el templo sobre esa pesada carga de responsabilidad", recuerda el élder Christofferson, quien observaba el proceso por primera vez. "Algunos de los apóstoles de mayor antigüedad habían observado: 'No hay nada de qué preocuparse; el presidente Monson sabe cómo obtener revelación'"[53].

El presidente Uchtdorf describió que observó la selección de un nuevo apóstol desde su posición en la Primera Presidencia. "Como consejero", dijo, "les quiero hacer saber lo que estoy aprendiendo acerca de nuestro profeta. Lo he observado detenidamente durante el proceso de selección del siguiente apóstol. En determinado momento dijo: 'Aún no he obtenido una respuesta del Señor, pero eso no me inquieta, porque cuando llegue el momento en que la necesite, Él me la dará a conocer'"[54].

El élder Andersen nunca olvidará el día en el que se le invitó a ir a la oficina del presidente Monson. Primero el presidente describió su propia experiencia cuando fue llamado como presidente de misión y después como apóstol. "Tiene un toque personal único", dice el élder Andersen. "En determinado momento en que me emocioné, me alcanzó un pañuelo desechable y me dijo: 'No se preocupe; éste es un buen momento para emocionarse. No tengo ningún apuro'. Era un miércoles por la tarde y al día siguiente se reuniría con todas las Autoridades Generales y Setentas de Área de todo el mundo. Tenía muchos mensajes que dar en los días siguientes, inclusive discursos en varias sesiones de la conferencia general. Aun así, no tenía ningún apuro. Ése es el presidente Monson"[55].

Después de extender el llamamiento a la hermana Elaine Dalton para servir como presidenta general de las Mujeres Jóvenes, los acompañó a ella y a su esposo hasta la puerta de su despacho. De un ramo de rosas blancas que había en un florero, tomó una y dijo: "Ésta es para la presidenta general de las Mujeres Jóvenes".

"En el momento mismo que me dio la rosa", recuerda la hermana Dalton, "retrocedí en el tiempo a mi propia experiencia como jovencita cuando tuve que escoger un símbolo para bordar en mi propio emblema y escogí una rosa blanca. Ahora era eso lo que él me daba y el Espíritu me dijo: 'Así es como queremos que sea cada jovencita, limpia, floreciendo y preparándose para regresar a la presencia de su Padre Celestial'"[56].

El presidente Monson ha visto muchos hombres ser llamados por Dios como apóstoles y profetas. Los ha observado a ellos y a sus esposas al ir a cumplir con la obra de Señor. En reuniones con Autoridades Generales, él se refiere sentidamente a experiencias que tuvo con el presidente David O. McKay, el presidente J. Reuben Clark, hijo, el presidente Spencer W. Kimball y el presidente Hugh B. Brown, entre otros. Una de sus predilectas con el presidente Brown, que fue llamado como apóstol en 1958 y que sirvió en la Primera Presidencia desde 1963 hasta 1970, sucedió un día en que los dos asistían a una ceremonia de fin de curso en la Universidad Brigham Young, la cual el presidente Brown debía dirigir y en la que el élder Monson hablaría. Él pasó a recoger al presidente Brown y cuenta que cuando se aprestaban a partir, éste le pidió que se detuviera y le dijo: "Aguarde un minuto". Miró hacia el ventanal del frente de su casa y vio abrirse las cortinas. La hermana Brown, su amada compañera de más de cincuenta años, estaba junto a la ventana a la que se había acercado en su silla de ruedas ondeando un pequeño pañuelo blanco. El presidente Brown tomó su pañuelo de un bolsillo y le devolvió el saludo. Entonces se volvió al élder Monson y con una sonrisa le dijo: "Ahora sí, vamos".

El élder Monson supuso que había más detrás de ese intercambio que una simple despedida, así que le preguntó al presidente Brown, quien le explicó: "El día después de nuestro casamiento, cuando yo salía para mi trabajo, oí un golpecito en la ventana y allí estaba ella, ondeando un pañuelo, así que tomé el mío y le devolví el saludo. Desde ese día hasta el presente, nunca salgo de mi casa sin ese pequeño intercambio. Es un símbolo de nuestro amor y una indicación mutua de que todo estará bien hasta que volvamos a estar juntos al llegar la noche"[57].

Un incidente similar bastante característico del presidente Monson ocurrió en una reunión de capacitación de Autoridades Generales con anterioridad a la conferencia general de abril de 2008. Todas las autoridades estaban sentadas veinte minutos antes del programado comienzo de la reunión, como había sido la práctica por años. El presidente Monson llegó diez minutos tarde y explicó que había estado ayudando a su esposa. Cabe destacar que muchos de quienes estaban presentes recuerdan esa reunión, no por lo que se dijo en ella, sino por lo que demostró un profeta de Dios. El élder David A. Bednar comentó: "Si él se enfocara en ser eficiente y puntual, habría dicho: 'Debo llegar en hora', pero estaba atendiendo a su esposa"[58]. Fue una lección que debían aprender quienes aguardaron pacientemente. En esa ocasión, Frances era en quien él debía enfocarse.

La Iglesia entera compartió su obvia satisfacción cuando su esposa asistió a la conferencia general de abril de 2010. Tan complacido estaba con la recuperación que ella había tenido de su reciente enfermedad, que se apartó del discurso que había preparado para darle la bienvenida con palabras tiernas que recordarían por mucho tiempo los que estaban presentes.

El élder Neil L. Andersen dice: "El presidente Monson nunca le ha pedido a su esposa que sea diferente de lo que es. En una ocasión en la que nos encontrábamos en una conferencia regional en Lyon, Francia, yo no lo conocía muy bien. Estaba sirviendo como Autoridad General en Europa, pero no había tenido mucho trato con las autoridades de mayor antigüedad. Le pregunté si la hermana Monson iba a hablar en la conferencia y el presidente me respondió que aún no lo sabía. Pasó un poco más de tiempo y le volví a preguntar, a lo que me contestó: 'No lo sabremos hasta que estemos en la reunión'. Yo pensé: 'Cuán considerado de su parte al no pedirle a su esposa que hable'. Al final ella habló y lo hizo muy bien"[59].

¿Qué se siente al ser el Presidente de la Iglesia del Señor en la tierra? "Humildad", dice el presidente Monson. "Uno inmediatamente piensa en su conducta, en sus pensamientos, en sus sentimientos y se da cuenta de que tiene que hacer saber a la gente cómo se siente en cuanto ciertas cosas y después testificar. No es cuestión de oratoria; uno comprende que necesita la ayuda de Dios y vive de manera tal de ser digno de ella. Él me conoce; me ha tendido Su mano antes y volverá a hacerlo una y otra vez"[60]. El presidente Monson ha instado a los miembros a "aprender el idioma del Espíritu. Éste no se aprende de libros de texto escritos por hombres de letras, ni tampoco mediante la lectura y la memorización. El idioma del Espíritu llega a aquel que procura con todo su corazón conocer a Dios y guardar Sus divinos mandamientos. La aptitud en este 'idioma' nos permite sortear barreras, sobreponernos a obstáculos y llegar al corazón de los seres humanos"[61].

Al igual que los profetas de la antigüedad y otros de esta dispensación, el presidente Monson repetidamente ha hecho un llamado a vivir el Evangelio, a evitar el pecado y a llevar una vida digna. Su dirección ha sido clara: "Por todas partes nos rodean las filosofías de los hombres. El rostro del pecado a menudo lleva la máscara de la tolerancia. No se dejen engañar; detrás de esa fachada hay sufrimiento, pesar y dolor. Ustedes saben lo que está bien y lo que está mal y ningún disfraz, por más atractivo que sea, puede cambiarlo". Con firmeza, producto de años de experiencia, declaró: "Sean ustedes quienes defiendan el bien, aunque estén solos. Muestren el valor moral de ser una luz que los demás puedan seguir"[62].

Particularmente ha advertido en cuanto a lo degradante de la pornografía, "uno de los señuelos de Satanás". Con gran inquietud ante su propagación, miró a la cámara en la conferencia general de abril de 2009 y declaró: "Si se han dejado atrapar por este tipo de conducta, cesen ya"[63]. Muchas personas comentaron que sintieron el poderoso mandato del profeta en esas palabras, "cesen ya".

Un domingo, a principios de 2010, después de hablar en una reunión sacramental combinada de tres barrios de adultos solteros, escribió en su diario: "Sentí el Espíritu del Señor al dirigirme a ese grupo de jóvenes y explicarles cómo el Señor les bendice en la selección de un compañero o una compañera y al determinar qué estudiarán o qué llegarán a ser en su vocación"[64].

La congregación recibió el Espíritu y el mensaje del Señor. Una hermana que había servido una misión en Bélgica, había asistido sin la intención de quedarse a toda la reunión. Estaba pasando momentos difíciles en su vida y echaba mucho de menos el entorno espiritual del campo misional. Ese día, el Señor tenía un mensaje precisamente para ella. "Este profeta es conocido por llegar al corazón de cada persona", dijo más tarde. "Estaba sentada en medio de un mar de gente pensando que él no tenía ni idea de que yo estaba allí, sintiéndome como me sentía. Pero el Espíritu actuó de forma increíble y el presidente Monson fue, literalmente, el conducto para el Señor. Así es como lo hace el profeta, así es como llega a cada persona, mediante su capacidad de actuar con el Espíritu, y yo lo sentí"[65].

La habilidad del presidente Monson de influir en forma personal en la vida de la gente es notable, especialmente si se tiene en cuenta su programa de trabajo. Un día normal en su vida empieza con una reunión de la Primera Presidencia, a lo que se debe añadir las reuniones de los jueves en el templo con el Quórum de los Doce y otras Autoridades Generales, el Comité General de Bienestar y el Consejo de Liderazgo del Sacerdocio. Entre otras, asiste a reuniones de la Mesa de Educación, Presupuesto y Apropiaciones, Predios de Templos, Obispado Presidente, la Corporación Administrativa Deseret, Comité Asesor de Impresiones, Recursos humanos y muchas más. También se reúne con muchas personas, algunas de las cuales son dignatarios de alrededor del mundo, mientras que otras son amigos de muchos años.

El presidente Monson cuenta con marcada experiencia en funciones ejecutivas—delega, comunica y organiza—pero también escucha las indicaciones del Espíritu. Tiene la clase de fe que le permite saber que todo siempre saldrá bien.

"Sabe oír de Dios y por cierto que oye de Dios", observa el presidente Henry B. Eyring. "Toma decisiones del modo más interesante: investiga, medita y ora por largo tiempo. En otras palabras, no se precipita y no está predispuesto a ir en una dirección en particular ni a tomar una decisión hasta que está seguro de que sea la correcta. Pero llega un momento, generalmente después de mucho discurrir—de hacer diagramas, leer minutas, pedir muchas opiniones, meditar y orar por largo tiempo—en que de un modo fascinante, está listo para seguir"[67].

Como lo ha dicho el élder D. Todd Christofferson, "Siempre existe la certeza de que ésta es la obra del Señor y Su Iglesia y de que, por consiguiente, Él la sacará adelante. Cualesquiera que sean los obstáculos o la incertidumbre del camino que debemos seguir, la dirección está allí. El presidente Monson demuestra esa confianza de que las cosas se resuelven, siempre ha sido así y siempre lo será, porque la mano del Señor está en ellas"[68].

Cualquiera que sea el punto que se esté tratando en una reunión, él siempre está abierto para recibir consejos sin excluir a nadie. Si hay que escoger obras de arte para un templo, escucha el consejo de los miembros del Comité de Predios de Templos y otros colaboradores. Sinceramente desea escuchar otros puntos de vista y otras perspectivas e intercambiar ideas antes de dar a conocer su propia opinión. El presidente Eyring ha observado con frecuencia ese estilo de hacer las cosas. "Él quiere la opinión de uno, pero es muy diestro en descubrir los motivos que hay detrás de esas opiniones. No hay forma de esconder absolutamente nada. Le gustan las cosas directas y sin rodeos. A la mayoría de las personas le gusta salir airosos de discusiones, pero él prefiere llegar a la verdad. Es una persona muy interesante, muy singular"[69].

"No está tan interesado en las agendas como en escuchar opiniones en cuanto al tema que se esté tratando", explica el élder William R. Walker, quien participa en reuniones con el presidente Monson en su calidad de director ejecutivo del Departamento de Templos. "Sinceramente quiere saber lo que la gente piensa y no dará a conocer su propia opinión hasta haber escuchado las de todos los demás. Confía en que todos cumplirán con sus asignaciones de una manera responsable"[70].

A menudo, a fin de contestar una pregunta, de cambiar la dirección en la que va una reunión o de apaciguar los ánimos, el presidente Monson contará una experiencia personal o de la vida de otra persona. Tal informalidad invita a la participación. Las experiencias que comparte nunca se eligen al azar, sino que se relacionan directamente con lo que se esté tratando.

El élder Christofferson se sintió conmovido en una reunión de liderazgo previa a una conferencia, donde el presidente Monson se dirigió a las Autoridades Generales en cuanto al tema de auditorías y de seguir las estipulaciones financieras del Manual de Instrucciones. "Hizo una presentación que podría haber sido un tanto aburrida", recuerda el élder Christofferson, "y, como es típico en él, dijo: 'De lo que estamos hablando aquí es de almas'". Describió a un hombre que era un secretario que había malversado fondos en su estaca o barrio y fue excomulgado. Aquello había sido muy penoso para su familia y una gran prueba para el hombre quien terminó suicidándose. Lo que dijo el presidente Monson ha quedado grabado en el élder Christofferson: "No podemos permitir que eso le suceda a ningún hombre ni a su familia. Debemos ceñirnos a los procedimientos y hacer auditorías a fin de prevenir tragedias. Hablamos de mucho más que de un proceso administrativo; hablamos del valor de un alma". El élder Christofferson agregó: "No importa de qué esté hablando, el presidente Monson siempre resalta el valor de cada persona, y así es como ha vivido su vida"[71].

Aun cuando se enfoca en cada persona en forma individual, las destrezas del presidente Monson también se extienden a asuntos más generalizados. Como el hombre de negocios que es, ha mantenido la vista puesta en el proyecto de desarrollo urbano City Creek, el cual dio inicio durante la época del presidente Hinckley con el fin de proteger el entorno de la Manzana del Templo. El proyecto, en el corazón de Salt Lake City, abarca una superficie de 8 hectáreas con edificios residenciales, oficinas y comercios. Entre los primeros ocupantes en 2010 se encontraron las oficinas y la tienda centrales de la compañía de propiedad de la Iglesia Deseret Book.

Su perspicacia comercial se puso nuevamente a prueba con la reorganización del consorcio Beneficial Financial Group, entidad que la Iglesia había patrocinado desde 1905.

Cuando en 2008 se produjo una severa baja en la economía, las pérdidas resultaron tan considerables que la compañía cerró sus puertas a nuevas oportunidades, manteniendo sólo una fracción del personal para administrar las cuentas existentes. "Nuestras corporaciones se enfrentan a las mismas penurias comerciales que otras", explica el presidente Monson. "También nosotros tenemos que competir comercialmente, y algunos años son mejores que otros"[72]. Asimismo, dentro de ese difícil clima económico, la Corporación Deseret Management (compañía de administración de propiedades de la Iglesia), cambió su enfoque para transformarse en un conglomerado de empresas de comunicaciones, administrando entidades tales como la editorial Deseret Book, el periódico

Deseret News, las estaciones de televisión y radio KSL y una nueva división de internet llamada Deseret Digital Media.

Al dividir las responsabilidades entre los miembros de la Primera Presidencia, el presidente Monson eligió supervisar personalmente el Coro del Tabernáculo Mormón con sus 360 voces. Le dio al coro una despedida especial el 14 de junio de 2009, en preparación para su gira de verano por siete ciudades, durante la cual viajarían desde Ohio hasta Colorado en trece días. "Van en una misión para la Iglesia", les dijo. "Por cada aplauso que ustedes reciban, habrá otro en el corazón del público por el recuerdo que permanecerá en ellos de haber oído cantar al Coro del Tabernáculo Mormón"[73].

Cuando se le hace una pregunta en cuanto al Coro, se le ilumina el rostro. Considera que "con su canto y música, los miembros del Coro del Tabernáculo son emisarios del Señor"[74]. Con frecuencia asiste a la transmisión del programa *Música y palabras de inspiración* los domingos por la mañana, y cuando algún miembro del Coro se jubila, le agrada entregarle una placa junto al presidente del Coro, Mac Christensen y al director Mack Wilberg. Después de una de tales ceremonias en abril de 2009, se le invitó a sentarse al órgano y tocar. Miró fijamente los cinco teclados de sesenta y una teclas cada uno y a los treinta y dos pedales, y cuando se le pidió que interpretara algo, los complació con una de las "renombradas" selecciones muy básicas para piano que había aprendido de niño. La organista Linda Margetts le mostró como usar los múltiples registros del órgano y cuando le preguntó si quería tocar empleando el registro del arpa, sonrió y dijo: "No estoy preparado para tocar el arpa; no quiero que nadie allá en el cielo se forme una idea equivocada"[75].

En 2009, la publicación en línea de temas de actualidad Slate .com conceptuó al presidente Monson como el número uno en su lista de los ochenta octogenarios más renombrados de los Estados Unidos. Se le consideró por encima de los ex presidentes estadounidenses Jimmy Carter y George Bush, padre, el ex Secretario de Estado Henry Kissinger y la conocida periodista de televisión Barbara Walters, entre otros. Slate.com reportó: "El primer lugar este año va para Thomas S. Monson, de 82 años de edad, Presidente de La Iglesia de Jesucristo de los Santos de los Últimos Días, y la única persona en la lista que gobierna a millones de personas como un profeta de Dios"[76].

No hay duda de que es un hombre de alto perfil, pero, como bien lo expresa el élder Kenneth Johnson, del Primer Quórum de los Setenta, "el presidente Monson no se dejará llevar por la popularidad ni los elogios. Sólo le interesa saber o buscar la voluntad del Señor y entonces ponerla en práctica. El valor y la entereza de carácter son dos de sus más notables virtudes"[77].

En años recientes, en los Estados Unidos y en otros países se han requerido, precisamente, valor y entereza de carácter al surgir un movimiento que ha dividido la opinión pública, el cual promueve el matrimonio entre personas del mismo sexo. En algunos casos se adoptaron leyes que amparan esa práctica. Los líderes de la Iglesia sostienen que ese cambio tan radical es uno de los temas morales más polémicos de esta época porque ataca el corazón mismo de la familia. Al verse ante ataques cada vez mayores, la institución matrimonial y la familia en su definición tradicional entre un esposo y una esposa con hijos, el presidente Monson ha dicho: "Nuestra gente tiene el derecho de comprender claramente las ramificaciones morales de este asunto. Nosotros sostenemos con firmeza los principios verdaderos en medio de una sociedad cambiante"[78].

En cartas a los miembros de la Iglesia, la Primera Presidencia ha reafirmado el principio del matrimonio entre un hombre y una mujer y ha instado a las familias a repasar el documento: "La Familia: Una Proclamación para el Mundo" para entender más cabalmente la doctrina de los Santos de los Últimos Días en cuanto al matrimonio: "Nosotros, la Primera Presidencia y el Consejo de los Doce Apóstoles de La Iglesia de Jesucristo de los Santos de los Últimos Días, solemnemente proclamamos que el matrimonio entre el hombre y la mujer es ordenado por Dios y que la familia es fundamental en el plan del Creador para el destino eterno de Sus hijos"[79].

La Iglesia se unió a una coalición de otras organizaciones religiosas, entre ellas líderes evangélicos y católicos en California, en respaldo de la Propuesta 8, la "Ley de protección del matrimonio", la cual recalca que "sólo el matrimonio entre un hombre y una mujer es válido o reconocido en California". Los votantes aceptaron la propuesta pero fue apelada en los tribunales. En votaciones similares en otras comunidades y naciones, la Iglesia ha reiterado su apoyo al matrimonio tradicional pero no se ha involucrado como entidad. La Iglesia también ha respaldado iniciativas locales que sean "justas y razonables" siempre que no contravengan "la institución matrimonial", tales como la protección contra discriminación en hospitalizaciones, atención médica, derechos a vivienda y empleo, y derechos de autenticación[80].

La posición de la Iglesia siempre ha sido de "respeto y cortesía mutuos" en el trato con otras personas. El presidente Monson es "un hombre de increíble buena voluntad que no está interesado en poner barreras, sino que desea lo mejor para el beneficio de la humanidad", explica el élder M. Russell Ballard[81].

Su atención a la familia no es más evidente en ningún otro lugar que en el templo. El presidente Monson ha dicho: "Cada año se llevan a cabo millones de ordenanzas a favor de nuestros antepasados fallecidos. Debemos continuar siendo fieles en efectuar tales ordenanzas por quienes no lo pueden hacer por sí mismos"[82]. En 2008 dedicó templos en Rexburg, Idaho; Curitiba, Brasil; Ciudad de Panamá, Panamá; y Twin Falls, Idaho, a lo que sumó la rededicación del Templo de la Ciudad de México. En 2009 dedicó el Templo de Draper y el de Oquirrh Mountain, ambos en el valle del Lago Salado. En 2010 dedicó templos en Vancouver, Canadá; Gila Valley, Arizona; y Ciudad de Cebú, Filipinas, y ha seguido adelante con nuevos templos, entre otros el de Kiev, Ucrania (que anunció el presidente Hinckley); Calgary, Alberta, Canadá; Córdoba, Argentina; Kansas City, Misuri; Filadelfia, Pensilvania; Roma, Italia; Brigham City, Utah; Concepción, Chile; Fortaleza, Brasil; Fort Lauderdale, Florida; Sapporo, Japón; y Payson, Utah. En 2009, el 83 por ciento de los miembros de la Iglesia vivían dentro de un radio de 320 kilómetros de un templo. "Ese porcentaje seguirá aumentando", ha asegurado a los santos, "al continuar construyendo nuevos templos alrededor del mundo"[83].

El presidente Monson explica que en dedicaciones de templos

observa "una entrega renovada al Evangelio por parte de quienes participan". Insta a los jovencitos presentes, diciéndoles: "Niños y niñas, recuerden este día"[84]. Afirma: "Éste es un momento de renovación, de considerar cómo podemos mejorar en cuanto a nuestra unidad familiar y nuestro servicio al Señor y al prójimo. Al final de la jornada, se siente el cansancio de las diversas sesiones dedicatorias, pero también una maravillosa euforia al saber que ahora estará abierta una casa del Señor para la gloriosa obra que se efectuará en ella"[85].

Al planificar la dedicación del Templo Oquirrh Mountain Utah, no se sintió "conforme" con el programa de tres sesiones el sábado 22 y tres el domingo 23 de agosto de 2009. Al reunirse con el Departamento de Templos, pidió que se agregaran tres sesiones el viernes 21. "El Señor no me ha permitido sentirme conforme con la decisión anterior", dijo. "Debemos tener más sesiones. Quiero que haya más jóvenes que vivan esta experiencia en el templo"[86].

Al salir de una de las sesiones dedicatorias de ese templo, vio al fondo del cuarto celestial a un hombre en una silla de ruedas. Al darse cuenta de que el hombre no se podía poner de pie para saludarlo, el presidente Monson se dirigió a él y le dio un abrazo. Después se detuvo a la puerta de cada sala a lo largo del pasillo para saludar a los niños que deseaban verlo.

Por años, la Iglesia ha efectuado programas de puertas abiertas con anterioridad a la dedicación de templos. El presidente Monson recalcó la importancia de que esos programas estuvieran particularmente bien planeados para los nuevos templos edificados en el valle del Lago Salado, los de Draper y Oquirrh Mountain. Extendió invitaciones a visitar los templos a innumerables personas que no eran miembros de la Iglesia, entre ellos representantes de los medios nacionales de información. "La experiencia", explica, "les permite entender el propósito de los templos, y que la obra que efectuamos en ellos no es secreta, sino sagrada. El templo en sí es un misionero"[87]. La asistencia total a ese programa del Templo de Draper fue de 684.721 personas.

La décima sesión dedicatoria del Templo de Draper Utah, realizada el domingo a las 11:30 de la mañana, se transmitió a todas las estacas dentro del distrito del templo, y la duodécima y última sesión esa tarde, se transmitió a todas las estacas de Utah.

El presidente Monson explica que la dedicación de un templo conlleva un "sentimiento de gratitud" por las bendiciones que se hacen posibles mediante el pago de los diezmos y las ofrendas de personas alrededor del mundo. Los templos son una representación de grandes sacrificios de tiempo, esfuerzo y dinero. "Me conmueve saber que en algunos países hasta humildes ofrendas han contribuido a edificar una casa del Señor", dice, "en la que la gente pueda recibir ahora las más altas ordenanzas del Evangelio. Ésa es la razón por la que tenemos templos"[88].

"No hay nada que se compare a la dedicación de un templo para despertar lo mejor en la gente", dice. "Cuando se dedica un edificio para sus santos propósitos, éste refleja una señal de bienvenida a todos cuantos son dignos, pues allí encontrarán paz y descubrirán la fórmula para tener una familia feliz"[89].

Al llegar al final de su primer año como Presidente de la Iglesia, el presidente Monson reflexionó en cuanto a sus experiencias. "Siempre he necesitado la ayuda del Señor y siempre la he pedido. Simplemente pongo mi fe y mi confianza en Él y sigo adelante día tras días y semana tras semana"[90]. Ha instado a los miembros a hacer lo mismo: "Demuestren gratitud hacia nuestro Señor y Salvador Jesucristo. Él es nuestro Maestro y nuestro Salvador. Él es el Hijo de Dios y el Autor de nuestra salvación. Él nos invita a seguirlo (véase Marcos 2:14); nos dice que vayamos y hagamos lo mismo que Él (véase Lucas 10:37); y nos ruega que guardemos Sus mandamientos (véase D. y C. 11:6). Sigámosle; emulemos Su ejemplo y obedezcamos Su palabra. Al hacerlo, le demostraremos el divino don de la gratitud"[91].

Cuando se le preguntó si su asignación como Presidente lo hacía sentirse solo, respondió: "Uno nunca está a solas cuando está en el mandato del Señor. Él está siempre a mi lado; yo dependo de Él. Es impresionante lo que siento al permitir que Él me guíe"[92].

32

GOZO EN EL TRAYECTO

He conocido al presidente Monson durante muchos años. Cuando yo era Obispo Presidente, trabajé a su lado por más de una década; he viajado con él por todo el mundo, lo he seguido de cerca y he sentido su espíritu. Su interés y su amor por la gente son sus mayores dones como profeta, y ésa es la forma como vive su vida. Ama al Señor, nos ama a nosotros y ama y valora a todos a quienes ha sido llamado a servir en este período de la dispensación anterior a la segunda venida de nuestro Salvador.

ÉLDER ROBERT D. HALES
Quórum de los Doce Apóstoles

EL PRESIDENTE MONSON MIRÓ a los muchos miembros congregados afuera del Templo de Curitiba, Brasil, el 1° de junio de 2008, para la ceremonia de colocación de la piedra angular, previa a la dedicación del templo. Era el segundo templo que dedicaría como Presidente de la Iglesia.

Puso un poco de mortero en la grieta entre dos bloques de granito y después observó a su alrededor. Señalando a un jovencito que no estaba muy lejos de él y quien tenía puesta una gorra, dijo: "Ese niño parece tener frío; ayudémoslo a acercarse".

Una mujer que estaba tomando fotografías de la escena pidió que alguien le quitara la gorra para que se le viera bien la cara. El niño estaba calvo.

El élder Russell M. Nelson, que se encontraba al lado del presidente Monson, supo inmediatamente quién era el jovencito. Antes de viajar a Curitiba, los líderes en Brasil se habían puesto en contacto con el élder Nelson para hablarle de un niño de seis años de edad, Lincoln Vieira Cordeiro, quien padecía de una grave enfermedad y estaba recibiendo quimioterapia, y el pronóstico no era alentador. Los líderes locales habían preguntado si el élder Nelson podría darle una bendición durante su visita a Brasil con motivo de la dedicación.

El élder Nelson estaba junto al presidente Monson cuando el niño volvió a ponerse la gorra, subió al estrado para colocar un poco de mortero en la pared y después regresó a sentarse con los otros niños. "Yo tenía la responsabilidad de asegurarme de que el presidente Monson volviera al templo para terminar la ceremonia de acuerdo con lo programado", explicó el élder Nelson, "así que le sugerí que entráramos".

Negando con la cabeza, el presidente dijo: "No, quiero llamar a uno más. Miró entre los allí congregados y finalmente vio a una mujer que estaba un poco alejada y la llamó para que se acercara a poner mortero entre los bloques.

No fue sino hasta el día siguiente que el élder Nelson se enteró de que la mujer, Odilene Cordeiro, era la madre de Lincoln.

"Así es el presidente Monson", declara el élder Nelson con convicción; "él sabe cómo obtener revelación del Dios Todopoderoso para ser una bendición en la vida de una persona". El niño murió poco tiempo después, "pero uno puede imaginar lo que aquel gesto significó para la madre de esa familia. Fue como si el Señor le dijera: 'Te conozco, estoy preocupado por ti y quiero ayudarte'. Ésa es la clase de hombre que encontramos en este profeta de Dios".

En el vuelo con destino a Brasilia para reunirse con el vicepresidente de la nación, el élder Nelson le comentó al presidente Monson sobre el niño y su madre a quienes había llamado a participar en la ceremonia de la piedra angular. "Presidente, ¿cómo supo que eran madre e hijo?", preguntó el élder Nelson, a lo que el presidente Monson contestó: "Yo no lo sabía, pero el Señor sí. He aprendido a responder a Sus impresiones"[1].

Ésa es una de las características del servicio que presta el presidente Monson, quien ha enseñado: "El valor de un alma por cierto que es grande a la vista de Dios. Provistos de ese conocimiento, nosotros tenemos el enorme privilegio de marcar una diferencia en la vida de los demás"[2]. Aquel día, afuera del

Templo de Curitiba, Brasil, se proporcionó ese amoroso servicio a una mujer que estaba a punto de perder a su hijo.

El élder Alexander B. Morrison, miembro emérito del Quórum de los Setenta y "compatriota canadiense", ha dicho al presidente Monson: "Usted tiene el talento singular para transformar principios celestiales en aplicaciones prácticas y para ver esplendor en la vida de seres humildes"[3].

Quienes han trabajado a su lado, que lo han acompañado en viajes de pesca o que han compartido una velada junto a él en el teatro o en el rodeo, aprecian la clase de persona que es. El élder Jon M. Huntsman, Setenta de Área y destacado hombre de negocios, ha dicho: "Tengo el privilegio de conocer a algunos de los líderes más singulares del mundo, pero Thomas Monson es el que más se destaca entre ellos y el que ejemplifica lo mejor del espíritu humano"[4].

La gente advierte y valora la atención que él presta a todos por igual. Una mujer que asistía a una conferencia en la Universidad Brigham Young observó al presidente Monson dejar el estrado y detenerse en medio del apresuramiento para llegar a su siguiente compromiso a fin de estrechar la mano de una mujer que estaba en una silla de ruedas. "No fue sólo lo que él dijo en esa ocasión lo que me conmovió", comentó la mujer, "sino lo que hizo"[5]. Con frecuencia, después de dar un mensaje, selecciona a alguien de entre la congregación y le entrega el bosquejo de su presentación, el cual generalmente firma. Un padre agradecido le escribió una vez para comentarle del impacto de ese sencillo acto en un devocional: "Usted le dio una copia de su discurso a mi hija, y ese gesto especial ha sido de gran ayuda para una joven que está luchando por acercarse más al Señor"[6].

El presidente Monson ha estado en el servicio de Dios por mucho tiempo. El élder Bruce D. Porter recuerda: "La primera vez que me vi expuesto al encanto y al poderoso espíritu de Thomas S. Monson fue cuando era un joven misionero en el centro de capacitación en Provo y él fue a hablar. Tendría unos cincuenta años; era joven, dinámico y vigoroso. Nos habló durante más de una hora y me hizo recordar los relatos que yo había leído sobre José Smith y su personalidad. En determinado momento reíamos y poco después llorábamos. Su personalidad era fascinante y la fuerza de su espíritu enorme. Al finalizar su discurso sobre la obra misional, extendió los brazos y pronunció una bendición apostólica sobre nosotros. Nos prometió que recordaríamos esa ocasión y los sentimientos que experimentábamos. Cuando partió, todos derramábamos lágrimas y nadie se movió de su lugar. Después nos reunimos en pequeños grupos y nos comprometimos los unos con los otros en cuanto a la clase de misioneros que seríamos. Fue una experiencia increíble"[7].

El presidente Monson también tiende la mano a las personas de otras religiones. "Nunca he dudado de la infinita sabiduría de Dios", escribió Don Flanders, uno de sus amigos de la organización scout de Estados Unidos, "pero quiero que sepa que mi fe se fortalece al ver la mano de Dios sobre su hombro al haberlo llamado Él a importantes misiones en Su obra. Usted ya ha de saber lo que su ejemplo ha significado para sus admirables seguidores, pero pensé que le complacería saber lo mucho que su vida ha iluminado nuestros senderos, aun como metodistas"[8].

A los que asistían a una reunión general del sacerdocio dijo: "Suyo es el privilegio de ser no espectadores, sino participantes en el servicio del sacerdocio"[9]. Por cierto que él ha estado sobre ese servicio. Cuando el periódico *Deseret News* publicó los 10 sucesos más destacados del siglo[10], el presidente Monson, como miembro del Quórum de los Doce o de la Primera Presidencia, había tenido algo que ver con cada uno de ellos de una u otra manera:

1. La revelación en la que se extiende el sacerdocio a todo varón digno.
2. El enorme incremento en la construcción de templos en todo el mundo.
3. Las declaraciones de la Primera Presidencia en cuanto a Dios; el origen del hombre; las proclamaciones al mundo, entre otras, sobre la familia.
4. La publicación de nuevas ediciones de las Escrituras y nuevas secciones añadidas a Doctrina y Convenios.
5. Obra misional: más misioneros llamados, nuevos centros de capacitación y nuevo programa de lecciones.

6. Crecimiento y globalización de la Iglesia llegando a 10 millones de miembros.

7. Expansión de la actividad de historia familiar y microfilmación mundial de registros.

8. Uso de la tecnología de radio, televisión, video y de satélites para expandir el alcance de la Iglesia.

9. Creación de los Quórumes de Setenta y la descentralización de muchas funciones administrativas de la Iglesia.

10. Desarrollo del Comité de Correlación, formalización de la orientación familiar y de la noche de hogar.

Desde su llamamiento al santo apostolado en 1963, el presidente Monson ha ocupado casi todos los puestos de sucesión en el Quórum de los Doce y en la Primera Presidencia. En una conferencia general declaró: "Los cambios . . . que fueron incrementales ahora parecen monumentales"[11].

"Siente gran respeto por su antecesores", explica el presidente Henry B. Eyring, quien reconoce la reverencia del presidente Monson hacia la revelación continua en la Iglesia. "Siempre mide nuevas directivas contra lo que el Señor ha revelado antes, pero si el Señor quiere cambiar de dirección, el presidente Monson no vacilará en hacerlo"[12]. El presidente Eyring dice que el presidente Monson no teme a la innovación, lo cual ha marcado su presidencia de muchas formas.

Aconseja a quienes recién empiezan una familia o una carrera a procurar "la vida abundante", añadiendo que no la lograrán con sólo desearla. "El Señor espera que pensemos, que actuemos, que forjemos testimonios y que mostremos devoción"[13]. También advierte: "El medir lo bueno de la vida basándonos en sus deleites, sus placeres y su seguridad, es aplicar una norma falsa. La vida abundante no consiste de un exceso de lujos o de logros comerciales, ni de confundir los buenos momentos pasajeros con la dicha y la felicidad perdurables". Él mide la vida abundante por la capacidad "de hacer frente a los problemas con valor, a la desilusión con buen ánimo y al triunfo con humildad"[14].

Como resultado de sus múltiples cargos de liderazgo, el

presidente Monson ha tenido que considerar muchos casos de personas que han violado sagrados convenios y que deseaban poner sus asuntos en orden con el Señor. De joven obispo actuó como "juez en Israel". Como consejero de la Primera Presidencia y más tarde como Presidente de la Iglesia, ha tratado aquellos problemas que exigen el más alto criterio moral. El élder Douglas Callister, quien como Autoridad General colaboró con la Primera Presidencia en determinar cancelación de sellamientos y restauración de bendiciones, ha descrito al presidente Monson como "siempre deseoso de cerrar capítulos lamentables en la vida de personas y ayudarlas a seguir adelante con una visión renovada"[15].

"Los matrimonios empiezan felices", dice el presidente Monson, "pero con el tiempo comienzan a llevarse mal y las normas determinan que recae sobre el Presidente de la Iglesia el deber de aprobar o negar la cancelación de un sellamiento. Algunas circunstancias son trágicas pero, en todos los casos, esas decisiones son difíciles"[16].

El élder Callister declara: "Si tuviera que ser juzgado por alguien preferiría que mi juez fuera Thomas S. Monson antes que cualquier otro hombre en esta dispensación porque, ante la duda, él se decide por la misericordia"[17].

El presidente Monson a menudo se vuelve a la pintura de Jesús que cuelga en su oficina desde que era obispo. "Le digo: 'Señor, ayúdame con esto. Por un lado está la misericordia y por otro la justicia. ¿Hacia cuál de ellas me inclino?'" Y después se pregunta: "¿Qué haría el Señor?". Generalmente, cuando llega a ese punto, siempre triunfa la misericordia[18].

Una carta de un hombre que se había "alejado de la senda del servicio y del deber del sacerdocio" resulta típica:

Estimado presidente Monson:

Tenía tanto y ahora tengo tan poco. No soy feliz y siento como si estuviera fracasando en todo. El Evangelio nunca se ha alejado de mi corazón, aunque sí se alejó de mi vida. Le pido que ore por mí.

Por favor no olvide a aquellos de nosotros que estamos acá afuera: los Santos de los Últimos Días perdidos. Yo sé dónde está la Iglesia, pero a veces pienso que necesito que otra persona me muestre el camino, que me anime, que ahuyente mis temores y me dé su testimonio[19].

El presidente Monson ha actuado ante tal tragedia amparándose en una pintura del artista Joseph William Turner que muestra espesas nubes negras, la furia de un mar turbulento y una nave varada a la distancia. Él ha comentado: "En medio de las tempestades de la vida, el peligro acecha, y los hombres, al igual que las naves, se enfrentan a la destrucción. ¿Quién se echará al mar en los botes salvavidas, dejando atrás la comodidad de su hogar, para ir al rescate?"[20].

Siempre dispuesto a citar poemas, comparte estrofas que dibujan esa misma imagen. En su despacho tiene una estatua de bronce de un puente, con una inscripción a su lado que cita uno de sus versos predilectos:

Caminaba un anciano por un sendero desolado,
al caer la tarde de un día frío y nublado.
Llegó él a un barranco ancho y escabroso
por cuyo fondo corría un lúgubre arroyo.
Cruzó al otro lado en la tenue luz del día,
pues aquello al anciano ningún temor ofrecía.
Al llegar a la otra orilla construyó el hombre un puente
que hiciera más seguro sobrepasar la corriente.

"¡Escuche!", le dijo un viajero que pasaba por allí,
"malgasta usted su tiempo al construir un puente aquí.
Su viaje ya termina, pues ha llegado el fin del día
y ya nunca más transitará por esta vía.
Ha cruzado el barranco, dejando atrás lo más duro,
¿por qué construye un puente, estando ya tan oscuro?

El anciano constructor levantó entonces la cabeza:
"Es que por este mismo camino", respondió con firmeza,
"noté hace algunas horas que me trataba de alcanzar
un jovencito inexperto que por acá ha de cruzar.

Este profundo barranco para mí no ha sido nada,
mas para el joven que viene será una encrucijada.
En las sombras pasará cuando llegue aquí,
es por eso que para él este puente construí"²¹.

"Considero que entre las más grandes lecciones que debemos aprender en nuestro breve paso por la tierra se encuentran las lecciones que nos ayudan a distinguir entre lo que es importante y lo que no lo es", ha enseñado. "Disfrutemos la vida al vivirla, hallemos gozo en el trayecto y compartamos nuestro amor con familiares y amigos"²².

Uno de esos "gozos" atesorados en su vida fue tener a la hermana Monson a su lado cuando los dos recibieron títulos honorarios de la Universidad del Valle de Utah en mayo de 2009. La ceremonia fue algo nuevo para ella pero no el servicio humanitario por el cual se le honraba. Reflexionando en cuanto a esa experiencia, él dice con gran ternura en la voz: "Si alguna vez hubo una heroína en mi vida, ha sido Frances"²³, y explica: "Al mirar atrás a nuestros comienzos, me doy cuenta de cuánto ha cambiado nuestra vida. Nuestros amados padres, quienes nos apoyaron al iniciar nuestro trayecto por la vida, han fallecido. Nuestros tres hijos, que colmaron nuestra vida tan plenamente por tantos años, ya han crecido y tienen sus propias familias. La mayoría de nuestros nietos también han crecido y ahora tenemos bisnietos"²⁴.

El presidente Monson es un hombre que ama las palomas rodadoras de Birmingham, Vivian Park y el río Provo. Le encanta ir de pesca, de cacería de patos y tomar sopas de crema para el almuerzo, especialmente la de tomate, la que siempre pide cuando va a almorzar al restaurante del Hotel Little America, propiedad de su amigo Earl Holding. Si empieza a leer un libro, lo termina. Le gusta comer los cereales Wheaties para el desayuno, un hábito que se extiende hasta su infancia. El jugo de naranja y el yogur con sabor de lima son sus preferidos y le gusta tomar leche con sus comidas. Siente un cariño especial por la gente anciana, por los perros y las gallinas y por mentores tales como J. Reuben Clark, hijo, y Mark E. Petersen. Le encantan algunos diálogos de obras musicales de Broadway, como la declaración del rey Arturo en *Camelot*: "La violencia no es fuerza ni la compasión es debilidad". Su fe es sencilla, es firme en su determinación de hacer las cosas "bien" y posee una ética de trabajo difícil de igualar. Rara vez cambia las bombillas de luz en su casa—su esposa lo ha hecho por años—pero es una luz para todos con cuantos se cruza, quienes lo oyen relatar experiencias personales o ven en él esperanza sin límites, amor por la vida y gozo en el trayecto.

Es un misionero del mensaje del Evangelio, un testificador de principios que él ha visto que cambian vidas y corazones, un vaso puro que expone verdades que unen el cielo y la tierra:

- "Cuando Dios habla y el hombre obedece, ese hombre siempre estará en lo cierto"[25].

- "A quien el Señor llama, el Señor faculta"[26].

- "Las decisiones determinan el destino"[27].

- "Cuando uno está en el mandato del Señor tiene derecho a Su ayuda"[28].

- "Las decisiones de pensar bien, escoger bien y actuar bien, rara vez serán el camino más fácil a seguir"[29].

- "La vida feliz no se encuentra, sino que se forja"[30].

- "El poder de guiar también se puede emplear para engañar, y el engaño puede llegar a destruir"[31].

- "Los buenos hábitos son los músculos del alma; cuanto más los usamos, más fuertes se vuelven"[32].

- "La vida es como una cámara indiscreta; no espera a que uno pose"[33].

- "La puerta de la historia gira sobre bisagras pequeñas, y lo mismo sucede con la vida de las personas"[34].

- "Al extender nuestra mirada hacia el cielo, inevitablemente comprendemos nuestra responsabilidad de extender una mano de ayuda"[35].

¿Cuál será el legado del presidente Thomas S. Monson? Los observadores tienden a marcar el punto de partida al comienzo del servicio de un Presidente de la Iglesia, pero su legado empieza mucho antes, cuando él comenzó a sujetarse a la guía del Espíritu, cuando empezó a ir en pos del necesitado con el poder del Espíritu, en forma personal a todos y cada uno, especialmente al olvidado. Su legado será una vida semejante a la de Cristo.

En su calidad de decimosexto Presidente de La Iglesia de Jesucristo de los Santos de los Últimos Días, Thomas S. Monson ha testificado por todos los rincones de la tierra y su mensaje ha sido claro desde el principio: "Nuestro Salvador Jesucristo está a la cabeza de esta Iglesia, la cual lleva Su nombre. Me consta que la experiencia más dulce de esta vida es sentir Su mano al dirigirnos en el avance de Su obra. Yo he sentido esa guía como joven obispo, la cual me llevó a hogares donde había necesidad espiritual o tal vez temporal. La sentí otra vez como presidente de misión en Toronto, Canadá, al trabajar junto a magníficos misioneros que eran un testimonio viviente al mundo de que esta obra es divina y de que somos guiados por un profeta. He sentido esa guía a lo largo de mi servicio en los Doce, en la Primera Presidencia y ahora como Presidente de la Iglesia. Testifico que cada uno de nosotros puede sentir la inspiración del Señor al vivir dignamente y al esforzarse por servirle"[36].

DETALLE CRONOLÓGICO

21 agosto 1927	Nace de G. Spencer y Gladys Condie Monson en Salt Lake City, Utah
2 octubre 1927	Recibe un nombre y una bendición de Peter S. Condie, tío de su madre.
27 octubre 1927	Frances Beverly Johnson nace de Franz y Hildur Johnson.
21 septiembre 1935	Bautizado en la pila del tabernáculo de Salt Lake. Confirmado el 29 de septiembre de 1935.
5 noviembre 1939	Ordenado diácono por el patriarca Frank B. Woodbury.
15 marzo 1944	Recibe la bendición patriarcal de Frank B. Woodbury.
21 agosto 1944	Ordenado presbítero por John R. Burt.
Otoño de 1944	Se matricula en la Universidad de Utah a los 17 años de edad; conoce a Frances.
1945–46	Completa el entrenamiento en la marina y continúa el servicio en San Diego.
Agosto 1948	Se gradúa con honores de la Universidad de Utah con un título en mercadotecnia; empieza a enseñar en media jornada.
Otoño de 1948	Acepta un empleo en el Deseret News. Más adelante llega a ser gerente de la sección de avisos clasificados.
7 octubre 1948	Contrae enlace con Frances Beverly Johnson en el Templo de Salt Lake.
12 marzo 1950	Sostenido como segundo consejero del obispo John R. Burt.
Mayo 1950–julio 1955	Obispo del Barrio Sexto-Séptimo de la Estaca Temple View. Sostenido a los 22 años de edad.
28 mayo 1951	Nace su hijo Thomas Lee Monson.
1 septiembre 1952	Nombrado subgerente de la sección de avisos clasificados de la recién formada Corporación de Agencia de Periódicos.

1953–1959	Subgerente de ventas de la Imprenta Deseret News, después gerente de ventas y más tarde subgerente general.
20 agosto 1953	Fallece Franz E. Johnson, padre de Frances.
30 junio 1954	Nace su hija Ann Frances Monson.
Junio 1955–junio 1957	Sirve como segundo consejero en la presidencia de la Estaca Temple View.
Abril 1959–enero 1962	Sirve como presidente de la Misión Canadiense. Frances sirve como presidenta de la Sociedad de Socorro de la misión, asiste en la Primaria y en las Mujeres Jóvenes.
1 octubre 1959	Nace su hijo Clark Spencer Monson en Toronto, Canadá.
1962	Nombrado gerente general de la Imprenta Deseret News.
1962–1963	Llamado al Comité Misional del Sacerdocio, al Comité de Genealogía del Sacerdocio, al Comité de Correlación para Adultos, y al Comité de Orientación Familiar del Sacerdocio.
4 octubre 1963	Sostenido como miembro del Quórum de los Doce.
10 octubre 1963	Ordenado apóstol por el Presidente del Quórum, Joseph Fielding Smith.
Noviembre 1964	Participa en los servicios de dedicación del Templo de Oakland, la primera que le fue asignada como miembro del Quórum de los Doce.
1965–1968	Supervisa el área del Pacífico Sur, incluyendo Nueva Zelanda, las islas polinesias y Australia.
1965–1996	Integra el Directorio de la Editorial Deseret; 1971, vicepresidente; 1977, presidente.
Marzo 1965	Nombrado presidente del Comité de Correlación para Adultos, el cual abarcaba todo cuanto no fuera asignado a la obra misional o del templo.
14 junio 1965	Emplea a Lynne Fawson (Cannegieter).
6 julio 1965	Asignado a servir en el Comité Ejecutivo Misional con Spencer W. Kimball, presidente, y Gordon B. Hinckley.
1967	Nombrado presidente del Comité de Capacitación de Liderazgo, encargado del seminario para representantes regionales, la capacitación de líderes del sacerdocio, desarrollo del maestro y otros programas.
1968–1985	Supervisa la obra en Europa, incluyendo Austria, Suiza, Italia, Alemania Occidental y del Este, y otros países del bloque oriental.
1968–1985	Presidente del Comité de Ayudas de Estudio de la

	Biblia, el cual llegó a ser el Comité de Publicación de Escrituras.
2 mayo 1968	Dedica Nueva Caledonia para la predicación del Evangelio.
9–10 noviembre 1968	Primera visita a Görlitz, Alemania Oriental, donde había "prometido a los fieles santos que si seguían viviendo dignamente y obedeciendo los mandamientos de Dios, en su debido momento recibirían todas las bendiciones".
1969–1988	Integra el cuerpo de asesores y el directorio de la compañía de teléfonos.
1969–1993	Integra el directorio del Commercial Security Bank (más tarde Key Bank).
14 junio 1969	Organiza la Misión Dresde, llamando a Henry Burkhardt como presidente, con Walter Krause y Gottfried Richter como consejeros.
Noviembre 1969	Nombrado miembro de la Mesa Ejecutiva de la Organización de Boy Scouts de Estados Unidos, ocupando el lugar de Ezra Taft Benson.
18 enero 1970	Fallece el presidente David O. McKay a los 96 años de edad.
23 enero 1970	Participa en la reorganización de la Primera Presidencia: Joseph Fielding Smith llega a ser presidente; consejeros, Harold B. Lee y N. Eldon Tanner.
3 octubre 1970	Anuncia que las revistas *Ensign*, *New Era*, y *Friend* reemplazarían las previas publicaciones de la Iglesia.
23 febrero 1971	Recibe el premio Castor de Plata de la Organización de Boy Scouts de Estados Unidos.
27–29 agosto 1971	Ayuda a organizar y participa en la primera conferencia de área, efectuada en Manchester, Inglaterra.
1971–1977	Sirve en el Consejo Rector de Educación Superior del Estado.
2 julio 1972	Muere el presidente Joseph Fielding Smith a los 95 años de edad.
7 julio 1972	El presidente Harold B. Lee es nombrado undécimo Presidente de la Iglesia, con N. Eldon Tanner y Marion G. Romney como consejeros.
30 junio 1973	Fallece Hildur August Booth Johnson, madre de Frances.
13 septiembre 1973	Fallece Gladys Condie Monson, su madre.
26 diciembre 1973	Muere el presidente Harold B. Lee a los 74 años de edad.

30 diciembre 1973	Participa en la ordenación de Spencer W. Kimball, duodécimo Presidente de la Iglesia, quien llama a N. Eldon Tanner y a Marion G. Romney como consejeros.
5 marzo 1974	Lleva a cabo la ceremonia de matrimonio de su hija Ann Monson y Roger Dibb en el Templo de Salt Lake.
Abril 1974	Recibe su maestría en administración de negocios de la Universidad Brigham Young.
26 abril 1974	Efectúa la ceremonia de matrimonio de su hijo Tom Monson y Carma Rhodehouse en el Templo de Salt Lake.
22 abril 1975	Dedica Portugal para la predicación del Evangelio.
27 abril 1975	Rededica a Alemania Oriental, marcando el "alba de un nuevo comienzo" para ese país comunista.
1976–1982	Sirve como presidente del Comité Misional con David B. Haight y Bruce R. McConkie como miembros del mismo.
7 julio 1977	Rededica Suecia para la predicación del Evangelio.
19 mayo 1978	Recibe el premio Búfalo de Plata de la Organización de Boy Souts de Estados Unidos.
9 junio 1978	La Primera Presidencia anuncia la revelación de que "todos los varones dignos" recibirán el sacerdocio.
13 mayo 1979	Fallece G. Spencer Monson, su padre.
Septiembre 1979	La Iglesia publica la nueva edición de 2.400 páginas de la Biblia en inglés, la cual incluye una Guía Temática, un diccionario bíblico, y un innovador sistema de notas al pie de página.
1980	Se crean los Servicios de Imprenta de la Iglesia, fusionando la Imprenta Deseret con el Departamento de Impresión de la Iglesia.
Septiembre 1981	Se publica la nueva edición de la Combinación Triple (Libro de Mormón, Doctrina y Convenios y Perla de Gran Precio) incluyendo ayudas para el estudio de las Escrituras.
1981–1982	Miembro de la comisión especial del presidente Ronald Reagan para estudiar iniciativas del sector privado.
1982–1985	Preside el Consejo Ejecutivo del Sacerdocio.
28 abril 1982	Efectúa la ceremonia de matrimonio de su hijo Clark S. Monson y Patricia Shaffer en el Templo de Salt Lake.
1 junio 1982	Firma un nuevo acuerdo de la Agencia de Periódicos entre la Editorial Deseret News y la Corporación Kearns-Tribune.

29 agosto 1982	Crea la primera estaca en la nación comunista de Alemania Oriental en la ciudad de Freiberg. El 3 de junio de 1984 se crea la segunda estaca, ésta en Leipzig. Todos los miembros que en aquel tiempo vivían en Alemania Oriental pertenecían a estacas.
17 abril 1983	Dedica Haití para la predicación del Evangelio.
23 abril 1983	Preside la ceremonia de la palada inicial del Templo de Freiberg, Alemania.
1985	Supervisa la preparación del nuevo himnario en su primera revisión en 37 años.
29 junio 1985	Participa en la dedicación del Templo de Freiberg, "uno de los puntos más destacados" de su vida.
Octubre 1985	Dedica una capilla en Zagreb, Yugoslavia. Pronuncia la oración dedicatoria de esa nación.
5 noviembre 1985	Fallece el presidente Spencer W. Kimball a la edad de 90 años.
10 noviembre 1985	Ezra Taft Benson es ordenado y apartado como decimotercer Presidente de la Iglesia, con Gordon B. Hinckley y Thomas S. Monson como sus consejeros. A los 58 años de edad, el presidente Monson llegaba a ser el consejero de la Primera Presidencia más joven del siglo XX.
28 octubre 1988	Erich Honecker, jefe de estado de Alemania Oriental, permite que entren en el país misioneros proselitistas y que ciudadanos de esa nación reciban llamamientos misionales para servir en otras partes del mundo.
30 marzo 1989	Llegan a Alemania Oriental los primeros misioneros en cincuenta años.
28 mayo 1989	Los primeros diez misioneros llamados de Alemania Oriental llegan al Centro de Capacitación Misional de Provo, Utah.
17 octubre 1989	Dedica el primer centro de reuniones en Budapest, Hungría.
Noviembre 1989	Los alemanes empiezan a derribar el muro de Berlín levantado en 1961.
3 octubre 1990	Alemania del Este y del Oeste oficialmente reunidas como una nación.
20–21 octubre 1990	Se efectúa conferencia para reunir el Este y el Oeste en una sola Iglesia en Alemania.
2 octubre 1993	Recibe el Lobo de Bronce, el más alto reconocimiento internacional del programa scout.
30 mayo 1994	Fallece el presidente Ezra Taft Benson a los 94 años de edad.
5 junio 1994	Se reúne el Quórum de los Doce para reorganizar la Primera Presidencia, con Howard W. Hunter

	como presidente, Gordon B. Hinckley, primer consejero y Thomas S. Monson, segundo consejero.
3 marzo 1995	Fallece el presidente Howard W. Hunter a los 87 años de edad.
12 marzo 1995	Se ordena a Gordon B. Hinckley como decimoquinto Presidente de la Iglesia, con Thomas S. Monson como primer consejero y James E. Faust como segundo consejero.
27 agosto 1995	Dedica una nueva capilla en Görlitz, Alemania.
23 septiembre 1995	La Primera Presidencia y el Quórum de los Doce emiten "La Familia: Una Proclamación para el Mundo".
1 enero 2000	Los quince testigos especiales de la Primera Presidencia y del Quórum de los Doce emiten al mundo su testimonio de la divinidad de Cristo en un documento titulado "El Cristo viviente".
27 junio 2002	El presidente Hinckley dedica el reconstruido Templo de Nauvoo. Thomas S. Monson tuvo "el privilegio de ser el primer orador".
10 agosto 2007	Fallece James E. Faust. Henry B. Eyring es sostenido como nuevo Segundo Consejero de la Primera Presidencia en la conferencia general de octubre.
27 enero 2008	Fallece el presidente Gordon B. Hinckley a los 97 años de edad.
3 febrero 2008	Ordenado y apartado como el decimosexto Presidente de La Iglesia de Jesucristo de los Santos de los Últimos Días por Boyd K. Packer, Presidente del Quórum de los Doce. Henry B. Eyring pasa a ser primer consejero de la Primera Presidencia y Dieter F. Uchtdorf, segundo consejero.
4 febrero 2008	Participa en una conferencia de prensa con sus consejeros y miembros del Quórum de los Doce.
9 febrero 2008	Da su primer mensaje como Presidente de la Iglesia en una transmisión de capacitación mundial de líderes.
10 febrero 2008	Dedica el Templo de Rexburg, Idaho.
5 abril 2008	En asamblea solemne, los miembros sostienen al decimosexto Presidente de la Iglesia y a sus consejeros. D. Todd Christofferson es sostenido como miembro del Quórum de los Doce.
1 junio 2008	Dedica el Templo de Curitiba, Brasil.
10 agosto 2008	Dedica el Templo de Ciudad de Panamá.
24 agosto 2008	Dedica el Templo de Twin Falls, Idaho.
16 noviembre 2008	Rededica el Templo de la Ciudad de México.
20 marzo 2009	Dedica el Templo de Draper, Utah.

DETALLE CRONOLÓGICO

2 abril 2009	Da mensaje de capacitación a las Autoridades Generales sobre el tema "Al rescate".
4 abril 2009	Neil L. Andersen es sostenido como miembro del Quórum de los Doce.
20 junio 2009	Dedica la Biblioteca de Historia de la Iglesia, usando el púlpito de la capilla del viejo Barrio Sexto-Séptimo.
21 agosto 2009	Dedica el Templo Oquirrh Mountain, Utah.
2 mayo 2010	Dedica el Templo de Vancouver, Columbia Británica, Canadá.
23 mayo 2010	Dedica el Templo Gila Valley, Arizona.
13 junio 2010	Dedica el Templo de Cebú, Filipinas.
29 agosto 2010	Dedica el Templo de Kyiv, Ukraine.
23 octubre 2010	Preside la ceremonia de la palada inicial del Templo de Roma, Italia.
21 noviembre 2010	Rededica el Templo de Laie, Hawáii.
30 noviembre 2010	Nombrado el octogenario preeminente de los Estados Unidos por dos años seguidos por *Slate*, una revista de internet que trata sobre cultura y sucesos de actualidad.

REFERENCIAS

INTRODUCCIÓN: AL RESCATE

Epígrafe. Entrevista con Boyd K. Packer, 19 de agosto de 2009.

1. Diario de Thomas S. Monson (de aquí en adelante TSM, en entrevistas, cartas y anotaciones en su diario personal) 2 de diciembre de 1979.
2. Tal como fue citado por Thomas S. Monson en "The Upward Reach" (El camino ascendente), *Ensign*, noviembre de 1993, pág. 50.
3. Diario personal de TSM, 2 de diciembre de 1979.
4. Hechos 10:38.
5. Juan 5:3–4.
6. Thomas S. Monson, "Christ at Bethesda's Pool" (Cristo ante el estanque de Betesda), *Ensign*, noviembre de 1996, pág.18.
7. Véase Juan 5:2–10.
8. Entrevista a TSM, 8 de diciembre de 2008.
9. Thomas S. Monson, transmisión de conferencia de la Estaca Salt Lake City Sur, 18 de octubre de 2009.
10. Entrevista a TSM, 15 de abril de 2009.
11. Véase Thomas S. Monson, "El mirar hacia atrás y seguir adelante", *Liahona*, mayo de 2008, pág. 87.
12. Monson, "El mirar hacia atrás y seguir adelante", pág. 87
13. Entrevista a Dieter F. Uchtdorf, 2 de septiembre de 2009.
14. Doctrina y Convenios 84:88.
15. Thomas S. Monson, "The Long Line of the Lonely" (La larga fila de los solitarios), *Ensign*, febrero de 1992, pág. 2.
16. Ann Monson Dibb, "Mi padre es un profeta", servicio devocional en BYU–Idaho, 19 de febrero de 2008, pág. 10.
17. "Doquier que me mandes, iré", *Himnos* (Salt Lake City: La Iglesia de Jesucristo de los Santos de los Últimos Días, 1992), Nº 175.
18. Entrevista a TSM, 18 de junio de 2009.
19. Thomas S. Monson, "'Behold Thy Mother'" ("He aquí, tu madre"), *Ensign*, April 1998, pág. 6.
20. Véase Joseph B. Wirthlin, "La preocupación por la persona en particular", *Liahona*, mayo de 2008, pág. 17.
21. Diario personal de TSM, 13 de febrero de 1981.
22. Diario personal de TSM, 25 de marzo de 1983.

REFERENCIAS

23. Entrevista a Jeffrey R. Holland, 22 de septiembre de 2009.
24. Entrevista a Robert D. Hales, 8 de abril de 2009.
25. Entrevista a Ronald Rasband, 12 de noviembre de 2008.
26. Thomas S. Monson, "Sugar Beets and the Worth of a Soul" (La remolacha y el valor de un alma), *Ensign*, julio de 2009, pág. 7.
27. Entrevista a Bruce D. Porter, 16 de diciembre de 2009; entrevista a TSM, 17 de diciembre de 2009.
28. Gerry Avant, "On the Lord's errand since his boyhood" (En el mandato del Señor desde su infancia), *Church News*, 9 de febrero de 2008.
29. Entrevista a L. Tom Perry, 22 de agosto de 2008.
30. Santiago 1:27.
31. Entrevista a TSM, 15 de abril de 2009.
32. Monson, "Long Line of the Lonely", págs. 4–5.
33. Entrevista a Henry B. Eyring, 26 de agosto de 2009.
34. Thomas S. Monson, "'Be Thou an Example'" (Sé ejemplo), *Ensign*, noviembre de 1996, pág. 46.
35. Monson, "El mirar hacia atrás y seguir adelante", *Liahona*, mayo de 2008, pág. 87.

CAPÍTULO 1: UN PATRIMONIO DE FIELES ALMAS

Epígrafe. Thomas S. Monson, "El mirar hacia atrás y seguir adelante", *Liahona*, mayo de 2008, pág. 87.
1. James R. Clark, comp., *Messages of the First Presidency of The Church of Jesus Christ of Latter-day Saints*, 6 vols. (Mensajes de la Primera Presidencia), (Salt Lake City: Bookcraft, 1965–75), 2:33.
2. Jeremías 3:14.
3. Véase Thomas S. Monson, "Come Follow Me", *Liahona*, noviembre de 1988, pág. 2.
4. Richard L. Evans, *A Century of Mormonism in Great Britain* (Un siglo de mormonismo en Gran Bretaña), (Salt Lake City: Publishers Press, 1984), pág. 83.
5. Véase *Coming to Zion*, (Camino a Sión), editado por James B. Allen y John W. Welch (Provo, Utah: BYU Studies, 1997), pág. 269.
6. Conway B. Sonne, *Saints on the Seas, A Maritime History of the Mormon Migration 1830–1896* (Santos en los mares), (Salt Lake City: University of Utah Press, 1983), pág. 1.
7. "President Monson Visits Sweden and Germany" (El presidente Monson visita Suecia y Alemania), *Ensign*, noviembre de 1995, pág. 112.
8. Thomas S. Monson, palabras pronunciadas en la dedicación del Templo de Estocolmo, Suecia, 1985.
9. Entrevista a TSM, 10 de diciembre de 2008.
10. James P. Condie, "Life of the Early Condies" (Vida de los primeros Condie), manuscrito no publicado.
11. Thomas S. Monson, *On the Lord's Errand* (En el mandato del Señor), (de aquí en adelante *Errand* (Mandato), autobiografía (Salt Lake City: publicación particular, 1985), pág. 16.
12. Thomas S. Monson, "Pioneers All", *Ensign*, mayo de 1997, pág. 93.
13. Monson, *Errand* (Mandato), págs.16–17.

REFERENCIAS

14. Gibson Condie, *Reminiscences and Diary, 1865–1910*, (Recuerdos y diario personal), págs. 25. (Publicación particular.)
15. Condie, *Reminiscences and Diary*, (Recuerdos y diario personal), págs. 33–35. (Gramática y ortografía en inglés corregidas.)
16. Thomas A. Condie, *History of Gibson and Cecelia Sharp Condie* (Historia de Gibson y Cecelia Sharp Condie), 1937. Publicación particular.
17. Gerry Avant, "Travelers Encouraged on Journey" (Viajeros animados en el trayecto), *Church News*, 21 de junio de 1997, pág. 4; véase también artículo en boletín trimestral de la organización familiar de los Condie y los Sharp, enero–marzo 2005.
18. Avant, "Travelers Encouraged on Journey" (Viajeros animados en el trayecto), pág. 4.
19. Condie, *History of Gibson and Cecelia Sharp Condie* (Historia de Gibson y Cecelia Sharp Condie).
20. John L. Hart, "Ground Is Broken on Cold Day for Temple in St. Louis" (Palada inicial del Templo de St. Louis en un día frío), *Church News*, 30 de octubre de 1993.
21. Thomas S. Monson, palabras pronunciadas en la rededicación del Templo de Berna, Suiza, 1992.
22. Sonne, *Saints on the Seas* (Santos en los mares), pág. 126, 130, 133.
23. En los registros familiares figura tanto el nombre de *Nils* como de *Nels* y el apellido *Akeson* y *Akesson*. En su certificado de ciudadanía de los Estados Unidos aparece como Nels Monson, al igual que en su llamamiento misional a Suecia en 1898. La tradición sueca de patronímicos, un componente de un nombre propio basado en el nombre del padre, crea un curioso modelo. El padre de Nels Monson ni siquiera se apellidaba Monson, sino que era Mons Akesson; el nombre de su padre era Oke Pederson; el nombre del padre de Oke era Peter Monson; y el nombre del padre de éste era Mons Lustig. Cuando Mons Akesson llegó a Estados Unidos cambió su apellido a Monson a fin de que fuera el mismo que el de sus hijos, tal como era el modelo en su nuevo país de residencia.
24. Véase "Missionary Journal of Nels Monson" (Diario misional de Nels Monson), en los registros históricos de la familia Monson.
25. Thomas S. Monson, mensaje en la dedicación del Templo de Estocolmo, Suecia, 1985.
26. Véase Thomas S. Monson, "Abundantemente bendecidos", *Liahona*, mayo de 2008, pág. 111. Véase también "Missionary Journal of Nels Monson" (Diario misional de Nels Monson).
27. Entrevista a TSM, 9 de septiembre de 2008.
28. Véase "Missionary Journal of Nels Monson" (Diario misional de Nels Monson).
29. Véase Monson, "Abundantemente bendecidos", pág. 111.
30. Thomas S. Monson, "Truth, Service, Love", (Verdad, servicio, amor), conferencia de área de Copenhague, 5 de agosto de 1976.
31. Grabación magnetofónica de la familia Monson, década de 1950, en poder de la familia.
32. Thomas S. Monson, "Treasure of Eternal Value" (Tesoro de valor eterno), *Ensign*, abril de 2008, pág. 4.

REFERENCIAS

33. Thomas S. Monson, "Traditions" (Tradiciones), discurso pronunciado en la Universidad Dixie, 2 de noviembre de 1986.

CAPÍTULO 2: ENTRE LOS RIELES DEL FERROCARRIL

Epígrafe. Tal como fue citado por Gerry Avant, "Serving Others Is His Way of Life" (El servir a los demás es su estilo de vida), *Church News,* 25 de agosto de 2007, pág. 6.

1. Thomas S. Monson, "The Race for Eternal Life" (En pos de la vida eterna), (Discurso pronunciado en el Día de Seminario, 3 de febrero de 1968.
2. G. Spencer Monson, "Colección de poemas".
3. Grabación de audio de la despedida misional de Scott Monson antes de partir hacia Suecia, 1962.
4. Thomas S. Monson, "Great Expectations" (Grandes expectativas), Servicio devocional en la Universidad Brigham Young, 11 de mayo de 1965.
5. *Through Our Eyes: 150 Years of History as Seen through the Eyes of the Writers and Editors of the Deseret News* (A través de nuestros ojos: 150 años de historia vistos a través de los ojos de los escritores y editores del Deseret News), ed. Don C. Woodward (Salt Lake City: Deseret News, 1999), pág. 103.
6. Tal cual fue citado por Ezra Taft Benson, "A Marvelous Work and a Wonder" (Una obra maravillosa y un prodigio), *Ensign,* mayo de 1980, pág. 32.
7. Thomas S. Monson, "From Here to Eternity" (De aquí a la eternidad), Ceremonia de comienzo de cursos en la Universidad Brigham Young, 24 de abril de 1997.
8. *Through the Years: A Brief History of the Sixth-Seventh Ward, 1849–1955* (Breve historia del Barrio Sexto-Séptimo), (Salt Lake City: publicación particular), pág. 8.
9. "Historia de George Spencer Monson".
10. Invitación en carpeta de recuerdos de TSM.
11. Cinta de audio del funeral de Gladys Condie Monson, 18 de septiembre de 1973, en archivos de la Iglesia.
12. Entrevista a TSM, 15 de abril de 2009.
13. Entrevista a TSM, 9 de septiembre de 2008.
14. Thomas S. Monson, "An Attitude of Gratitude" (Una actitud de gratitud), *Ensign,* mayo de 1992, pág. 54.
15. Entrevista a TSM, 9 de septiembre de 2008.
16. Thomas S. Monson, "Heavenly Homes, Forever Families" (Hogares celestiales, familias eternas), transmisión de capacitación mundial de líderes, febrero de 2006, pág. 18.
17. Monson, "Attitude of Gratitude" (Una actitud de gratitud), pág. 59.
18. Entrevista a TSM, 9 de septiembre de 2008.
19. "Pioneer Son" (Hijo pionero), *Deseret Evening News,* 20 de junio de 1947.
20. Thomas S. Monson, "Sólo un maestro", charla fogonera en la Estaca Oak Hills, Provo, Utah, 21 de noviembre de 2005.
21. Monson, "Sólo un maestro".
22. Dell Van Orden, "Pres. Monson Launches Stake Jubilee" (El presidente Monson da inicio a festejos de estaca), *Church News,* 18 de enero de 1997, pág. 4.

REFERENCIAS

23. Van Orden, "Pres. Monson Launches Stake Jubilee" (El presidente Monson da inicio a festejos de estaca), pág. 4.
24. Marjorie Monson Dearden, "Remembrances of Uncle John" (Recuerdos del tío John).
25. Monson, *Errand* (Mandato), pág. 65.
26. Entrevista a TSM, 15 de octubre de 2008.
27. Cinta de audio del funeral de Gladys Condie Monson, 18 de septiembre de 1973, en archivos de la Iglesia.
28. Thomas S. Monson, "Un santuario en el mundo", capacitación mundial de líderes.
29. Transmisión de capacitación, febrero de 2008, pág. 29. Thomas S. Monson, "Días de dedicación", *Liahona*, enero de 2001, pág. 77.
30. Thomas S. Monson, "Hallmarks of a Happy Home" (Características de un hogar feliz) *Ensign*, octubre de 2001, pág. 2.

CAPÍTULO 3: "QUIERO SER UN VAQUERO"

Epígrafe. Entrevista a M. Russell Ballard, 9 de septiembre de 2009.
1. Monson, *Errand* (Mandato), pág. 42.
2. Entrevista a Marilyn Monson Martin, 10 de enero de 2009.
3. Entrevista a Clark Spencer Monson, 4 de noviembre de 2008.
4. Véase Thomas S. Monson, "Paz, cálmense", *Liahona*, noviembre de 2002, pág. 54.
5. Monson, *Errand* (Mandato), pág. 44.
6. Entrevista a TSM, 15 de abril de 2009.
7. Monson, *Errand* (Mandato), pág. 178.
8. Thomas S. Monson, "Primary Days" (Épocas de Primaria), *Ensign*, abril de 1994, pág. 65.
9. Monson, *Errand* (Mandato), pág. 19.
10. Monson, *Errand* (Mandato), pág. 19.
11. Thomas S. Monson, "Un santuario en el mundo", transmisión de capacitación mundial de líderes, febrero de 2008, pág. 30.
12. Monson, *Errand* (Mandato), pág. 31.
13. Entrevista a TSM, 12 de noviembre de 2008.
14. Entrevista a Thomas Lee Monson, 6 de noviembre de 2009.
15. Entrevista a TSM, 9 de septiembre de 2008.
16. Monson, *Errand* (Mandato), pág. 42.
17. Mosíah 2:17.
18. Thomas S. Monson, "Recuerdos de la infancia", relato no publicado.
19. Entrevista a Thomas S. Monson, 10 de diciembre de 2008.
20. Thomas S. Monson, "Primary Days" (Épocas de Primaria), *Ensign*, abril de 1994, pág. 66.
21. Citado en Monson, "Primary Days" (Épocas de Primaria), pág. 66.
22. Monson, *Errand* (Mandato), pág. 28.
23. Entrevista a TSM, 11 de noviembre de 2009.
24. Diario personal de TSM, 19 de diciembre de 1981; 23 de enero de 1994.
25. Entrevista a TSM, 10 de diciembre de 2008.
26. Entrevista a TSM, 9 de septiembre de 2008.
27. Véase Thomas S. Monson, "Compasión", *Liahona*, mayo de 2001, pág. 18.
28. G. Spencer Monson, "Colección de poemas".

29. Mateo 2:2.
30. Monson, "Primary Days" (Épocas de Primaria), pág. 66.
31. Véase Thomas S. Monson, "Modelos que debemos seguir", *Liahona*, noviembre de 2002, pág. 62.
32. Thomas S. Monson, "Let Us Keep Christmas" (Conservemos la Navidad), Servicio devocional de la Primera Presidencia, 1° de diciembre de 2002.
33. Thomas S. Monson, citando al presidente David O. McKay, en "What Is Christmas?" (¿Qué es la Navidad?), *Ensign*, diciembre de 1988, pág. 2.
34. "The Real Meaning of Christmas" (El verdadero significado de la Navidad), *Church News*, 8 de diciembre de 2007.
35. Thomas S. Monson, "Your Jericho Road" (Tu camino a Jericó), *Ensign*, febrero de 1989, pág. 5.
36. Monson, *Errand* (Mandato), pág. 33.
37. Véase Thomas S. Monson, "Si estáis preparados, no temeréis", *Liahona*, noviembre de 2004, pág. 115.
38. Alma 56:47.
39. Entrevista a Thomas S. Monson, 9 de septiembre de 2008.
40. Mateo 25:35, 40.

CAPÍTULO 4: UN DIESTRO PESCADOR

Epígrafe. Entrevista a D. Todd Christofferson, 24 de septiembre de 2009.
1. Sinclair Lewis, "Discurso Nobel", 12 de diciembre de 1930.
2. Lucas 5:10.
3. Diario personal de TSM, 8 de febrero de 1974.
4. Diario personal de TSM, 26 de julio de 1986.
5. Monson, *Errand* (Mandato), pág. 37.
6. Entrevista a TSM, 15 de octubre de 2008.
7. Monson, *Errand* (Mandato), pág. 37.
8. Entrevista a TSM, 9 de febrero de 2009.
9. Monson, *Errand* (Mandato), pág. 78.
10. Véase Juan 9:7.
11. Monson, *Errand* (Mandato), págs. 34–35.
12. Entrevista a TSM, 19 de febrero de 2009.
13. Thomas S. Monson, "Happiness—The Universal Quest" (La felicidad, la búsqueda universal), *Ensign*, octubre de 1993, pág. 4.
14. Thomas S. Monson, "Who Honors God, God Honors", (A quien honra a Dios, Dios honra), *Ensign*, noviembre de 1995, pág. 49.
15. Monson, *Errand* (Mandato), pág. 62.
16. Thomas S. Monson, "An Invitation to Exaltation", (Una invitación a la exaltación), *Ensign*, mayo de 1988, pág. 53.
17. Entrevista a TSM, 19 de febrero de 2009.
18. Véase Thomas S. Monson, "The Way to Eternal Glory" (El camino a la gloria eterna) servicio devocional en la Universidad Brigham Young, 15 de octubre de 1991.

CAPÍTULO 5: CAMINO A LA ADOLESCENCIA

Epígrafe. Entrevista a Marlin K. Jensen, 28 de octubre de 2009.
1. Entrevista a Robert C. Monson, 28 de enero de 2009.

REFERENCIAS

2. Carta de Lucy Gertsch Thomson a TSM, 30 de marzo de 1968. Thomas S. Monson, "Ejemplos de grandes maestros", capacitación mundial de líderes, febrero de 2007.

3. Thomas S. Monson, "Ejemplos de grandes maestros", capacitación mundial de líderes, febrero de 2007.

4. Thomas S. Monson, "The Faith of a Child" (La fe de un niño), *Ensign*, agosto de 1998, pág. 2.

5. Lucas 24:32.

6. Hechos 20:35.

7. Thomas S. Monson, "Your Personal Influence" (Su influencia personal), *Ensign*, abril de 1992, pág. 22.

8. Monson, *Errand* (Mandato), págs. 26–27.

9. Carta de Lucy Gertsch Thomson a Thomas S. Monson, 30 de marzo de 1968.

10. Véase Thomas S. Monson, "El Constructor de puentes", *Liahona*, noviembre de 2003, pág. 67.

11. Thomas S. Monson, "Priesthood Profiles" (Perfiles del sacerdocio), conmemoración de la restauración del sacerdocio, 17 de mayo de 1987.

12. Thomas S. Monson, discurso dado en la rededicación del Centro de Ciencia Carl F. Eyring de la Universidad Brigham Young, 10 de marzo de 1998.

13. "Paz, cálmense," *Himnos* (Salt Lake City: La Iglesia de Jesucristo de los Santos de los Últimos Días, 1992), Nº 54.

14. Véase Thomas S. Monson, "Paz, cálmense", *Liahona*, noviembre de 2002, pág. 54.

15. "¡Oh, está todo bien!", *Himnos*, N° 17.

16. Véase Thomas S. Monson, "Tu jornada eterna", *Liahona*, julio de 2000, pág. 56.

17. Thomas S. Monson, "The Priesthood—A Sacred Trust" (El sacerdocio: Una confianza sagrada), *Ensign*, mayo de 1994, pág. 50.

18. Véase Thomas S. Monson, "'Sé ejemplo'", *Liahona*, enero de 2002, pág. 115.

19. Thomas S. Monson, "'Be Thou an Example'" (Sé ejemplo), *Ensign*, noviembre de 1996, pág. 46.

20. Monson, *Errand* (Mandato), pág. 57.

21. Entrevista a TSM, 15 de abril de 2009.

22. Véase Monson, *Errand* (Mandato), págs. 47–49.

23. Thomas S. Monson, "That All May Hear" (Que todos puedan oír), *Ensign*, mayo de 1995, pág. 49.

24. Thomas S. Monson, "Who Honors God, God Honors" (A quien honra a Dios, Dios honra), *Ensign*, noviembre de 1995, pág. 48.

25. Thomas S. Monson, "The Priesthood—Mighty Army of the Lord" (El sacerdocio, el poderoso ejército del Señor), *Ensign*, mayo de 1999, pág. 49.

26. Véase Thomas S. Monson, "Bienvenidos a la conferencia", *Liahona*, noviembre de 2008, pág. 4

27. Véase "Returning to where his 'roots run deep'" (El regreso a nuestras raíces), *Church News*, 25 de mayo de 1996, pág. 4.

28. Monson, *Errand* (Mandato), págs. 63–64.

29. H. David Burton, "What Manner of Men and Women Ought Ye to Be?" (¿Qué clase de hombres habéis de ser?), charla fogonera del Sistema Educativo de la Iglesia, 2 de noviembre de 2008.

REFERENCIAS

30. Thomas S. Monson, *Be Your Best Self* (Sean lo mejor que puedan), (Salt Lake City: Deseret Book, 1979), pág. 53.
31. Thomas S. Monson, *Be Your Best Self* (Sean lo mejor que puedan), (Salt Lake City: Deseret Book, 1979), págs. 53–54.
32. Véase Thomas S. Monson, "Aprendamos, hagamos, seamos", *Liahona*, noviembre de 2008, pág. 62.
33. Thomas S. Monson, "The Army of the Lord" (El ejército de Jehová), *Ensign*, mayo de 1979, 35; véase también Thomas S. Monson, "Anhelosamente consagrados", *Liahona*, noviembre de 2004, pág. 56.
34. Monson, "Priesthood—Mighty Army" (El sacerdocio—un poderoso ejército), pág. 49.
35. Monson, *Errand* (Mandato), págs. 55–56.

CAPÍTULO 6: SUS AÑOS DE ESCUELA

Epígrafe. Entrevista a Ronald Rasband, 12 de noviembre de 2008.
1. Thomas S. Monson, Campamento Nacional de Boy Scouts, Ft. A.P. Hill, Virginia, 31 de junio de 2005.
2. Véase Thomas S. Monson, "Tu jornada eterna", *Liahona*, julio de 2000, pág. 56.
3. Thomas S. Monson, discurso en la reunión de capacitación de Autoridades Generales, 28 de septiembre de 1999.
4. Entrevista a TSM, 12 de noviembre de 2008.
5. Entrevista a G. Ray Hale, presidente de ex alumnos de la Preparatoria West, 23 de marzo de 2009.
6. Véase Thomas S. Monson, "El llamado al valor", *Liahona*, mayo de 2004, pág. 57.
7. Monson, *Errand* (Mandato), págs. 80–81.
8. Richard O. Cowan, The Latter-day Saint Century (El siglo de los Santos de los Últimos Días), (Salt Lake City: Bookcraft, 1999), pág. 126.
9. Carta de Terese Patton a TSM, 29 de abril de 1969. Véase también Thomas S. Monson, "Señora Patton: La historia continúa", *Liahona*, noviembre de 2007, pág. 21.
10. Carta de Blanche Carter a TSM, 1944.
11. Gerry Avant, "Among Friends" (Entre amigos), *Church News*, 13 de septiembre de 2008, pág. 5.

CAPÍTULO 7: LAS MÁS GRANDES LECCIONES

Epígrafe. Entrevista a Lynn Cannegieter, 26 de agosto de 2008.
1. Thomas S. Monson, "Doctorado honorario", Universidad de Utah, 3 de mayo de 2007.
2. Thomas S. Monson, "Three Gates to Open" (Tres puertas para abrir), charla fogonera vía satélite del Sistema Educativo de la Iglesia, Ricks College, 14 de enero de 2001.
3. Thomas S. Monson, "An Attitude of Gratitude" (Una actitud de gratitud), *Ensign*, febrero de 2000, pág. 5.
4. Thomas S. Monson, "Constant Truths in Changing Times" (Verdades constantes en tiempos de cambio), discurso pronunciado en la Estaca de la Universidad Estatal de Utah, 12 de enero de 1969.

REFERENCIAS

5. Entrevista a TSM, 15 de abril de 2009.
6. Thomas S. Monson, "Guideposts for Life's Journey" (Señaladores en el viaje por la vida), discurso pronunciado en la ceremonia de fin de cursos en la Universidad de Utah, 4 de mayo de 2007.
7. Monson, *Errand* (Mandato), pág. 89.
8. Gerry Avant, "Pres. and Sister Monson note their Swedish roots" (Raíces suecas de los Monson), *Church News*, 26 de agosto de 1995, pág. 12.
9. Avant, "Pres. and Sister Monson note their Swedish roots" (Raíces suecas de los Monson), pág. 12.
10. Thomas S. Monson, "The Mission of Life" (La misión de la vida), discurso ofrecido en la sesión para madres e hijas de la conferencia de área en Copenhague, 4 de agosto de 1976.
11. Entrevista a TSM, 15 de octubre de 2008.
12. Frances J. Monson, ensayo no publicado sobre "El establecimiento de valores y la moral personal".
13. Monson, "Three Gates to Open" (Tres puertas para abrir).
14. Monson, *Errand* (Mandato), pág. 94.
15. Véase Thomas S. Monson, "The Three R's of Choice" (Las tres Rs de las decisiones), discurso pronunciado en la Universidad Brigham Young, 5 de noviembre de 1963; *Errand* (Mandato), págs. 97–98.
16. Monson, *Errand* (Mandato), pág. 98.
17. Doctrina y Convenios 4:1–2.
18. Véase Thomas S. Monson, "Priesthood Profiles" (Perfiles del sacerdocio), transmisión vía satélite con motivo de la conmemoración del sacerdocio, 17 de mayo de 1987.
19. Monson, *Errand* (Mandato), pág. 10; véase también Thomas S. Monson, "The Master's Blueprint" (El plan del Maestro), *Ensign*, enero de 2006, pág. 4.
20. Carta de Edward (Eddie) Foreman a TSM, 22 de septiembre de 1989.
21. Diario personal de TSM, 1° de noviembre de 1992.
22. Monson, *Errand* (Mandato), pág. 99.
23. Entrevista a TSM, 12 de noviembre de 2008.
24. Entrevista a TSM, 12 de noviembre de 2008.
25. Thomas S. Monson, "In Remembrance" (En recuerdo) festival de la libertad, Provo, Utah, 28 de junio de 1998.
26. Monson, *Errand* (Mandato), pág. 101.
27. Véase Monson, "Priesthood Profiles" (Perfiles del sacerdocio).
28. Monson, *Errand* (Mandato), pág. 108.
29. Diario personal de TSM, 15–16 de mayo de 1971.
30. Entrevista a TSM, 12 de noviembre de 2008.
31. Carta de TSM a G. Spencer Monson, 21 de abril de 1946.
32. Véase Thomas S. Monson, "Un real sacerdocio", *Liahona*, noviembre de 2007, pág. 59.
33. Entrevista a TSM, 12 de noviembre de 2008.
34. Thomas S. Monson, "In Remembrance" (En recuerdo) festival de la libertad, Provo, Utah, 28 de junio de 1998. Poema "En los campos de Flandes" por el Teniente Coronel John McCrae, ejército canadiense, 1872–1918.
35. Gerry Avant, "War divides but the gospel unites" (La guerra divide pero el Evangelio une) *Church News*, 19 de agosto de 1995, pág. 5.

36. Carta de Ralph A. Curtis a G. Spencer y Gladys Monson.
37. Monson, *Errand* (Mandato), pág. 111.
38. Monson, discurso al recibir doctorado honorario.

CAPÍTULO 8: NACE UNA FAMILIA

Epígrafe. Ann Monson Dibb, citada en Monson, *Errand* (Mandato).
1. M. Russell Ballard, historia oral, en el programa de historia oral de James Moyle, archivos de la Iglesia SUD, pág. 31.
2. Thomas S. Monson, "In Search of Treasure" (En busca de tesoros), servicio devocional de la Universidad Brigham Young, 11 de marzo de 1997.
3. Thomas S. Monson, "Honor Thy Father and Thy Mother" (Honra a tu padre y a tu madre), charla fogonera de estaca de la Universidad Brigham Young, 3 de diciembre de 1978.
4. Thomas S. Monson, "Constant Truths in Changing Times" (Verdades constantes en tiempos de cambios), discurso dado en la Estaca de la Universidad Estatal de Utah, 12 de enero de 1969.
5. Entrevista a TSM, 12 de noviembre de 2008.
6. Thomas S. Monson, discurso al recibir doctorado honorario, Universidad de Utah, 3 de mayo de 2007.
7. Thomas S. Monson, "An Attitude of Gratitude" (Una actitud de gratitud), *Ensign,* mayo de 1992, pág. 59.
8. Thomas S. Monson, discurso en la Facultad de Negocios de la Universidad Brigham Young, 14 de marzo de 1973.
9. Monson, Facultad de Negocios de la Universidad Brigham Young.
10. Thomas S. Monson, "Building a House for Eternity" (Una casa para la eternidad), discurso ofrecido a los obreros del Templo Jordan River, 28 de octubre de 2007.
11. Entrevista a TSM, 15 de octubre de 2008.
12. Thomas S. Monson, discurso durante la dedicación del Templo de Estocolmo, Suecia, 1985.
13. Monson, *Errand* (Mandato), pág. 128.
14. Monson, *Errand* (Mandato), pág. 128.
15. La AMM en esa época abarcaba tanto los programas de jóvenes como de adultos, así que las cifras eran particularmente descorazonadoras.
16. Thomas S. Monson, "Life's Greatest Decisions" (Las decisiones más grandes de la vida), charla fogonera del Sistema Educativo de la Iglesia, Centro de Conferencias, 7 de septiembre de 2003.
17. Monson, "Life's Greatest Decisions" (Las decisiones más grandes de la vida).
18. Gerry Avant, "60th Anniversary" (Sexagésimo aniversario), *Church News,* 4 de octubre de 2008, pág. 10.
19. Monson, discurso en la dedicación del Templo de Estocolmo, Suecia, 1985.
20. Monson, *Errand* (Mandato), pág. 145.
21. Monson, *Errand* (Mandato), pág. 178.
22. Monson, *Errand* (Mandato), pág. 178.
23. Entrevista a Boyd K. Packer, 19 de agosto de 2009.
24. Entrevista a Richard G. Scott, 28 de agosto de 2009.
25. Doctrina y Convenios 88:119.

REFERENCIAS

26. Thomas S. Monson, "Heavenly Homes—Forever Families" (Hogares celestiales, familias eternas), transmisión vía satélite, 12 de enero de 1986.

27. Thomas S. Monson, "Becoming Our Best Selves" (Llegar a ser lo mejor de nosotros mismos), *Ensign*, abril de 2006, pág. 4.

CAPÍTULO 9: "LAS DECISIONES DETERMINAN EL DESTINO"

Epígrafe. Entrevista a Robert C. Oaks, 8 de noviembre de 2008.

1. Thomas S. Monson, discurso en la Facultad de Negocios de la Universidad Brigham Young, 14 de marzo de 1973.

2. Hal Knight, "We Were There" (Estuvimos allí) en *Through Our Eyes: 150 Years of History as Seen through the Eyes of the Writers and Editors of the Deseret News* (150 años de historia), ed. Don C. Woodward (Salt Lake City: Deseret News, 1999), pág. 195.

3. Thomas S. Monson, discurso al recibir doctorado honorario, Universidad de Utah, 3 de mayo de 2007.

4. Entrevista a TSM, 12 de noviembre de 2008.

5. Monson, Facultad de Negocios de la Universidad Brigham Young.

6. Monson, discurso al recibir doctorado honorario.

7. Entrevista a M. Russell Ballard, 20 de octubre de 2009.

8. Diario personal de TSM, 25 de febrero de 1977.

9. Entrevista a TSM, 19 de febrero de 2009.

10. *Sheldon James Weight y Florence Beatrice Brailsford: Their Lives, Their Ancestry and Their Posterity* (Sus vidas, sus ancestros y su posteridad), editado por Dale y Melvin Weight (publicación particular, 2006), pág. 9.

11. Entrevista a TSM, 19 de febrero de 2009.

12. Eleanor Knowles, *Deseret Book Company: 125 Years of Inspiration, Information, and Ideas* (125 años de inspiración, información e ideas), (Salt Lake City: Deseret Book, 1991), pág. 92.

13. Thomas S. Monson, "The Call of Duty" (El llamado del deber), *Ensign*, mayo de 1986, pág. 37.

14. Véase John A. Widtsoe, "President J. Reuben Clark: A Defender of the Gospel" (Defensor del Evangelio), *Improvement Era*, agosto de 1951, pág. 560.

15. Thomas S. Monson, "Miracles of Faith" (Milagros de fe), *Ensign*, julio de 2004, págs. 3–4.

16. Monson, *Errand* (Mandato), pág. 176.

17. Gerry Avant, "Missionary Training Center Expands" (Amplían el Centro de Capacitación Misional), *Church News*, 19 de marzo de 1994, pág. 11.

18. Monson, Facultad de Negocios de la Universidad Brigham Young.

19. Monson, *Errand* (Mandato), págs. 155–56.

20. Entrevista a TSM, 17 de junio de 2009.

21. Jason Swenson, "Printing Industry Lauds LDS Leader" (La industria de la imprenta reconoce a líder SUD), *Church News*, 25 de abril de 2009, pág. 3.

22. Entrevista a TSM, 17 de junio de 2009.

23. 1 Pedro 3:15.

24. Doctrina y Convenios 38:30.

25. Thomas S. Monson, "Discurso y oración dedicatoria del Edificio David O. McKay", Universidad Brigham Young, 25 de abril de 2003.

26. Entrevista a TSM, 13 de mayo de 2009.

REFERENCIAS

27. Mateo 25:21.
28. Thomas S. Monson, "Traditions" (Tradiciones), discurso en la Universidad Dixie, 2 de noviembre de 1986.
29. Entrevista a TSM, 12 de noviembre de 2008.
30. Entrevista a TSM, 17 de junio de 2009.
31. Entrevista a TSM, 13 de mayo de 2009.
32. Swenson, "Printing Industry Lauds LDS Leader" (La industria de la imprenta reconoce a líder SUD), pág. 3.

CAPÍTULO 10: OBISPO PARA SIEMPRE

Epígrafe. Harold B. Lee, introducción de Thomas S. Monson, *Pathways to Perfection* (Camino a la perfección), (Salt Lake City: Deseret Book, 1973), pág. vii.
1. Monson, *Errand* (Mandato), pág. 11.
2. *Deseret News 2006 Church Almanac* (Almanaque de la Iglesia del Deseret News 2006), págs. 654–655.
3. Thomas S. Monson, "A New Spirit Will I Put within You" (Pondré un espíritu nuevo dentro de vosotros), transmisión de capacitación para líderes del sacerdocio, 21 de junio de 2003, págs. 18–19.
4. "An Old Chapel Carries On" (Una vieja capilla sigue en pie), *Deseret News Church Section* (Sección de la Iglesia), 16 de febrero de 1935, microfilme página 223, archivos de la Iglesia SUD.
5. 1 Timoteo 3:1–6.
6. Thomas S. Monson, "The Bishop—Center Stage in Welfare" (El obispo, el componente central de bienestar), *Ensign*, noviembre de 1980, pág. 89.
7. Thomas S. Monson, "Yellow Canaries with Gray on Their Wings" (Canarios amarillos con gris en sus alas), *Ensign*, julio de 1973, pág. 41.
8. Thomas S. Monson, "My Brother's Keeper" (Guarda de mi hermano), discurso en una reunión del Club de Rotarios de Salt Lake, 20 de enero de 2007.
9. Entrevista a TSM, 12 de julio de 2010.
10. Véase Thomas S. Monson, "El mirar hacia atrás y seguir adelante", *Liahona*, mayo de 2008, pág. 87.
11. Entrevista a TSM, 9 de septiembre de 2008.
12. "A vencer", *Himnos* (Salt Lake City: La Iglesia de Jesucristo de los Santos de los Últimos Días, 1985), Nº 167.
13. Thomas S. Monson, *Inspiring Experiences That Build Faith: From the Life and Ministry of Thomas S. Monson* (Experiencias inspiradoras que forjan fe), (Salt Lake City: Deseret Book, 1994), pág. 256.
14. "Friendships are strong in ward Pres. Monson once served as bishop" (Las amistades son firmes en barrio donde el presidente Monson sirvió una vez como obispo", *Church News*, 5 de marzo de 1994, pág. 11.
15. Véase Monson, *Errand* (Mandato), pág. 133.
16. Thomas S. Monson, discurso pronunciado en la rededicación del Centro de Ciencia Carl F. Eyring, Universidad Brigham Young, 10 de marzo de 1998.
17. Monson, *Errand*, pág. 144.
18. Véase Monson, *Errand* (Mandato), pág. 129.
19. Entrevista a TSM, 9 de septiembre de 2008.
20. Carta de Harold B. Lee a TSM, 5 de julio de 1951.

REFERENCIAS

21. Eclesiastés 12:13.

22. Tal como se le cita en Thomas S. Monson, "The Call of Duty" (El llamado del deber), *Ensign*, mayo de 1986, pág. 38.

23. David O. McKay, en Conference Report (Informe de conferencia), 9 de abril de 1951, pág. 151.

24. J. Reuben Clark, hijo, en Conference Report (Informe de conferencia), 9 de abril de 1951, pág. 154.

25. Thomas S. Monson, "A New Spirit Will I Put within You" (Pondré un espíritu nuevo dentro de vosotros), transmisión vía satélite de capacitación de líderes del sacerdocio, 21 de junio de 2003.

26. *A Guide to Happiness through Gospel Service, Sixth-Seventh Ward* (Una guía para lograr la felicidad por medio del servicio del Evangelio, Barrio Sexto-Séptimo), (Salt Lake City: publicación particular), págs. 3–6; véase también Monson, "Un espíritu nuevo".

27. *A Guide to Happiness*, (Una guía para lograr la felicidad) págs. 3–6; véase también Monson, "A New Spirit" (Un espíritu nuevo).

28. *A Guide to Happiness*, (Una guía para lograr la felicidad) págs. 3–6; véase también Monson, "A New Spirit" (Un espíritu nuevo).

29. Monson, "Duty Calls" (El llamado del deber).

30. Thomas S. Monson, discurso dado en reunión de capacitación de Autoridades Generales, 27 de marzo de 1990.

31. Monson, "A New Spirit" (Un espíritu nuevo).

32. Monson, *Errand* (Mandato), pág. 130.

33. Monson, *Errand* (Mandato), pág. 162.

34. Entrevista a H. David Burton, 27 de agosto de 2009.

35. Thomas S. Monson, "The Long Line of the Lonely" (La larga fila de los solitarios), *Ensign*, febrero de 1992, pág. 2.

36. Diario personal de TSM, 15 de diciembre de 1974; 8 de febrero de 1981.

37. Thomas S. Monson, "Called to Serve" (Llamados a servir), *Ensign*, noviembre de 1991, pág. 47.

38. Monson, "Called to Serve" (Llamados a servir), pág. 48.

39. Véase Thomas S. Monson, "Becoming Our Best Selves" (Llegar a ser lo mejor de nosotros mismos), *Ensign*, abril de 2006, pág. 6.

40. Poema de Meade McGuire, tal como se le cita en Thomas S. Monson, "Yellow Canaries with Gray on their Wings" (Canarios amarillos con gris en las alas), *Ensign*, julio de 1973, pág. 44.

41. Doctrina y Convenios 76:5–6.

42. Véase Thomas S. Monson, "Su influencia personal", *Liahona*, mayo de 2004, pág. 20.

43. Véase Thomas S. Monson, "¡Yo sé que vive mi Señor!", *Liahona*, mayo de 2007, pág. 22.

44. Richard O. Cowan, *The Latter-day Saint Century* (Siglo de los Santos de los Últimos Días), (Salt Lake City: Bookcraft, 1999), pág. 165.

45. Monson, *Errand* (Mandato), pág. 150.

46. Monson, *Errand* (Mandato), pág. 168.

47. Véase diario personal de TSM, 7 de mayo de 1950.

48. "Obispo Monson, en este mundo no hay hombre como usted", letra escrita como homenaje al obispo Thomas S. Monson.

REFERENCIAS

CAPÍTULO 11: "ANDUVO HACIENDO BIENES"

Epígrafe. Entrevista a David A. Bednar, 20 de octubre de 2009.

1. Thomas S. Monson, *Inspiring Experiences That Build Faith: From the Life and Ministry of Thomas S. Monson* (Experiencias inspiradoras que forjan la fe), (Salt Lake City: Deseret Book, 1994), pág. 188.

2. Thomas S. Monson, *Be Your Best Self* (Sean lo mejor que puedan), (Salt Lake City: Deseret Book, 1979), pág. 179.

3. Glen L. Rudd, *Pure Religion: The Story of Church Welfare Since 1930* (Religión pura: La historia de los servicios de bienestar desde 1930), (Salt Lake City: The Church of Jesus Christ of Latter-day Saints, 1995), pág. 20.

4. Doctrina y Convenios 64:33–34.

5. Entrevista a TSM, 19 de febrero de 2009.

6. Thomas S. Monson, "Guiding Principles of Personal and Family Welfare" (Principios clave del bienestar personal y familiar), *Ensign*, septiembre de 1986, pág. 5.

7. *Through the Years: A Brief History of the Sixth-Seventh Ward, 1849–1955* (Breve historia del Barrio Sexto-Séptimo), (Salt Lake City: publicación particular), pág. 30.

8. Glen L. Rudd, "The First Presidency and Welfare" (La Primera Presidencia y el plan de bienestar), julio de 1999.

9. Entrevista a Henry B. Eyring, 26 de agosto de 2009.

10. Thomas S. Monson, "Back to Basics" (De regreso a lo básico), discurso pronunciado en seminario para representantes regionales, 3 de abril de 1981.

11. Véase Thomas S. Monson, "Christ at Bethesda's Pool" (Cristo junto al estanque de Betesda), *Ensign*, noviembre de 1996, págs. 18–19; véase también Monson, *Errand* (Mandato), págs. 131–32.

12. Monson, *Errand* (Mandato), pág. 132; Thomas S. Monson, "Yellow Canaries with Gray on Their Wings" (Canarios amarillos con gris en las alas), *Ensign*, julio de 1973, págs. 41–42.

13. Véase Thomas S. Monson, "Cumple tu deber: Eso es lo mejor", *Liahona*, noviembre de 2005, pág. 56.

14. Monson, *Errand* (Mandato), págs. 134–36.

15. Carta a TSM, 29 de junio de 1955.

16. Entrevista a TSM, 9 de septiembre de 2008.

17. George Albert Smith, en Informe de conferencia, abril de 1950, pág. 169, tal como se cita en Thomas S. Monson, "Recuerdos del Tabernáculo", *Liahona*, mayo de 2007, pág. 41.

18. Thomas S. Monson, "A New Spirit Will I Put within You" (Un espíritu nuevo), transmisión vía satélite de capacitación de líderes del sacerdocio, 21 de junio de 2003.

19. Thomas S. Monson, "The Call of Duty" (El llamado del deber), *Ensign*, mayo de 1986, pág. 39.

20. Véase Monson, *Errand* (Mandato), págs. 143–44; diario personal de TSM, 26 de junio de 1996.

21. Monson, "A New Spirit" (Un espíritu nuevo).

22. Thomas S. Monson, "The Lord's Way" (A la manera del Señor), *Ensign*, mayo de 1990, pág. 93.

23. Véase Thomas S. Monson, "Preparing the Way" (Preparemos el camino),

REFERENCIAS

Ensign, mayo de 1980, pág. 9; véase también diario personal de TSM, 3 de enero de 2003.

24. Véase Monson, "Cumple tu deber: Eso es lo mejor", pág. 56.
25. Diario personal de TSM, 3 de enero de 2003.
26. Carta de Richard Casto a TSM, 29 de enero de 1994.
27. Carta a TSM, 6 de noviembre de 1980.
28. Thomas S. Monson, "The Lord's Way" (A la manera del Señor), transmisión vía satélite sobre programa de nuevo presupuesto, 18 de febrero de 1990.
29. *Deseret News bisemanario*, 6 de agosto de 1878, 1; tal como se cita en Monson, "A New Spirit" (Un espíritu nuevo), pág. 20.
30. Thomas S. Monson, "Heavenly Homes—Forever Families" (Hogares celestiales, familias eternas), transmisión de capacitación mundial de líderes, febrero de 2006.
31. Véase Thomas S. Monson, "Fieles a nuestra responsabilidad del sacerdocio", *Liahona*, noviembre de 2006, pág. 56.
32. Thomas S. Monson, discurso en sesión de líderes de conferencia general, 4 de abril de 1986.
33. Véase Thomas S. Monson, "El mirar hacia atrás y seguir adelante", *Liahona*, mayo de 2008, pág. 87.

CAPÍTULO 12: "TEN VALOR, MUCHACHO"

Epígrafe. Entrevista a Richard G. Scott, 28 de agosto de 2009.

1. Entrevista a TSM, 15 de abril de 2009; véase también Thomas S. Monson, "El sacerdocio: Un don sagrado", *Liahona*, mayo de 2007, pág. 57.
2. Véase "El sacerdocio: Un don sagrado", pág. 57.
3. Carta del Obispado Presidente a TSM, 28 de julio de 1955.
4. Monson, *Errand* (Mandato), pág. 182.
5. Véase Thomas S. Monson, "The Perfection of the Saints" (La perfección de los santos), seminario para representantes regionales, 1º de abril de 1988; véase también Monson, *Errand* (Mandato), págs. 169–71.
6. Doctrina y Convenios 107:99.
7. Diario personal de TSM, 1º de marzo de 1981.
8. Diario personal de TSM, 1º de marzo de 1981.
9. Doctrina y Convenios 59:21.
10. Monson, *Errand* (Mandato), pág. 184.
11. Monson, *Errand* (Mandato), pág. 185.
12. Monson, *Errand* (Mandato), pág. 185.
13. Lucas 15:4–5.
14. Thomas S. Monson, "Dedication Day" (Día de dedicación), *Ensign*, noviembre de 2000, pág. 64; véase también Thomas S. Monson, "Hallmarks of a Happy Home" (Características de un hogar feliz), *Ensign*, noviembre de 1988, pág. 69.
15. Thomas S. Monson, "The Best Christmas Ever" (La mejor Navidad de todas), *Ensign*, diciembre de 2008, pág. 5.
16. Charles Dickens, *Canto de Navidad*.
17. Monson, "Best Christmas Ever" (La mejor Navidad de todas), pág. 7.

REFERENCIAS

CAPÍTULO 13: AMADA CANADÁ

Epígrafe. Entrevista a Quentin L. Cook, 18 de septiembre de 2009.

1. Thomas S. Monson, discurso en seminario de presidentes de misión, 23 de junio de 2005.
2. Entrevista a TSM, 9 de septiembre de 2008.
3. Entrevista a Quentin L. Cook, 18 de septiembre de 2009.
4. Thomas S. Monson, discurso pronunciado en la dedicación de la Biblioteca Harold B. Lee, 15 de noviembre de 2000.
5. Doctrina y Convenios 112:10.
6. Véase Thomas S. Monson, "Aprendamos, hagamos, seamos", *Liahona*, noviembre de 2008, pág. 60.
7. Monson, *Errand* (Mandato), págs. 192–93.
8. Monson, *Errand* (Mandato), pág. 191.
9. Carta de J. Reuben Clark, hijo, a Clark Spencer Monson, 1º de octubre de 1959.
10. Véase "Autobiography of Bathsheba Smith" (Autobiografía de), págs. 14–15, archivos de la Iglesia SUD.
11. Diario personal de TSM, 21 de febrero de 1959.
12. Como se cita en John Hart, "Mission presidents told to prepare for 'greatest experience'" (Se dice a presidentes de misión que se preparen para la mejor experiencia), *Church News*, 3 de julio de 1993, pág. 6.
13. La misma área geográfica de la Misión Canadiense está ahora dividida en tres misiones: Canadá Montreal, Canadá Toronto Este, y Canadá Toronto Oeste.
14. Entrevista a Stephen Hadley, 14 de octubre de 2009.
15. Entrevista a Everett Pallin, 15 de octubre de 2009.
16. "The Canadian Missionary" (El misionero canadiense), boletín de la Misión Canadiense, Toronto, Canadá, 1959.
17. Thomas S. Monson, discurso pronunciado en la reunión de capacitación de Autoridades Generales, 29 de septiembre de 1998.
18. Entrevista a Everett Pallin, 15 de octubre de 2009.
19. Thomas S. Monson, discurso pronunciado en el seminario de presidentes de misión, 25 de junio de 2007.
20. Monson, *Errand* (Mandato), págs. 239–241.
21. Entrevista a M. Russell Ballard, 9 de septiembre de 2009.
22. Carta de Bruce R. McConkie a TSM, 3 de septiembre de 1959.
23. "Church Officer Reports on Canadian Tour" (Oficial de la Iglesia da informe tras gira por Canadá), *Church News*, 3 de septiembre de 1960, pág. 10.
24. *A History of the Mormon Church in Canada, 1830–1846* (Historia de la Iglesia mormona en Canadá), (Alberta, Canadá: Estaca Lethbridge, 1968), pág. 5.
25. Doctrina y Convenios 100:3.
26. Thomas S. Monson, discurso pronunciado en seminario de presidentes de misión, 27 de junio de 2006.
27. Thomas S. Monson, "Principles from Prophets" (Principios enseñados por profetas), discurso dado en la Universidad Brigham Young, 13 de septiembre de 2009.
28. Thomas S. Monson, "Motivating Missionaries" (Cómo motivar a los

REFERENCIAS

misioneros), seminario de presidentes de misión, 22 de junio de 2008; Doctrina y Convenios 108:7.

29. Thomas S. Monson, discurso dado en seminario de presidentes de misión, 28 de junio de 2008.
30. Thomas S. Monson, en Informe de conferencia, abril de 1964, pág. 132.
31. Entrevista a TSM, 17 de junio de 2009.
32. Monson, discurso dado en seminario de presidentes de misión, 23 de junio de 2005.
33. Entrevista a Ann Monson Dibb, 6 de junio de 2009.
34. Monson, discurso dado en seminario de presidentes de misión, 23 de junio de 2005.
35. John Farrington, "Return to Canada" (Regreso a Canadá), *Church News,* 8 de mayo de 2004, pág. 3.
36. Entrevista a Everett Pallin, 15 de octubre de 2009.
37. Entrevista a Stephen Hadley, 14 de octubre de 2009.
38. Monson, discurso dado en seminario de presidentes de misión, 23 de junio de 2005.
39. Véanse entrevistas a Stephen Hadley, 14 de octubre de 2009; Michael Murdock, 29 de octubre de 2008.
40. Entrevista a Michael Murdock, 29 de octubre de 2008.
41. Entrevista a Everett Pallin, 15 de octubre de 2009.
42. Entrevista a Everett Pallin, 15 de octubre de 2009.
43. Entrevista a Stephen Hadley, 14 de octubre de 2009.
44. Entrevista a Stephen Hadley, 14 de octubre de 2009.
45. Thomas S. Monson, "The Prophet Joseph Smith—Teacher by Example" (El profeta José Smith, maestro por medio del ejemplo), vigésimo primer sermón conmemorativo anual sobre José Smith, 11 de diciembre de 1963.
46. Monson, "The Prophet Joseph Smith" (El profeta José Smith).
47. Monson, *Errand* (Mandato), págs. 222–223.
48. Thomas S. Monson, discurso dado en reunión de capacitación de Autoridades Generales, 23 de junio de 2005.
49. Thomas S. Monson, discurso dado en reunión de capacitación de Autoridades Generales, 2 de abril de 2003.
50. Reencuentro en la Capilla de Ossington, julio de 2002, cinta video, archivos de la Iglesia SUD.
51. Gerry Avant, "Church in Upper Canada: rich history is celebrated" (Se celebra historia de la Iglesia en el alto Canadá), *Church News,* 16 de agosto de 1997, pág. 8.
52. Manual de la Misión Canadá, 1959.
53. Manual de la Misión Canadá, 1959.
54. Thomas S. Monson, discurso dado en reunión de capacitación de Autoridades Generales, 28 de septiembre de 1999.
55. *A History of the Mormon Church in Canada,* (Historia de la Iglesia mormona en Canadá), pág. 32.
56. Monson, *Errand* (Mandato), págs. 197–198.
57. Véase Thomas S. Monson, discurso dado en la Facultad de Negocios de la Universidad Brigham Young, 14 de marzo de 1973; discurso dado en seminario de representantes regionales, 30 de marzo de 1990.

REFERENCIAS

58. Thomas S. Monson, "Your Choice" (Su decisión) servicio devocional en la Universidad Brigham Young, 10 de marzo de 1998.
59. Monson, *Errand* (Mandato), pág. 226.
60. Monson, discurso dado en seminario de presidentes de misión, 23 de junio de 2005.
61. Thomas S. Monson, "Timeless Truths for a Changing World" (Verdades imperecederas para un mundo cambiante), discurso dado en conferencia de mujeres en la Universidad Brigham Young, 4 de mayo de 2001.
62. Diario personal de TSM, 23 de febrero de 1964.
63. Monson, *Errand* (Mandato), pág. 227.
64. Monson, discurso dado en seminario de presidentes de misión, 25 de junio de 2007.
65. Wayne Chamberlain, discurso dado en reunión regional en Salt Lake Sur, Centro de Conferencias, 2009.

CAPÍTULO 14: LLAMADO A LOS COMITÉS GENERALES DE LA IGLESIA

Epígrafe. Entrevista a Neil L. Andersen, 7 de octubre de 2009.

1. Monson, *Errand* (Mandato), pág. 231.
2. Thomas S. Monson, "Informe misional", 3 de febrero de 1962.
3. Monson, *Errand* (Mandato), pág. 241.
4. Carta de Franklin D. Richards a TSM, enero de 1963.
5. Carta de Wilford Wood a TSM, 16 de mayo de 1962.
6. Carta de Max Zimmer a TSM, 28 de marzo de 1983.
7. Véase "The Beehive Coinage of Deseret" (La moneda del territorio de Deseret), *Registro de genealogía e historia de Utah*, volumen 2, pág. 35.
8. Véase Thomas S. Monson, discurso dado en conferencia anual de la Primaria, 4 de abril de 1973; *Errand* (Mandato), pág. 230.
9. Thomas S. Monson, "Examples of Great Teachers" (Ejemplos de grandes maestros), Transmisión de capacitación mundial de líderes, 10 de febrero de 2007.
10. Romanos 1:16.
11. Monson, "Examples of Great Teachers" (Ejemplos de grandes maestros).
12. Diario personal de TSM, 1º de julio de 1967.
13. Entrevista a Clark Spencer Monson, 4 de noviembre de 2008.
14. Entrevista a Thomas Lee Monson, 6 de noviembre de 2009.
15. Carta de Vaughn Featherstone a TSM, 2 de septiembre de 1999.
16. Carta de Vaughn Featherstone a TSM, 15 de julio de 2001.
17. Monson, *Errand* (Mandato), pág. 233.
18. Monson, *Errand* (Mandato), pág. 234.
19. Carta de Spencer W. Kimball a TSM, 20 de febrero de 1962.
20. Carta de Spencer W. Kimball, Ezra Taft Benson, Mark E. Petersen, y Delbert L. Stapley a supervisores misionales de área, 9 de abril de 1962.
21. Carta de Spencer W. Kimball a TSM, 20 de febrero de 1962.
22. Thomas S. Monson, "Teach Ye Diligently" (Enseñad diligentemente), seminario de representantes regionales, 3 de abril de 1987.
23. Circular del Departamento Misional, 26 de octubre de 1962, archivos de la Iglesia SUD.
24. Circular del Departamento Misional.
25. Otros miembros del comité eran Gordon Owen, Paul Royall, Lorin Pace,

REFERENCIAS

Zelph Erekson, Quinton Cannon, Vernon Sharp, Henry Chace, Earl E. Olson, Henry Christiansen, George H. Fudge, Leslie Derbyshire, Frank Smith, David Romney y John E. Carr.

26. Memorando de sugerencias del Edificio de Oficinas Generales de la Iglesia, 29 de marzo de 1940.

27. Richard O. Cowan, *The Church in the Twentieth Century* (La Iglesia en el siglo veinte), (Salt Lake City: Bookcraft, 1985), pág. 307.

28. Harold B. Lee, en Informe de Conferencia, octubre de 1961, págs. 79–80.

29. David O. McKay, en Informe de Conferencia, octubre de 1961, pág. 77.

30. Véase Monson, *Errand* (Mandato), pág. 234.

31. Joseph F. Smith, en Informe de Conferencia, octubre de 1916, pág. 6.

32. Thomas S. Monson, "A Man For All Seasons" (Un hombre para todas las épocas), transmisión de charla fogonera del Sistema Educativo de la Iglesia, Universidad Brigham Young, 5 de febrero de 1995.

33. Véase Thomas S. Monson, "Qué firmes cimientos", *Liahona*, noviembre de 2006, pág. 62.

34. Thomas S. Monson, "The Key of Faith" (La clave de la fe), tercer seminario anual de genealogía, Universidad Brigham Young, 13 de agosto de 1968.

35. Reunión con la Primera Presidencia, Autoridades Generales y líderes de departamentos y organizaciones, 7 de mayo de 1981.

36. "Temple work is mandate from the Lord" (La obra del templo es un mandato del Señor), *Church News,* 19 de noviembre de 1994, págs. 4–5.

37. El Comité de Correlación para Adultos tenía como miembros a Wendell Ashton, Christine Robinson, Keith Oakes, Irene Woodford, Ruth Funk, Augustus Faust, Norman Bowen, Alden Anderson, Hortense Child y Thomas Monson.

38. Entrevista a TSM, 17 de junio de 2009.

39. Thomas S. Monson, "The Perfection of the Saints" (La perfección de los santos), seminario de representantes regionales, 1° de abril de 1988.

40. Monson, "Perfection of the Saints" (La perfección de los santos).

41. Monson, "Perfection of the Saints" (La perfección de los santos).

42. Tal como se citó en Monson, "Perfection of the Saints" (La perfección de los santos).

43. *Initial Training for Priesthood Home Teachers* (Capacitación inicial para maestros orientadores), (Salt Lake City: Deseret Press).

44. En 1964 los miembros del Comité de Orientación Familiar eran L. Brent Goates, Hugh C. Smith, Henry G. Tempest, Richard Summerhayes, A. Lewis Elggren, Franck C. Berg, Heber J. Heiner, Jr., Harold R. Boyer, Cecil E. Hart, Donald Elsworth, Owen G. Reichman, George Z. Aposhian y M. Elmer Christensen.

45. Monson, *Errand* (Mandato), pág. 236.

46. Reunión interdepartamental, 7 de mayo de 1981.

47. "Hold High the Correlation Torch" (Mantengamos en alto la antorcha de la correlación), consejo de coordinación de la Iglesia, 18 de mayo de 1993. Véase diario personal de TSM, 31 de diciembre de 2005.

48. Diario personal de TSM, 11 de marzo de 1999.

49. Monson, *Errand* (Mandato), pág. 242.

REFERENCIAS

CAPÍTULO 15: UN TESTIGO ESPECIAL

Epígrafe. Entrevista a Jeffrey R. Holland, 22 de septiembre de 2009.

1. Véase Monson, *Errand* (Mandato), pág. 246.
2. Diario personal de TSM, 3 de octubre de 1963.
3. *Church News,* 26 de abril del 1975.
4. Diario personal de TSM, 3 de octubre de 1963.
5. Carta de Max Zimmer a TSM, 28 de marzo de 1983.
6. Véase Informe de Conferencia, octubre de 1963, pág. 3.
7. David O. McKay, en Informe de Conferencia, octubre de 1963, pág. 3.
8. David O. McKay, en Informe de Conferencia, octubre de 1963, pág. 7.
9. Hugh B. Brown, en Informe de Conferencia, octubre de 1963, pág. 9.
10. Monson, *Errand* (Mandato), pág. 248.
11. Thomas S. Monson, en Informe de Conferencia, octubre de 1963, pág. 14.
12. Entrevista a Russell M. Nelson, 3 de septiembre de 2009.
13. Entrevista a TSM, 15 de octubre de 2008.
14. Diario personal de TSM, 4 de octubre de 1963.
15. Entrevista a Michael Murdock, 29 de octubre de 2008.
16. Diario personal de TSM, 5 de octubre de 1963.
17. "Yo sé que vive mi Señor", *Himnos* (Salt Lake City: La Iglesia de Jesucristo de los Santos de los Últimos Días, 1985), Nº 74.
18. Diario personal de TSM, 6 de octubre de 1963.
19. Entrevista a David A. Bednar, 20 de octubre de 2009.
20. Diario personal de TSM, 25 de febrero de 1989; *Deseret News 2006 Church Almanac* (Almanaque de la Iglesia del Deseret News 2006).
21. Edward L. Kimball y Andrew E. Kimball, Jr., *Spencer W. Kimball* (Salt Lake City: Bookcraft, 1977), pág. 338.
22. Diario personal de TSM, 7 de octubre de 1963.
23. Diario personal de TSM, 7 de octubre de 1963.
24. Diario personal de TSM, 7 de octubre de 1963.
25. Diario personal de TSM, 25 de noviembre de 1963.
26. Carta de William James Mortimer a TSM, 8 de octubre de 1963.
27. "The Church's Eternal Progress" (El progreso eterno de la Iglesia), editorial del *Deseret News,* 5 de octubre de 1963, pág. 14A.
28. Harold B. Lee, discurso pronunciado en seminario de representantes regionales, 13 de diciembre de 1969.
29. Diario personal de TSM, 10 de octubre de 1963.
30. Diario personal de TSM, 10 de octubre de 1963.
31. David O. McKay, como es citado en *Spencer W. Kimball,* pág. 344.
32. Monson, *Errand* (Mandato), pág. 253.
33. Harold B. Lee, en Informe de Conferencia, abril de 1970, pág. 123.
34. Diario personal de TSM, 14 de octubre de 1963.
35. Entrevista a Glen L. Rudd, 17 de enero de 2009.
36. Diario personal de TSM, 13 de octubre de 1963.
37. Monson, *Errand* (Mandato), pág. 252.
38. Diario personal de TSM, 17 de octubre de 1963.
39. Thomas S. Monson, "Dear to Our Hearts, Always" (Siempre muy querido para nosotros), servicio devocional en la Universidad Brigham Young, 12 de septiembre de 2000.

REFERENCIAS

40. Monson, "Dear to Our Hearts, Always" (Siempre muy querido).
41. David O. McKay, en Informe de Conferencia, octubre de 1963, pág. 9.
42. Poema de Edwin Markham, como fue citado por David O. McKay en Informe de Conferencia, octubre de 1962, pág. 119.
43. Diario personal de TSM, 10 de diciembre de 1964.
44. Marba C. Josephson, "Thomas S. Monson," *Improvement Era*, noviembre de 1963.
45. Véase Thomas S. Monson, "Encontrar gozo en el trayecto", *Liahona*, noviembre de 2008, pág. 84.

CAPÍTULO 16: SU SERVICIO EN LOS DOCE

Epígrafe. Carta de Neal A. Maxwell a TSM, 9 de septiembre de 1987.
1. Mateo 20:28.
2. Thomas S. Monson, "Mark E. Petersen: A Giant among Men" (Un gigante entre los hombres), *Ensign*, marzo de 1984, pág. 11.
3. Diario personal de TSM, 24 de octubre de 1963.
4. Diario personal de TSM, 7 de noviembre de 1963.
5. Diario personal de TSM, 31 de octubre de 1963.
6. Diario personal de TSM, 4 de abril de 1964.
7. Diario personal de TSM, 2 de marzo de 1967.
8. Diario personal de TSM, 5 de marzo de 1964.
9. Diario personal de TSM, 5 de noviembre de 1963.
10. Diario personal de TSM, 4 de noviembre de 1966.
11. Jack E. Jarrard, "Walk in the Lord's Way for a Really Happy Life" (Caminemos en la senda del Señor para ser realmente felices), *Church News*, 26 de abril de 1975, pág. 13.
12. Diario personal de TSM, 15 de febrero de 1964.
13. Isaías 54:2.
14. Véase diario personal de TSM, 18–19 de septiembre de 1965.
15. Mateo 17:4.
16. Diario personal de TSM, 19 de noviembre de 1964.
17. Entrevista a Marlin K. Jensen, 28 de octubre de 2009.
18. Diario personal de TSM, 7 de febrero de 1964.
19. Diario personal de TSM, 17 de agosto de 1964.
20. Entrevista a Thomas Lee Monson, 6 de noviembre de 2009.
21. Diario personal de TSM, 9 de julio de 1965.
22. Entrevista a Thomas Lee Monson, 6 de noviembre de 2009.
23. Diario personal de TSM, 27 de octubre de 1967.
24. Diario personal de TSM, 14 de julio de 1967.
25. Diario personal de TSM, 19 de agosto de 1979.
26. Diario personal de TSM, 12 de noviembre de 1963.
27. Diario personal de TSM, 31 de enero de 1964.
28. Certificado en la colección de Thomas S. Monson, 12 de marzo de 1965.
29. Diario personal de TSM, 24 de octubre de 1963.
30. Diario personal de TSM, 3 de febrero de 1964.
31. Diario personal de TSM, 4 de febrero de 1964.
32. Diario personal de TSM, 7 de septiembre de 1971.
33. Monson, *Errand* (Mandato), pág. 272.
34. Diario personal de TSM, 2 de octubre de 1981.

REFERENCIAS

35. Diario personal de TSM, 3 de abril de 1984.
36. Véase Thomas S. Monson, "Bienvenidos a la conferencia", *Liahona*, noviembre de 2008, pág. 4.
37. Thomas S. Monson, discurso en conferencia de la AMM, 28 de junio de 1969.
38. Monson, discurso en conferencia de la AMM.
39. Véase Thomas S. Monson, "Un real sacerdocio", *Liahona*, noviembre de 2007, pág. 59.
40. Diario personal de TSM, 1º de junio de 1965.
41. Entrevista a Ronald A. Rasband, 12 de noviembre de 2008.
42. Véase Edward L. Kimball y Andrew E. Kimball, Jr., *Spencer W. Kimball* (Salt Lake City: Bookcraft, 1977), pág. 364.
43. Carta de John R. W. Purdell a TSM, 3 de enero de 1968.
44. Thomas S. Monson, "A Man for All Seasons" (Un hombre para todas las épocas), transmisión de charla fogonera vía satélite del Sistema Educativo de la Iglesia, 5 de febrero de 1995.
45. Hechos 3:6–7.
46. Thomas S. Monson, "Is There a Doctor in the House?" (¿Hay un médico aquí?), *Collegium Aesculapium*, Vol. 21, no. 1, pág. 11.
47. Entrevista a TSM, 8 de septiembre de 2008.
48. Sarah Jane Weaver, "A worker's gift: Children, missionaries benefit" (El don de un obrero), *Church News*, 24 de diciembre de 2005, pág. 6.
49. Véase Thomas S. Monson, "Tengan valor", *Liahona*, mayo de 2009, pág.124.

CAPÍTULO 17: "ESTABA EN TODAS PARTES"

Epígrafe. Entrevista a Jeffrey R. Holland, 22 de septiembre de 2009.
1. Diario personal de TSM, 5 de octubre de 1966.
2. Diario personal de TSM, 6 de octubre de 1966.
3. Diario personal de TSM, 6 de octubre de 1966.
4. Diario personal de TSM, 3 de noviembre de 1966.
5. Thomas S. Monson, en Informe de Conferencia, abril de 1965, pág. 46.
6. Entrevista a TSM, 13 de mayo de 2009.
7. Entrevista a M. Russell Ballard, 9 de septiembre de 2009.
8. Entrevista a TSM, 12 de noviembre de 2008.
9. Véase Richard L. Evans, en Informe de Conferencia, octubre de 1962, pág. 74.
10. Véase Ruth Funk, "Ruth, Come Walk with Me" (Ruth, ven a caminar conmigo), en *He Changed My Life* (Él cambió mi vida), (Salt Lake City: Bookcraft, 1988), pág. 119.
11. Diario personal de TSM, 25 de marzo de 1965.
12. Entrevista a TSM, 12 de noviembre de 2008.
13. "Reseña de procedimientos generales para el desarrollo de cursos de estudio de miembros adultos de las organizaciones de la Iglesia", 1965, archivos de la Iglesia SUD.
14. "Reseña de procedimientos para el desarrollo de cursos de estudio", minutas del Comité de Correlación para Adultos, 1965, pág. 4.
15. Thomas S. Monson, "Duty Calls" (El llamado del deber), seminario de representantes regionales, 30 de marzo de 1990.
16. Thomas S. Monson, "The Bishop and the Spiritual and Temporal

REFERENCIAS

Well-Being of the Saints" (El obispo y el bienestar temporal y espiritual de los miembros), Capacitación mundial de líderes, junio de 2004, pág. 5.

17. Hugh B. Brown, en Informe de Conferencia, octubre de 1967, págs. 25–26.
18. Francis M. Gibbons, *Harold B. Lee: Man of Vision, Prophet of God* (Hombre de visión, profeta de Dios), (Salt Lake City: Deseret Book, 1993), pág. 414.
19. Thomas S. Monson, "Hold High the Correlation Torch" (Mantener en alto la antorcha de la correlación), Consejo de Coordinación de la Iglesia, 18 de mayo de 1993.
20. Véase Donald Q. Cannon, Richard O. Cowan, y Arnold K. Garr, eds., *Encyclopedia of Latter-day Saint History* (Enciclopedia de historia de los Santos de los Últimos Días), (Salt Lake City: Deseret Book, 2000), "Representantes regionales".
21. Thomas S. Monson, "The Search for Jesus" (En pos de Jesús), discurso dado en Lethbridge, Alberta, Canadá, servicio del centenario, 11 de junio de 1967.
22. Thomas S. Monson fue elegido para formar parte de la mesa de ex alumnos con Graham W. Doxey, June Wilkins Nebeker, Hugh W. Pinnock y Rex W. Williams. Entre otros miembros estaban George L. Nelson, Mark B. Garff, Ernest L. Wilkinson, Frank M. Browning, Henry R. Pearson y Arch L. Madsen. Truman B. Clawson era el director ejecutivo de la asociación, E. Earl Hawkes era el vicepresidente ejecutivo y D. Arthur Haycock era el secretario.
23. Diario personal de TSM, 11 de febrero de 1975.
24. Carta de Maurice P. (Pat) Shea a TSM, 26 de marzo de 1993.
25. Diario personal de TSM, 11 de diciembre de 2003.
26. Diario personal de TSM, 30 de mayo de 2001.
27. Diario personal de TSM, 4 de marzo de 1964.
28. G. Homer Durham, *N. Eldon Tanner: His Life and Service* (Su vida y su servicio), (Salt Lake City: Deseret Book, 1982), pág. 236.
29. Diario personal de TSM, 24 de septiembre de 1965.
30. Thomas S. Monson, "A Time to Choose" (Un tiempo para escoger), discurso dado en la Universidad Brigham Young University, 16 de enero de 1973.
31. Diario personal de TSM, 20 de enero de 1975.

CAPÍTULO 18: CERCA Y LEJOS

Epígrafe. Joseph Smith, *History of The Church of Jesus Christ of Latter-day Saints* (José Smith, Historia de la Iglesia), 7 vols. (Salt Lake City: The Church of Jesus Christ of Latter-day Saints, 1932–1952), 4:227.

1. Carta de Mark Mendenhall a Heidi S. Swinton, 2 de febrero de 2009.
2. Carta de Mark Mendenhall a Heidi S. Swinton, 2 de febrero de 2009.
3. Diario personal de TSM, 24 de abril de 1964.
4. Monson, *Errand* (Mandato), pág. 281; diario personal de TSM, 15 febrero de 1965.
5. Entrevista a TSM, 15 de octubre de 2008.
6. Diario personal de TSM, 9 de noviembre de 1965.
7. Thomas S. Monson, "Building Your Eternal Home" (Edifiquemos un hogar eterno), *Ensign*, mayo de 1984, pág. 16.
8. Diario personal de TSM, 17 de octubre de 1965; Monson, *Errand* (Mandato), págs. 283–284.

9. Thomas S. Monson, "We Should Love as Jesus Loves" (Debemos amar como Jesús ama), discurso dado a la Unión Deseret de la Escuela Dominical, 4 de abril de 1965.

10. Thomas S. Monson, "Hallmarks of a Happy Home" (Características de un hogar feliz), transmisión misional vía satélite, 20 de febrero de 2000.

11. Monson, "We Should Love as Jesus Loves" (Debemos amar como Jesús ama), 4 de abril de 1965.

12. Diario personal de TSM, 8 de marzo de 1965.

13. Thomas S. Monson, en Informe de Conferencia, octubre de 1966, pág. 10.

14. Thomas S. Monson, "For I Was Blind, but Now I See" (Era ciego mas ahora veo), Ensign, mayo de 1999, pág. 56; Juan 8:12.

15. Monson, "We Should Love as Jesus Loves" (Debemos amar como Jesús ama), 4 de abril de 1965.

16. Diario personal de TSM, 20 de noviembre de 1965.

17. Diario personal de TSM, 20 de noviembre de 1965.

18. En esa época, todos los misioneros que salían de la Casa de la Misión de Salt Lake eran asignados a una Autoridad General para ser apartados. Esa responsabilidad se dio más tarde a presidentes de estaca.

19. Carta de John Telford a TSM, 18 de enero de 1988.

20. John H. Groberg, The Fire of Faith (El fuego de la fe), (Salt Lake City: Bookcraft, 1996), pág. 174; Monson, Errand (Mandato), págs. 289–292.

21. Groberg, Fire of Faith (El fuego de la fe), págs. 174–175.

22. Diario personal de TSM, 6 de septiembre de 1968.

23. Diario personal de TSM, 7 de septiembre de 1968; Monson, Errand (Mandato), págs. 291–292.

24. Thomas S. Monson, discurso dado en conferencia de la AMM, 28 de junio de 1969.

25. Diario personal de TSM, 13 de mayo de 1967.

26. Thomas S. Monson, "The Race for Eternal Life" (La carrera de la vida eterna), discurso dado en Ricks College, 10 de mayo de 1967.

27. Historia oral de Karl M. Richards, agosto de 1973, pág. 50, archivos de la Iglesia SUD.

28. Diario personal de TSM, 2 de mayo de 1968.

29. Véase Thomas S. Monson, "Building Bridges" (Construyamos puentes), convención de la compañía de seguros Beneficial Life, 14 de julio de 1988.

30. Diario personal de TSM, 25 de junio de 1968.

31. Véase diario personal de TSM, 29 de julio de 1968.

32. Diario personal de TSM, 24 de abril de 1969.

33. Diario personal de TSM, 11 de agosto de 1968.

34. Entrevista a Ann Monson Dibb, 29 de julio de 2010.

35. Diario personal de TSM, 21 de octubre de 1968.

CAPÍTULO 19: "NO OS CANSÉIS"

Epígrafe. Entrevista a Dieter F. Uchtdorf, 2 de septiembre de 2009.

1. Pese a que el nombre oficial del estado socialista establecido en 1949 era República Democrática Alemana (RDA), los del Oeste la llamaban informalmente Alemania Oriental. Geográficamente sus límites eran con Alemania Occidental (oficialmente República Federal Alemana) hacia

REFERENCIAS

el sur y el oeste, el Mar Báltico hacia el norte, Polonia hacia el este y Checoeslovaquia hacia el sur.

2. Entrevista a TSM, 9 de septiembre de 2008.
3. Entrevista a TSM realizada por la estación de TV de la Universidad Brigham Young para el documental *A Fortress of Faith* (Una fortaleza de fe), octubre de 1988.
4. Thomas S. Monson, *Faith Rewarded: A Personal Account of Prophetic Promises to the East German Saints* (Relato personal de promesas proféticas hechas a los santos de Alemania Oriental), (Salt Lake City: Deseret Book, 1996), pág. 1.
5. Winston Churchill, "The Sinews of Peace" (Los tendones de la paz), discurso pronunciado en el Westminster College, Fulton, Misuri, 5 de marzo de 1946. Churchill sirvió como Primer Ministro de Gran Bretaña desde 1940 a 1945 y nuevamente desde 1951 a 1955.
6. Justus Ernst, comp., *Highlights from the German-Speaking Latter-day Saints Mission Histories, 1836–1960*, (Aspectos sobresalientes de historias misionales de los santos alemanes), archivos de la Iglesia SUD, pág. 97.
7. Ernst, *Highlights* (Aspectos sobresalientes), pág. 115.
8. Ernst, *Highlights* (Aspectos sobresalientes), pág. 117.
9. "Desde su fundación en 1959, Alemania Oriental perdió un gran número de ciudadanos que emigró hacia la República Federal (Alemania Occidental] a fin de obtener la ciudadanía que garantizaba la Ley Básica de ese gobierno. Antes de 1961, dicha emigración resultaba ser bastante fácil ya que sólo requería cruzar de la zona este a la oeste de Berlín. La construcción del muro divisorio interrumpió la emigración pero no sin antes recibir la República Federal la impresionante cantidad de 3.419.042 de emigrantes del Este". Richard A. Leiby, *The Unification of Germany, 1989–1990*, (La unificación de Alemania), (Westport, CT: Greenwood Press, 1999), págs. 25–26.
10. Bruce W. Hall, "And the Last Shall Be First: The Church of Jesus Christ of Latter-day Saints in the Former East Germany" (La Iglesia de Jesucristo de Los Santos de Los Últimos Días en la ex Alemania Oriental), *Journal of Church and State*, vol. 42, (Summer 2000) págs. 485–489.
11. Hall, "And the Last Shall Be First" (La Iglesia en Alemania Oriental), págs. 487–488.
12. Roger P. Minert, *In Harm's Way, East German Latter-day Saints in World War II* (Santos de Alemania Oriental en la Segunda Guerra Mundial), (Provo, UT: Centro de estudios religiosos, Universidad Brigham Young, 2009), pág. 23; véase también Obispado Presidente, "Financial, Statistical, and Historical Reports of Wards, Stakes, and Missions, 1884–1955" (Informes financieros, estadísticos e históricos de barrios, estacas y misiones), *Der Stern*, número final correspondiente a 1939–1941.
13. Gilbert W. Scharffs, *Mormonism in Germany: A History of The Church of Jesus Christ of Latter-day Saints in Germany* (El mormonismo en Alemania), (Salt Lake City: Deseret Book, 1970), pág. xiv.
14. Garold y Norma Davis, "Behind the Wall: The Church in Eastern Germany" (Tras el Muro: La Iglesia en Alemania Oriental), *Tambuli*, febrero de 1992, pág. 12.
15. Rodney Taylor, "Karl G. Maeser memorialized in native Germany" (Homenajeado en su Alemania natal), *Church News*, 21 de julio de 2001.

REFERENCIAS

16. David F. Boone, *The Worldwide Evacuation of Latter-day Missionaries at the Beginning of World War II*, (Evacuación mundial de misioneros al comienzo de la Segunda Guerra Mundial), tesis de maestría (Provo, UT: Universidad Brigham Young, 1981), págs. 1–2.
17. Minert, *In Harm's Way*, (En peligro), citas extraídas de informes trimestrales de la Misión de Alemania Oriental, 1938, Nº 40.
18. Boone, *Worldwide Evacuation* (Evacuación mundial), pág. 4.
19. Robert C. Freeman, "When the Wicked Rule the People Mourn: The Experiences of the German Saints during World War II" (Cuando gobiernan los malvados el pueblo sufre), en Donald Q. Cannon y Brent L. Top, eds., *Regional Studies in Latter-day Saint Church History—Europe* (Estudios regionales de la historia de la Iglesia en Europa), (Provo, UT: Universidad Brigham Young, 2003), pág. 90; véase también Ernst, *Highlights* (Aspectos sobresalientes), págs. 47–48.
20. Véase Scharffs, *Mormonism in Germany* (El mormonismo en Alemania), pág. 107.
21. Véase Freeman, "When the Wicked Rule" (Cuando gobiernan los malvados), pág. 91.
22. Scharffs, *Mormonism in Germany* (El mormonismo en Alemania), pág. 109.
23. Minert, *In Harm's Way* (En peligro), pág. 181.
24. La Santa Cena se repartía en los servicios de adoración (ejercicios de apertura) de la Escuela Dominical hasta 1980, cuando la Iglesia implantó el "Programa integrado de reuniones". Véase "News of the Church, Church Consolidates Meeting Schedule" (Noticias de la Iglesia), *Ensign*, marzo de 1980, pág. 73.
25. Doctrina y Convenios 84:117.
26. Carta del Teniente Coronel John Richard Barnes al presidente Thomas McKay; Thomas McKay Correspondence 1939–1946 (correspondencia a Thomas McKay) Misión Europea, archivos de la Iglesia SUD.
27. Sheri Dew, *Ezra Taft Benson: A Biography* (Biografía de Ezra Taft Benson), (Salt Lake City: Deseret Book, 1987), pág. 219.
28. Entrevista de BYU televisión a TSM para el programa especial *Fortress* (Fortaleza), octubre de 1988.
29. Ezra Taft Benson, en Informe de Conferencia, abril de 1947, pág. 154; véase también *Improvement Era*, vol. 5, (mayo de 1947) pág. 293.
30. Entrevista de BYU televisión a TSM para *Fortress* (Fortaleza), octubre de 1988.
31. Dew, *Ezra Taft Benson*, pág. 226.
32. Monson, *Faith Rewarded* (Recompensa de la fe), pág. vii.
33. Entrevista de BYU televisión a TSM para *Fortress* (Fortaleza), octubre de 1988.
34. Monson, *Faith Rewarded* (Recompensa de la fe), pág. 12.
35. Monson, *Faith Rewarded* (Recompensa de la fe), pág. 13.
36. Monson, *Faith Rewarded* (Recompensa de la fe), pág. 3.
37. Los primeros relatos que se publicaron del bombardeo de Dresde el 13 y 14 de febrero de 1945, contenían información recabada de los gobiernos nazi y soviético. Durante los siguientes cuarenta años, el número total de muertes resultantes del bombardeo de Dresde variaban grandemente, oscilando entre los 18.000 y los 450.000, aunque la cifra más frecuentemente

usada era por encima de los 100.000. Desde la reunificación de Alemania y el repaso de nuevos datos disponibles en los archivos del gobierno, los historiadores ahora calculan que el total de muertos fue entre los 25.000 y los 40.000. Véase Frederick Taylor, *Dresde, martes 13 de febrero de 1945* (New York: HarperCollins Publishers, 2005), págs. 441–448.

38. Monson, *Faith Rewarded* (Recompensa de la fe), págs. 3–4.

39. Doctrina y Convenios 112:21.

40. Entrevista de BYU televisión a TSM para *Fortress* (Fortaleza), octubre de 1988.

41. Entrevista de BYU televisión a TSM para *Fortress* (Fortaleza), octubre de 1988.

42. Monson, *Faith Rewarded* (Recompensa de la fe), pág. 6.

43. Monson, *Faith Rewarded* (Recompensa de la fe), pág. 6.

44. Entrevista de BYU televisión a TSM para *Fortress* (Fortaleza), octubre de 1988.

45. "Weary Not" (No os canséis) *Deseret Sunday School Songs* (Canciones de la Escuela Dominical), (Salt Lake City: Deseret Sunday School Union, 1909), Nº 158; véase Monson, *Faith Rewarded* (Recompensa de la fe), pág. 4.

46. Entrevista de BYU televisión a TSM para *Fortress* (Fortaleza), octubre de 1988.

47. Véase Monson, *Faith Rewarded*, págs. 4–5; diario de TSM, 22 de octubre de 1978.

48. Entrevista de BYU televisión a TSM para *Fortress* (Fortaleza), octubre de 1988.

49. Monson, *Faith Rewarded* (Recompensa de la fe), pág. 5.

50. Entrevista de BYU televisión a TSM para *Fortress* (Fortaleza), octubre de 1988.

51. Monson, *Faith Rewarded* (Recompensa de la fe), pág. 7.

52. Salmos 46:10.

53. Minert, *In Harm's Way* (En peligro), pág. 176.

54. Entrevista de BYU televisión a TSM para *Fortress* (Fortaleza), octubre de 1988.

55. Diario personal de TSM, 8 de mayo de 1969.

56. Monson, *Faith Rewarded* (Recompensa de la fe), pág. 11.

57. Monson, *Faith Rewarded* (Recompensa de la fe), pág. 11.

58. Monson, *Faith Rewarded* (Recompensa de la fe), págs. 11–12.

59. Karin Sommer, "An Account About Great Events in My Life" (Relato de grandes acontecimientos en mi vida), manuscrito no publicado, en poder de TSM.

60. Entrevista de BYU televisión a TSM para *Fortress* (Fortaleza), octubre de 1988.

61. Entrevista de BYU televisión a TSM para *Fortress* (Fortaleza), octubre de 1988.

62. Monson, *Faith Rewarded* (Recompensa de la fe), págs. 66–67.

63. Monson, *Faith Rewarded* (Recompensa de la fe), págs. 66–67.

64. Entrevista de KBYU a Hans B. Ringger para el documental, *A Fortress of Faith* (Fortaleza de fe), octubre de 1988.

65. Monson, *Faith Rewarded* (Recompensa de la fe), págs. 18–19.

66. Monson, *Faith Rewarded* (Recompensa de la fe), págs. 109–111; entrevista a Dieter Berndt, 3 de julio de 2009.

67. Monson, *Faith Rewarded* (Recompensa de la fe), págs. 15–16.

68. Véase Hall, "And the Last Shall Be First" (Los últimos serán los primeros), págs. 488–489. A fines de la década de 1980 el "poco característico trato favorable dispensado a la Iglesia SUD" por parte de la RDA fue como resultado de la información que el gobierno había recabado en el curso de muchos años. Llegaron a la conclusión de que los miembros eran "ciudadanos responsables y personas de altos valores morales" en quienes se podía confiar.

69. Monson, *Faith Rewarded* (Recompensa de la fe), pág. 16.

70. Diario personal de TSM, 23 de octubre de 1970.

71. Véase Monson, *Faith Rewarded* (Recompensa de la fe), pág. 16.

72. Entrevista de KBYU a TSM para el programa *Fortress* (Fortaleza), octubre de 1988.

73. Monson, *Faith Rewarded* (Recompensa de la fe), págs. 107–108.

74. Monson, *Faith Rewarded* (Recompensa de la fe), págs. 26–27.

75. Entrevista de KBYU a Russell M. Nelson para el documental *A Fortress of Faith* (Una fortaleza de fe), 1988.

76. Véase Monson, *Faith Rewarded* (Recompensa de la fe), pág. 84.

77. Entrevista de KBYU a TSM para el programa *Fortress* (Fortaleza), octubre de 1988.

78. Véase Monson, *Faith Rewarded* (Recompensa de la fe), pág. 37.

79. Entrevista de KBYU a TSM para el programa *Fortress* (Fortaleza), octubre de 1988.

80. Monson, *Faith Rewarded* (Recompensa de la fe), pág. 38; diario personal de TSM, 27 de abril de 1975.

81. Monson, *Faith Rewarded* (Recompensa de la fe), pág. 38.

82. Véase Monson, *Faith Rewarded* (Recompensa de la fe), pág. 153; Thomas S. Monson, "Examples of Great Teachers" (Ejemplos de grandes maestros) *Ensign*, junio de 2007, pág. 112.

83. Entrevista de KBYU a Russell M. Nelson para el programa *Fortress* (Fortaleza), 1988.

84. Monson, *Faith Rewarded* (Recompensa de la fe), págs. 48–49.

85. Entrevista de KBYU a Hans B. Ringger para el programa *Fortress* (Fortaleza), octubre de 1988.

86. Monson, *Faith Rewarded* (Recompensa de la fe), pág. 62.

87. Carta de Harold W. Schreiber a TSM, 12 de abril de 1989.

88. Monson, *Faith Rewarded* (Recompensa de la fe), pág. 46.

CAPÍTULO 20: LA FE DE LA GENTE

Epígrafe. Entrevista a L. Tom Perry, 22 de agosto de 2008.

1. Edward L. Kimball, *Lengthen Your Stride: The Presidency of Spencer W. Kimball* (Alarguen el paso: La presidencia de Spencer W. Kimball), (Salt Lake City: Deseret Book, 2005), pág. 367.

2. Kimball, *Lengthen Your Stride* (Alarguen el paso), pág. 367.

3. Thomas S. Monson, *Faith Rewarded: A Personal Account of Prophetic Promises to the East German Saints* (Recompensa de la fe: Relatos personales de promesas

REFERENCIAS

proféticas a los santos de Alemania Oriental), Salt Lake City: Deseret Book, 1996), pág. 36.

4. Entrevista de KBYU a TSM para el documental *A Fortress of Faith* (Una fortaleza de fe), octubre de 1988.

5. Entrevista de KBYU a TSM para el documental *Fortress* (Fortaleza), octubre de 1988.

6. Thomas S. Monson, "Thanks Be to God" (Demos gracias a Dios), *Ensign*, mayo de 1989, pág. 50.

7. Monson, *Faith Rewarded* (Recompensa de la fe), págs. 58–59.

8. Diario personal de TSM, 29 de marzo de 1979.

9. Véase Bruce W. Hall, *Gemeinde Geschichte als Vergleichende Geschichte, The Church of Jesus Christ of Latter-day Saints in East Germany 1945–1989*, (La Iglesia en Alemania Oriental), tesis de maestría (Provo, UT: Universidad Brigham Young, junio de 1998), pág. 92.

10. Doctrina y Convenios 134:1.

11. Monson, *Faith Rewarded* (Recompensa de la fe), págs. 60–61.

12. Thomas S. Monson, "Those Who Love Jesus" (Quienes aman a Jesús), *Ensign*, noviembre de 1985, págs. 34–35.

13. Véase entrevista de KBYU a Hans B. Ringger para el documental *A Fortress of Faith* (Una fortaleza de fe), octubre de 1988.

14. Hall, *Gemeinde Geschichte* (La Iglesia en Alemania Oriental), pág. 90.

15. Monson, *Errand* (Mandato), pág. 402.

16. Monson, *Faith Rewarded* (Recompensa de la fe), pág. 81.

17. Monson, *Faith Rewarded* (Recompensa de la fe), pág. 78.

18. Monson, *Faith Rewarded* (Recompensa de la fe), pág. 87.

19. Entrevista de KBYU a TSM para el documental *Fortress* (Fortaleza), octubre de 1988.

20. Entrevista de KBYU a TSM para el documental *Fortress* (Fortaleza), octubre de 1988.

21. Carta de Werner Adler a TSM, 22 de noviembre de 1982.

22. Carta de Beatrice Bartsch a TSM, 21 de junio de 2004.

23. Monson, *Faith Rewarded* (Recompensa de la fe), págs. 88–89.

24. Véase Monson, *Faith Rewarded* (Recompensa de la fe), pág. 90.

25. Monson, *Faith Rewarded* (Recompensa de la fe), pág. 89.

26. Monson, *Faith Rewarded* (Recompensa de la fe), pág. 91.

27. Monson, *Faith Rewarded* (Recompensa de la fe), pág. 88.

28. Monson, *Faith Rewarded* (Recompensa de la fe), págs. 92–93.

29. Diario personal de TSM, 28 de febrero de 1982.

30. Monson, "Thanks Be to God" (Gracias demos a Dios), pág. 51.

31. Entrevista de KBYU a TSM para el documental *Fortress* (Fortaleza), octubre de 1988.

32. Entrevista de KBYU a TSM para el documental *Fortress* (Fortaleza), octubre de 1988.

33. Monson, *Faith Rewarded* (Recompensa de la fe), págs. 99–100.

34. Entrevista de KBYU a TSM para el documental *Fortress* (Fortaleza), octubre de 1988.

35. Véase Monson, *Faith Rewarded* (Recompensa de la fe), pág. 36.

36. Thomas S. Monson, palabras pronunciadas durante la ceremonia de

REFERENCIAS

colocación de la piedra angular del Templo de Freiberg, Alemania, llevada a cabo antes de la primera sesión dedicatoria, el 28 de junio de 1985.

37. Dieter Hantzsche, palabras pronunciadas durante la ceremonia de colocación de la piedra angular del Templo de Freiberg, Alemania.
38. Gordon B. Hinckley, palabras pronunciadas durante la ceremonia de colocación de la piedra angular del Templo de Freiberg, Alemania
39. Diario personal de TSM, 29 de junio de 1985.
40. Diario personal de TSM, 29 de junio de 1985.
41. Monson, *Faith Rewarded* (Recompensa de la fe), pág. 108.
42. Diario personal de TSM, 8 de octubre de 1984.
43. Entrevista a TSM, 17 de junio de 2009.
44. Entrevista de KBYU a TSM para el documental *Fortress* (Fortaleza), octubre de 1988.
45. Entrevista de KBYU a Edith Krause para el documental *Fortress* (Fortaleza), 1989.
46. Diario personal de TSM, 29 de junio de 1985. Para obtener una breve reseña del servicio de Thomas S. Monson en Alemania Oriental, véase Monson, "Thanks Be to God" (Gracias demos a Dios), págs. 50–53.

CAPÍTULO 21: CAE EL MURO

Epígrafe. Entrevista a Russell M. Nelson, 3 de septiembre de 2009.
1. Entrevista a Dieter F. Uchtdorf.
2. Carta de Henry A. Matis a TSM, 5 de abril de 1989.
3. Thomas S. Monson, *Faith Rewarded: A Personal Account of Prophetic Promises to the East German Saints* (Recompensa de la fe: Relato personal de promesas proféticas a los santos de Alemania Oriental), (Salt Lake City: Deseret Book, 1996), pág. 161.
4. Monson, *Faith Rewarded* (Recompensa de la fe), pág. 123.
5. Monson, *Faith Rewarded* (Recompensa de la fe), pág. 125.
6. Monson, *Faith Rewarded* (Recompensa de la fe), pág. 127.
7. Monson, *Faith Rewarded* (Recompensa de la fe), pág. 128.
8. Monson, *Faith Rewarded* (Recompensa de la fe), pág. 130.
9. Monson, *Faith Rewarded* (Recompensa de la fe), pág. 131.
10. Monson, *Faith Rewarded* (Recompensa de la fe), pág. 131.
11. Russell M. Nelson, "Drama on the European Stage" (Drama en el escenario europeo), *Ensign*, diciembre de 1991, pág. 10.
12. Erich Honecker fue el Secretario General del Comité Central del partido de unidad socialista de Alemania entre 1971 y 1989; Presidente del Consejo de Estado de la República Democrática Alemana entre 1976 y 1989 y Presidente del Consejo Nacional de Defensa de la República Democrática Alemana entre 1971 y 1989.
13. Declaración con motivo de la reunión con Erich Honecker, Presidente del Consejo de Estado de la República Democrática Alemana, 24 de octubre de 1988.
14. "Respuesta de Kurt Löffler tras la reunión con el Consejo de Estado de la República Democrática Alemana", 24 de octubre de 1988, documento que forma parte de la colección de Thomas S. Monson.
15. Monson, *Faith Rewarded* (Recompensa de la fe), págs. 133–134.
16. Diario personal de TSM, 29 de mayo de 1994.

17. Carta de Will Powley a su familia, 30 de marzo de 1989, compartida en una carta de Harrison Powley a TSM, 17 de abril de 1989.

18. Wolfgang Paul fue sostenido como miembro del Segundo Quórum de los Setenta el 2 de abril de 2005.

19. Carta de Will Powley a su familia, 30 de marzo de 1989, compartida en una carta de Harrison Powley a TSM, 17 de abril de 1989.

20. Carta de Will Powley a su familia, 30 de marzo de 1989, compartida en una carta de Harrison Powley a TSM, 17 de abril de 1989.

21. Monson, *Faith Rewarded* (Recompensa de la fe), págs. 139–140.

22. Monson, *Faith Rewarded* (Recompensa de la fe), pág. 140.

23. Nelson, "Drama on the European Stage" (Drama en el escenario europeo) pág. 10.

24. Richard A. Leiby, *The Unification of Germany, 1989–1990* (La unificación de Alemania), (Westport, CT: Greenwood Press, 1999), págs. 10–11.

25. Monson, *Faith Rewarded* (Recompensa de la fe), págs. 142–143.

26. Monson, *Faith Rewarded* (Recompensa de la fe), pág. 143.

27. Leiby, *Unification of Germany* (Unificación de Alemania), págs. 12–15.

28. Entrevista de KBYU al Dr. Horst Dohle de la Universidad de Humboldt en Berlín, historiador y ex representante del Secretario de Estado para Asuntos Religiosos de la RDA, para el documental *A Fortress of Faith* (Fortaleza de fe), 1991.

29. Monson, *Faith Rewarded* (Recompensa de la fe), págs. 143–146.

30. Diario personal de TSM, 31 de mayo de 1990.

31. Diario personal de TSM, 21 de octubre de 1990.

32. Monson, *Faith Rewarded* (Recompensa de la fe), pág. 154.

33. Diario personal de TSM, 21 de octubre de 1990.

34. Monson, *Faith Rewarded* (Recompensa de la fe), págs. 152–153.

35. Monson, *Faith Rewarded* (Recompensa de la fe), pág. 153.

36. Monson, *Faith Rewarded* (Recompensa de la fe), pág. 153.

37. Monson, *Faith Rewarded* (Recompensa de la fe), pág. 147.

38. Monson, *Faith Rewarded* (Recompensa de la fe), pág. 165.

39. Monson, *Faith Rewarded* (Recompensa de la fe), págs. 166–168.

40. Monson, *Faith Rewarded* (Recompensa de la fe), págs. 168–171.

41. Rudyard Kipling, "Recessional" (1897) (Recesional), texto de "Haznos pensar en ti, Señor", *Himnos* (Salt Lake City: La Iglesia de Jesucristo de los Santos de los Últimos Días, 1985), Nº 35.

CAPÍTULO 22: LA OBRA AVANZA

Epígrafe. Entrevista a Henry B. Eyring, 26 de agosto de 2009.

1. Thomas S. Monson, *Be Your Best Self* (Sean lo mejor que puedan), (Salt Lake City: Deseret Book, 1979), pág. 125.

2. Diario personal de TSM, 15 de mayo de 1969.

3. Diario personal de TSM, 18 de enero de 1970.

4. Diario personal de TSM, 9 de noviembre de 1965.

5. Dell Van Orden, *Joseph Fielding Smith: A Prophet Among the People* (Un profeta entre la gente), (Salt Lake City: Deseret Book, 1971), pág. 2.

6. Harold B. Lee, en Informe de Conferencia, abril de 1970, pág. 122.

7. Diario personal de TSM, 23 de enero de 1970.

8. Diario personal de TSM, 23 de enero de 1970.

REFERENCIAS

9. Diario personal de TSM, 23 de enero de 1970.

10. Véase Thomas S. Monson, "Each Must Choose" (Cada uno debe escoger), Conferencia de Área de Manchester, Inglaterra, 29 de agosto de 1971.

11. Spencer W. Kimball, en Informe de Conferencia, abril de 1970, pág. 118.

12. Entrevista a Boyd K. Packer, 19 de agosto de 2009.

13. Entrevista a Boyd K. Packer, 19 de agosto de 2009.

14. Entrevista a Boyd K. Packer, 19 de agosto de 2009.

15. Diario personal de TSM, 7 de abril de 1971.

16. Thomas S. Monson, en Informe de Conferencia, octubre de 1970, págs. 105–106.

17. Thomas S. Monson, en Informe de Conferencia, octubre de 1970, págs. 106–108.

18. Servían en el comité Reed H. Bradford, Jim Barton, Ardeth G. Kapp, Ruth Funk, Leon Hartshorn y Ethelyn Graham.

19. Carta del Comité de Correlación para Adultos a TSM, 1º de marzo de 1971.

20. Diario personal de TSM, 6 de octubre de 1970.

21. Diario personal de TSM, 13 de septiembre de 1970.

22. Carta de Dale y Karen Harris al presidente Spencer W. Kimball, 13 de septiembre de 1970, copia en la colección de TSM.

23. Diario personal de TSM, 12 de abril de 1970.

24. Entrevista a Dallin H. Oaks, 3 de septiembre de 2009.

25. Diario personal de TSM, 12 de noviembre de 1971.

26. Diario personal de TSM, 29 de abril de 1973.

27. Diario personal de TSM, 10 de diciembre de 1971.

28. Diario personal de TSM, 4–5 de agosto de 1979.

29. Carta de M. Russell Ballard a TSM, 13 de marzo de 1981; diario personal de TSM, 13 de marzo de 1981.

30. Alma 40:11–12.

31. Diario personal de TSM, 6 de febrero de 1970

32. Diario personal de TSM, 26 de marzo de 1971.

33. Carta de Tom L. Monson a TSM, 29 de mayo de 1971.

34. Thomas S. Monson, discurso dado en el seminario para nuevos presidentes de misión, 25 de junio de 1997.

35. Doctrina y Convenios 100:1.

36. Thomas S. Monson, discurso dado en el seminario para nuevos presidentes de misión, 24 de junio de 1976.

37. Entrevista a Quentin L. Cook, 28 de septiembre de 2009.

38. Diario personal de TSM, 15 de septiembre de 1972.

39. Thomas S. Monson, discurso dado en una transmisión de conferencia de estaca, 25 de mayo de 2008.

40. Véase Thomas S. Monson, "Anonymous" (Anónimo), *Ensign*, mayo de 1983, pág. 55; citando a Henry Van Dyke, *The Mansion* (La mansión), págs. 364–368.

41. Monson, "Each Must Choose" (Cada uno debe escoger), 29 de agosto de 1971.

42. Diario personal de TSM, 27 de abril de 1972.

43. Entrevista a Clark Spencer Monson, 4 de noviembre de 2008.

44. Entrevista a TSM, 12 de diciembre de 2009.

REFERENCIAS

CAPÍTULO 23: PREPARADO PARA CRECER

Epígrafe. Entrevista a L. Tom Perry, 22 de agosto de 2008.

1. Carta de Jerrald M. Jensen, presidente de la Estaca Jordan Oaks, a TSM, 26 de abril de 2003.
2. Diario personal de TSM, 7 de julio de 1972.
3. Diario personal de TSM, 6 de julio de 1972.
4. Diario personal de TSM, 12 de octubre de 1972.
5. Diario personal de TSM, 13 de octubre de 1972.
6. *Journal of Discourses*, 26 vols. (London: Latter-day Saints' Book Depot, 1854–1886), 1:123.
7. Thomas S. Monson, "A Time to Choose" (Un tiempo para escoger), servicio devocional en la Universidad Brigham Young, 16 de enero de 1973.
8. Monson, *Errand* (Mandato), pág. 325.
9. Thomas S. Monson, discurso dado en la dedicación de la Biblioteca Harold B. Lee, 15 de noviembre de 2000.
10. Monson, *Errand* (Mandato), pág. 326.
11. Diario personal de TSM, 29 de septiembre de 1972.
12. Diario personal de TSM, 27 de junio de 1970.
13. Monson, *Errand* (Mandato), pág. 326.
14. Harold B. Lee, Prólogo, *Pathways to Perfection* (Caminos a la perfección), (Salt Lake City: Deseret Book, 1973), pág. viii.
15. Lee, Prólogo, *Pathways* (Caminos), pág. viii.
16. Francis M. Gibbons, *Harold B. Lee: Man of Vision, Prophet of God* (Hombre de visión, profeta de Dios), (Salt Lake City: Deseret Book, 1993), pág. 423.
17. Diario personal de TSM, 11 de enero de 1972.
18. J. Thomas Fyans, más tarde llamado como Autoridad General en abril de 1974, fue nombrado director general de las cuatro divisiones: James M. Paramore, a quien se le llamó como Autoridad General en 1977, servicios administrativos; Daniel H. Ludlow, materiales de instrucción; Doyle Green, servicios de edición; y John Carr, traducciones.
19. Monson, *Errand* (Mandato), pág. 360.
20. Diario personal de TSM, 29 de marzo de 1972.
21. Entrevista a David A. Bednar, 20 de octubre de 2009.
22. Diario personal de TSM, 25–26 de agosto de 1973.
23. Diario personal de TSM, 26–27 de agosto de 1973.
24. Diario personal de TSM, 28 de agosto de 1973.
25. Entrevista a Ann Monson Dibb, 19 de julio de 2008.
26. "The Family: A Proclamation to the World" (La Familia: Una Proclamación para el Mundo), *Liahona*, noviembre de 2010, pág. 129.
27. Entrevista a Ann Monson Dibb, 19 de julio de 2008.
28. Diario personal de TSM, 5 de marzo de 1974.
29. Diario personal de TSM, 10 de agosto de 1973.
30. Diario personal de TSM, 22 de julio de 1973.
31. Monson, *Errand* (Mandato), pág. 342.
32. Monson, *Errand* (Mandato), pág. 342.
33. Carta de Steven (Arvil) Stone a TSM, 10 de febrero de 1984.
34. Diario personal de TSM, 3 de julio de 1973.
35. Diario personal de TSM, 14 de septiembre de 1973.

36. Diario personal de TSM, 16 de septiembre de 1973.
37. Diario personal de TSM, 16 de septiembre de 1973.
38. Diario personal de TSM, 17 de septiembre de 1973.
39. Harold B. Lee, discurso dado en el funeral de Gladys Condie Monson, 18 de septiembre de 1973.
40. Diario personal de TSM, 18 de septiembre de 1973.
41. Carta de Gordon B. Hinckley a TSM, 15 de septiembre de 1973.
42. Diario personal de TSM, 6 de octubre de 1973.
43. Thomas S. Monson, en Informe de Conferencia, octubre de 1973, pág. 28.
44. Diario personal de TSM, 7 de octubre de 1973.
45. Diario personal de TSM, 26 de diciembre de 1973.
46. Diario personal de TSM, 27 de diciembre de 1973.
47. Diario personal de TSM, 29 de diciembre de 1973.
48. Diario personal de TSM, 29 de diciembre de 1973.
49. Thomas S. Monson, *Be Your Best Self* (Sean lo mejor que puedan), (Salt Lake City: Deseret Book, 1979), pág. 107.
50. Diario personal de TSM, 30 de diciembre de 1973.
51. Diario personal de TSM, 30 de diciembre de 1973.
52. Diario personal de TSM, 30 de enero de 1974.
53. Diario personal de TSM, 30 diciembre de 1973.
54. Josué 24:15.

CAPÍTULO 24: SE ABREN PUERTAS

Epígrafe. Spencer W. Kimball, prólogo de Thomas S. Monson, *Be Your Best Self* (Sean lo mejor que puedan), (Salt Lake City: Deseret Book, 1979), pág. ix.
1. Monson, *Be Your Best Self* (Sean lo mejor que puedan), pág. 111.
2. Monson, *Be Your Best Self* (Sean lo mejor que puedan), pág. 111, cita de Albert Schweitzer, *The Quest of the Historical Jesus* (La búsqueda del Jesús histórico), (New York: MacMillan, 1948), pág. 104.
3. Spencer W. Kimball, "What Do We Hear?" (¿Qué oímos?), *Ensign*, mayo de 1974, pág. 47.
4. Diario personal de TSM, 14 de marzo de 1974.
5. Diario personal de TSM, 12 de abril de 1972.
6. Thomas S. Monson, discurso dado en charla fogonera de la Estaca Catorce de la Universidad Brigham Young, 11 de octubre de 1981.
7. Monson, charla fogonera Estaca Catorce, 11 de octubre de 1981.
8. Thomas S. Monson, "'Come, Learn of Me'" (Ven, aprended de mí), *Ensign*, diciembre de 1985, pág. 46.
9. Discurso de Frances J. Monson a la Sociedad de Socorro.
10. Diario personal de TSM, 5 de octubre de 1996.
11. Entrevista a Boyd K. Packer, proyecto de historia oral, archivos de la Iglesia SUD.
12. Entrevista a Boyd K. Packer, proyecto de historia oral, archivos de la Iglesia SUD.
13. Diario personal de TSM, 12 de febrero de 1980.
14. Muchos especialistas aportaron destrezas personales al proceso: Eldin Ricks, experto en computadoras en la Universidad Brigham Young, había entrado la totalidad de los cuatro libros canónicos en una base de datos. Para hacer un seguimiento del proyecto de las Escrituras, el comité pidió

REFERENCIAS

tener acceso a la base de datos y él se lo concedió. Stephen Howes ofreció valiosas impresiones de textos de Escrituras y referencias correlacionadas en un avanzado programa que él creó para el proyecto. El trabajo más arduo de la Guía Temática provino de un comité integrado por Alma Gardiner, administrador de seminarios jubilado; Edward Brandt del Instituto de Religión de la Universidad de Utah; George Horton, director de cursos de estudio de seminarios e institutos; Bruce Harper de la sección de ediciones de la Iglesia; y Eleanor Knowles, reconocida editora de Deseret Book. Más de cien expertos, especialistas en computadoras y estudiantes de Escrituras antiguas trabajaron día y noche y hasta fines de semana para poner fin a la complicada tarea.

15. William James Mortimer, "The Coming Forth of the LDS Editions of Scripture" (Las ediciones SUD de las Escrituras), *Ensign*, agosto de 1983, pág. 36.
16. En Joseph Fielding McConkie, *The Bruce R. McConkie Story: Reflections of a Son* (La historia de Bruce R. McConkie), (Salt Lake City: Deseret Book, 2003), págs. 383–384.
17. Bruce R. McConkie, discurso en reunión de capacitación de Autoridades Generales, 2 de octubre de 1981.
18. Diario personal de TSM, 13 de mayo de 2009.
19. Diario personal de TSM, 29 de agosto de 1979.
20. Lavina Fielding Anderson, "Church Publishes First LDS Edition of the Bible" (Primera edición de la Biblia SUD), *Ensign*, octubre de 1979, pág. 15.
21. "Prodigious project" (Proyecto prodigioso), *Church News*, 5 de marzo de 2005.
22. Thomas S. Monson, "A Time to Choose" (Momento de escoger), *Ensign*, mayo de 1995, pág. 97.
23. Diario personal de TSM, 21 de abril de 1973.
24. Monson, "'Come, Learn of Me'" (Ven, aprended de mí), pág. 46.
25. Entrevista del Departamento de Audiovisuales de la Iglesia a TSM, 26 de enero de 1994; entrevista a TSM, 10 de diciembre de 2008.
26. Thomas S. Monson, "Hallmarks of a Happy Home" (Caracterísicas de un hogar feliz), *Ensign*, noviembre de 1988, pág. 70.
27. "Prodigious project" (Proyecto prodigioso), *Church News*, 5 de marzo de 2005.
28. Doctrina y Convenios, Declaración Oficial—2.
29. Edward L. Kimball, *Lengthen Your Stride: The Presidency of Spencer W. Kimball* (Alarguen el paso), (Salt Lake City: Deseret Book, 2005), pág. 204.
30. Doctrina y Convenios 9:8.
31. Diario personal de TSM, 30 de junio de 1983.
32. Diario personal de TSM, 1º de junio de 1978.
33. Diario personal de TSM, 9 de junio de 1978.
34. Monson, *Errand* (Mandato), pág. 360.
35. Véase "President Kimball says revelation was clear" (El president Kimball dice que la revelación fue clara), *Church News*, 6 de enero de 1979.
36. Monson, *Errand* (Mandato), pág. 361.
37. Edward L. Kimball, *Lengthen Your Stride* (Alarguen el paso), pág. 226.
38. Diario personal de TSM, 9 de junio de 1978.
39. Diario personal de TSM, 10 de junio de 1978.
40. Diario personal de TSM, 21 de junio de 1978.

41. Diario personal de TSM, 25 de junio de 1978.
42. Diario personal de TSM, 25 de junio de 1978.

CAPÍTULO 25: LOS VECINOS SE AYUDAN ENTRE SÍ

Epígrafe. Entrevista a M. Russell Ballard, 9 de septiembre de 2009.
1. Véase diario personal de TSM, 16 de mayo de 1977.
2. Asignados a la mesa estaban Victor L. Brown, Robert H. Bischoff, Dallin H. Oaks, Emma Lou Thayne, L. Glenn Snarr y Neal A. Maxwell. Jeffrey R. Holland se unió a ellos más tarde, ocupando el lugar del élder Oaks. William James Mortimer sirvió como miembro de la mesa hasta que fue nombrado gerente general de la Imprenta Deseret.
3. Carta de Emma Lou Thayne a TSM, 15 de febrero de 1981.
4. Entrevista a TSM, 9 de septiembre de 2008.
5. Diario personal de TSM, 27 de marzo de 1980.
6. Diario personal de TSM, 4 de diciembre de 1988.
7. Diario personal de TSM, 4 de enero de 1980.
8. Monson, *Errand* (Mandato), pág. 399.
9. Diario personal de TSM, 1º de junio de 1982.
10. Monson, *Errand* (Mandato), págs. 400–401.
11. Diario personal de TSM, 24 de octubre de 1972.
12. Entrevista a Duane Cardall, KSL, 13 de noviembre de 2009.
13. Carta de TSM a Jack Gallivan, 4 de abril de 1990.
14. Diario personal de TSM, 26 de abril 2001.
15. Carta de Patrick Shea a TSM, 22 de febrero de 1993.
16. Diario personal de TSM, 28 de mayo de 1993.
17. Diario personal de TSM, 5 de marzo de 2005.
18. Entrevista a Jeffrey R. Holland, 8 de octubre de 2009.
19. Diario personal de TSM, 27 de diciembre de 1982.
20. Diario personal de TSM, 18 de julio 1980.
21. Diario personal de TSM, 22 de julio de 1979.
22. Véase Thomas S. Monson, "¿Qué he hecho hoy por alguien?", *Liahona,* noviembre de 2009, pág. 84.
23. Diario personal de TSM, 29 de junio de 1978.
24. Diario personal de TSM, 19 de diciembre de 1978.
25. Diario personal de TSM, 7 de junio de 1984.
26. Diario personal de TSM, 20 de junio de 1984.
27. Thomas S. Monson, "The Bishop—Center Stage in Welfare", (El obispo, el componente central de bienestar), *Ensign,* noviembre de 1980, págs. 89–91.
28. Carta de Randy Spaulding a TSM, citada en Thomas S. Monson, "Christ at Bethesda's Pool" (Cristo junto al estanque de Betesda), *Ensign,* noviembre de 1996, pág. 16.
29. Thomas S. Monson, "Christ at Bethesda's Pool" (Cristo junto al estanque de Betesda), *Ensign,* noviembre de 1996, pág. 18.
30. Diario personal de TSM, 7 de enero de 1983.
31. Monson, *Errand* (Mandato), pág. 407.
32. Monson, *Errand* (Mandato), pág. 407; diario personal de TSM, 21 de septiembre de 1981.
33. Monson, *Errand* (Mandato), pág. 407.
34. Thomas S. Monson, "Mormon Church Welfare Services: An Account of the

REFERENCIAS

Teton Dam Disaster" (Relato del desastre de la represa Teton), preparado para una comisión especial del gobierno de EE.UU. sobre iniciativas del sector privado, Washington, D.C., 14 de abril de 1982, pág. 2.

35. Carta de William Verity a TSM, 6 de noviembre de 1982.
36. Diario personal de TSM, 27 de enero de 1985.

CAPÍTULO 26: LAS COINCIDENCIAS NO EXISTEN

Epígrafe. Entrevista a H. David Burton, 27 de agosto de 2009.

1. Diario personal de TSM, 27 de marzo de 1979.
2. Véase diario personal de TSM, 15 de junio de 1981.
3. Diario personal de TSM, 30 de noviembre de 1981.
4. Diario personal de TSM, 22 de marzo de 1982.
5. Diario personal de TSM, 13 de mayo de 1979.
6. Thomas S. Monson, "The Army of the Lord" (El ejército de Jehová), *Ensign*, mayo de 1979, págs. 36, 35.
7. Carta del élder Pickett a TSM, 14 de enero de 1982.
8. Diario personal de TSM, 17 de abril de 1983.
9. Diario personal de TSM, 25 de julio de 1979.
10. Diario personal de TSM, 20 de octubre de 1982.
11. Entrevista a Douglas L. Callister, 26 de octubre de 2009.
12. Diario personal de TSM, 28 de diciembre de 1981.
13. Spencer W. Kimball, "Insights from June Conference" (Aspectos destacables de la conferencia de junio), *Ensign*, octubre de 1975, pág. 70.
14. Oración dedicatoria en Portugal, 22 de abril de 1975.
15. Diario personal de TSM, 28 de abril de 1975.
16. Carta a TSM, 31 de mayo de 1991.
17. Oración dedicatoria en Suecia, 7 de julio de 1977.
18. Entrevista a Bo Wennerlund, 7 de octubre de 2008.
19. *Church News*, 25 de marzo de 984, pág. 7.
20. Thomas S. Monson, palabras pronunciadas en la ceremonia de la palada inicial del Templo de Estocolmo, Suecia, 17 de marzo de 1984.
21. Diario personal de TSM, 13 de mayo de 1979.
22. Mateo 6:21.
23. Diario personal de TSM, 5 de mayo de 1982.
24. Diario personal de TSM, 31 de julio de 1985.
25. Thomas S. Monson, discurso en conferencia multiestaca, 15 de enero de 1984.
26. Monson, conferencia multiestaca, 15 de enero de 1984.
27. Diario personal de TSM, 16 de noviembre de 1981.
28. Doctrina y Convenios 128:22.
29. Monson, *Errand* (Mandato), pág. 388.
30. Carta de Ann Monson Dibb a TSM, 1º de octubre de 1983.
31. Diario personal de TSM, 21 de enero de 1982.
32. Diario personal de TSM, 4 de febrero de 1982.
33. Diario personal de TSM, 5 de abril de 1980.
34. Thomas S. Monson, "Mark E. Petersen—A Giant among Men" (Un gigante entre los hombres), *Ensign*, marzo de 1984, pág. 6.
35. Diario personal de TSM, 19 de abril de 1985.
36. Diario personal de TSM, 22 de abril de 1985.

REFERENCIAS

37. Carta de Ronald D. John a TSM, 1º de julio de 1985.
38. En Sheri Dew, *Go Forward with Faith: The Biography of Gordon B. Hinckley* (*Perseveremos con fe: Biografía de Gordon B. Hinckley*), (Salt Lake City: Deseret Book, 1997), pág. 401.

CAPÍTULO 27: ORDENADO EN LOS CIELOS

Epígrafe. Entrevista a Jeffrey R. Holland, 22 de septiembre de 2009.
1. Marion G. Romney, el único miembro de los Doce ausente, estaba en su casa debido a una prolongada enfermedad.
2. Joseph Fielding Smith, comp., *Teachings of the Prophet Joseph Smith* (Enseñanzas del profeta José Smith).
3. Spencer W. Kimball, "'We Thank Thee, O God, for a Prophet'" (Te damos, Señor, nuestras gracias) *Ensign*, enero de 1973, pág. 33.
4. Diario personal de TSM, 10 de noviembre de 1985.
5. Richard O. Cowan, *The Latter-day Saint Century* (El siglo de los Santos de los Últimos Días), (Salt Lake City: Bookcraft, 1999), pág. 252.
6. Thomas S. Monson, "You Make a Difference" (Ustedes marcan la diferencia), *Ensign*, mayo de 1988, pág. 42.
7. Doctrina y Convenios 107:22.
8. Doctrina y Convenios 107:22.
9. Carta de Rex E. Lee a TSM, 5 de febrero de 1992.
10. Entrevista a Russell M. Nelson, 3 de septiembre de 2009.
11. James E. Faust y James P. Bell, *In the Strength of the Lord: The Life and Teachings of James E. Faust* (En la fuerza del Señor: La vida y enseñanzas de James E. Faust), (Salt Lake City: Deseret Book, 1999), pág. 219.
12. Informe estadístico de la Iglesia de 1985, en *Deseret News 2002 Church Almanac* (Almanaque de la Iglesia del Deseret News 2002), pág. 583.
13. Diario personal de TSM, 29 de julio de 1994.
14. Entrevista a D. Todd Christoffersen, 24 de septiembre de 2009.
15. Doctrina y Convenios 107:27.
16. Entrevista a Henry B. Eyring, 26 de agosto de 2009.
17. Diario personal de TSM, 13 de diciembre de 1992.
18. Carta de Francis M. Gibbons a TSM, 12 de junio de 1990.
19. Diario personal de TSM, 14 de noviembre de 1985.
20. Entrevista a Russell M. Nelson, 3 de septiembre de 2009.
21. Diario personal de TSM, 1º de enero de 1986.
22. Diario personal de TSM, 3 de enero de 1986.
23. Oración dedicatoria, Templo de Buenos Aires, Argentina, 17 de enero de 1986.
24. Diario personal de TSM, 31 de mayo de 1986.
25. Oración dedicatoria en Polonia, 1º de junio de 1986.
26. Diario personal de TSM, 18 de octubre de 1989.
27. Carta de Jeffrey R. Holland a TSM, 12 de marzo de 1986.
28. Entrevista a Richard G. Scott, 28 de agosto de 2009.
29. Entrevista a Richard G. Scott, 28 de agosto de 2009.
30. Carta de Ann Monson Dibb a TSM, 1º de octubre de 1983.
31. Entrevista a Richard G. Scott, 28 de agosto de 2009.
32. Diario personal de TSM, 10 de marzo de 1986.
33. Entrevista a Jeffrey R. Holland, 8 de octubre de 2009.

REFERENCIAS

34. Diario personal de TSM, 16 de diciembre de 1986.
35. Entrevista a Neil L. Andersen, 7 de octubre de 2009.
36. Carta de Monte J. Brough a TSM, 16 de abril de 1991.
37. Entrevista a Russell M. Nelson, 3 de septiembre de 2009.
38. Diario personal de TSM, 10 de octubre de 1987.
39. Diario personal de TSM, 10 de octubre de 1987.
40. Diario personal de TSM, 25 de agosto de 1990.
41. Entrevista a Everett Pallin, 6 de octubre de 2009.
42. Entrevista a Jeffrey R. Holland, 22 de septiembre de 2009.
43. Diario personal de TSM, 19 de agosto de 1989.
44. Diario personal de TSM, 16 de enero de 1994.
45. Véase *Enseñanzas de los Presidentes de la Iglesia: Joseph F. Smith* (Salt Lake City: La Iglesia de Jesucristo de los Santos de los Últimos Días, 1998).
46. Diario personal de TSM, 25 de octubre de 1992.
47. Thomas S. Monson, discurso durante la ceremonia de la palada inicial del Templo de Bountiful, Utah, 2 de mayo de 1992.
48. Carta de Grant Johnson a TSM, 27 de febrero de 1994.
49. Diario personal de TSM, 26 de mayo de 1991.
50. Carta de Alexander B. Morrison a TSM, 1º de noviembre de 1988.
51. Diario personal de TSM, 28 de abril de 1990.
52. Thomas S. Monson, en Informe de Conferencia, octubre de 1968, pág. 82.
53. Carta de Emily Ong a TSM, 10 de mayo de 1995.
54. Diario personal de TSM, 16 de diciembre de 1986.
55. Carta de Bill R. Lane a TSM, 20 de agosto de 1988.
56. Véase Thomas S. Monson, "The Spirit of Relief Society" (El espíritu de la Sociedad de Socorro), *Ensign*, mayo de 1992, págs. 100–104.
57. Diario personal de TSM, 26 de abril de 1995.
58. Entrevista a Spencer J. Condie, 30 de septiembre de 2009.

CAPÍTULO 28: "LEAL, SERVICIAL, AMIGABLE . . ."

Epígrafe. Entrevista a Elaine S. Dalton, 2 de diciembre de 2009.
1. Diario personal de TSM, 1º de abril de 1990.
2. Diario personal de TSM, 5 de octubre de 1991.
3. Diario personal de TSM, 4 de agosto de 1990.
4. Diario personal de TSM, 15 de octubre de 1990.
5. Diario personal de TSM, 20 de octubre de 1990.
6. Thomas S. Monson, *Live the Good Life* (Vivan la buena vida), (Salt Lake City, Deseret Book, 1988), pág. 19.
7. Thomas S. Monson, "'Run, Boy, Run!'" (¡Corre, muchacho, corre!), *Ensign*, noviembre de 1982, págs. 19–20.
8. Monson, "'Run, Boy, Run!'" (¡Corre, muchacho, corre!), pág. 19.
9. Entrevista a TSM, 9 de septiembre de 2008.
10. Entrevista a L. Tom Perry, 22 de agosto de 2008.
11. Jason Swenson, "Scouting offers young men 'welcome rain,'" (El escultismo ofrece a los jóvenes una lluvia bien recibida), *Church News*, 21 de octubre de 2006, pág. 4.
12. Diario personal de TSM, 23 de enero de 1993.
13. "Scouting Award presented to President Thomas S. Monson"

(Reconocimiento scout presentado a TSM), *Ensign,* noviembre de 1993, pág. 46.

14. Thomas S. Monson, "The Family's Treasured Friend," Boy Scouts of America National Meeting (El preciado amigo de la familia, reunión de la organización scout de Estados Unidos), Cincinnati, Ohio, 15 de mayo de 1992.

15. Entrevista a TSM, 9 de septiembre de 2008.

16. Diario personal de TSM, 12 de noviembre de 2008.

17. Jason Swenson, "Face-to-face with President Monson about young men" (Hablando cara a cara con el presidente Monson sobre los jóvenes), MormonTimes.com, 24 de mayo de 2008.

18. Thomas S. Monson, "'Called to Serve'" (Llamados a servir), *Ensign,* noviembre de 1991, pág. 47.

19. Thomas S. Monson, "Builders of Boys," WW Clyde Boy Scouts of America Lodge Dedication (Dedicación de hostal de la organización scout de Estados Unidos), 29 de junio de 1991.

20. Monson, "'Called to Serve'" (Llamados a servir), pág. 47.

21. Diario personal de TSM, 5 de diciembre de 1993.

22. Diario personal de TSM, 20 de diciembre de 1993.

23. Diario personal de TSM, 24 de diciembre de 1993.

24. Carta de Hugh Pinnock a TSM, 31 de diciembre de 1993.

25. Diario personal de TSM, 14 de junio de 1994.

26. Diario personal de TSM, 27 de julio de 1999.

27. Diario personal de TSM, 1º de enero de 1994.

28. Diario personal de TSM, 9 de mayo de 2006; 17 de noviembre de 1987.

29. Diario personal de TSM, 17 de julio de 1992.

30. "First Presidency Statement" (Declaración de la Primera Presidencia), *Church News,* 26 de septiembre de 1987, pág. 5.

31. Diario personal de TSM, 3 de junio de 1994.

32. Thomas S. Monson, "President Ezra Taft Benson—A Giant among Men" (Un gigante entre los hombres), *Ensign,* julio de 1994, pág. 35.

33. Diario personal de TSM, 4 de junio de 1994.

CAPÍTULO 29: UN ESPÍRITU INQUEBRANTABLE

Epígrafe. Entrevista a Dallin H. Oaks, 3 de septiembre de 2009.

1. Eleanor Knowles, *Howard W. Hunter* (Salt Lake City: Deseret Book, 1994), pág. 225.

2. Entrevista a Jeffrey R. Holland, 22 de septiembre de 2009.

3. Thomas S. Monson, "A Man for All Seasons" (Un hombre para todas las épocas), transmisión vía satélite del Sistema Educativo de la Iglesia, Universidad Brigham Young, 5 de febrero de 1995.

4. Monson, "Man for All Seasons" (Un hombre para todas las épocas).

5. Monson, "Man for All Seasons" (Un hombre para todas las épocas).

6. Entrevista a TSM, 19 de febrero de 2009.

7. "Pres. Hunter is ordained prophet" (El presidente Hunter es ordenado profeta), *Church News,* 11 de junio de 1994, pág. 14.

8. Carta de Jeffrey R. Holland a TSM, 28 de junio de 1994.

9. Carta de TSM a Jeffrey R. Holland, 1986.

10. Diario personal de TSM, 7 de junio de 1994.

11. Diario personal de TSM, 1º de octubre de 1994.
12. Diario personal de TSM, 31 de diciembre de 1994.
13. Diario personal de TSM, 27 de julio de 1987.
14. Diario personal de TSM, 1º de abril de 1989.
15. Entrevista a TSM, 17 de junio de 2009.
16. Howard W. Hunter, "'Exceeding Great and Precious Promises'" (Grandes y preciosas promesas), *Ensign*, noviembre de 1994, pág. 8.
17. Thomas S. Monson, discurso dado en la dedicación del Templo de Orlando, Florida.
18. Diario personal de TSM, 8 de enero de 1995.
19. Diario personal de TSM, 9 de enero de 1995. Se emplea una cámara hiperbárica con fines médicos para proveer oxígeno a un nivel más elevado que la presión atmosférica y sirve para acelerar el proceso de curación de ciertos tipos de heridas.
20. Diario personal de TSM, 9 de enero de 1995.
21. Diario personal de TSM, 9 de enero de 1995.
22. Diario personal de TSM, 13 de enero de 1995.
23. Diario personal de TSM, 24 de enero de 1995.
24. Diario personal de TSM, 25 de enero de 1995.
25. Diario personal de TSM, 26 de enero de 1995.
26. Entrevista a Ron Gunnell, 28 de febrero de 2010.
27. Diario personal de TSM, 31 de diciembre de 1994.
28. Diario personal de TSM, 10 de diciembre de 1994.
29. Hunter, "'Exceeding Great and Precious Promises'" (Grandes y preciosas promesas), pág. 7.
30. Diario personal de TSM, 13 de enero de 1995.
31. Thomas S. Monson, "President Howard W. Hunter: A Man For All Seasons" (Un hombre para todas las épocas), *Ensign*, abril de 1995, pág. 31.
32. Diario personal de TSM, 3 de marzo de 1995.
33. Monson, "President Howard W. Hunter" (Un hombre para todas las épocas), pág. 32.

CAPÍTULO 30: UN CONSEJERO MAGISTRAL

Epígrafe. Entrevista a Quentin L. Cook, 18 de septiembre de 2009.
1. Entrevista a Dallin H. Oaks, 3 de septiembre de 2009.
2. "The Solemn Assembly Sustaining of Church Officers" (Sostenimiento de oficiales), *Ensign*, mayo de 1995, pág. 4.
3. Véase Presidente Thomas S. Monson, "El llamamiento a servir", *Liahona*, noviembre de 2000, pág. 57.
4. Thomas S. Monson, "That All May Hear" (Para que todos oigan), *Ensign*, mayo de 1995, pág. 48.
5. Carta de Jack Fairclough a TSM, 2 de febrero de 2004.
6. Doctrina y Convenios 81:3, 5.
7. Entrevista a Quentin L. Cook, 18 de septiembre de 2009.
8. Entrevista a David A. Bednar, 20 de octubre de 2009.
9. Entrevista a H. David Burton, 27 de agosto de 2009.
10. Diario personal de TSM, 23 de junio de 1997.
11. Spencer W. Kimball, "'We Feel an Urgency'" (Percibimos la urgencia), *Ensign*, agosto de 1980, pág. 2.

REFERENCIAS

12. Véase Richard O. Cowan, *The Latter-day Saint Century* (El siglo de los Santos de los Últimos Días), (Salt Lake City: Bookcraft, 1999), pág. 288.
13. Gordon B. Hinckley, "Some Thoughts on Temples, Retention of Converts, and Missionary Service" (Algunas ideas sobre templos, retención de conversos y servicio misional), *Ensign*, noviembre de 1997, pág. 49.
14. Thomas S. Monson, palabras pronunciadas durante la ceremonia de colocación de la piedra angular en el Templo de Estocolmo, Suecia, 2 de julio de 1985.
15. Diario personal de TSM, 21 de mayo de 2000.
16. Thomas S. Monson, discurso dado en la dedicación del Templo de Veracruz, México, 9 de julio de 2000.
17. Thomas S. Monson, discurso dado en la dedicación del Templo de Reno, Nevada, 23 de abril de 2000.
18. Diario personal de TSM, 21 de mayo de 2000.
19. Diario personal de TSM, 2 de agosto de 2007.
20. Diario personal de TSM, 15 de junio de 1999.
21. Entrevista a H. David Burton, 27 de agosto de 2009.
22. Monson, dedicación del Templo de Reno, Nevada.
23. Thomas S. Monson, discurso dado en la dedicación del Templo de Buenos Aires, Argentina, 17 de enero de 1986.
24. Monson, dedicación del Templo de Buenos Aires, Argentina.
25. Entrevista a H. David Burton, 27 de agosto de 2009.
26. Entrevista a M. Russell Ballard, 9 de septiembre de 2009.
27. Entrevista a Quentin L. Cook, 18 de septiembre de 2009.
28. Thomas S. Monson, "Home Teaching—a Divine Service" (La orientación familiar—un servicio divino), *Ensign*, noviembre de 1997, pág. 46.
29. Diario personal de TSM, 20 de octubre de 2000.
30. Entrevista a M. Russell Ballard, 9 de septiembre de 2009.
31. Entrevista a TSM, 15 de abril de 2009.
32. Véase Thomas S. Monson, "Tu hogar eterno", *Liahona*, julio de 2000, pág. 67.
33. Carta de William R. Walker a TSM, 2 de mayo de 2006.
34. Carta de Joan Ellen Fox a TSM, 3 de octubre de 1975.
35. Carta de David B. Haight a TSM, 7 de febrero de 2003.
36. Diario personal de TSM, 1º de abril de 2006.
37. Entrevista a H. David Burton, 27 de agosto de 2009.
38. Entrevista al élder Neil L. Andersen, 7 de octubre de 2009.
39. Diario personal de TSM, 9 de mayo de 1999; entrevista a Dieter F. Uchtdorf, 2 de septiembre de 2009.
40. Thomas S. Monson, "Priesthood Power" (El poder del sacerdocio), transmisión de la conferencia de la Estaca Salt Lake City Utah South, 17 de octubre de 2009; poema, "Living What We Pray for" (Vivamos aquello por lo que oramos), por Whitney Montgomery.
41. Diario personal de TSM, 9 de noviembre de 2003.
42. Véase "Guideposts for Life's Journey" (Indicadores para el viaje por la vida), *BYU Magazine*, primavera de 2008.
43. Thomas S. Monson, "My Brother's Keeper" (El guarda de mi hermano), *Ensign*, mayo de 1990, pág. 48.

REFERENCIAS

44. Véase Thomas S. Monson, "El deber nos llama", *Liahona*, enero de 2002, pág. 57; diario personal de TSM, 8 de octubre de 2001.
45. Diario personal de TSM, 5 de marzo de 2006.
46. Diario personal de TSM, 16 de julio de 2005.
47. Entrevista a Ronald A. Rasband, 12 de noviembre de 2008.
48. Entrevista a Neil L. Andersen, 7 de octubre de 2009.
49. Carta de Gerry Avant a Heidi S. Swinton, 30 de marzo de 2010.
50. Diario personal de TSM, 27 de agosto de 1995.
51. Carta de Dieter F. Uchtdorf a TSM, 21 de agosto de 1995.
52. Gerry Avant, "Dedication of meetinghouse fulfills 27-year-old promise" (Dedicación de centro de reuniones cumple promesa de 27 años), *Church News*, 2 de septiembre de 1995.
53. Diario personal de TSM, agosto de 1995.
54. Entrevista a Marlin K. Jensen, 28 de octubre de 2009.
55. Carta de Janet Lee a TSM, 12 de julio de 2001.
56. Entrevista a Clark Spencer Monson, 4 de noviembre de 2008.
57. Thomas S. Monson, "Hallmarks of a Happy Home" (Características de un hogar feliz), transmisión misional vía satélite, 20 de febrero de 2000.
58. Diario personal de TSM, 28 de enero de 2008.
59. Diario personal de TSM, 27 de enero de 2008.

CAPÍTULO 31: EN POS DEL NECESITADO

Epígrafe. Entrevista a William R. Walker, 14 de enero de 2010.
1. Julie Dockstader Heaps, "He was a 'giant' of faith, love, vision" (Era un gigante de fe, amor y visión), *Church News*, 9 de febrero de 2008.
2. Véase Thomas S. Monson, "El mirar hacia atrás y seguir adelante", *Liahona*, mayo de 2008, pág. 87.
3. Véase Monson, "El mirar hacia atrás y seguir adelante", pág. 87.
4. Entrevista a Russell M. Nelson, 3 de septiembre de 2009.
5. Entrevista a Quentin L. Cook, 18 de septiembre de 2009.
6. Diario personal de TSM, 3 de febrero de 2008.
7. Entrevista a L. Tom Perry, 22 de agosto de 2008.
8. Entrevista a TSM, 19 de febrero de 2009.
9. Adam C. Olson, "Maintaining the Course" (Mantengamos el curso), *Ensign*, abril de 2008, págs. 10–14.
10. Entrevista a Henry B. Eyring, 21 de julio de 2010.
11. Entrevista a Dieter F. Uchtdorf, 2 de septiembre de 2009.
12. "Informe estadístico, 2008", *Liahona*, mayo de 2009.
13. Entrevista a Thomas Lee Monson, 6 de noviembre de 2009.
14. Entrevista a Thomas Lee Monson sobre "Legacy of Life" (Legado de vida) DVD presentado en la ceremonia de premios de Legado de vida, 14 de abril de 2005.
15. Entrevista a Elaine S. Dalton, 2 de diciembre de 2009.
16. Carta de Terry Moore a TSM, 6 de abril de 2008.
17. Thomas S. Monson, "A Sanctuary from the World" (Un santuario ante el mundo), reunión mundial de capacitación de líderes, 9 de febrero de 2008.
18. "Rexburg Idaho: 'We come humbly'" (Venimos con humildad), *Church News*, 16 de febrero de 2008.

REFERENCIAS

19. Véase Thomas S. Monson, "Abundantemente bendecidos", *Liahona*, mayo de 2008, pág. 111.
20. Véase Thomas S. Monson, "Ejemplos de rectitud", *Liahona*, mayo de 2008, pág. 65.
21. Monson, "Looking Back and Moving Forward" (Mirar hacia atrás y avanzar), pág. 88.
22. Véase Jeffrey R. Holland, "'. . . mis palabras . . . jamás cesan'", *Liahona*, mayo de 2008, pág. 91.
23. Véase Monson, "Abundantemente bendecidos", *Liahona*, mayo de 2008, pág. 111.
24. Entrevista a TSM, 15 de octubre de 2008.
25. Entrevista a TSM, 15 de abril de 2009.
26. Entrevista a David A. Bednar, 20 de octubre de 2009.
27. Carta de Allie Derrick a Heidi S. Swinton, 20 de abril de 2010.
28. Entrevista a Marilyn Martin, 10 de enero de 2008.
29. Entrevista a Dallin H. Oaks, 3 de septiembre de 2009.
30. Entrevista a Robert D. Hales, 8 de abril de 2009.
31. Entrevista a Jeffrey R. Holland, 8 de octubre de 2009.
32. Véase Thomas S. Monson, "El llamado al valor", *Liahona*, mayo de 2004, pág. 54.
33. Entrevista a Bruce D. Porter, 16 de diciembre de 2009.
34. Véase Thomas S. Monson, "Qué firmes cimientos", *Liahona*, noviembre de 2006, pág. 62.
35. Entrevista a D. Todd Christofferson, 24 de septiembre de 2009.
36. Lucas 9:24.
37. Véase Thomas S. Monson, "¿Qué he hecho hoy por alguien?", *Liahona*, noviembre de 2009, pág. 84.
38. Gerry Avant, "Ideal birthday gift for Pres. Monson" (Regalo ideal para el presidente Monson), *Church News*, 15 de agosto de 2009.
39. Entrevista a Ann Monson Dibb, 19 de julio de 2008.
40. Monson, "Looking Back and Moving Forward" (Mirar hacia atrás y avanzar), pág. 90.
41. Entrevista a Erich Kopischke, 20 de septiembre de 2008.
42. Entrevista a TSM, 15 de abril de 2009.
43. Véase Thomas S. Monson, "Bienvenidos a la conferencia", *Liahona*, noviembre de 2009, pág. 4.
44. H. David Burton, "What Manner of Men and Women Ought Ye to Be?" (¿Qué clase de hombres y mujeres deben ser?), charla fogonera del Sistema Educativo de la Iglesia, 2 de noviembre de 2008.
45. Entrevista a TSM, 29 de marzo de 2010.
46. "The Journey of a Peach," Mormons Giving Aid Globally (El trayecto de un melocotón, Ayuda ofrecida por los mormones alrededor del mundo), 17 de junio de 2009, http://mormonchurch.org/174/the-journey-of-a-peach.
47. Scott Taylor, "Care for needy has been longtime emphasis for Mormons" (El cuidado de los necesitados), *Deseret News*, 12 de diciembre de 2009.
48. Thomas S. Monson, "Your Celestial Journey" (Tu jornada celestial), *Ensign*, mayo de 1999, pág. 96.
49. Véase Thomas S. Monson, "Hasta que volvamos a vernos", *Liahona*, noviembre de 2008, pág. 106.

REFERENCIAS

50. Entrevista a Robert D. Hales, 8 de abril de 2009.
51. Entrevista a Marlin K. Jensen, 28 de octubre de 2009.
52. Entrevista a D. Todd Christofferson, 24 de septiembre de 2009.
53. Entrevista a Dieter F. Uchtdorf, 2 de septiembre de 2009.
54. Entrevista a Dieter F. Uchtdorf, 2 de septiembre de 2009.
55. Entrevista a Neil L. Andersen, 7 de octubre de 2009.
56. Entrevista a Elaine S. Dalton, 2 de diciembre de 2009.
57. Thomas S. Monson, discurso dado en la ceremonia de fin de cursos en la Universidad Brigham Young, 22 de abril de 1977.
58. Entrevista a David A. Bednar, 9 de septiembre de 2009.
59. Entrevista a Neil L. Andersen, 7 de octubre de 2009.
60. Entrevista a TSM, 15 de octubre de 2008.
61. Véase Thomas S. Monson, "Al rescate", *Liahona,* julio de 2001, pág. 57.
62. Véase Thomas S. Monson, "Ejemplos de rectitud", *Liahona,* mayo de 2008, pág. 65.
63. Véase Thomas S. Monson, "Hasta que nos volvamos a ver", *Liahona,* mayo de 2009, pág. 112.
64. Diario personal de TSM, 10 de enero de 2010.
65. Entrevista anónima, diciembre de 2009.
66. Entrevista a L. Tom Perry, 22 de agosto de 2008.
67. Entrevista a Henry B. Eyring, 26 de agosto de 2009.
68. Entrevista a D. Todd Christofferson, 24 de septiembre de 2009.
69. Entrevista a Henry B. Eyring, 26 de agosto de 2009.
70. Entrevista a William R. Walker, 14 de enero de 2010.
71. Entrevista a D. Todd Christofferson, 24 de septiembre de 2009.
72. Entrevista a TSM, 19 de febrero de 2009.
73. Diario personal de TSM, 14 de junio de 2009.
74. Entrevista a Mac Christensen, 6 de octubre de 2009.
75. Entrevista a Mac Christensen, 6 de octubre de 2009
76. "80 Over 80" (80 sobre 80), Slate.com, mostrada el 20 de octubre de 2009.
77. Entrevista a Kenneth Johnson, 24 de julio de 2008.
78. Entrevista a TSM, 15 de abril de 2009.
79. "The Family: A Proclamation to the World" (La Familia: Una Proclamación para el Mundo), *Liahona,* noviembre de 2010, pág. 129.
80. Aaron Falk y Scott Taylor, "Mormon church supports Salt Lake City's protections for gay rights" (La Iglesia respalda protección de derechos de homosexuales), *Deseret News,* 11 de noviembre de 2009.
81. Entrevista a M. Russell Ballard, 9 de septiembre de 2009.
82. Véase Thomas S. Monson, "Bienvenidos a la conferencia", *Liahona,* noviembre de 2009, pág. 4.
83. Monson, "Bienvenidos a la conferencia", pág. 4.
84. Sarah Jane Weaver, "President Monson dedicates edifice, thousands celebrate" (Presidente Monson dedica edificio, miles celebran), *Church News,* 30 de agosto de 2008.
85. Diario personal de TSM, 21 de marzo de 2009.
86. Entrevista a William R. Walker, 14 de enero de 2010.
87. Entrevista a TSM, 19 de febrero de 2009.
88. Entrevista a TSM, 19 de febrero de 2009.
89. Gerry Avant, *Church News,* 28 de marzo de 2009.

90. Entrevista a TSM, 15 de abril de 2009.
91. Véase Thomas S. Monson, "Encontrar gozo en el trayecto", *Liahona*, noviembre de 2008, pág. 84.
92. Entrevista a TSM, 19 de febrero de 2009.

CAPÍTULO 32: GOZO EN EL TRAYECTO

Epígrafe. Entrevista a Robert D. Hales, 8 de abril de 2009.
1. Entrevista a Russell M. Nelson, 3 de septiembre de 2009.
2. Véase Thomas S. Monson, "Aprendamos, hagamos, seamos", *Liahona*, noviembre de 2008, pág. 60.
3. Carta de Alexander B. Morrison a TSM, 14 de enero de 1991.
4. Entrevista a Jon M. Huntsman, 14 de diciembre de 2009.
5. Entrevista a Ann Monson Dibb, 13 de mayo de 2009.
6. Carta a TSM, anónima.
7. Entrevista a Bruce D. Porter, 16 de diciembre de 2009.
8. Carta de Don Flanders a TSM, 24 de julio de 1992.
9. Véase Thomas S. Monson, "Al rescate", *Liahona*, julio de 2001, pág. 57.
10. *Through Our Eyes: 150 Years of History as Seen through the Eyes of the Writers and Editors of the Deseret News* (150 años de historia), ed. Don C. Woodward (Salt Lake City: Deseret News, 1999), pág. 203.
11. Véase Thomas S. Monson, "Encontrar gozo en el trayecto", *Liahona*, noviembre de 2008, pág. 84.
12. Entrevista a Henry B. Eyring, 21 de julio de 2010.
13. Monson, "Al rescate", *Liahona*, julio de 2001, pág. 57.
14. Thomas S. Monson, "In Quest of the Abundant Life" (En busca de una vida abundante), *Ensign*, marzo de 1988, pág. 2.
15. Entrevista a Douglas L. Callister, 26 de octubre de 2009.
16. Entrevista de KBYU a TSM para el documental *A Fortress of Faith* (Fortaleza de fe), 1988.
17. Entrevista a Douglas L. Callister, 26 de octubre de 2009.
18. Entrevista a Douglas L. Callister, 26 de octubre de 2009.
19. Carta a TSM, no se menciona el remitente.
20. Monson, "Al rescate", *Liahona*, julio de 2001, pág. 57.
21. Thomas S. Monson, "The Upward Reach" (El camino ascendente), *Ensign*, noviembre de 1993, pág. 50.
22. Véase Monson, "Encontrar gozo en el trayecto", *Liahona*, noviembre de 2008, pág. 84.
23. Entrevista a TSM, 13 de mayo de 2009.
24. Monson, "Encontrar gozo en el trayecto", pág. 84.
25. Thomas S. Monson, *Be Your Best Self* (Sean lo mejor que puedan), (Salt Lake City: Deseret Book, 1979), pág. 136.
26. Thomas S. Monson, "Duty Calls" (El llamado del deber), *Ensign*, mayo de 1996, pág. 44.
27. Monson, "Upward Reach", (El camino ascendente), *Ensign*, noviembre de 1993, pág. 50.
28. Monson, "Duty Calls" (El llamado del deber), pág. 44.
29. Thomas S. Monson, "Learning the ABC's" (Aprendamos lo básico), discurso pronunciado en la Universidad Brigham Young, 8 de febrero de 1966.

REFERENCIAS

30. Thomas S. Monson, "Faces and Attitudes" (Rostros y actitudes), *New Era,* septiembre de 1977, pág. 49.
31. Thomas S. Monson, discurso pronunciado en el Instituto de Religión de la Universidad Estatal de Arizona, 2 de febrero de 1973.
32. Monson, *Be Your Best Self* (Sean lo mejor que puedan), pág. 93.
33. Wendy Leonard, "UVU grads told to reach out, press forward" (Se les pide a estudiantes de la Universidad del Valle de Utah que velen por los demás), *Deseret News,* 2 de mayo de 2009.
34. Thomas S. Monson, "The Priesthood in Action" (El sacerdocio en acción), *Ensign,* noviembre de 1992, pág. 48.
35. Thomas S. Monson, "Guideposts for Life's Journey" (Guías para la jornada por la vida), Publicación de la Universidad Brigham Young, primavera de 2008.
36. Véase Thomas S. Monson, "El mirar hacia atrás y seguir adelante", *Liahona,* mayo de 2008, pág. 87.

ÍNDICE

ÍNDICE

ÍNDICE

ÍNDICE

ÍNDICE

ÍNDICE

SOBRE LA AUTORA

Heidi S. Swinton es una afamada autora y guionista entre cuyas obras se destacan varios documentales para el Sistema de Difusión Pública sobre la historia y diversas entidades de la Iglesia. Ha sido miembro de la mesa general de la Sociedad de Socorro y ha formado parte de comités editoriales de la Iglesia. Sirvió junto a su esposo, Jeffrey C. Swinton, cuando él presidió la Misión Inglaterra Londres Sur, entre 2006 y 2009. Tienen cinco hijos (cuatro de ellos aún en vida), cuatro nueras y seis nietos.